SÉRIE NOIRE

Collection créée par Marcel Duhamel

JO NESBØ

LE COUTEAU

TRADUIT DU NORVÉGIEN
PAR CÉLINE ROMAND-MONNIER

GALLIMARD

Titre original :
KNIV

PREMIÈRE PARTIE

1

Une robe en lambeaux ondulait à la branche d'un pin en décomposition. Elle évoquait au vieil homme une chanson de sa jeunesse, à propos d'une robe accrochée à un fil à linge. Sauf que ce n'était pas le vent du sud de la chanson, mais les eaux de fonte glaciales d'un torrent. Au fond, c'était le calme plat, et il avait beau n'être que dix-sept heures, par un jour de mars que la météo disait sans un nuage, la lumière était chiche une fois filtrée par une couche de glace et quatre mètres d'eau. L'arbre et la robe se trouvaient donc dans une étrange pénombre verdâtre. Le vieil homme avait cependant réussi à déterminer qu'il s'agissait d'une robe d'été, bleue à pois blancs. De couleur plus vive autrefois, peut-être, il ne savait pas, tout dépendait sans doute du temps qu'elle avait passé retenue par la branche. Elle battait désormais dans le courant sans fin, qui la secouait et la tiraillait quand il était au plus tumultueux, et se faisait lavant et caressant par eaux basses, mais ne la déchiquetait pas moins petit à petit pour autant. De ce point de vue, cette robe déchirée était comme lui, songea-t-il. Elle avait jadis eu de la valeur pour quelqu'un, une jeune fille ou une femme, elle avait caressé le regard d'un homme, les bras d'un enfant. Mais aujourd'hui, comme lui, elle était perdue, sans fonction, captive, arrêtée, muette. Ce n'était qu'une question de temps avant que les jours qui passaient et le courant n'arrachent la dernière parcelle de ce qui avait été.

« Qu'est-ce que vous regardez ? » entendit-il demander derrière son fauteuil. Bravant les douleurs musculaires, il tourna la tête et leva les yeux. Un nouveau client. Le vieillard avait tendance à oublier plus de choses qu'avant, mais jamais un visage qui était passé chez Simensen Chasse & Pêche. Celui-ci ne voulait ni arme ni munitions. Avec un peu d'entraînement, on pouvait à leurs yeux identifier les ruminants, cette partie de l'humanité qui avait perdu l'instinct de tuer, qui n'était pas dans le secret de l'autre partie : rien ne donnait jamais si intensément le sentiment d'être vivant que de loger une balle dans un grand mammifère bien chaud. Le vieillard supposait qu'il voulait un hameçon ou une des cannes à pêche rangées dans les rayonnages au-dessus et au-dessous de l'écran de télévision, éventuellement une caméra, un piège photographique du présentoir à l'autre bout du magasin.

« Il regarde Haglebuelva. » C'était Alf qui avait répondu. Son gendre les avait rejoints. Il basculait d'avant en arrière sur ses talons, les mains dans les grandes poches de la longue veste de tir en cuir qu'il portait toujours au travail. « L'année dernière, avec le fabricant, on a installé une caméra sous-marine dans la rivière, en contrebas de la cascade Norafossen. Donc maintenant, on a le direct sur l'échelle à saumons vingt-quatre heures sur vingt-quatre et on peut savoir avec précision quand les poissons commencent à remonter le cours d'eau.

— Et c'est quand ?

— Il y en a deux ou trois en avril, mai, mais le véritable débarquement ne commence pas avant juin. Les truites fraient avant les saumons. »

Le client sourit au vieillard. « Vous êtes un peu en avance, non ? Vous avez vu des poissons ? »

Le vieil homme ouvrit la bouche. Il pensa les mots. Il ne les avait pas oubliés. Mais aucun ne sortit. Il referma la bouche.

« Aphasie, déclara Alf.

— Comment ?

— Il a eu une attaque, il ne parle plus. Vous cherchez du matériel de pêche ?

— Un piège photographique, répondit le client.

— Donc vous êtes chasseur ?

— Chasseur ? Non, merci bien. J'ai trouvé des excréments devant mon chalet de Sørkedalen et ça ne ressemblait à rien que j'aie déjà vu, donc j'ai pris une photo et je l'ai mise sur Facebook en demandant ce que c'était. J'ai tout de suite eu des réponses de montagnards. C'était un ours. Un ours ! Dans les bois, à vingt minutes de voiture et une demi-heure de marche de l'endroit où nous nous sommes actuellement, au centre de la capitale de la Norvège.

— C'est merveilleux.

— Ça dépend de ce que vous entendez par merveilleux, j'y emmène ma famille. Alors moi, cet animal, j'aimerais bien que quelqu'un l'abatte.

— Je suis chasseur, et je comprends très bien ce que vous voulez dire, mais vous savez que même en Norvège, où la population d'ours est restée très nombreuse jusqu'à assez récemment, c'est à peine s'il y a eu des attaques fatales au cours des deux siècles derniers. »

Il y en a eu onze, songea le vieillard. Onze personnes tuées depuis 1800. La dernière en 1906. Il avait peut-être perdu sa motricité et l'usage de la parole, mais pas encore toute sa mémoire, et il était lucide. Enfin, globalement. Parfois, il avait l'esprit un peu confus, il voyait son gendre et Mette, sa fille, échanger un regard, et il savait qu'il s'était mélangé les pinceaux. Les premiers temps après qu'ils avaient repris la direction du magasin qu'il avait ouvert et dirigé pendant cinquante ans, il se rendait utile. Maintenant, depuis sa dernière attaque, il ne faisait que rester assis là. Non que ce fût si terrible. Depuis la mort d'Olivia, il n'attendait finalement pas grand-chose de la vie. Il lui suffisait d'être près de sa famille, d'avoir un repas chaud tous les soirs, d'être sur ce fauteuil dans le magasin à regarder un écran, une émission sans le son, où l'action se déroulait à son rythme à lui, où ce qui se produirait de plus marquant serait le franchissement de l'échelle à saumons par le premier poisson prêt à frayer.

« D'un autre côté, ça ne veut pas dire que ça ne peut plus jamais arriver. » Le vieillard entendait à la voix d'Alf qu'il avait emmené le client devant le présentoir des caméras. « Ces bêtes-là, ça a beau avoir l'air de nounours, ça reste des carnivores. Donc c'est clair que vous devriez vous procurer une caméra, comme ça vous saurez avec certitude s'il s'est installé à proximité de votre chalet ou s'il ne faisait que passer. C'est du reste à peu près à cette saison que les ours bruns sortent de leur tanière, et ils ont faim ! Alors installez une caméra là où vous avez trouvé les excréments ou près de votre chalet.

— Donc la caméra est logée dans ce nichoir ?

— Ce nichoir, comme vous dites, la protège des intempéries et des animaux un peu trop curieux. Ce modèle-ci est simple et bon marché. Une lentille de Fresnel perçoit le rayonnement infrarouge de la chaleur émise par les animaux, les humains et n'importe quoi d'autre. Au moindre rayonnement thermique supérieur à celui du milieu ambiant, la caméra se déclenche automatiquement. »

Le vieil homme écoutait la conversation d'une oreille distraite, mais quelque chose avait attiré son attention. Sur l'écran. Il n'arrivait pas à voir ce que c'était, mais l'obscurité verte s'était éclaircie.

« Le film est enregistré sur une carte mémoire dans la caméra et vous pouvez le visionner ensuite sur votre PC.

— C'est vraiment formidable.

— Oui, mais pour savoir s'il y a de nouvelles images, vous

êtes obligé de vous déplacer physiquement et d'aller vérifier la caméra. Si vous choisissez ce modèle-là, qui est un peu plus cher, vous recevrez un texto sur votre téléphone à chaque déclenchement de la caméra. Ou alors, vous avez ce modèle très haut de gamme, avec une carte mémoire, là encore, mais qui envoie l'enregistrement directement sur votre téléphone ou votre adresse mail. Vous pouvez alors rester dans votre salon et vous n'avez besoin d'aller voir la caméra qu'occasionnellement, pour changer la batterie.

— Et si l'ours vient la nuit ?

— Les caméras sont équipées de lampes LED à UV ou de lampes blanches. Des lumières invisibles pour ne pas effrayer l'animal. »

De la lumière. Le vieillard le voyait maintenant. Un cône lumineux venait de la droite, à contre-courant. Il transperça l'eau verte, atteignit la robe et, l'espace d'une effrayante seconde, lui fit penser à une jeune femme enfin revenue à la vie qui danserait de joie.

« C'est de la pure science-fiction ! »

Le vieil homme ouvrit la bouche en voyant un vaisseau spatial entrer dans l'image. Éclairé de l'intérieur, il lévitait à un mètre et demi du fond. Où il heurta une grosse pierre dans les eaux vives, et, comme au ralenti, tourna lentement alors que les phares balayaient le fond et éblouissaient un instant le vieillard en passant sur l'objectif de la caméra. Puis l'engin en lévitation fut capturé par les grosses branches de pin et il s'immobilisa. Le vieillard sentit des palpitations dans sa poitrine. C'était une voiture. Le plafonnier était allumé et il put constater que l'eau avait presque envahi l'intérieur du véhicule. Et qu'il y avait quelqu'un. Il était accroupi sur le siège du conducteur et plaquait désespérément sa tête contre le plafond, de toute évidence pour trouver de l'air. L'une des branches qui retenaient la voiture se brisa et fut emportée par le courant.

« Vous n'aurez pas des images aussi nettes qu'en plein jour, et elles seront en noir et blanc, mais, sauf obstacle ou buée sur l'objectif, vous verrez sans doute votre ours, oui. »

Le vieux tapa du pied par terre pour tenter d'attirer l'attention d'Alf. L'homme dans la voiture sembla inspirer profondément avant de replonger. Ses cheveux courts ondoyaient dans l'eau et ses joues étaient gonflées. Il frappa des deux mains la vitre latérale qui était orientée vers la caméra, mais l'eau privait ses coups de toute vigueur. Les mains sur les accoudoirs, le vieillard essayait de se lever de son fauteuil, mais ses muscles refusaient de lui obéir. L'homme avait un majeur gris. Il cessa de taper la vitre avec ses mains pour y cogner son front. On aurait dit qu'il abandonnait. Une autre branche cassa, et le courant poussa sur la voiture pour la libérer, mais le pin refusait de lâcher tout de suite. Le vieillard ne pouvait détourner le regard du visage ravagé collé à la vitre. Des yeux bleus exorbités. Une cicatrice couleur foie qui traçait un arc de cercle de la commissure des lèvres à l'oreille. Le vieillard s'était levé de son fauteuil, il fit deux pas mal assurés vers le présentoir des pièges photographiques.

« Excusez-moi, dit Alf à voix basse au client. Qu'y a-t-il, père ? »

Le vieux gesticula en direction du téléviseur derrière lui.

« Vraiment ? fit Alf, incrédule, se dirigeant d'un pas vif vers l'écran. Un poisson ? »

Le vieux secoua la tête et regarda de nouveau vers l'écran. La voiture. Elle n'était plus là. Tout était comme avant. Le fond de la rivière, l'arbre mort, la robe, la lumière verte à travers la glace. Comme si rien ne s'était passé. Il tapa de nouveau du pied en pointant le doigt vers l'écran.

« Du calme, père. » Alf lui tapota amicalement l'épaule. « C'est tôt pour frayer, vous savez. »

Il retourna à son client et à ses caméras de chasse.

Le vieux observa les deux hommes qui lui tournaient le dos et sentit une vague de rage et de désespoir l'envahir. Comment allait-il pouvoir raconter ce qu'il venait de voir ? Le médecin avait expliqué que quand une attaque endommageait à la fois le lobe frontal et le lobe occipital de l'hémisphère cérébral gauche, il n'y avait pas que le langage qui soit touché, mais souvent l'ensemble des facultés de communication, l'écriture, les gestes. Il tituba jusqu'à son fauteuil et se rassit. Il regarda la rivière qui coulait. Imperturbable. Indifférente. Immuable. Au bout de quelques minutes, il sentit que son cœur battait plus calmement. Qui sait ? Il ne s'était peut-être rien passé en fin de compte. Peut-être n'avait-il fait qu'entrevoir la prochaine étape, l'obscurité totale de la vieillesse. Ou plutôt ses couleurs hallucinatoires, en l'occurrence. Il contempla la robe. Un instant, quand il l'avait crue éclairée par les phares, il lui avait semblé voir Olivia danser. Puis, derrière le pare-brise, dans l'habitacle éclairé, il avait aperçu un visage déjà vu. Dont il se souvenait. Or les seuls visages qu'il avait encore en mémoire étaient ceux qu'ils voyaient ici, dans le magasin. Cet homme, il était venu à deux reprises. Les yeux bleus, la balafre rose. Les deux fois, il avait acheté un piège photographique. La police était passée les interroger à son sujet très récemment. S'il en avait été capable, il aurait pu leur dire que c'était un homme de grande taille. Qui avait le regard. Le regard signifiant qu'il connaissait le secret. Ce n'était pas un ruminant.

2

Svein Finne se pencha sur la femme et posa la main sur son front. Un front baigné de sueur. Les yeux qui le fixaient étaient écarquillés de douleur. Ou de terreur. Surtout de terreur, gageait-il.

« Tu as peur de moi ? » chuchota-t-il.

Elle hocha la tête en déglutissant. Il l'avait toujours trouvée belle. Quand il la voyait entrer et sortir de chez elle, quand elle était à la salle de gym, quand il s'installait à seulement quelques sièges d'elle dans le métro et se laissait voir. Juste pour qu'elle sache. Jamais toutefois elle ne lui avait paru aussi splendide qu'en cet instant, gisant sans défense, si entièrement à sa merci.

« Je te promets que ça va aller vite, mon amour », murmura-t-il.

Elle déglutit encore. Si terrifiée. Il envisagea de l'embrasser.

« Un couteau dans le ventre, murmura-t-il, et ce sera passé. »

Elle serra les paupières et deux larmes brillantes se détachèrent de ses cils. Svein Finne rit doucement.

« Tu savais que j'allais venir. Tu savais que je ne pouvais pas te laisser partir. C'était une promesse que je t'avais faite. »

Il passa l'index sur sa joue où la sueur se mêlait aux larmes. Il contempla son œil à travers le trou béant de sa main. C'était l'œuvre d'une balle tirée par un tout jeune policier. Svein Finne avait été condamné à vingt ans de prison pour dix-huit agressions sexuelles et il ne niait pas les actes en soi, mais refusait la dénomination « agression », et n'acceptait pas que ce soit un motif de condamnation pour un homme comme lui. Mais juges et jury pensaient manifestement que les lois de Norvège prévalaient sur celles de la nature. Grand bien leur fasse.

L'œil le dévisageait par le cratère.

« Tu es prête, mon amour ?

— Ne m'appelez pas comme ça », gémit-elle. D'un ton plus suppliant que péremptoire. « Et ne dites pas couteau... »

Svein Finne poussa un soupir. Pourquoi les gens avaient-ils si peur du couteau ? Le premier outil de l'humanité. Ils avaient eu deux millions et demi d'années pour s'y habituer, et malgré tout certains n'arrivaient pas à voir la beauté de ce qui leur avait permis de descendre des arbres. Chasse, logis, agriculture, nourriture, défense. Le couteau créait la vie tout autant qu'il la prenait. L'un n'allait pas sans l'autre. Et seuls les gens qui le comprenaient, qui savaient tirer les conséquences de leur appartenance au genre humain, pouvaient aimer cet objet. Craindre et aimer. Là encore, deux faces d'une même médaille.

Il leva les yeux. Vers les couteaux sur le plan de travail à côté d'eux, prêts à l'emploi. À être choisis. Le choix du couteau adéquat pour un travail donné était essentiel. Ceux-là étaient bons, adaptés à leur usage, d'excellente qualité. Mais il leur manquait indéniablement ce que Svein Finne recherchait dans un couteau. De la personnalité. De l'esprit. De la magie. Avant que le jeune et grand policier aux cheveux ébouriffés ne vienne tout gâcher, la jolie collection de Svein Finne en comptait vingt-six.

Le plus beau était javanais. Long, fin et asymétrique, comme un serpent sinueux avec un manche au bout. De la pure splendeur, une femme. Peut-être pas le plus efficace mais hypnotique comme une jolie femme, et comme un serpent, il faisait faire aux gens exactement ce qu'on leur demandait. L'arme la plus efficace de sa collection était un rampuri, le préféré de la mafia indienne. Il s'en dégageait une froideur, comme s'il était fait de glace ; il était si laid que c'en était fascinant. Avec sa forme de griffe de tigre, le karambit alliait efficacité et beauté, mais une beauté sans doute un peu trop calculée, comme une fille de joie avec un peu trop de fard, une robe un peu trop serrée, un décolleté trop plongeant. Ça n'avait jamais été son truc. Svein Finne les aimait innocentes. Virginales. Volontiers simples. Comme son couteau de prédilection. Un puukko finlandais. Le manche était fait d'un bois de couleur noisette, sans aucune garde, une courte lame avec une rainure et un tranchant aigu recourbé se terminant en pointe. Il l'avait acheté à Turku et s'en était servi deux jours plus tard pour expliquer la situation à une fille rondelette de dix-huit ans, qui travaillait toute seule dans une station-service Neste aux abords d'Helsinki. Déjà – comme toujours quand il avait bon espoir d'avoir un rapport sexuel – il s'était mis à bégayer légèrement. Ce qui n'était pas le signe d'une perte de contrôle, au contraire, c'était juste la dopamine. La confirmation, aussi, que, après soixante-dix-sept ans dans cette vie, la force n'avait pas décru. Du moment où il avait franchi la porte à celui où il était ressorti s'étaient écoulées exactement deux minutes et demie : la tenir contre le comptoir, entailler son pantalon, la polliniser, trouver son badge, noter son nom, Maalin, et son adresse. Deux minutes et demie. Combien de secondes avait pris la pollinisation même ? Un rapport sexuel de chimpanzé durait en moyenne huit secondes, huit secondes où les deux singes étaient sans défense dans un monde de prédateurs qui menaçaient de toutes parts. Un gorille – qui avait moins d'ennemis naturels – pouvait faire durer le plaisir pendant une minute. Mais l'homme de discipline en territoire ennemi devait sacrifier le plaisir à des fins plus élevées : la reproduction. Tout comme un braquage de banque ne devait jamais excéder quatre minutes, une pollinisation en lieu public ne devait pas dépasser les deux minutes et demie. L'évolution lui donnerait raison, c'était juste une question de temps.

Mais là, il était dans un environnement sûr, et puis il n'allait pas y avoir de pollinisation. Ce n'était pas qu'il ne voulait pas, non. Il avait envie. Mais cette fois, c'était un couteau qui allait la pénétrer ; c'était sans intérêt aucun de féconder une femme si cela ne pouvait pas donner lieu à la procréation. L'homme de discipline épargnait sa précieuse semence.

« Je suis tout de même en droit de t'appeler mon amour quand nous sommes fiancés », murmura Svein Finne.

Elle le fixa avec des pupilles dilatées par le choc. Des yeux noirs, déjà éteints, comme s'ils n'avaient plus de lumière à laquelle réagir.

« Oui, nous sommes fiancés », insista-t-il en riant doucement avant de presser ses lèvres épaisses sur les siennes. Il les lui essuya machinalement avec la manche de sa chemise en flanelle pour ôter toute trace de salive.

« Et voici ce que je t'ai promis... », fit-il en descendant sa main entre ses seins, vers son ventre.

3

Harry se réveilla. Quelque chose clochait. Il savait que ça allait lui revenir, que ces quelques secondes bénies d'incertitude étaient tout ce qu'il aurait avant le coup de poing. Il ouvrit les yeux pour le regretter aussitôt. On aurait dit que le jour qui éclairait le petit salon vide à travers la fenêtre sale progressait sans entrave jusqu'à un point douloureux derrière ses yeux. Harry se réfugia dans l'obscurité de ses paupières et eut le temps de se dire qu'il avait rêvé. De Rakel, bien entendu. Ça avait commencé par ce rêve fait tant de fois : un matin, des années auparavant, peu après leur rencontre. Elle était couchée contre lui, la tête sur sa poitrine et il lui avait demandé si elle vérifiait si ce qu'on disait était vrai, qu'il n'avait pas de cœur. Rakel avait ri de ce rire qu'il adorait; il était capable des pires âneries pour le provoquer. Puis elle avait levé la tête, l'avait regardé de ses yeux bruns chaleureux hérités de sa mère autrichienne, et lui avait répondu que c'était vrai, en effet, mais qu'elle allait lui donner la moitié du sien. Ce qu'elle avait fait. Le cœur de Rakel était si grand qu'il avait battu dans son corps, y avait propulsé du sang, l'avait dégelé, avait refait de lui un véritable humain. Et un mari. Et un père pour Oleg, le garçon introverti et grave qu'il en était venu à aimer comme son propre fils. Harry avait été heureux, et terrifié. Il vivait dans une bienheureuse ignorance de ce qui allait se passer, mais dans la malheureuse certitude qu'il allait se passer quelque chose, qu'il n'était pas fait pour tout ce bonheur. Il était mort de peur à l'idée de perdre Rakel. Car cette moitié de cœur ne pouvait battre sans l'autre, il le savait, et Rakel aussi. Alors s'il ne pouvait pas vivre sans elle, pourquoi cette nuit l'avait-il fuie en rêve ?

Il l'ignorait, il ne se souvenait pas, mais Rakel était venue réclamer sa moitié de cœur, elle avait tendu l'oreille pour détecter les battements déjà faibles, l'avait trouvé et avait sonné à sa porte.

Et enfin, le poing qui se préparait l'avait frappé. La réalité.

Il avait perdu Rakel.

Et ce n'était pas lui qui avait fui, mais elle qui l'avait jeté dehors.

Harry haleta. Un son vrilla ses tympans : la douleur ne se concentrait pas juste à l'arrière de ses yeux, son cerveau entier n'était plus qu'un vaste centre de douleur. C'était ce même bruit qui avait provoqué le rêve. On sonnait à la porte. Et encore une fois, ce fâcheux espoir fidèle et imbécile pointa le bout de son nez.

Les paupières closes, Harry tendit la main vers le sol, vers la bouteille de whisky à côté du canapé-lit, il la renversa, et comprit qu'elle était vide au bruit qu'elle faisait en roulant sur le parquet usé. Il se força à ouvrir les yeux, scruta avec insistance la main qui pendait comme une griffe avide, la prothèse en titane de son majeur. Sa main était en sang. Merde. Il flaira ses doigts en essayant de se souvenir comment la journée s'était terminée, si cela avait impliqué des femmes. Arrachant sa couette, il jeta un coup d'œil sur ses cent quatre-vingt-treize centimètres de corps maigre et nu. Sa rechute était trop récente pour l'avoir marqué physiquement, mais si c'était comme d'habitude, sa masse musculaire allait fondre semaine après semaine et sa peau déjà grisâtre allait prendre une teinte plus blafarde, il allait devenir fantomatique avant de disparaître complètement. Ce qui était le but de la boisson, non ?

Avec force gémissements, il s'assit. Il regarda autour de lui. Il était revenu au même point qu'avant de redevenir un humain. Un cran plus bas. Ironie du sort, le deux-pièces de quarante mètres carrés qu'un policier plus jeune lui avait prêté, puis finalement loué, se trouvait à l'étage au-dessous de celui qu'il avait habité avant de s'installer avec Rakel dans sa maison en rondins de Holmenkollen. Harry avait acheté un canapé-lit chez IKEA. Qui, avec la bibliothèque de vinyles derrière, une table basse, un miroir toujours par terre, appuyé contre le mur, et une commode dans l'entrée, constituait le seul mobilier de l'appartement. Harry ne savait pas si c'était par l'apathie ou juste parce qu'il essayait de se convaincre que la situation était temporaire, qu'elle allait le reprendre quand elle aurait réfléchi.

Il chercha à évaluer s'il avait besoin de vomir. Moui. Il avait sans doute le choix. Au bout d'une quinzaine de jours, le corps semblait s'accoutumer au poison, tolérer les doses. Exiger qu'elles augmentent. Harry observa la bouteille vide qui s'était arrêtée entre ses pieds. Du Peter Dawson Special. Pas parce que c'était un whisky particulièrement bon. Le Jim Beam, c'était bon. En bouteilles carrées, de surcroît, qui ne roulaient pas sur le sol. Mais le Dawson, c'était particulièrement bon marché. Un alcoolique qui avait soif, un salaire d'inspecteur et un compte en banque vide ne pouvait pas être trop regardant. Il consulta sa montre. Quinze heures cinquante. Il avait deux heures et dix minutes devant lui avant la fermeture du Vinmonopol.

Il respira profondément et se leva. Son crâne était au bord de l'explosion. Il chancela, mais ne tomba pas. Il se regarda dans la glace. Un poisson de fond remonté si vite que ses viscères voulaient s'arracher, ses yeux sortir de leur orbite si violemment, comme si un hameçon avait déchiré sa joue en laissant une faucille rose qui courait de la commissure des lèvres à l'oreille.

Il chercha sous la couette, ne trouva pas de slip, enfila le jean qui était par terre et alla ouvrir. Une silhouette sombre se dessinait contre le verre irrégulier de la porte. C'était elle, elle était revenue. Mais il l'avait cru aussi la dernière fois qu'on avait sonné. Et c'était alors un homme qui travaillait chez Hafslund Strøm et venait changer son compteur électrique pour un nouveau modèle permettant de mesurer la consommation heure par heure et jusqu'au moindre watt, il lui avait expliqué que tous leurs clients en avaient maintenant et ils pouvaient voir l'heure exacte où ils avaient allumé leur cuisinière et la dernière fois qu'ils avaient éteint leur liseuse. Harry lui avait répondu qu'il n'avait pas de cuisinière et que, s'il en avait eu une, il n'aurait pas voulu qu'on sache quand il s'en servait et ne s'en servait pas, et puis il avait fermé la porte.

La silhouette de l'autre côté de la vitre était celle d'une femme. De sa taille, de sa corpulence. Comment était-elle entrée dans l'immeuble ?

Il ouvrit.

Elles étaient deux. Une femme qu'il n'avait jamais vue et une fillette qui n'arrivait pas jusqu'à la vitre. Voyant la tirelire de collecte que la petite brandissait vers lui, il comprit qu'elles avaient d'abord sonné à l'interphone d'un voisin, qui leur avait ouvert.

« Opération de collecte », déclara la femme. Par-dessus leurs vestes, elles portaient toutes deux un gilet orange avec l'emblème de la Croix-Rouge.

« Je croyais que c'était l'automne, ça », répondit Harry.

Toutes deux le dévisagèrent en silence. Ce qu'il interpréta d'abord comme de l'hostilité, comme s'il les avait accusées de supercherie. Avant de comprendre que c'était du mépris, sans doute parce qu'il était à moitié nu et empestait l'alcool. À quatre heures de l'après-midi. Et pour couronner le tout, il n'était pas au courant de cette levée de fonds qui était probablement une opération nationale, diffusée à la télévision.

Harry éprouvait-il de la honte ? Oui. Un peu. Il plongea la main dans la poche de pantalon où il gardait son argent les jours de beuverie, parce qu'il savait d'expérience qu'il était déconseillé d'emporter sa carte bancaire.

Il sourit à la fillette qui écarquilla les yeux en voyant sa main ensanglantée alors qu'il glissait un billet plié dans la fente de la tirelire scellée. Avant que le billet ne disparaisse, il aperçut une moustache. Celle d'Edvard Munch.

« Merde ! » s'exclama Harry en replongeant la main dans sa poche. Vide. Tout comme son compte en banque.

« Pardon ? fit la femme.

— Je croyais que c'était un billet de deux cents, mais je vous ai donné un Munch. Mon billet de mille.

— Oups.

— Est-ce que je peux... euh... le récupérer ? »

La femme et la fillette le dévisagèrent sans un mot. La fillette leva délicatement la tirelire, afin de mieux lui montrer le sceau de plastique au-dessus du logo de l'opération de collecte.

« Je vois, murmura Harry, et la monnaie, c'est possible ? »

La femme sourit comme s'il avait fait une blague et il esquissa à son tour un sourire furtif comme pour lui assurer que c'était le cas, alors que son cerveau cherchait désespérément une solution au problème. Deux cent quatre-vingt-dix-neuf couronnes et quatre-vingt-dix øre avant dix-huit heures. Éventuellement cent soixante-neuf couronnes soixante pour une demi-bouteille.

« Vous n'avez qu'à vous consoler en vous disant que l'argent ira à des gens qui en ont besoin », conclut la femme en entraînant la fillette vers l'escalier et la porte suivante.

Harry referma, alla dans la cuisine et lava le sang de sa main, la douleur fut cuisante. Il regarda ensuite autour de lui dans le salon. Des traces de main sanglante sur la housse de couette. Se mettant à quatre pattes, il trouva son téléphone sous le canapé. Pas de SMS, juste trois appels la veille, un de Bjørn Holm, policier scientifique de Toten, et deux d'Alexandra, de la Médecine légale. Harry et elle n'étaient devenus intimes que tout récemment, après son expulsion, mais à en juger par ce qu'il savait – et se souvenait – d'elle, Alexandra n'était pas du genre à voir la menstruation comme un motif d'annulation. La première nuit, quand elle l'avait soutenu jusque chez lui et qu'ils avaient tous deux cherché en vain les clefs dans ses poches, elle avait forcé la serrure avec une dextérité inquiétante et l'avait couché sur le canapé-lit, avec elle. À son réveil, elle n'était plus là, elle avait juste laissé un mot de remerciement pour les services rendus. Il pouvait donc bien sûr s'agir de son sang à elle.

Fermant les yeux, il essaya de se concentrer. Les événements et la chronologie des dernières semaines étaient flous, mais en ce qui concernait la veille, c'était carrément le néant. Le grand néant, même. Il rouvrit les yeux et contempla sa main droite douloureuse. Trois jointures ensanglantées, écorchées, avec du sang coagulé sur les bords des plaies. Il avait dû frapper quelqu'un. Trois jointures, cela signifiait plusieurs coups. Il s'aperçut alors qu'il y avait aussi du sang sur son pantalon. Trop pour que tout puisse venir de sa seule main. Et ce n'était pas du sang menstruel.

Harry ôta la housse de couette pendant qu'il rappelait Bjørn Holm. Il entendit un bourdonnement au bout du fil et sut que quelque part résonnait maintenant une sonnerie qui était une chanson de Hank Williams et qui, d'après Bjørn, parlait d'un policier scientifique comme lui.

« Comment ça va ? fit Bjørn, dans son bon dialecte de Toten.

— Ça dépend. » Harry se dirigea vers la salle de bains. « Tu as trois cents couronnes à me prêter ?

— C'est dimanche, Harry, le Vinmonopol est fermé.

— Dimanche ? » Harry enleva son pantalon et le fourra avec

la housse de couette dans la corbeille à linge sale débordante. « Merde, alors.

— Il y avait autre chose ?

— Je vois que tu m'as appelé vers vingt et une heures.

— Oui, mais tu n'as pas répondu.

— Non, il semblerait que mon téléphone soit resté sous le canapé ces dernières vingt-quatre heures. J'étais au Jealousy.

— C'est ce que je me suis dit, alors j'ai appelé Øystein, qui m'a confirmé que tu y étais.

— Et ?

— Et j'y suis allé. Tu ne te souviens vraiment de rien ?

— Merde, merde, merde. Qu'est-ce qui s'est passé ? »

Son collègue soupira à l'autre bout du fil et Harry imagina les yeux de morue légèrement globuleux dans le visage lunaire pâle et rond, encadré d'une casquette à l'ancienne et des côtelettes les plus larges et les plus rousses de l'hôtel de police.

« Qu'est-ce que tu veux savoir ?

— Juste ce que tu trouves que je devrais savoir. » Harry remarqua un détail dans la corbeille de linge sale. Un goulot de bouteille qui dépassait entre les tee-shirts et les slips sales. Il l'attrapa prestement. Du Jim Beam. Vide. À moins que ? Il dévissa le bouchon, porta la bouteille à ses lèvres et renversa la tête en arrière.

« OK, bref rapport. Quand je suis arrivé au Jealousy Bar à vingt et une heures quinze, tu étais bourré, et quand je t'ai reconduit chez toi à vingt-deux heures trente tu avais parlé sans discontinuer d'un seul truc. D'une personne. Devine qui. »

Harry ne répondit pas, il loucha vers la bouteille, suivit la goutte qui coulait à l'intérieur. « Rakel, termina Bjørn. Tu as comaté dans la voiture et je t'ai monté à ton appartement, et voilà, c'est tout. »

Voyant la vitesse à laquelle la goutte progressait, Harry comprit qu'il avait tout son temps et écarta le goulot de sa bouche. « Hmm. C'est vraiment tout ?

— C'est la version courte.

— On s'est battus ?

— Toi et *moi* ?

— À entendre la façon dont tu insistes sur "moi", il semblerait en tout cas que moi, je me sois battu. Avec qui ?

— Le nouveau propriétaire du Jealousy s'est sans doute pris une baffe.

— Une baffe ? Je me suis réveillé avec du sang sur les doigts et il y en a aussi sur mon pantalon.

— Ton premier coup l'a atteint au nez et a fait gicler le sang. Après, en revanche, il a esquivé et tu as cogné le mur, et pas qu'une fois. Je pense qu'il reste encore des traces de toi sur le mur.

— Mais Ringdal n'a pas riposté ?

— Honnêtement, tu étais tellement pété que tu étais hors d'état de nuire, Harry. Øystein et moi avons réussi à t'arrêter avant que tu ne te fasses plus de mal.

— Putain, je suis sacrément à la ramasse.

— Oh, la baffe, il la méritait bien, Ringdal. Il a passé cet album, là, *White Ladder*, en entier, et il s'apprêtait à repartir pour un tour. Tu t'es mis à l'engueuler parce qu'il avait détruit la réputation du bar que tu avais construite avec Øystein et Rakel.

— Mais c'est vrai ! Ce bar était une mine d'or, Bjørn. Il a pu reprendre le tout pour une bouchée de pain et je ne lui ai demandé qu'une seule chose : qu'il résiste à la merde et passe de la vraie musique.

— Ta musique ?

— Notre musique, Bjørn. La tienne, la mienne, celle d'Øystein, celle de Mehmet… Pas de… pas de putain de David Gray !

— Tu aurais peut-être dû définir… Aïe, le petit pleure, Harry.

— Ah, désolé, et merci, et désolé pour hier. Merde, j'ai l'air d'un clown, là. Allez, raccrochons. Salue Katrine pour moi.

— Elle est au boulot. »

Ils raccrochèrent, et à cet instant, comme dans un éclair, les images apparurent à Harry. Ce fut si fugace qu'il n'eut pas le temps de les identifier, mais son cœur se mit soudain à battre si furieusement qu'il resta assis à haleter.

Il regarda la bouteille qu'il tenait toujours à l'envers. La goutte avait coulé. Il baissa les yeux. Une goutte marron brillait sur un carreau blanc crasseux.

Avec un soupir, il se laissa tomber dans toute sa nudité sur le carrelage et se pencha en avant, le front contre le sol, comme pour prier.

Harry redescendit Pilestredet d'un pas pressé. Ses Doc Martens laissaient des traces noires dans la mince couche de neige qui était tombée dans la nuit et que le soleil bas du printemps s'efforçait de faire fondre avant de sombrer derrière les vieux immeubles de la ville qui s'élevaient invariablement sur quatre ou cinq étages. Il écoutait le frottement rythmé de l'asphalte contre les graviers qui s'étaient fichés dans les rainures grossières de ses semelles alors qu'il dépassait les grands immeubles modernes de l'ancien site du Rikshospital, où il était né près de cinquante ans auparavant. Il jeta un coup d'œil sur les dernières productions d'art urbain sur la façade autrefois délabrée de la maison Blitz, ce squat qui avait été le bastion des punks et où Harry avait assisté à d'obscurs concerts dans son adolescence même s'il n'avait jamais été l'un d'eux. Il passa devant le Rex Pub, où il allait se murger à l'époque où ça s'appelait autrement, où la pinte de bière était moins chère, où les videurs étaient plus souples et où traînaient les jazzeux. Dont il n'avait pas été non plus. Pas plus que des convertis d'en face, qui parlaient en langues dans les locaux de la communauté pentecôtiste Filadelfia.

Il passa devant le tribunal. Combien de tueurs y avait-il fait condamner ? Beaucoup. Pas assez. Car ce n'étaient pas ceux que vous arrêtiez qui hantaient vos cauchemars, c'étaient ceux qui vous échappaient, et leurs victimes. Il en avait toutefois capturé suffisamment pour se faire un nom. Pour le meilleur et pour le pire. Sa responsabilité directe ou indirecte dans la mort de collègues faisait partie de cette réputation. Il arriva à Grønlandsleiret. Lieu où, dans les années soixante-dix, l'Oslo mono-ethnique avait enfin rencontré le monde extérieur ou inversement. Restaurants aux noms arabes, épiceries aux légumes importés et aux épices venues de Karachi, Somaliennes en hijab en promenade du dimanche avec les poussettes devant, les hommes en conversation animée trois pas derrière. Harry reconnaissait toutefois quelques pubs de l'époque où Oslo avait eu une classe ouvrière blanche qui habitait dans ce quartier. Il passa devant l'église de Grønland et remonta vers le haut du parc. Il se retourna avant de pousser la lourde porte d'entrée en métal percée d'un œil-de-bœuf. Il regarda Oslo. Vilaine et belle. Froide et chaude. Parfois, il adorait cette ville, parfois il la détestait, mais il n'aurait jamais pu la quitter. Faire une pause, partir quelque temps, oui, mais pas la quitter pour de bon. Pas comme elle l'avait quitté.

Le garde lui ouvrit les barrières de sécurité, puis Harry alla se poster devant les ascenseurs. Il déboutonna son caban, mais se mit à transpirer malgré tout. Puis à trembler quand l'un des ascenseurs s'ouvrit devant lui. Comprenant que c'était un jour sans, il tourna les talons et prit l'escalier pour monter au cinquième.

« Au boulot un dimanche ? s'enquit Katrine Bratt en levant les yeux de son ordinateur alors qu'il entrait dans son bureau sans y avoir été convié.

— Je te retourne la question. »

Harry s'enfonça profondément dans un fauteuil.

Leurs regards se croisèrent.

Harry ferma les yeux, renversa la tête en arrière et étendit ses longues jambes qui arrivaient jusqu'au bureau. Le meuble venait avec le poste. Quand elle avait succédé à Gunnar Hagen, elle avait simplement fait poncer le parquet et repeindre les murs en plus clair, mais pour le reste, l'antre de la direction de la Brigade criminelle était comme avant. Et Katrine Bratt avait beau avoir pris récemment ses fonctions de directrice de la brigade et être désormais mère, Harry la voyait toujours comme la fille dingue aux yeux sombres qui avait débarqué du commissariat de Bergen avec un plan, son lot de problèmes psychologiques, des cheveux noirs et un manteau en cuir de la même couleur qu'elle portait sur un corps sur lequel s'attardaient un peu trop les regards de ses collègues et qui prouvait que, n'en déplaise aux puristes, le dialecte de Bergen comportait bien le genre féminin. Qu'elle-même n'ait eu d'yeux que pour lui tenait du paradoxe habituel. Il avait mauvaise réputation. Il était pris. Et, à part comme collègue, il ne lui accordait aucune attention.

« Je me trompe peut-être, fit Harry en bâillant, mais au téléphone, on aurait presque dit que ton Totenois se plaît en congé paternité.

— En effet, répondit Katrine en pianotant sur son clavier, et toi ? Tu te plais en…

— Congé marital ?

— J'allais te demander si tu étais content d'être de retour à la Brigade criminelle. »

Harry ouvrit un œil. « Avec des dossiers de niveau brigadier 1 ? »

Katrine soupira. « C'était le mieux que Gunnar et moi puissions faire vu la situation, Harry. À quoi tu t'attendais, au juste ? »

Il promena son regard borgne tout en réfléchissant. S'était-il attendu à une certaine touche féminine dans le bureau de

Katrine ? À conserver la même marge de manœuvre qu'avant de laisser tomber son poste d'inspecteur pour devenir maître de conf à l'école de police, se marier avec Rakel et tenter de mener une vie de calme et de sobriété ? Bien sûr que ce n'était pas possible. Avec la bénédiction de Gunnar Hagen et l'aide de Bjørn, Katrine l'avait littéralement ramassé dans le caniveau et lui avait donné un endroit où être, une raison de se lever, autre chose à penser que Rakel, une excuse pour ne pas se tuer dans l'alcool. Qu'il ait accepté de trier des papiers et de revoir des affaires classées ne faisait que prouver qu'il était plus déchu et plus paumé qu'il ne le croyait possible. Étant entendu bien sûr qu'il savait d'expérience qu'on pouvait toujours tomber un cran plus bas. Alors Harry toussota :

« Tu n'aurais pas cinq cents couronnes à me prêter ?

— Putain, Harry ! » Katrine le regarda avec désespoir. « C'est pour ça que tu es venu ? Tu n'as pas eu ton compte hier ?

— Ce n'est pas comme ça que ça marche. C'est toi qui as envoyé Bjørn pour me rapatrier à la maison ?

— Non.

— Comment m'a-t-il trouvé, alors ?

— Tout le monde sait où tu as tes quartiers le soir, Harry. On pourrait d'ailleurs s'étonner que tu choisisses précisément le bar que tu viens de vendre.

— En général, on hésite à refuser de servir un ancien propriétaire.

— Jusqu'à hier, peut-être. D'après Bjørn, le dernier truc que le nouveau propriétaire t'a dit, c'était que tu étais banni à vie.

— Vraiment ? Je ne me souviens de rien.

— Permets-moi d'éclairer ta lanterne. Tu as essayé de convaincre Bjørn de porter plainte contre le Jealousy pour la musique qu'on y passe, ensuite tu as essayé de le convaincre d'appeler Rakel pour la raisonner. De son téléphone à lui, puisque tu avais laissé le tien chez toi et que, de toute façon, tu doutais qu'elle réponde si elle voyait que l'appel venait de toi.

— Mon Dieu, gémit Harry en enfouissant son visage dans ses mains et en se massant le front.

— Je ne te raconte pas ça pour t'embêter, Harry, mais pour te montrer ce qui se passe quand tu bois.

— Merci bien, ma bonne dame. » Harry joignit les mains sur son ventre. Il aperçut un billet de deux cents couronnes tout au bout du bureau, devant lui.

« Pas assez pour être ivre mort, expliqua Katrine, mais suffisamment pour pouvoir dormir. Parce que c'est ce qu'il te faut. Dormir. »

Il la regarda. Son regard était devenu plus clément avec le temps, elle n'était plus la fille en colère contre le monde entier. C'était peut-être parce qu'elle était responsable d'autres gens, les gens de la brigade, son petit garçon de neuf mois. Oui, ces choses-là pouvaient paraît-il adoucir et éveiller l'instinct de protection. Un an et demi plus tôt, pendant l'affaire du Vampiriste, Rakel était hospitalisée, il s'était saoulé, Katrine l'avait ramassé et ramené chez elle. Elle l'avait laissé vomir dans sa salle de bains impeccable et lui avait offert quelques heures de sommeil comateux dans leur lit à elle et Bjørn.

« Non, trancha Harry. Ce qu'il me faut, ce n'est pas du sommeil, c'est une affaire.

— Tu en as une…

— J'ai besoin de l'affaire Finne. »

Katrine soupira encore. « Les meurtres auxquels tu fais allusion ne s'appellent pas l'affaire Finne, rien ne pointe dans sa direction, et comme je te le disais, j'ai les gens qu'il me faut sur cette affaire.

— Trois meurtres. Trois meurtres non résolus et tu penses que tu n'as pas besoin de quelqu'un qui puisse effectivement démontrer que c'est Finne, comme nous le savons, toi et moi ?

— Tu as ton affaire, Harry. Alors résous-la et laisse-moi diriger la boutique.

— Mon affaire n'en est pas une, c'est un crime conjugal, le mari a avoué, nous avons un mobile, nous avons des preuves matérielles.

— Il pourrait subitement se rétracter et nous aurions alors besoin d'éléments plus substantiels.

— C'est une affaire que tu aurais pu donner à Wyller ou Skarre ou l'un des moins gradés. Finne est un dérangé sexuel et un tueur en série, et merde quoi, je suis le seul enquêteur que tu aies qui sois spécialiste de la question.

— Non, Harry ! Et c'est définitif.

— Mais pourquoi ?

— Pourquoi ? Regarde-toi ! Si tu dirigeais la Brigade criminelle, est-ce que tu enverrais un enquêteur alcoolisé et instable chez nos confrères déjà pas convaincus de Copenhague et de Stockholm, qui ont déjà plus ou moins décidé que ce n'était pas un seul et même homme qui était l'artisan des meurtres dans leurs villes ? Tu vois des tueurs en série partout parce que ton cerveau est conditionné pour voir le meurtre en série.

— C'est sûrement vrai, ça, mais en l'occurrence c'est Finne. Cela a toutes les caractéristiques de…

— Stop ! Il faut te débarrasser de ces obsessions, Harry.

— Obsessions ?

— Bjørn me dit que dans tes buveries, tu parles constamment de Finne, tu dis qu'il faut que tu lui fasses la peau avant qu'il n'ait la tienne.

— Mes buveries ? Répète après moi : beuveries. Beueueuveries. »

Harry prit le billet de deux cents couronnes et le fourra dans sa poche de pantalon. « Je te souhaite un bon dimanche.

— Où vas-tu ?

— Quelque part où je puisse garder mon jour de repos sacré.

— Tu as des graviers dans tes semelles, alors lève les pieds quand tu marches sur mon parquet. »

Harry descendit Grønlandsleiret d'un pas vif en direction de l'Olympen et du Pigalle. Pas ses premiers choix en matière de débits de boisson, mais c'étaient les plus proches. Il y avait si peu de circulation dans la rue principale de Grønland qu'il put traverser au rouge tout en regardant son téléphone. Il envisagea de rappeler Alexandra, mais renonça. Il n'était pas dans le bon état d'esprit. Il vit sur le journal des appels qu'il avait essayé d'appeler Rakel six fois entre dix-huit et vingt heures la veille. Il frissonna. Appel en absence, était-il écrit. Absence. Parfois le jargon technologique était cruellement exact.

Alors que Harry arrivait sur le trottoir, il ressentit une douleur soudaine dans la poitrine, son cœur s'emballa, comme s'il avait perdu un amortisseur. Il eut tout juste le temps de penser infarctus et la douleur disparut. Ça n'aurait pas été le pire départ. Un point dans le cœur. À genoux. Le front sur l'asphalte. The End. Encore quelques jours à boire à ce rythme et ce ne serait d'ailleurs pas si irréaliste. Harry se remit en route. Il avait aussi eu un flash. Plus extensif que celui qu'il avait eu plus tôt dans la journée, mais les images s'étaient ensuite évanouies, comme un rêve au réveil.

Harry s'arrêta devant la porte de l'Olympen, regarda à l'intérieur. Ce qui quelques années auparavant était l'un des assommoirs les moins riants d'Oslo avait été soigneusement rénové, si soigneusement que Harry hésita. Il jaugea la nouvelle clientèle. Un mélange de hipsters et de couples bien habillés, mais aussi des familles avec enfants en bas âge, temps limité, et moyens suffisants pour se permettre de dîner au restaurant le dimanche soir.

Il palpa l'intérieur de sa poche. Il y trouva le billet de deux cents couronnes, autre chose aussi. Des clefs. Pas les siennes, mais celles des lieux du meurtre conjugal de Borggata, à Tøyen. Il ne savait pas exactement pourquoi il avait demandé les clefs, l'affaire était déjà élucidée. Il aurait en tout cas le lieu du crime pour lui tout seul. Lui et personne d'autre puisque son soi-disant coéquipier, Truls Berntsen, n'allait pas lever le petit doigt. Dire que ce n'était pas pour ses mérites que Berntsen était entré à la Brigade criminelle était un euphémisme, c'était grâce à Mikael Bellman, son ami d'enfance et l'ancien directeur de la police, désormais ministre de la Justice. Truls Berntsen était d'une rare nullité, et il était tacitement convenu avec Katrine de se tenir à l'écart des enquêtes pour se concentrer sur la machine à café et les tâches administratives simples. En pratique, le Solitaire et Tetris. Le café ne s'était pas arrangé. En revanche, il était arrivé dernièrement que Truls batte Harry à Tetris. Ils formaient en vérité un bien triste couple, au fond de l'open space, séparé par une cloison roulante vermoulue d'un mètre cinquante de haut.

Harry regarda de nouveau à l'intérieur. Une banquette libre à côté d'une famille avec jeunes enfants juste de l'autre côté de la fenêtre. Le petit garçon de la table le vit et rit en le montrant du doigt. Le père se retourna et Harry recula par réflexe, dans l'obscurité. Il vit alors son visage pâle et ridé se refléter dans la vitre et fusionner avec celui du garçonnet. Un souvenir l'assaillit. Son grand-père et lui quand il était gamin. Un repas familial dans le Romsdalen pendant les grandes vacances. Lui qui riait de son grand-père. Ses parents qui avaient l'air inquiets. Son grand-père qui était saoul.

Harry tâta de nouveau les clefs. Borggata. C'était à cinq ou six minutes à pied. Il sortit son téléphone, regarda les appels, pianota. Pendant qu'il attendait, il examina les jointures de sa main droite. La douleur s'apaisait, il n'avait donc pas dû frapper très fort, mais bien entendu il n'en fallait sans doute pas beaucoup au nez virginal d'un adorateur de David Gray pour que le sang jaillisse.

« Oui, Harry ?

— *Oui, Harry ?*

— Je suis en train de dîner.

— OK, je vais être bref. Est-ce que tu peux venir me retrouver après le dîner ?

— Non.

— Mauvaise réponse, essaie encore.

— Oui ?

— Voilà ! Borggata 5. Appelle-moi quand tu arrives et je descendrai t'ouvrir. »

Harry entendit Ståle Aune, son ami de longue date et psychologue expert attitré de la Brigade criminelle pour les affaires de meurtre, pousser un gros soupir. « Est-ce à dire qu'il ne s'agit pas là d'une invitation dans un bar où c'est moi qui dois payer l'addition ? Tu es bel et bien sobre ?

— T'ai-je jamais laissé payer ? » Harry sortit son paquet de Camel.

« Avant, tu payais l'addition, et puis tu te souvenais, mais l'alcool est en train de dévorer tes finances comme ta mémoire, tu le sais ?

— Oui. Il s'agit du crime conjugal. Au couteau et…

— Oui, oui, j'ai vu ça dans le journal. »

Harry glissa une cigarette entre ses lèvres.

« Tu viens ? »

Harry entendit un autre soupir appuyé. « Si ça peut te maintenir à l'écart de la bouteille pendant quelques heures…

— Épatant ! » Harry raccrocha, laissa glisser son téléphone dans la poche de sa veste.

Il alluma sa cigarette, tira une grosse bouffée. Il tournait le dos à la porte d'entrée fermée. Il pouvait aller boire une bière à l'intérieur et arriver malgré tout à l'immeuble de Borggata avant Aune. De la musique s'échappait du pub. Une déclaration d'amour sur auto-tune. Il adressa un geste d'excuse à une voiture qui avait dû piler alors qu'il traversait la rue à grands pas.

Derrière la vieille façade ouvrière de Borggata se cachaient des appartements récents, salons lumineux, cuisines ouvertes, salles de bains modernes, balcons sur cour. Harry y lisait le présage que Tøyen aussi allait être rénové, le prix du mètre carré allait grimper d'un cran, les habitants actuels allaient être remplacés par d'autres, le quartier allait avoir un autre standing. Les petits cafés et les épiceries d'immigrés allaient faire place aux salles de gym et aux restaurants de hipsters.

Le psychologue avait l'air mal à l'aise assis sur l'une des frêles chaises à barreaux que Harry avait installées au milieu du salon au parquet clair. Harry l'imputait au rapport déséquilibré entre la chaise et le corps en surpoids d'Aune, et à ses petites lunettes rondes embuées après qu'il avait renoncé à contrecœur à l'ascenseur pour monter au deuxième étage par l'escalier, d'un pas réglé sur celui de Harry. Ou alors c'était la mare de sang coagulé qui s'étirait entre eux comme un cachet de cire noire. Un été, quand Harry était petit, son grand-père lui avait dit que l'argent, ça ne se mangeait pas. Une fois dans sa chambre, Harry avait pris la pièce de cinq couronnes qu'il lui avait donnée et avait essayé. Il se souvenait des élancements dans ses dents, de l'odeur métallique et du goût douceâtre de la pièce de monnaie. Ce goût qui rappelait celui du sang de ses plaies. Cette odeur qui rappelait celle des scènes de crime sur lesquelles il arriverait plus tard, même quand c'était du vieux sang, et qui était celle qui flottait maintenant dans la pièce où ils se trouvaient. Les pièces de monnaie. Le prix du sang.

« Le couteau, déclara Ståle Aune en enfonçant ses mains sous ses aisselles comme s'il craignait de se les faire arracher. L'idée du couteau, ça a quelque chose de… L'acier froid qui transperce la peau et entre dans le corps… Ça me fait flipper, comme disent les jeunes. »

Harry ne répondit pas. La brigade et lui avaient recours aux services d'Aune depuis si longtemps qu'il n'aurait su dire exactement quand il avait commencé à considérer ce psychologue de dix ans son aîné comme un ami. Toujours est-il qu'il le connaissait suffisamment bien pour savoir que c'était pure coquetterie de sa part de prétendre ignorer que le mot *flipper* était plus vieux qu'eux. Il aimait apparaître comme une vieille âme conservatrice, déconnectée de cet air du temps qu'essayaient de capter avec tant de ferveur ses confrères qui espéraient être perçus comme « ayant quelque chose à dire sur leur époque ». Aune avait déclaré dans la presse et dans ses cercles professionnels : « La psychologie et la religion ont ceci de commun que, globalement, elles donnent aux gens les réponses qu'ils veulent. La psychologie et la religion ont champ libre dans l'obscurité, là où la lumière de la science n'a pas encore accédé. Et s'ils avaient dû s'en tenir à ce que nous savons réellement, tous ces psychologues et pasteurs auraient été au chômage. »

« Donc c'est ici que le père de famille a poignardé sa femme... combien de fois ?

— Treize. »

Harry regarda autour de lui. Sur le mur devant eux, il y avait une grande photo encadrée. Manhattan en noir et blanc. La tour Chrysler au milieu. Peut-être achetée chez IKEA. Et alors ? C'était une bonne photo. Si on n'était pas gêné qu'une foule d'autres gens aient le même poster chez eux, si on se fichait que, inévitablement, certains visiteurs regardent avec désapprobation cette photo simplement parce qu'elle venait de chez IKEA, pourquoi se priver ? Il avait présenté ces arguments à Rakel quand elle lui avait parlé de son envie d'une photo numérotée de Torbjørn Rødland – une limousine blanche dans un virage en épingle à cheveux d'Hollywood Hills – qui coûtait quatre-vingt mille couronnes. Rakel lui avait donné entièrement raison. Cela lui avait fait tellement plaisir qu'il lui avait offert la photo. Il avait bien sûr compris son petit stratagème, mais, en son for intérieur, il devait bien admettre que cette photo était effectivement plus classe.

« Il était en colère », observa Aune en défaisant un bouton de sa chemise, là où il portait d'habitude un nœud papillon, généralement avec un motif mi-sérieux, mi-humoristique. Comme son bleu avec les étoiles de l'Union européenne.

Dans un appartement voisin, un enfant se mit à pleurer.

Harry tapota sa cigarette. « Il ne se souvient pas en détail de la façon dont il l'a tuée, dit-il.

— Souvenirs refoulés. On aurait dû me laisser l'hypnotiser.

— Je ne savais pas que tu faisais ce genre de choses.

— L'hypnose ? Comment crois-tu que j'aie trouvé une femme ?

— Quoi qu'il en soit, ce n'était pas nécessaire. Les indices relevés montrent qu'elle traversait le salon. Il l'a suivie et poignardée dans le dos avant qu'elle ait pu s'éloigner. Le couteau est entré dans les reins. C'est sans doute pour ça que les voisins n'ont pas entendu de cris.

— Ah ?

— C'est une zone tellement douloureuse que la victime est paralysée, n'arrive pas à crier, perd connaissance presque instantanément et meurt. Incidemment, c'est la méthode préférée des professionnels militaires de ce qu'on appelle le *silent killing*.

— Ah bon ? Et le bon vieux truc d'arriver par-derrière, de plaquer sa main sur la bouche de la victime et de lui trancher la gorge de l'autre ?

— C'est démodé et puis ça n'a jamais été une très bonne méthode. Il faut trop de coordination et de précision. Tu serais surpris de savoir qu'il arrivait fréquemment que les soldats se coupent la main qu'ils tenaient sur la bouche. »

Aune grimaça. « Mais je suppose que le mari n'était pas un ancien commando ou assimilé ?

— Il a probablement fait un *silent killing* par pur hasard. Rien ne porte à croire qu'il avait l'intention de cacher l'homicide.

— Intention ? Tu veux dire que c'était prémédité, qu'il n'a pas agi impulsivement ? »

Harry hocha lentement la tête. « Sa fille était sortie faire un jogging. Il a appelé la police avant son retour, pour que nous soyons devant l'immeuble et que nous puissions l'empêcher d'entrer et de trouver sa mère.

— C'était attentionné.

— C'est ce qui se dit. Que c'est un homme attentionné. » Harry tapota de nouveau sa cigarette. La cendre tomba sur le sang coagulé.

« Ne devrais-tu pas prendre un cendrier, Harry ?

— La police scientifique a fait ce qu'elle avait à faire ici, et tout concorde.

— Je veux dire, d'une manière générale.

— Tu ne m'as pas posé de question sur le mobile.

— OK, et le mobile ?

— Classique. Son téléphone n'avait plus de batterie et il a emprunté celui de sa femme sans lui demander. Il a alors vu un texto qui a éveillé sa suspicion et a donc regardé tout l'échange. Le fil de messages remontait à un an et demi et indiquait clairement qu'elle avait un amant.

— A-t-il été confronté à l'amant ?

— Non, mais d'après les rapports, la police a vérifié le téléphone, trouvé les messages et contacté l'amant. Un jeune homme d'une vingtaine d'années, quinze ans de moins qu'elle. Il a confirmé les faits.

— Autre chose que je devrais savoir ?

— Le mari est diplômé, avec un bon boulot, de l'argent sur son compte, et il n'a jamais eu de problèmes avec la police. La famille, les collègues, les amis et les voisins le décrivent comme extraverti, joyeux, la stabilité même, et, comme tu le disais, attentionné. Un homme prêt à tout sacrifier pour sa famille, indiquait l'un des rapports. » Harry tira sur sa cigarette.

« Tu m'as fait venir parce que tu considères que l'affaire n'est pas résolue ? »

Harry souffla la fumée par le nez. « Cette affaire est claire comme de l'eau de roche, toutes les preuves sont là et elle est impossible à ruiner, c'est pour ça que Katrine me l'a confiée à moi. Et à Truls Berntsen. »

Il étira ses commissures dans ce qui ressemblait plus ou moins à un sourire. La famille avait les moyens. C'était donc un choix d'habiter à Tøyen, un quartier meilleur marché, et d'acheter des posters chez IKEA. Peut-être qu'ils se plaisaient ici, tout simplement. Harry se plaisait à Tøyen. Peut-être même que la photo au mur était un original, valant désormais une fortune.

« Donc tu m'as fait venir parce que...

— Parce que je voudrais comprendre, répondit Harry.

— Tu voudrais comprendre pourquoi un homme tue sa femme qui a eu une liaison dans son dos ?

— En général, c'est quand le mari voit qu'il a été déshonoré au vu et au su des autres qu'il tue. Or, d'après les interrogatoires de l'amant, leur liaison était strictement secrète et qui plus est en train de se terminer.

— La femme n'a pas eu le temps de le dire à son mari avant qu'il la poignarde ?

— Si, mais il dit qu'il ne l'a pas crue et que, de toute façon, elle avait trahi la famille.

— Nous y voilà. Un homme qui a toujours tout sacrifié pour sa famille vit la trahison encore plus durement, bien sûr. C'est un homme bafoué. Un déshonneur suffisamment profond peut tous nous pousser à tuer.

— Tous ? »

Aune plissa les yeux vers les bibliothèques à côté de la photo de Manhattan. « Ils ont des romans.

— J'ai vu ça, oui. »

Aune avait une théorie selon laquelle les meurtriers ne lisaient pas, ou alors de la non-fiction dans le meilleur des cas.

« Tu as entendu parler de Paul Mattiuzzi ? demanda-t-il.

— Hmm.

— Psychologue et expert de la violence et du meurtre. Il classe les tueurs en huit catégories principales. Toi et moi ne figurons pas dans les sept premières, mais tous, nous pourrions appartenir à la huitième, celle qu'il nomme "les traumatisés". Nous devenons meurtriers en réponse à une attaque de notre identité, une attaque unique, mais massive, offensante, intolérable même. Elle nous laisse désemparés, impuissants, et si nous ne ripostons pas, nous nous retrouverons sans masculinité ni justification de notre existence. Une infidélité peut bien sûr être perçue comme telle.

— Nous pourrions *tous* ?

— Le tueur traumatisé n'a pas de traits de caractère aussi nets que les tueurs des autres catégories. C'est là – et là seulement – que tu trouves les tueurs qui lisent Dickens et Balzac. » Aune respira profondément et tira sur les manches de sa veste en tweed. « Quelle est vraiment ta question, Harry ?

— Vraiment ?

— Tu en sais plus long sur les meurtriers que quiconque de ma connaissance, rien de ce que je te raconte là sur le déshonneur ou les catégories de tueurs n'est nouveau pour toi. »

Harry haussa les épaules. « J'ai peut-être juste besoin de l'entendre dire encore une fois à voix haute pour pouvoir y croire.

— À quoi est-ce que tu ne crois pas ? »

Harry gratta ses cheveux courts rebelles, dont la blondeur s'était teintée d'une touche de gris. Rakel avait déclaré qu'il commençait à ressembler à un hérisson. « Je sais pas.

— C'est peut-être juste ton ego, Harry.

— Comment ça ?

— N'est-ce pas évident, ça aussi ? Tu as récupéré l'affaire après qu'elle avait été résolue par quelqu'un d'autre. Maintenant tu aimerais bien trouver un élément qui sème le doute. Qui montre que Harry Hole voit ce que personne d'autre n'a vu.

— Et si c'était le cas ? » Harry scruta la braise de sa cigarette. « Et si j'étais né avec un talent d'enquêteur grandiose et que j'avais développé des instincts que je n'arrive même pas à analyser moi-même ?

— Tu plaisantes là, j'espère ?

— À peine. J'ai lu les procès-verbaux d'interrogatoires. D'après ses réponses, le mari avait en effet l'air traumatisé. Ensuite j'ai écouté les enregistrements. » Harry avait les yeux braqués dans le vide.

« Oui ?

— Il paraissait plus effrayé que résigné. Avouer, c'est se résigner. En principe, on n'a plus peur.

— Il y a quand même la sanction.

— La sanction est derrière lui. L'humiliation. La douleur. Voir sa chère et tendre mourir. La prison, c'est de l'isolement. Du silence. De la routine. De la paix. Ce doit être un soulagement. C'est peut-être sa fille, il se demande comment elle va s'en sortir.

— Et puis il va brûler en enfer.

— Il brûle déjà. »

Aune poussa un soupir. « Alors permets-moi de répéter ma question : qu'est-ce que tu veux, vraiment ?

— Je veux que tu appelles Rakel et que tu lui expliques qu'il faut qu'elle revienne. »

Ståle Aune écarquilla les yeux.

« Là je plaisantais pour le coup. J'ai des palpitations. Des crises d'angoisse. Non, pas ça. J'ai rêvé de… quelque chose. Je ne sais pas exactement de quoi, mais c'est récurrent.

— Enfin une question facile, trancha Aune. L'ivresse. La psychologie est une science qui a relativement peu de données solides à présenter, mais sur ce point précis, la corrélation entre consommation de psychotropes et naufrage mental, la documentation abonde. Depuis combien de temps cela dure-t-il ? »

Harry consulta sa montre. « Deux heures et demie. »

Ståle Aune eut un rire forcé. « Et tu voulais me parler pour pouvoir au moins t'autopersuader que tu as cherché de l'aide médicale extérieure avant de retourner à l'automédication ?

— Ce n'est pas comme d'habitude. Ce ne sont pas les fantômes.

— Parce qu'eux viennent la nuit ?

— Oui, et ils ne se cachent pas. Je les vois et je les reconnais. Des victimes, des collègues morts. Des tueurs. Ça, c'était autre chose.

— As-tu la moindre idée de ce que c'était ? »

Harry secoua la tête. « Quelqu'un qui était enfermé. Il ressemblait à… » Harry se pencha en avant et écrasa sa cigarette dans la flaque de sang.

« À Svein "le Fiancé" Finne », compléta Aune.

Harry leva les yeux en dressant un sourcil. « Qu'est-ce qui te fait penser ça ?

— Il paraît que tu penses qu'il veut ta peau.

— Tu as parlé à Katrine.

— Elle se fait du souci pour toi. Elle voulait un diagnostic.

— Et tu as dit oui ?

— J'ai dit que je n'avais pas par rapport à toi la distance nécessaire pour un psychologue. Mais c'est clair, il y a aussi une corrélation entre abus d'alcool et paranoïa.

— C'est moi qui l'ai finalement fait mettre en taule, Ståle. C'était ma première affaire. Il a été condamné à vingt ans pour agressions sexuelles et meurtre.

— Tu ne faisais que ton boulot, Finne n'avait aucune raison de le prendre personnellement.

— Il a avoué les agressions, mais il clamait son innocence dans le meurtre dont on l'accusait, il disait que nous avions fabriqué les preuves. Je lui ai rendu visite en prison il y a environ un an et demi pour voir s'il pouvait nous aider dans l'affaire du Vampiriste. Juste avant que je parte il m'a donné la date précise de sa libération et s'est enquis de savoir si ma famille et moi vivions dans un logement sûr.

— Rakel était-elle au courant ?

— Oui. Au début de l'année, j'ai trouvé des empreintes de bottes ou de godillots dans la neige. Dans le bosquet devant la cuisine, alors j'ai installé une caméra de chasse.

— Ça pourrait être n'importe qui, Harry. Quelqu'un qui s'était perdu.

— Dans une propriété privée avec un portail et une allée escarpée et verglacée de cinquante mètres de long ?

— Attends un peu. Tu n'as pas déménagé avant Noël ?

— Dans un sens. » Harry chassa la fumée d'un geste de la main.

« Mais tu es entré dans la propriété après, dans le bosquet ? Rakel le savait ?

— Non. Détends-toi, je ne suis pas devenu un stalker. Rakel avait déjà assez peur comme ça, et je voulais juste m'assurer que tout allait bien. Ce qui n'était pas le cas.

— Donc elle n'était pas au courant pour la caméra non plus ? »

Harry haussa les épaules.

« Harry ?

— Hmm ?

— Tu es tout à fait sûr que la caméra était prévue pour Finne ?

— Tu me demandes si j'espionnais mon ex ?

— Était-ce le cas ?

— Non, répondit Harry d'un ton ferme. Si Rakel ne veut pas de moi, elle peut aussi bien avoir des amants.

— Crois-tu seulement à ce que tu dis ? »

Harry soupira.

« Soit, fit Aune. Donc tu as eu un flash et vu quelqu'un qui ressemblait à Finne et qui était enfermé.

— Non, c'est toi qui l'as dit. Ce n'était pas Finne.

— Non ?

— Non, c'était… moi. »

Ståle Aune passa sa main dans sa chevelure clairsemée. « Et maintenant tu voudrais un diagnostic ?

— Vas-y. Anxiété ?

— Je crois que ton cerveau cherche des raisons pour que Rakel ait besoin de toi. La protection contre des ennemis extérieurs, par exemple. Mais tu n'es pas enfermé à l'intérieur, Harry, ce qui se passe, c'est que tu ne peux pas entrer. Accepte-le et avance.

— À part ces machins d'accepter et tout, y a-t-il des médicaments que tu puisses me prescrire ?

— Le sommeil. Le sport. Essayer de rencontrer quelqu'un qui puisse éloigner un peu tes pensées de Rakel, peut-être ? »

Harry glissa sa cigarette au coin de sa bouche et leva le pouce. « Je bois jusqu'à l'inconscience tous les soirs. Sommeil ? Coché. » Son index bondit en l'air. « Je me bats dans des bars dont j'ai été le propriétaire. Sport ? Coché. » Son doigt en titane gris s'érigea. « Je baise des nanas, des belles, des moches, et ensuite j'ai des conversations profondes avec certaines d'entre elles. Rencontrer quelqu'un ? Coché. »

Aune observa Harry. Puis il poussa un gros soupir et se leva en reboutonnant sa veste en tweed. « Bon eh bien, ça devrait aller, alors ! »

Après le départ d'Aune, Harry resta assis à regarder par la fenêtre. Puis il fit le tour de l'appartement, pièce par pièce. La chambre conjugale était rangée, propre, le lit fait. Un coup d'œil dans les penderies lui indiqua que la garde-robe de la femme s'étalait copieusement sur quatre placards, tandis que les vêtements du mari étaient très serrés dans un seul. Mari attentionné. Sur le papier peint de la chambre de la fille se détachaient des rectangles aux couleurs plus vives. Les posters d'ado qu'elle avait décrochés quand elle avait eu dix-neuf ans, gageait-il. Il restait encore une petite photo, un garçon avec une guitare électrique Rickenbacker autour du cou.

Harry passa en revue les quelques disques sur la tablette du miroir.

Propagandhi. « Into It ». « Over It ». My Heart To Joy. Panic! at the Disco. Des trucs d'emo. C'est pourquoi il fut surpris en faisant tourner le vinyle qui était sur la platine d'entendre des notes douces et langoureuses qui ressemblaient aux Byrds des débuts. Mais douze cordes à la Roger McGuinn ou pas, il comprit vite que c'était une production plus récente. On pouvait utiliser tous les amplis à tubes et vieux micros qu'on voulait, les productions rétro n'avaient jamais leurré personne, et puis le chanteur avait un net accent norvégien et l'air d'avoir écouté plus de Thom Yorke et de Radiohead millésime 1995 que de Gene Clark et de David Crosby 1965. Il coula un regard sur la pochette à côté de l'électrophone et constata en effet que les noms avaient tous des consonances norvégiennes. Son regard s'arrêta sur une paire de baskets Adidas devant la penderie. Le même modèle que les siennes, il avait voulu s'en racheter une paire deux ans plus tôt, mais la production avait déjà cessé. Il se rappela que, d'après les procès-verbaux des interrogatoires de la fille comme du père, elle avait quitté l'appartement à vingt heures quinze pour revenir quarante minutes plus tard après un jogging jusqu'au sommet du parc de sculptures d'Ekeberg avec retour par le restaurant d'Ekeberg. Ses vêtements de sport étaient sur le lit et il imaginait la police laissant entrer la pauvre fille et lui permettant de se changer, sous surveillance, et de prendre un sac de vêtements. Harry s'accroupit, ramassa les baskets. Le cuir était souple, les semelles lisses et propres, elles n'avaient pas beaucoup servi. Dix-neuf ans. Une vie neuve. Les siennes s'étaient déchirées. Il aurait pu bien sûr en acheter une nouvelle paire, un autre modèle, mais il ne voulait pas, il avait trouvé le modèle qu'il voulait pour la vie. Pour la vie. On pouvait peut-être encore les réparer.

Il retourna dans le salon. Essuya la cendre de cigarette sur le sol. Regarda son téléphone. Pas de message. Il plongea la main dans sa poche. Deux cents balles.

4

« Dernière commande, on ferme. »

Harry regardait fixement son verre. Il avait réussi à le faire durer. D'habitude, il les descendait les uns après les autres, puisque ce n'était pas le goût qu'il aimait, mais l'effet. *Aimait* n'était d'ailleurs pas le mot. *Avait besoin*. Non, ce n'était pas *avait besoin* non plus. *Devait avoir. Ne pouvait pas vivre sans.* Un respirateur artificiel quand votre moitié de cœur avait cessé de battre.

Ces baskets devaient bien pouvoir se réparer.

Il reprit son téléphone. Harry n'avait que sept personnes dans ses contacts, et comme leurs noms commençaient tous par une lettre différente, elles étaient enregistrées avec leur seule initiale. Il tapa R et regarda la photo de profil. Un doux regard brun qui demandait à être croisé. Une peau chaude rayonnante qui demandait à être caressée. Des lèvres rouges qui demandaient à être embrassées. Lorsqu'il s'était déshabillé avec des femmes ces derniers mois, qu'il avait couché dans leur lit, avait-il réussi ne serait-ce qu'une seconde à ne pas penser à Rakel, à ne pas penser qu'elles étaient Rakel ? Avaient-elles compris, leur avait-il carrément dit que, quand il les baisait, il les trompait avec sa femme ? Avait-il eu si peu de tact ? Sûrement. Parce que son demi-cœur battait chaque jour moins vite et la parenthèse dans laquelle il avait été un véritable être humain était refermée.

Il observa avec insistance son téléphone.

Et pensa ce que, des années auparavant, à Hong Kong, il avait pensé tous les jours, chaque fois qu'il passait devant une cabine téléphonique. Qu'elle y était. Elle et Oleg, à l'époque. Dans le téléphone. À douze touches de distance.

Mais même ça, c'était bien après leur première rencontre. Qui remontait à quinze ans. Harry avait gravi la route raide et sinueuse jusqu'à la maison en rondins de Rakel à Holmenkollen. À son arrivée, sa voiture avait rendu l'âme. Une femme sortait de la maison. Il lui avait demandé si Sindre Fauke était là alors qu'elle verrouillait sa porte et ce n'était que quand elle s'était retournée et approchée qu'il avait vu combien elle était belle. Cheveux noirs, sourcils marqués, presque broussailleux au-dessus d'yeux marron, pommettes hautes, aristocratiques. Une trentaine d'années. Vêtue d'un manteau simple et élégant. D'une voix plus grave que ne l'augurait son physique, elle lui avait expliqué que c'était son père, qu'elle avait hérité de la maison, qu'il n'habitait plus là. Rakel Fauke parlait avec assurance, décontraction, sa diction était quasi théâtrale, très articulée. Elle l'avait regardé droit dans les yeux. Quand elle s'était remise en route, on aurait dit qu'elle marchait sur un fil, comme une ballerine. Il lui avait demandé de l'aider à pousser la voiture. Après quoi il l'avait déposée à sa destination. Ils avaient découvert qu'ils avaient fait leur droit en même temps. Qu'ils étaient allés au même concert des Raga Rockers. Il avait aimé le son de son rire qui n'était pas grave comme sa voix, mais léger et aigu, un friselis de ruisseau. Elle allait à Majorstua.

« La question est de savoir si cette voiture tiendra la distance », avait-il observé. Elle avait approuvé. Comme si, alors déjà, ils pressentaient que ce qui n'avait pas encore commencé ne pouvait pas durer. Comme il poussait sa portière pour qu'elle puisse descendre, il avait respiré son odeur. Cela faisait une demi-heure qu'ils s'étaient rencontrés et il se demandait ce qui se passait, bordel. Il ne voulait rien d'autre que l'embrasser.

« On se reverra peut-être, avait-elle dit.

— Peut-être », avait-il répondu et il l'avait regardée disparaître dans Sporveisgata de son pas de danseuse.

Quand ils s'étaient revus, c'était à une soirée à l'hôtel de police. Rakel Fauke travaillait à la section internationale du POT, le service de surveillance de la police. Elle portait une robe rouge. Ils étaient restés à parler, rire. Puis ils avaient parlé encore. Lui de son enfance, de sa sœur Sœurette, qui avait ce qu'elle qualifiait elle-même de soupçon de trisomie 21, de sa mère qui était morte quand il était petit, et du fait qu'il avait dû prendre en charge son père. Rakel lui avait parlé de ses cours de russe pendant sa formation dans la Défense nationale, du temps qu'elle avait passé à l'ambassade de Norvège à Moscou, et du Russe qu'elle avait rencontré et qui était devenu le père de son fils, Oleg. En quittant Moscou, elle avait aussi quitté son mari, qui avait des problèmes d'alcool. Harry lui avait dit qu'il était lui-même alcoolique, ce qu'elle avait peut-être deviné en voyant qu'il buvait du coca à une soirée du boulot. Il ne lui avait pas dit, en revanche, que son alcool ce soir-là, c'était son rire, limpide, spontané, lumineux, et qu'il était prêt à lui faire les confidences les plus intimes et à lui dire les pires idioties pour l'entendre. Et puis, à la fin de la soirée, ils avaient dansé. Harry avait dansé. Sur une version lente à la flûte de pan de « Let It Be ». La preuve en était faite : il était désespérément amoureux.

Quelques jours plus tard, il accompagnait Oleg et Rakel lors d'une promenade dominicale. À un moment, il avait pris la main de Rakel, ça lui était venu naturellement. Ils avaient marché ainsi quelque temps avant qu'elle ne la retire. Et quand Oleg avait joué à Tetris avec le nouvel ami de maman, Harry avait senti sur lui le regard sombre de Rakel et deviné ce qu'elle pensait. Qu'un alcoolique, ressemblant peut-être à celui qu'elle avait quitté, était maintenant dans sa maison avec son fils, et Harry avait compris qu'il allait devoir faire ses preuves.

Il y était arrivé. Qui sait, c'était peut-être Rakel et Oleg qui l'avaient sauvé de la noyade dans l'alcool. Bien sûr, ce n'avait pas été un long fleuve tranquille, il y avait eu des rechutes, des pauses et des interruptions, mais ils s'étaient toujours retrouvés. Parce qu'ils avaient découvert l'un chez l'autre un trésor. L'amour. Avec un grand A, si rare qu'il faut s'estimer foutrement heureux de le connaître – et qu'il soit réciproque – ne serait-ce qu'une seule fois dans sa vie. Ces dernières années, ils s'étaient réveillés chaque matin dans une harmonie et un bonheur si forts et si fragiles à la fois qu'il en avait été terrorisé. Alors il avait marché sur la pointe des pieds comme s'il était sur une fine couche de glace au-dessus de l'eau. Alors pourquoi les choses avaient-elles mal tourné ? Parce qu'il était lui, bien sûr. Harry fucking Hole. « The demolition man », comme l'appelait Øystein.

Pouvait-il emprunter cette route encore une fois ? Monter la difficile, raide et sinueuse route vers Rakel et se présenter de nouveau. Être l'homme qu'elle n'avait jamais rencontré. Il pouvait essayer bien entendu. Oui, il le pouvait. Le moment était aussi bien choisi qu'un autre. C'était le moment parfait, même. Il n'y avait que deux problèmes. Un, il n'avait pas d'argent pour prendre le taxi, mais ça, c'était soluble. Il n'était qu'à dix minutes à pied de Sofies gate, où sa Ford Escort, la troisième du nom, croulait sous la neige sur le parking de son immeuble.

Deux, une petite voix lui disait que c'était une idée lamentable.

Mais il pouvait la faire taire. Harry avala son verre. Voilà. Il se leva et se dirigea vers la porte. « À la prochaine, mon pote ! » lui lança le barman.

Dix minutes plus tard, Harry regardait pensivement sa voiture dans un paysage d'ombres éternelles entre les congères qui occultaient les fenêtres de sous-sols. Elle n'était pas couverte de neige comme il le croyait, donc il n'avait qu'à monter chercher ses clefs, mettre le contact, appuyer sur l'accélérateur. Il serait chez elle quinze minutes plus tard. Ouvrirait la porte d'entrée qui donnait sur la grande pièce qui occupait presque tout le rez-de-chaussée et faisait office de vestibule, salon et cuisine. La verrait debout contre le plan de travail, à la fenêtre face à la cour devant la maison. Son petit sourire en coin, un signe de tête vers la bouilloire en demandant s'il préférait toujours le café lyophilisé à l'expresso.

Un nouveau flash lui coupa le souffle. La voilà qui revenait, la griffe dans le cœur.

Harry courait. Le dimanche après minuit à Oslo, on avait les rues pour soi. Ses baskets déchirées étaient retenues par du gaffer sur le coup de pied. Il suivait l'itinéraire indiqué dans le procès-verbal d'interrogatoire de la fille de Borggata. Sur des sentiers éclairés et des chemins de terre qui remontaient à flanc de colline dans le parc de sculptures, un cadeau à la ville de l'investisseur immobilier Christian Ringnes, un hommage aux femmes. Calme absolu. Rien que le souffle de Harry et le crissement des graviers sous ses pas. Il monta jusqu'à l'endroit où le parc devenait plateau et rencontrait la plaine d'Ekeberg, puis redescendit. Il s'arrêta à l'*Anatomy of an Angel* de Damien Hirst. Une sculpture en marbre blanc, du marbre de Carrare, lui avait dit Rakel. Cette femme assise, gracieuse, évoquait à Harry la petite sirène de Copenhague, mais Rakel – qui, comme d'habitude, s'était renseignée sur ce qu'ils allaient voir – lui avait expliqué que l'œuvre était inspirée de *L'Hirondelle* d'Alfred Boucher, qui datait de 1920. À cette différence près que l'ange de Hirst avait été découpé au couteau et au scalpel, pour faire apparaître ses entrailles, ses muscles, ses os et son cerveau. L'artiste voulait-il montrer que, intérieurement, les anges aussi étaient des êtres humains ? Ou que certaines personnes étaient en fait des anges ? Harry pencha la tête sur le côté. C'était là une affirmation à laquelle il pouvait souscrire. Même après toutes ces années et tout ce que Rakel et lui avaient traversé ensemble, même après l'avoir disséquée autant qu'elle l'avait disséqué lui, il n'avait rien trouvé d'autre qu'un ange. Ange et humaine, de part en part. Sa capacité à pardonner – une condition nécessaire, évidemment, pour être avec quelqu'un comme Harry – avait été presque illimitée. Presque. Mais, bien entendu, il avait réussi à trouver la limite, et il l'avait franchie.

Harry consulta sa montre et se remit à courir. Il accéléra. Il sentit son cœur travailler plus dur. Il accéléra encore. Il sentit l'acide lactique venir. Encore un peu. Le sang pulsait dans son cœur, emportait les toxines. Effaçait les mauvais jours. Lavait la saloperie. Pourquoi se figurait-il que courir était le contraire de boire, que c'était un contrepoison, quand ce n'était qu'une autre ivresse ? Enfin. Une meilleure ivresse. Il sortit de la forêt devant le restaurant d'Ekeberg, bâtiment fonctionnaliste qui avait autrefois été une masure décatie, où Harry, Øystein et Les Sabots avaient bu leurs premières bières et où un Harry de dix-sept ans s'était fait ramasser par une femme dont il se souvenait comme vieillissime, mais qui n'avait sûrement que la trentaine. Quoi qu'il en soit, elle lui avait offert une première fois facile sous sa direction experte, comme sans doute à beaucoup d'autres. Il s'était d'ailleurs parfois demandé si l'investisseur qui avait rénové le restaurant avait pu être du nombre et se sentir redevable. Harry n'arrivait plus à retrouver à quoi elle ressemblait, il se souvenait juste du roucoulement susurré à son oreille après coup : « Pas trop mal, mon garçon. Tu vas voir que tu rendras certaines femmes heureuses, et d'autres malheureuses. » Et l'une d'elles, donc, l'un et l'autre.

Harry se posta sur l'escalier du restaurant, qui était fermé et plongé dans l'obscurité.

Les mains sur les genoux, la tête en bas. Il sentait le réflexe nauséeux lui chatouiller le fond de la gorge et entendait son souffle râpeux. Il compta jusqu'à vingt en chuchotant son nom. Rakel, Rakel. Puis il se redressa, regarda la ville à ses pieds. Oslo, une ville d'automne. Là, au printemps, elle avait l'air d'une femme mal réveillée qui aurait préféré ouvrir les yeux dans un autre lit que le sien et qui avait raison de penser qu'elle avait besoin de maquillage. Mais Harry se moquait de ce qui se trouvait en bas, dans la marmite du centre-ville, son regard passa au travers de la ville pour se poser sur la colline, vers la maison de Rakel, de l'autre côté de ce qui, malgré toutes ses lumières et sa fébrilité humaine, n'était qu'un cratère de volcan mort, de la pierre froide et de la terre figée. Il lança encore un coup d'œil sur le chronomètre de sa montre et reprit sa course.

Il ne s'arrêta pas avant d'être revenu à Borggata.

Où il stoppa le chronomètre et examina les chiffres.

Le reste du chemin jusque chez lui, il le fit en petite foulée. En entrant dans l'appartement, il entendit le bruit rugueux du gravier sous ses baskets contre le bois et se souvint de Katrine lui enjoignant de lever les pieds.

Il changea sur son téléphone de chanson. Le son des Hellacopters fut craché par la barre Sonos qu'Oleg lui avait offerte pour son anniversaire et qui, du jour au lendemain, avait rendu superflus les disques de la bibliothèque derrière le canapé, transformant sa soigneuse collection de trente ans en un monument aux morts. Ce qui n'avait pas supporté le féroce passage du temps avait été inexorablement éliminé pour échouer dans la poubelle. Pendant que l'intro chaotique de guitare et de batterie de « Carry Me Home » faisait pulser le haut-parleur, il songea, tout en ôtant les cailloux du parc de sculptures, que, avec ses vinyles, la fille de dix-neuf ans avait reculé de son plein gré dans le passé au moment où Harry entrait à reculons dans l'avenir. Il posa ses chaussures, chercha les Byrds, qui ne figuraient dans aucune de ses playlists Spotify, la musique des années soixante et du début des années soixante-dix était plutôt le truc de Bjørn Holm, et ses tentatives de convertir Harry à Glen Campbell avaient été vaines. Il trouva « Turn ! Turn ! Turn ! », et à la seconde suivante la Rickenbacker de Roger McGuinn résonna dans la pièce. Mais elle, elle avait été convertie. Elle était tombée amoureuse bien que ce ne soit pas sa musique. Parce qu'il y avait un truc entre les filles et les guitares. Il suffisait de quatre cordes, et ce type-là en avait donc douze. Harry se dit qu'il pouvait bien sûr se tromper, mais les poils de sa nuque se trompaient rarement, et ils s'étaient hérissés quand il avait reconnu sur la pochette de disque un nom lu dans les procès-verbaux d'interrogatoires, puis fait le rapprochement avec la photo du garçon à la Rickenbacker. Harry alluma une cigarette et écouta le double solo de guitare à la fin de « Rainy Days Revisited ». Il se demandait combien de temps il allait mettre pour s'endormir. Combien de temps il allait réussir à laisser son téléphone avant de regarder si Rakel avait répondu.

5

« Nous savons que vous avez déjà répondu à ces questions, Sara. » Harry regarda la fille de dix-neuf ans qui était assise en face de lui dans la salle d'interrogatoire exiguë, une pièce de maison de poupée. En salle de contrôle se trouvait Truls Berntsen, assis les bras croisés, bâillant. Il était quatorze heures, cela faisait une heure qu'ils reprenaient le cours des événements et Sara avait montré des signes d'impatience, mais aucun autre sentiment. Même quand Harry avait lu à voix haute la description des lésions infligées à sa mère par les treize coups de couteau. « Mais, comme je le disais, l'inspecteur Berntsen et moi avons repris le dossier et nous voudrions y voir aussi clair que possible. Donc : votre père avait-il l'habitude d'aider à préparer le repas ? Je pose la question parce qu'il a dû être prompt à trouver le couteau de cuisine le mieux aiguisé, il a dû savoir dans quel tiroir il était, et où dans le tiroir.

— Non, il n'aidait pas, répondit Sara, avec un mécontentement plus visible, cette fois. Il faisait le repas. La seule qui aidait, c'était moi. Maman était sortie.

— Sortie ?

— Elle voyait des copines. Faisait du sport. Enfin, c'est ce qu'elle disait.

— J'ai vu des photos d'elle, elle avait l'air en forme, athlétique. Elle restait jeune.

— Ouais. Elle est morte jeune. »

Harry attendit. Il laissa la réponse de Sara en suspens. Elle grimaça. C'était une réaction qu'il avait souvent vue, certains se battaient contre le chagrin comme contre un ennemi, un fléau. Une façon de le faire était de déprécier ce qu'on avait perdu, de discréditer le défunt, mais il soupçonnait que ce n'était pas le cas ici. Quand il lui avait suggéré d'amener un avocat, Sara avait décliné. Elle voulait juste en finir aussi vite que possible, avait-elle dit, elle avait d'autres projets. C'était compréhensible, elle avait dix-neuf ans, elle était seule, mais capable de s'adapter, et la vie continuait. Et puis l'affaire était élucidée, c'était sans doute pour cela qu'elle se détendait. Qu'elle montrait ses vrais sentiments. Ou son absence de sentiments.

« Vous ne faites pas autant de sport que votre mère, observa Harry. Pas de jogging, en tout cas.

— Ah bon ? » Elle leva les yeux sur Harry avec un demi-sourire. C'était le sourire arrogant de quelqu'un qui appartenait à une génération où on passait pour mince quand on avait un corps qui, dans sa génération à lui, était considéré comme la norme.

« J'ai regardé vos baskets, dit Harry. Elles ne sont presque pas usées, et ce n'est pas parce qu'elles sont neuves, ça fait deux ans qu'on n'en fabrique plus. J'ai les mêmes. »

Sara haussa les épaules. « Je vais avoir plus de temps pour courir maintenant.

— Oui, votre père va rester en prison pendant douze ans, donc vous n'aurez plus besoin de l'aider à préparer le dîner. »

Harry la regarda : touché. Sara était restée bouche bée et ses cils maquillés de noir battaient intensément.

« Pourquoi avez-vous menti ?

— Qu… quoi ?

— Vous avez dit que vous aviez couru de la maison au parc

de sculptures et que vous étiez redescendue par le restaurant d'Ekeberg, le tout en une demi-heure. J'ai fait le même parcours cette nuit. Ça m'a pris près de quarante-cinq minutes, et je suis plutôt un bon coureur. Et puis j'ai parlé à l'agent qui vous a interceptée à votre retour. Il m'a dit que vous n'étiez ni en nage ni particulièrement essoufflée. »

De l'autre côté de la table miniature, Sara s'était redressée sur son siège. Elle observa inconsciemment le voyant rouge au-dessus des micros qui indiquait que l'enregistreur était allumé et répondit :

« OK, je n'ai pas couru tout à fait jusqu'en haut.

— Jusqu'où ?

— Jusqu'à la statue de Marilyn Monroe, là.

— Alors vous avez couru comme moi sur le chemin de terre. Quand je suis rentré, j'ai dû sortir des cailloux de mes semelles, Sara. Huit cailloux. Alors que vos semelles à vous étaient parfaitement propres. »

Trois, huit, Harry n'avait pas la moindre idée du nombre exact de cailloux qu'il y avait eu, mais plus il se montrait précis, plus son raisonnement paraîtrait inattaquable. Il vit sur Sara que cela marchait.

« Vous n'avez pas couru du tout, Sara. Vous êtes sortie de l'appartement à l'heure que vous avez indiquée à la police, vingt heures quinze, alors que votre père appelait la police en prétendant avoir tué votre mère. Vous avez peut-être fait un tour en courant dans le quartier, assez longtemps pour que la police arrive, et puis vous êtes revenue. Comme votre père vous avait dit de le faire, n'est-ce pas ? »

Sara ne répondit pas, elle ne faisait que cligner des yeux, encore et encore. Harry nota que ses pupilles s'étaient dilatées.

« J'ai parlé à l'amant de votre mère. Andreas. Nom d'artiste Bom-Bom. Il chante sans doute moins bien qu'il ne joue de sa douze cordes.

— Andreas ne chante... » La colère de son regard s'éteignit et elle se tut.

« Il a avoué que lui et vous vous étiez vus quelques fois et que c'était comme ça qu'il avait rencontré votre mère. » Harry consulta son bloc-notes. Non pas parce qu'il ne savait pas ce qui y était écrit – à savoir rien du tout – mais pour faire retomber la pression, pour donner un peu de répit à Sara.

« Je sortais avec Andreas. » La voix de Sara chevrotait.

« Ce n'est pas ce qu'il dit. D'après lui, il y a eu un ou deux... » Harry recula un peu la tête pour mieux lire ce qui n'était pas écrit sur son bloc. « ... plans cul de groupie. » Sara sursauta. « Mais ensuite, il paraît que vous ne l'avez pas laissé tranquille. Il a dit que le pas était vite franchi entre groupie et stalker, du moins c'était son expérience. Que c'était plus simple avec une femme mûre mariée qui prenait les choses pour ce qu'elles étaient. Une façon de pimenter le quotidien, comme les épices sur les boulettes de poisson. C'est le terme qu'il a employé. Boulettes de poisson. »

Harry leva les yeux sur elle.

« C'est vous qui avez emprunté le téléphone de votre mère, pas votre père, et vous avez découvert qu'elle et Andreas avaient une liaison. »

Il se livra à une rapide introspection. Comment sa consience prenait-elle d'écraser ainsi une fille de dix-neuf ans sans avocat, une adolescente en mal d'amour trahie par sa mère et un type dont elle avait réussi à s'imaginer qu'il était à elle ?

« Votre père n'a pas seulement le sens du sacrifice, Sara, il est malin. Il sait que les meilleurs mensonges sont ceux qui se rapprochent le plus de la vérité. Le mensonge, c'est que votre père était allé faire quelques petites courses pour le dîner à la supérette du coin et qu'en rentrant, il a trouvé les messages et tué votre mère. La vérité, c'est que pendant qu'il faisait les courses, vous, vous avez trouvé les messages et à partir de là, je parie que si nous remplaçons votre père par vous dans le rapport, nous aurons une description relativement exacte de ce qui s'est passé dans la cuisine. Vous vous êtes disputées, elle vous a tourné le dos pour s'en aller, vous saviez où était le couteau, le reste s'est passé tout seul. Quand votre père est revenu et a vu ce qui s'était passé, vous avez échafaudé ce plan ensemble. »

Il ne vit aucune réaction dans son regard. Juste une haine noire, étouffante, uniforme. Et il sentit qu'il pouvait avoir la conscience tranquille. L'État donnait bien des fusils à des jeunes de dix-neuf ans en leur demandant de tuer, et cette jeune de dix-neuf ans là avait tué sa mère en laissant son père innocent gâcher sa vie pour elle. Sara n'allait pas rejoindre les rangs des gens qui hantaient ses cauchemars.

« Andreas m'aime, murmura-t-elle. On aurait dit qu'elle avait la bouche pleine de sable. Mais maman l'a convaincu de s'éloigner de moi. Elle l'a séduit uniquement pour que je ne l'aie pas. Je la déteste. Je... » Les larmes montaient. Harry retint son souffle. Ils y étaient presque, l'avalanche était déclenchée, il n'avait besoin que de quelques mots enregistrés, mais les pleurs allaient créer une pause, pause pendant laquelle l'avalanche pouvait s'arrêter. Sara éleva la voix. La rage prit le dessus. « ... je déteste cette sale pute ! J'aurais dû lui donner plus de coups de couteau, j'aurais dû lui couper son putain de visage dont elle était si putain de fière !

— Hmm. » Harry se cala contre son dossier. « Vous auriez voulu la tuer plus lentement, c'est ce que vous êtes en train de dire ?

— Oui ! »

Confirmation de meurtre. Bingo ! Jetant un petit coup d'œil par la fenêtre, il constata que Truls Berntsen s'était réveillé et levait le pouce. Mais Harry n'éprouvait aucune joie. Au contraire, l'excitation qu'il avait pu ressentir quelques secondes plus tôt avait cédé le pas à un triste abattement, de la déception.

Sentiment qui ne lui était pas inconnu, il lui venait souvent après une longue traque. Quand on attendait l'explication, l'arrestation, comme un point d'orgue libérateur, avec l'idée que cela allait changer quelque chose, faire du monde un endroit meilleur. Ce qui suivait à la place était souvent une dépression post-élucidation avec rechute alcoolique afférente et jours, voire semaines, de beuverie. Harry se figurait que ce n'était pas sans ressembler à la frustration du tueur en série quand, au lieu d'offrir une profonde satisfaction, le meurtre n'apportait qu'un sentiment de déconvenue qui l'incitait à repartir à la chasse. C'était peut-être pour cela que – dans une espèce de flash, là encore – Harry ressentit un amer désespoir, comme si l'espace d'un instant il était de l'autre côté de la table, à sa place à elle.

« Eh ben, on l'a bien réussi, ce coup-là », fit Truls Berntsen dans l'ascenseur qui montait à la Brigade criminelle au cinquième étage.

« On ? rétorqua Harry d'un ton sec.

— J'ai appuyé sur le bouton "Record", non ?

— Je l'espère. Tu as vérifié que tu avais un enregistrement ?

— Ai-je vérifié ? » Truls Berntsen haussa un sourcil interrogateur. Puis il ricana. « Détends-toi. »

Harry détourna son regard des chiffres lumineux des étages pour le porter sur Berntsen. Il sentit qu'il enviait son collègue au menton en galoche, au front bombé et au rire porcin qui lui avait valu le surnom de Beavis. Personne toutefois n'osait l'appeler ainsi à voix haute. Il exsudait une agressivité passive avec un je-ne-sais-quoi qui faisait qu'on n'aurait pas voulu l'avoir dans son angle mort en cas de pépin. À la Brigade criminelle, Truls était sans doute encore moins apprécié que lui, mais ce n'était pas ça. Ce qu'il lui enviait vraiment, c'était son je-m'en-foutisme total, cette capacité à se dégager de toute responsabilité, concrète et morale, dans le travail de policier qu'on lui avait confié. Harry aussi se contrefoutait de ce que ses collègues pensaient de lui, mais si on pouvait dire beaucoup de choses sur lui, ce dont personne ne se privait, on ne pouvait pas lui enlever que c'était un policier, un vrai. Une rare bénédiction du ciel et sa plus grande malédiction. Même quand sa vie privée partait à la dérive, comme depuis que Rakel l'avait jeté dehors, Harry le policier n'arrivait pas à lâcher totalement prise, à se livrer à la délicieuse chute libre de Truls Berntsen dans l'anarchisme et le nihilisme. Cela ne lui vaudrait aucun remerciement, peu importait, Harry ne les recherchait pas plus que le salut. Jusqu'à ce qu'il rencontre Rakel, sa traque inlassable, presque obsessionnelle, des pires criminels de la société avait été sa seule raison de se lever le matin. Il remerciait donc ce gène grégaire ou quoi que ce fût d'autre d'avoir été une ancre dans sa vie, mais quelque part, il aspirait à cette liberté totale et dévastatrice, couper la chaîne de l'ancre, être détruit dans les brisants ou juste disparaître dans le vaste océan sombre.

Ils sortirent de l'ascenseur, empruntèrent le couloir aux murs rouges qui confirmaient qu'ils étaient au bon étage et passèrent devant les bureaux individuels pour rejoindre l'open space.

« Hé, Hole ! » cria Skarre par une porte ouverte. Il avait enfin atteint le grade d'inspecteur principal et obtenu l'ancien bureau de Harry. « Le dragon te cherche.

— Ta femme ? répondit Harry sans ralentir pour entendre sa repartie, sans doute rageuse, faire un four.

— Joli, fit Berntsen dans un grognement. Skarre est un con. »

Harry n'aurait su dire si c'était une main tendue, mais il l'ignora. Il n'avait pas l'intention de se faire de nouveaux mauvais copains.

Sans un mot, il tourna à gauche dans le couloir et entra par la porte ouverte chez la directrice de brigade. Un homme se tenait penché au-dessus du bureau, il était de dos mais facilement reconnaissable à son crâne lisse et brillant, ceint d'une couronne de cheveux noirs et étonnamment drus.

« J'espère que je ne dérange pas, mais on m'a demandé ? »

Katrine Bratt leva les yeux et le directeur de la police Gunnar Hagen fit volte-face comme s'il était pris en flagrant délit. Ils le regardèrent sans rien dire.

Harry leva un sourcil. « Qu'est-ce qu'il y a ? Vous êtes déjà au courant ? »

Katrine et Gunnar Hagen échangèrent un regard.

Hagen toussota. « Parce que toi, tu es au courant ?

— Qu'est-ce que tu veux dire ? C'est moi qui l'ai interrogée. »

Le cerveau de Harry chercha et arriva à la conclusion que ce devait être le procureur, qu'il avait appelé après l'interrogatoire pour parler de la libération du père, qui avait informé Katrine Bratt. Mais que faisait le directeur de la police ici ?

« J'avais recommandé à la fille de venir avec un avocat, mais elle a décliné, poursuivit Harry. Je lui ai reproposé avant le début de l'interrogatoire, mais elle a refusé, on l'a sur bande. Enfin non, pas sur bande, sur disque dur. »

Ils ne sourirent ni l'un ni l'autre, et cette fois, Harry le vit, quelque chose n'allait pas. N'allait pas du tout.

« C'est le père ? demanda-t-il. Est-ce qu'il… s'est… ?

— Non, répondit Katrine. Ce n'est pas le père, Harry. »

Le cerveau de Harry nota inconsciemment les détails, Hagen qui avait laissé Katrine, dont il était un peu plus proche, prendre les rênes. Elle qui avait employé son prénom alors que ce n'était pas nécessaire. Des airbags. Dans le silence qui suivit, il sentit de nouveau la griffe dans sa poitrine, et bien qu'il ne croie pas outre mesure à la télépathie et à la clairvoyance, c'était comme si ce qui allait venir était ce que la griffe et les flashs essayaient de lui dire depuis le début.

« C'est Rakel », dit Katrine.

6

Harry retint son souffle. Il avait lu qu'il était possible de le faire si longtemps qu'on en mourait. Que la mort n'était pas due alors au manque d'oxygène, mais à l'excès de dioxyde de carbone. Qu'en règle générale, les gens n'arrivaient pas à retenir leur souffle au-delà de trente à soixante secondes, mais qu'un apnéiste danois avait tenu plus de vingt-deux minutes.

Harry avait été heureux ; mais le bonheur, c'était comme l'héroïne, une fois qu'on y avait goûté, une fois qu'on en connaissait l'existence, on ne pouvait jamais accepter totalement la vie sans. Car le bonheur est autre chose que la satisfaction. Le bonheur n'est pas naturel. C'est un état d'urgence trépidant, ce sont des secondes, des minutes, des jours qu'on sait ne pas pouvoir durer ; et le manque ne survient pas après, mais pendant. Avec le bonheur vient en effet la douloureuse notion que rien ne sera plus jamais pareil, et ce qu'on a nous manque déjà, on redoute la privation, la douleur de la perte, on se maudit de savoir ce qu'on est capable de ressentir.

Rakel avait eu l'habitude de lire au lit. Parfois, elle lisait à voix haute, si c'était un texte qu'il aimait. Comme les nouvelles de Kjell Askildsen. Ça le rendait heureux. Un soir, elle lui avait lu une phrase qui s'était gravée en lui. Sur une jeune fille qui avait vécu toute sa vie seule avec ses parents dans un phare, jusqu'au jour où arrivait Krafft, un homme marié dont elle tombait amoureuse. Et elle se disait : Pourquoi a-t-il fallu que tu viennes me rendre si seule ?

Katrine toussota, mais sa voix se troubla malgré tout. « On a trouvé Rakel, Harry. »

Il avait envie de demander comment on pouvait trouver quelqu'un qui n'avait pas disparu. Mais pour parler, il fallait respirer. Il respira. « Ce qui… signifie ? »

Katrine luttait pour garder le contrôle de son visage, mais dut s'avouer vaincue et plaqua sa main devant sa bouche, qui s'était déformée en une grimace.

Gunnar Hagen enchaîna. « Le pire, Harry.

— Non », s'entendit dire Harry. Avec colère. Puis suppliant. « Non.

— Elle…

— Attends ! » Harry tendit la main en avant pour l'arrêter. « Ne le dis pas, Gunnar. Pas encore. Laisse-moi juste… juste une minute. »

Gunnar Hagen attendit. Katrine avait enfoui son visage dans ses mains. Elle sanglotait sans bruit, mais était trahie par les secousses de ses épaules. Le regard de Harry trouva la fenêtre. Il y avait toujours des îlots grisâtres et des petits continents de neige dans l'océan marron qu'était maintenant le Botspark, mais ces derniers jours, l'allée de tilleuls qui menait à la prison avait commencé à bourgeonner. D'ici un mois, un mois et demi, ces bourgeons écloraient soudain et Harry se réveillerait en voyant que, dans le courant de la nuit, le printemps avait de nouveau fait sa blitzkrieg à Oslo. Et cela n'aurait absolument aucun sens. Il avait passé la majeure partie de sa vie seul. Ça s'était bien passé. Là, ça ne se passait pas bien. Il ne respirait pas. Il était plein de dioxyde de carbone. Et il espérait en avoir pour moins de vingt-deux minutes.

« OK, fit-il. Vas-y.

— Elle est morte, Harry. »

7

Harry soupesa son portable.

Huit touches de distance.

Quatre de moins que quand il habitait Chungking Mansion.

Les Chungking Mansions, quatre tours grises qui à elles seules constituaient une véritable petite société, avec des auberges pour les travailleurs étrangers africains et philippins, des restaurants, des salles de prière, des tailleurs, des bureaux de change, une maternité et des pompes funèbres. La chambre de Harry était au premier étage de la tour C. Quatre mètres carrés de béton nu, juste la place pour un matelas sale et un cendrier, et un système d'air conditionné qui fuyait et dont les gouttes avaient marqué les secondes quand il avait lui-même perdu le compte des jours et des semaines, à cette époque où son emploi du temps était dicté par son va-et-vient dans les brumes de l'opium. À la fin, une certaine Kaja Solness de la Brigade criminelle était venue pour le ramener à la maison, mais avant cela, il avait trouvé un rythme.

Tous les jours, après avoir mangé ses vermicelles sur Li Yuan Street ou redescendu Nathan Road et Melden Row pour s'acheter un bout d'opium, il revenait sur ses pas, s'arrêtait devant les ascenseurs de Chungking Mansion et regardait le téléphone public qui était accroché au mur. Il s'était sauvé. De son boulot d'enquêteur criminel qui lui dévorait l'âme. De lui-même, qui était devenu une force destructrice qui tuait tout autour d'elle. Mais avant tout de Rakel et d'Oleg, pour ne pas leur nuire à eux aussi. Pas davantage.

Et tous les jours, pendant qu'il attendait l'ascenseur, il restait à regarder fixement le téléphone. À sentir les pièces de monnaie dans sa poche.

Douze touches et il pourrait entendre sa voix. Savoir si Oleg et elle allaient bien.

Mais il ne pouvait pas savoir avant d'appeler.

Leur vie avait été chaotique et tout avait pu arriver depuis son départ. Il se pouvait que Rakel et Oleg eux-mêmes aient été entraînés dans le maelström qui avait suivi le Bonhomme de neige. Rakel avait beau être forte, Harry avait vu cela dans d'autres affaires de meurtre, les survivants qui devenaient des victimes.

Tant qu'il n'appelait pas, en revanche, ils étaient là. Dans sa tête, dans le téléphone public, quelque part dans le monde. Tant qu'il n'avait pas de nouvelles, il pouvait les voir, dans la Nordmarka, sur les sentiers forestiers d'octobre. Où ils s'étaient promenés tous les trois. Le garçon qui courait devant eux, tout à sa joie d'attraper les feuilles qui tombaient. La main chaude et sèche de Rakel dans la sienne. Sa voix qui lui demandait en riant pourquoi il souriait, et lui qui secouait la tête en comprenant qu'il le faisait vraiment. Alors il n'avait jamais touché au téléphone public. Parce que tant qu'il s'abstenait d'appuyer sur ces douze touches, il pouvait s'imaginer que ces moments pourraient revenir un jour.

Harry appuya sur la dernière des huit touches.

Le téléphone sonna trois fois avant qu'il ne décroche.

« Harry ? » La première des deux syllabes prononcées contenait de la stupéfaction et de la joie, la seconde toujours de la stupéfaction, mais teintée cette fois d'une certaine inquiétude.

Les rares fois où Harry et Oleg s'appelaient, c'était le soir, pas en pleine journée de travail. Pour convenir de questions pratiques. Qui parfois n'étaient qu'un maigre prétexte, bien sûr, mais ni l'un ni l'autre n'aimaient particulièrement le téléphone, donc même quand ils appelaient en fait pour s'assurer que tout allait bien, ils restaient concis. Cela n'avait pas changé quand Oleg et sa compagne Helga étaient partis s'installer à Lakselv, dans le Finnmark, où le jeune homme faisait son année de stage avant sa dernière année d'école de police.

« Oleg », dit Harry d'une voix déjà nouée. Parce qu'il allait bientôt verser de l'eau bouillante sur Oleg, qui allait garder les cicatrices de ses brûlures jusqu'à la fin de ses jours. Harry le savait parce qu'il en avait tant lui-même.

« Quelque chose ne va pas ?

— C'est ta mère, répondit Harry, et il s'arrêta encore parce qu'il n'arrivait pas à continuer.

— Vous vous remettez ensemble ? » La voix d'Oleg était pleine d'espoir.

Harry ferma les yeux.

Oleg s'était mis en colère quand il avait appris que sa mère avait quitté Harry. Et comme la raison lui en avait été épargnée, sa colère s'était dirigée contre Rakel, pas Harry. Sans que celui-ci voie en quoi il avait pu être un bon père qui mérite qu'on prenne son parti. Il avait plutôt fait profil bas à l'époque où il était entré dans leur vie, que ce soit comme éducateur ou comme épaule consolatrice, car il était manifeste que le garçon n'avait pas besoin d'un papa de remplacement. Et lui n'avait clairement pas besoin d'un fils, mais le problème – si on adoptait cette perspective – c'était que Harry avait commencé à bien aimer ce bonhomme grave et taciturne, et réciproquement. Rakel les accusait d'être semblables, et il y avait peut-être du vrai là-dedans. Peu à peu – quand le petit était particulièrement fatigué ou déconcentré – il lui était arrivé de laisser échapper un « papa » au lieu du « Harry » sur lequel ils s'étaient mis d'accord.

« Non. Nous n'allons pas nous installer ensemble. Oleg, ce sont de mauvaises nouvelles. »

Silence. Harry comprit qu'Oleg retenait son souffle. Harry versa l'eau.

« Elle est déclarée morte, Oleg. »

Deux secondes s'écoulèrent.

« Est-ce que tu peux le dire encore une fois ? »

Harry ne savait pas s'il y parviendrait, mais il y parvint.

« Morte comment ? demanda Oleg, et Harry entendit le désespoir métallique dans sa voix.

— On l'a trouvée dans la maison ce matin. Ça ressemble à un meurtre.

— Ressemble ?

— Je viens moi-même de l'apprendre. La police est sur place et je vais y aller maintenant.

— Comment… ?

— Je ne sais pas encore.

— Mais… »

Oleg ne termina pas sa phrase et Harry savait qu'il n'y avait pas de suite à ce « mais » général. C'était juste la protestation instinctive, l'objection de préservation, le rejet que la situation puisse effectivement être ce qu'elle était. Un écho de son propre « mais… » vingt-cinq minutes plus tôt, dans le bureau de Katrine Bratt. Harry attendit pendant qu'Oleg se battait contre ses larmes. Il répondit à ses cinq questions suivantes par le même « Je ne sais pas, Oleg ».

Il entendit les sanglots du garçon et se dit : tant qu'il pleurera, moi, je ne le ferai pas.

Oleg arriva au bout de ses larmes, le silence se fit.

« Je garde mon téléphone allumé et je t'appelle dès que j'en sais davantage, dit Harry. Est-ce qu'il y a des av…

— Il y en a un avec escale à Tromsø à treize heures. » La respiration difficile, suffocante d'Oleg dans le combiné.

« Bien.

— Tu appelles dès que tu peux, OK ?

— Oui.

— Papa ?

— Oui ?

— Ne les laisse pas…

— Mais non. » Harry ignorait comment il savait à quoi Oleg pensait, ce n'était pas une pensée rationnelle, elle était juste… là. Il toussota. « Je te promets que personne sur les lieux du crime ne verra d'elle plus que ce qui est nécessaire pour faire son travail. OK ?

— OK.

— OK. »

Silence.

Harry chercha des paroles réconfortantes, mais tout ce qu'il aurait pu dire semblait dépourvu de sens. « Je t'appelle, dit-il.

— Oui. »

Ils raccrochèrent.

8

Harry remonta lentement l'allée éclairée par les gyrophares des voitures de police garées devant. Les rubalises orange et blanc avaient commencé dès le portail, en bas. Des collègues qui ne savaient que dire ni que faire le dévisageaient sur son passage. Il avait le sentiment de marcher sous l'eau. Comme dans un rêve dont il espérait se réveiller bientôt. Ou peut-être plutôt ne pas se réveiller, car il y avait un engourdissement, une singulière absence de sensations et de bruits, juste une lumière diffuse et le son amorti de ses propres pas. Comme si on lui avait injecté une substance quelconque.

Il gravit les trois marches du perron. De l'autre côté de la porte ouverte, il entendait grésiller des radios et Bjørn Holm donner ses ordres brefs aux autres policiers scientifiques. Harry respira en tremblant. Puis il franchit le seuil de la maison en rondins noire que Rakel, Oleg et lui avaient partagée et marcha par réflexe hors des fanions blancs que les policiers scientifiques avaient installés.

Enquête, songea-t-il. Ceci est une enquête. Je suis en train de rêver, mais l'enquête, je sais faire les yeux fermés. Il suffit de procéder correctement, de laisser flotter, et je ne me réveillerai pas. Tant que je ne serai pas réveillé, ce ne sera pas vrai. Alors Harry procéda correctement, il ne dirigea pas son regard vers le soleil, vers le corps qu'il savait être sur le sol, juste entre la partie cuisine et la partie salon. Le soleil qui – même si ça n'avait pas été Rakel – allait l'aveugler si jamais il le regardait directement. Le spectacle d'un corps agit sur les sens, même sur ceux des enquêteurs criminels chevronnés, et, dans une plus ou moins grande mesure, il les submerge, les engourdit, amoindrit leur réceptivité aux impressions moins brutales, tous les petits détails d'une scène de crime qui peuvent parler. Qui peuvent constituer une histoire cohérente et logique. Ou inversement, une fausse note, une incohérence dans le tableau. Son regard balaya les murs. Un seul manteau, rouge, à une patère sous l'étagère à chapeaux. Elle avait l'habitude d'y pendre son manteau, sauf quand elle savait qu'elle n'allait pas le remettre la fois suivante, auquel cas elle le rangeait dans la penderie avec les autres. Il dut se retenir d'attraper le manteau et d'y enfouir son visage pour respirer son odeur. Son odeur de forêt. Car quel que soit le parfum qu'elle portait, sa symphonie de fragrances avait toujours des notes de forêt norvégienne chauffée au soleil. Il ne voyait pas le foulard en soie rouge qu'elle mettait habituellement avec ce manteau, mais ses bottines noires étaient sur l'étagère à chaussures juste au-dessous. Son regard coula vers le salon, mais là non plus, il n'y avait rien de nouveau. La pièce avait exactement le même aspect que deux mois, quinze jours et vingt heures auparavant. Aucun tableau de travers, pas de tapis décalé. La cuisine. Là. Il manquait un couteau dans le bloc en bois pyramidal sur le plan de travail. Son regard se dirigea en cercles vers le corps. Il sentit une main sur son épaule.

« Salut, Bjørn, fit Harry sans se retourner, sans interrompre son regard qui photographiait systématiquement la scène du crime.

— Harry. Je ne sais pas quoi dire.

— Tu devrais me dire que je ne peux pas être ici. Tu es censé m'expliquer que je suis juge et partie, que ceci n'est pas mon enquête, et que pour la voir, je dois faire comme tout le monde et attendre d'être appelé pour une éventuelle identification.

— Tu sais que je ne te le dirai pas.

— Si ce n'est pas toi, ce sera quelqu'un d'autre. » Harry remarqua des giclées de sang au bas de la bibliothèque, sur la tranche des œuvres complètes de Hamsun et d'une encyclopédie qu'Oleg avait aimé regarder avec lui, quand il lui expliquait ce qui avait changé dans le monde depuis la publication de l'ouvrage et pourquoi. « Et j'aimerais mieux que ce soit toi. » Alors seulement Harry regarda Bjørn Holm. Il avait les yeux brillants et encore plus exorbités que d'habitude dans son visage pâle, souligné par le roux vif de ses rouflaquettes à la Elvis des années soixante-dix, ses poils clairsemés sur le menton et une nouvelle casquette à l'ancienne qui venait remplacer son bonnet de rasta.

« Je le dirai si tu veux, Harry. »

Le regard de Harry se rapprochait du soleil sur le plancher. Il atteignit le bord d'une flaque de sang dont la forme révélait qu'elle était grande. Il avait dit « déclarée morte » à Oleg. Comme s'il ne le croyait pas vraiment avant de l'avoir vu. Harry toussota. « Dis-moi d'abord ce que vous avez.

— Couteau, répondit Bjørn. La Médecine légale est en route, mais ça m'a l'air d'être trois coups, pas plus. Dont l'un dans la nuque, juste au-dessous du crâne. Ça signifie qu'elle est morte…

— Rapidement et sans souffrance, compléta Harry. Merci pour cette pensée, Bjørn. »

Bjørn fit un bref signe de tête et Harry se rendit compte qu'il l'avait dit tout autant pour lui-même.

Son regard revint au bloc à couteaux. Des Tojiro hyper tranchants qu'il avait achetés à Hong Kong, de style santoku traditionnel, avec un manche en chêne, mais ces modèles avaient en outre une mitre en corne de buffle. Rakel les adorait. Le plus petit semblait manquer, un couteau universel avec une lame mesurant entre dix et quinze centimètres.

« Et il n'y a aucun signe d'agression sexuelle, précisa Bjørn. Elle a tous ses vêtements sur elle et ils sont intacts. »

Le regard de Harry avait atteint le soleil. Ne pas se réveiller.

Rakel gisait en position fœtale, elle avait le dos tourné, le visage vers la cuisine. Plus recroquevillée que quand elle dormait. Aucune trace visible de coup de couteau dans le dos et ses longs cheveux noirs cachaient sa nuque. Les voix qui hurlaient dans sa tête essayaient de s'assourdir les unes les autres. L'une criait qu'elle portait le cardigan islandais qu'il lui avait acheté lors d'un voyage à Reykjavik. Une autre que ce n'était pas elle, que ça ne pouvait pas être elle. Une troisième que si c'était comme ça en avait l'air à première vue, elle avait été poignardée par-devant d'abord et si le tueur ne se trouvait pas entre elle et la porte de la maison, c'était qu'elle n'avait pas tenté de fuir. La quatrième qu'elle allait à tout moment se lever, venir vers lui en riant et pointer le doigt sur une caméra cachée.

Caméra cachée.

Harry entendit quelqu'un toussoter doucement et se retourna.

L'homme à la porte était grand et carré, avec une tête tracée au cordeau et taillée dans le granit. Crâne chauve, menton droit, bouche droite, nez droit et petits yeux droits sous une paire de sourcils droits. Jean, blazer et chemise, sans cravate. Ses yeux gris n'exprimaient rien, mais sa voix et sa façon d'étirer les mots – comme s'il les savourait, comme s'il avait attendu la possibilité de les prononcer – exprimaient tout ce que ses yeux cachaient : « Je suis désolé, mais je dois vous demander de quitter la scène de crime, Hole. »

Harry croisa le regard d'Ole Winter, nota que le commissaire divisionnaire de Kripos avait eu recours à un anglicisme, comme si la compassion n'avait pas d'expression adéquate en norvégien. Et que, après son anglicisme, il n'avait même pas pris le temps d'un point avant de le jeter dehors, juste d'une rapide virgule. Harry ne répondit pas, il se contenta de se tourner pour regarder de nouveau Rakel.

« Ça veut dire tout de suite, Hole.

— Hmm. Pour autant que je sache, la mission de Kripos est d'assister la police d'Oslo, pas de donner des or…

— Et en ce moment précis, Kripos assiste en tenant le mari de la victime loin des scènes du crime. Vous pouvez être pro et accepter ou je peux demander à un des gars en tenue de vous montrer le chemin de la sortie. »

Harry savait qu'Ole Winter n'aurait pas vu d'inconvénient à le faire escorter par deux agents jusqu'à une voiture de police, au vu et au su de ses collègues, de ses voisins et des vautours de la presse qui étaient dans la rue et qui photographiaient tout ce qu'ils voyaient. Ole Winter avait deux ou trois ans de plus que Harry et, chacun de leur côté de la barrière, ils travaillaient comme enquêteurs criminels depuis vingt-cinq ans, Harry à la police d'Oslo et Winter à Kripos, la police criminelle nationale, qui assistait les polices locales dans les affaires criminelles graves, comme les meurtres. Et qui, parfois, en raison de ses compétences et de ses ressources supérieures, prenait entièrement les rênes de l'enquête. Harry supposait que c'était son propre directeur, Gunnar Hagen, qui avait pris la décision et passé le coup de fil à Kripos. Décision tout à fait juste, dans la mesure où le mari était un employé de la Brigade criminelle de la police d'Oslo. Un peu douloureuse aussi, puisqu'il y avait toujours une compétition non déclarée entre les deux principaux services d'enquête criminelle de Norvège. Ce qui n'était pas déclaré non plus, c'était qu'Ole Winter jugeait Harry Hole très surfait et considérait que son statut de légende devait plus au caractère spectaculaire des affaires qu'il avait résolues qu'à la qualité de son travail de policier. Alors que lui-même – bien qu'il soit la star incontestée de Kripos – était sous-estimé, en tout cas en dehors de son cercle rapproché. Ce qu'il fallait imputer au fait que ses triomphes n'avaient jamais été médiatisés comme ceux de Hole, parce que le travail policier sérieux l'était rarement, alors que l'unique instant de lucidité inspirée d'un électron libre alcoolique faisait toujours les gros titres.

Harry prit son paquet de Camel, en glissa une entre ses lèvres et sortit son briquet. « J'y vais, Winter. »

Il passa devant lui, descendit les marches du perron et avança sur le gravier, puis eut besoin de faire un petit pas pour retrouver son équilibre. Il s'arrêta, voulut allumer sa cigarette, mais était tellement aveuglé de larmes qu'il ne voyait ni sa cigarette ni son briquet.

« Tiens. »

Harry entendit la voix de Bjørn, il cligna rapidement des yeux une ou deux fois, et approcha sa cigarette du briquet que Bjørn tendait vers lui. Harry inhala profondément. Il toussa et inhala encore.

« Merci. Toi aussi, tu t'es fait jeter dehors ?

— Non, non, je travaille aussi bien pour Kripos que pour la police d'Oslo.

— À propos, tu n'es pas en congé paternité ?

— Katrine m'a téléphoné. Le petit est probablement sur une paire de genoux, en train de diriger la Brigade criminelle en ce moment même. » Le petit sourire de Bjørn Holm disparut aussi vite qu'il était apparu. « Excuse-moi, Harry, je me perds en bavardages.

— Hmm. » Le vent balaya la fumée que Harry recrachait. « Donc vous avez fini, dans la cour ? » Rester en mode enquêteur, rester sous anesthésie.

« Oui, répondit Bjørn. Il y a eu des gelées dans la nuit de samedi, donc le sol était bien compact. Si des voitures ou des gens sont passés, ils n'ont pas laissé beaucoup de traces.

— La nuit de samedi ? Tu veux dire que ça s'est passé à ce moment-là ?

— Elle est froide et quand j'ai replié son bras, on aurait dit que la rigidité cadavérique était en train de disparaître.

— Au moins vingt-quatre heures, alors.

— Oui. Le médecin légiste devrait être là maintenant. Ça va, Harry ? »

Harry avait eu un réflexe nauséeux, mais il fit oui de la tête et ravala la bile brûlante. Il s'en sortait. Il s'en sortait. Il dormait toujours.

« Les plaies, tu t'es fait une idée du modèle de couteau qui a été utilisé ?

— Je parierais que c'était une lame petite ou moyenne. Pas d'ecchymose à côté de la plaie, donc ou bien il n'a pas enfoncé le couteau très profond ou bien c'était un couteau sans garde.

— Le sang. Il a enfoncé le couteau profond.

— Oui. »

Harry tirait désespérément sur la cigarette qui arrivait déjà au filtre. Un grand jeune homme en costume imper et Burberry remontait l'allée vers eux.

« Katrine m'a dit que c'était quelqu'un du boulot de Rakel qui avait donné l'alerte, dit Harry. Tu en sais plus ?

— Juste que c'était son patron. Rakel n'est pas venue à une réunion importante et elle était injoignable. Il s'est douté qu'il y avait un problème.

— Hmm. C'est habituel d'appeler la police quand un employé ne se présente pas à une réunion ?

— Je sais pas, Harry. Il a dit que ça ne ressemblait pas à Rakel de ne pas venir, et encore moins de ne pas prévenir. Et les gens de son boulot savaient qu'elle vivait seule. »

Harry hocha lentement la tête. Ils en savaient plus long que ça. Ils savaient qu'elle venait de flanquer son mari dehors. Un homme réputé instable. Il jeta sa cigarette et entendit la plainte du gravier alors qu'il écrasait son talon dessus.

Le jeune homme arriva à leur hauteur. La trentaine, svelte, dos droit, des traits asiatiques. Son costume avait l'air d'être du sur-mesure, sa chemise était d'une blancheur immaculée et sans un pli, son nœud de cravate serré. Ses cheveux noirs fournis étaient courts, avec une coupe qui aurait pu être discrète si elle n'avait pas été d'un classique si étudié. L'enquêteur de Kripos Sung-min Larsen dégageait un léger effluve d'un parfum que Harry supposait cher. À Kripos, on le surnommait apparemment l'Indice Nikkei, bien que le prénom Sung-min, que Harry avait rencontré plusieurs fois à Hong Kong, fût coréen et non japonais. Il avait terminé ses études à l'école de police l'année où Harry avait commencé à y enseigner ; il se souvenait parfaitement de lui, surtout à cause de ses chemises blanches et de son attitude silencieuse, de ses petits sourires quand le nouvel enseignant qu'il était se sentait en terrain mouvant, et de ses résultats d'examens, qui étaient paraît-il les plus élevés jamais atteints à l'école de police.

« Toutes mes condoléances, Hole, fit Sung-min Larsen. Ma profonde sympathie. » Il était presque aussi grand que Harry.

« Merci, Larsen. » Harry désigna du menton le bloc-notes que l'enquêteur de Kripos tenait à la main. « Vous êtes allé faire la tournée des voisins ?

— C'est exact.

— Des choses intéressantes ? » Harry regarda autour de lui.

Holmenkollen était un quartier résidentiel chic et aéré. Les villas étaient entourées de grandes haies et de rangées de sapins.

Un instant, Sung-min Larsen eut l'air d'évaluer si c'était vraiment une information à partager avec la police d'Oslo. À moins que le problème ne soit que Harry était le mari de la défunte.

« Votre voisine, Wenche Angondora Syvertsen, dit qu'elle n'a rien entendu d'inhabituel samedi soir. Je lui ai demandé si elle dormait la fenêtre ouverte, ce qu'elle a confirmé, mais elle m'a aussi dit que si elle pouvait le faire, c'était parce qu'elle n'est pas réveillée par les bruits familiers. Comme la voiture de son mari, celles des voisins ou le camion poubelle. Elle a aussi souligné que les murs en rondins de la maison de Rakel Fauke étaient épais. »

Larsen avait dit tout cela sans avoir besoin de consulter ses notes et Harry eut le sentiment que c'était comme un test, pour voir si ces renseignements sans grand intérêt suscitaient une réaction.

« Hmm », fit Harry. Un grondement qui signifiait qu'il avait compris ce que l'autre disait.

« C'est le cas ? demanda Larsen. C'est sa maison ? Et pas la vôtre ?

— Séparation de biens. J'ai insisté. Je ne voulais pas qu'on croie que je l'avais choisie pour son argent.

— Elle était riche ?

— Non, c'était une blague. » Harry désigna la maison d'un mouvement de tête. « Allez donc rapporter les informations que vous avez à votre chef, Larsen.

— Winter est arrivé ?

— La température s'est en tout cas bien assez refroidie, là-dedans. »

Sung-min Larsen esquissa un sourire poli. « Sur le papier, c'est Winter qui dirige l'enquête, mais il semblerait que je sois largement chargé de cette affaire. Je ne suis pas de votre calibre, Hole, mais je vous promets de faire de mon mieux pour que celui qui a tué votre épouse soit pris.

— Merci. » Harry avait le sentiment que le jeune enquêteur pensait chaque mot qu'il avait prononcé. À part l'histoire de calibre. Il suivit Larsen du regard alors qu'il passait devant les voitures de police et se dirigeait vers la maison.

« Caméra cachée, dit Harry.

— Hein ? fit Bjørn.

— J'ai installé un piège photographique dans le sapin du milieu, là. » Harry montra de la tête le petit bosquet d'arbres et de buissons, comme un petit bout de forêt norvégienne devant la clôture. « Je devrais sans doute informer Winter.

— Non. » Bjørn était catégorique.

Harry le regarda. On n'entendait pas souvent le Totenois si décidé. Bjørn Holm haussa les épaules. « S'il y a des images qui peuvent élucider cette affaire, je trouve que les honneurs ne devraient pas revenir à Winter.

— Ah bon ?

— D'un autre côté, tu ne devrais rien toucher non plus.

— Parce que je suis un suspect. »

Bjørn ne répondit pas.

« C'est bon, dit Harry. L'ex-mari est toujours le premier suspect.

— Jusqu'à ce que tu sois mis hors de cause. Je m'occupe de l'enregistrement dans la caméra. Le sapin du milieu, tu disais ?

— Elle n'est pas facile à voir. Le logement de la caméra est dans un bas de la même couleur que le tronc. À deux mètres et demi de hauteur. »

Bjørn le regarda bizarrement. Puis il dirigea sa carcasse replète vers les arbres, de sa démarche extrêmement lente et étonnamment souple. Le téléphone de Harry sonna. Les quatre premiers chiffres du numéro affiché sur l'écran lui indiquèrent que c'était un téléphone fixe de *VG*. Les vautours sentaient la proie. S'ils l'appelaient, c'était probablement qu'ils avaient le nom de la victime et avaient fait le rapprochement. Il refusa l'appel et rangea le téléphone dans sa poche.

Bjørn s'était accroupi au pied des sapins. Il leva les yeux et fit signe à Harry de venir. « N'approche pas plus près. » Il avait remis ses gants en latex blanc. « Quelqu'un est venu avant nous.

— Bordel, c'est quoi ce... », chuchota Harry.

Arraché du tronc, le bas nylon gisait en lambeaux sur le sol. À côté se trouvaient la caméra détruite et son caisson. Écrasés menus. Bjørn brandit la caméra. « La carte mémoire a été enlevée », déclara-t-il.

Harry respirait par le nez.

« Bien joué de remarquer un piège photographique camouflé dans un bas, commenta Bjørn. Il fallait presque être ici, au niveau des arbres, pour le voir. »

Harry hocha lentement la tête. « Ou alors..., dit-il en sentant que son cerveau avait besoin de plus d'oxygène qu'il ne pouvait lui en fournir. L'intéressé savait que la caméra y était.

— D'accord. À qui l'as-tu dit ?

— Personne. » La voix de Harry était devenue rauque. Il ne comprit pas tout de suite ce que c'était, cette douleur qui croissait dans sa poitrine et qui voulait sortir. Était-il sur le point de se réveiller ? « Absolument personne. Et je l'ai montée en pleine nuit dans une obscurité aveuglante, donc personne ne m'a vu. Aucun humain, en tout cas. » Et cette fois, Harry sentit ce que c'était, ce qui voulait sortir. Des cris de corbeau. Les pleurs du fou. C'était un rire.

9

Il était trois heures et demie de l'après-midi et les rares clients regardèrent avec un intérêt modéré la porte qui s'ouvrait.

Restaurant Schrøder.

« Restaurant » était peut-être un peu trompeur, ce café ténébreux servait certes un choix de spécialités norvégiennes, comme le flesk og duppe, des tranches de lard servies avec des légumes racines et de la sauce blanche, mais le plat principal, c'était la bière ou le vin. Situé Waldemar Thranes gate, l'endroit avait ouvert ses portes au milieu des années cinquante et était le café attitré de Harry depuis le milieu des années quatre-vingt-dix. Avec quelques années d'interruption quand il s'était installé chez Rakel à Holmenkollen. Mais maintenant, il était de retour.

Harry s'affala sur la banquette à la fenêtre.

La banquette était neuve. Pour le reste, la décoration n'avait pas changé en vingt ans, mêmes tables, mêmes chaises, mêmes puits de lumière sertis de verre coloré, mêmes tableaux de Sigurd Fosnes, et mêmes nappes rouges surmontées de nappes blanches en biais. Le plus grand changement dont Harry ait souvenir avait été, lors de l'entrée en vigueur de la loi sur l'interdiction de fumer dans les lieux publics en 2004, quand les locaux avaient été repeints pour se débarrasser de l'odeur de tabac. La couleur était inchangée. L'odeur n'avait jamais disparu.

Il regarda son téléphone, mais Oleg n'avait pas répondu à son message lui demandant de l'appeler, il devait être dans l'avion.

« Terrible, Harry, dit Nina en débarrassant deux verres à bière devant lui. Je viens de lire la nouvelle sur Internet. » Elle essuya sa main libre sur son tablier en le regardant. « Comment ça va ?

— Mal, merci », répondit Harry. Les vautours avaient donc déjà sorti les noms. Ils avaient sûrement déniché une photo de Rakel quelque part. De Harry aussi, bien sûr, ce n'était pas ce qui manquait dans leurs archives, certaines si vilaines que Rakel lui avait demandé s'il ne pourrait pas poser un peu la prochaine fois. Quant à elle, elle n'était jamais moche sur aucune photo, même quand elle essayait. Non. Avait essayé. Merde.

« Café ?

— Je dois te demander de me servir une bière aujourd'hui, Nina.

— Je comprends la situation, Harry, mais ça fait combien d'années que je ne t'ai pas servi d'alcool ?

— De nombreuses années. J'apprécie ta prévenance, mais je ne veux pas me réveiller, tu comprends.

— Te réveiller ?

— Aujourd'hui, si je vais dans un endroit qui sert des alcools forts, je boirai probablement jusqu'à ce que mort s'ensuive.

— Tu es venu ici parce que nous n'avons de licence que pour le vin et la bière ?

— Et puis parce que d'ici, je serais capable de rentrer chez moi les yeux bandés. »

La serveuse rondelette et déterminée resta à le regarder d'un air soucieux et pensif. Puis elle poussa un profond soupir.

« D'accord, Harry, mais alors c'est moi qui décide quand ça suffit.

— Ça ne suffit jamais, Nina.

— Je sais, mais je crois aussi que tu es venu ici parce que tu voulais être servi par quelqu'un en qui tu as confiance.

— Peut-être bien. »

Nina le laissa et revint avec une pinte qu'elle posa devant lui. « Doucement, dit-elle. Doucement. »

Il avait entamé sa troisième pinte quand la porte s'ouvrit de nouveau.

Harry nota que ceux des clients qui avaient levé la tête ne la baissaient pas, leurs regards suivirent les longues jambes habillées de cuir jusqu'à ce qu'elles arrivent à sa table. Elle s'assit.

« Tu ne réponds pas au téléphone, observa-t-elle en faisant non d'un geste à Nina qui approchait.

— Il est éteint. *VG* et les autres ont commencé à appeler.

— Et ce n'est que le début, je n'ai pas vu autant de monde à une conférence de presse depuis l'affaire du Vampiriste. C'est une des raisons pour lesquelles le directeur de la police a décidé ta suspension jusqu'à nouvel ordre.

— Hein ? Je comprends que je ne puisse pas travailler sur cette affaire en particulier, mais vous voulez dire suspendu de tout service ? Parce que la presse couvre une affaire criminelle ?

— Parce que, quelle que soit l'affaire, tu ne pourrais pas travailler en paix et nous n'avons pas besoin de cette perturbation en ce moment.

— Et ?

— Et quoi ?

— Finis ta phrase. » Harry porta sa bière à ses lèvres.

« Elle est finie.

— Non, elle ne l'est pas. La politique. Raconte. »

Katrine poussa un gros soupir. « Depuis que Bærum et Asker ont été intégrés dans la circonscription policière d'Oslo, nous sommes chargés d'un cinquième de la population norvégienne. Il y a deux ans, des sondages avaient indiqué que quatre-vingt-six pour cent de cette population nous accordait une confiance haute ou très haute. Quelques affaires isolées malheureuses ont abaissé ce nombre à soixante-cinq. Suite à quoi notre cher directeur de police Hagen a été convoqué chez notre un peu moins cher ministre de la Justice Mikael Bellman. Bref, à l'heure actuelle, Hagen et la circonscription policière d'Oslo n'auraient pas besoin qu'on publie l'interview rageuse d'un policier bourré en service, par exemple.

— Sans oublier paranoïaque. Paranoïaque, enragé et bourré. » Harry renversa la tête en arrière et vida son verre.

« S'il te plaît, Harry, plus de paranoïa. J'ai parlé à Winter de Kripos et il n'y a aucune empreinte de Finne.

— Alors qu'est-ce qu'il y a comme empreintes ?

— Aucune.

— Il y avait une femme morte là-bas, il y a forcément des empreintes. » Harry fit signe à Nina qu'il était prêt pour la suivante.

« OK, voilà tout ce que nous savons après l'analyse de la Médecine légale, dit Katrine. Rakel est morte des suites d'un coup de couteau dans la nuque. Le coup est entré dans le centre respiratoire de la *medulla oblongata* entre le sommet de la colonne cervicale et le crâne. Elle est probablement morte sur le coup.

— Je n'ai pas demandé à Bjørn où étaient les deux autres.

— Les autres quoi ?

— Coups de couteau. »

Il la vit déglutir. Elle avait pensé l'épargner. « Le ventre.

— Donc une mort pas forcément si indolore que ça.

— Harry…

— Continue », fit Harry d'un ton dur en se recroquevillant sur lui-même. C'était comme s'il sentait personnellement les coups de couteau.

Katrine toussota. « D'ordinaire, il est très difficile de déterminer l'heure de la mort avec beaucoup de précision quand quelqu'un est mort depuis plus de vingt-quatre heures, comme ici, mais tu l'as peut-être appris, la Médecine légale et la Police scientifique et technique ont développé une nouvelle méthode où l'on combine diverses mesures, notamment la température rectale, la température de l'œil, le taux l'hypoxanthine dans le liquide lacrymal et la température du cerveau...

— Du cerveau ?

— Oui. Étant protégé par le crâne, le cerveau est moins exposé aux facteurs externes. On introduit une sonde en forme d'aiguille par le nez et on passe par la *lamina cribrosa*, où la base du crâne...

— Tu as appris beaucoup de latin depuis la dernière fois, ma parole. »

Katrine se tut.

« Je suis navré, dit Harry. Je suis... je ne suis pas...

— Il n'y a pas de problème. Il y a des circonstances favorables. Nous savons que la température du rez-de-chaussée a été constante dans la mesure où tous les radiateurs sont dirigés par un thermostat unique et la température réglée étant relativement fraîche...

— Elle disait qu'elle pensait mieux avec la tête froide et un pull en laine, expliqua Harry.

— ... les parties internes du corps n'avaient pas encore atteint tout à fait la température du milieu ambiant. Ça fait qu'avec cette nouvelle méthode, nous avons pu estimer l'heure de la mort à la nuit du samedi 10 mars, entre vingt-deux heures et deux heures du matin.

— Hmm. Et les gens du groupe de scène du crime, qu'est-ce qu'ils ont ?

— La porte d'entrée ne se verrouille pas automatiquement quand on la claque et comme elle n'était pas verrouillée quand la police est arrivée, cela suggère que c'est par là que le meurtrier a quitté les lieux. Il n'y a pas non plus de signes d'effraction, ce qui porte à croire qu'elle était ouverte quand le meurtrier est arrivé...

— Rakel gardait toujours la porte d'entrée verrouillée. Toutes les autres aussi, d'ailleurs. Cette maison est une foutue forteresse.

— … ou que Rakel l'a fait entrer.

— Hmm. » Harry se tourna en cherchant Nina d'un regard impatient.

« Tu as raison pour ce qui est de la forteresse. Bjørn était l'un des premiers sur les lieux du crime, il dit qu'il a parcouru la maison de la cave au grenier et que toutes les portes étaient verrouillées de l'intérieur et toutes les fenêtres étaient fermées avec les crochets mis. Alors que crois-tu ?

— Je crois qu'il doit y avoir d'autres traces.

— Oui. Il y avait les traces de quelqu'un qui a ôté les traces. Quelqu'un qui sait ce qu'il faut supprimer.

— Précisément. Tu ne crois pas que Finne sait comment s'y prendre ?

— Si. Finne est un suspect, bien sûr, il le sera toujours, mais nous ne pouvons pas le dire en public, nous ne pouvons pas pointer du doigt un citoyen donné sur la base d'une intuition.

— Une intuition ? Finne nous a menacés, moi et ma famille, je t'ai dit. »

Katrine ne répondit pas.

Harry la regarda. Puis il hocha lentement la tête. « Correction : Prétend le mari rejeté de la victime de meurtre. »

Katrine s'avança au-dessus de la table. « Écoute. Plus vite tu seras mis hors de cause dans cette affaire, moins cela fera couler d'encre. C'est Kripos qui est chargé de l'enquête, mais nous travaillons avec eux, donc je peux faire pression pour qu'ils s'occupent en priorité de vérifier que tu es bien innocent, et ensuite nous pourrons faire un communiqué de presse.

— Communiqué de presse ?

— Tu sais que les journaux ne l'écriront pas directement, mais les lecteurs ne sont pas idiots. Et ils n'ont pas tort, statistiquement, la probabilité que le mari soit le coupable dans de telles affaires est de…

— Quatre-vingts pour cent, articula Harry fort et lentement.

— Pardon, dit Katrine en rougissant. Nous voulons juste que cette histoire-là cesse d'en être une aussi vite que possible.

— Je comprends, murmura Harry, qui envisageait de crier le nom de Nina pour la faire venir. C'est juste que je suis un peu à cran aujourd'hui. »

Katrine tendit sa main par-dessus la table et la posa sur la sienne. « Je ne peux même pas imaginer ce que ce doit être, Harry. De perdre l'amour de ta vie comme ça. »

Harry regarda sa main. « Moi non plus, et c'est pour ça que j'ai l'intention d'être le moins présent possible pendant que je l'intégrerai, si jamais je l'intègre un jour. Nina !

— Ils ne peuvent pas t'interroger si tu es bourré, donc tu ne seras pas mis hors de cause avant d'être sobre.

— C'est juste de la bière, je serai sobre en deux heures s'ils m'appellent. Le rôle de mère te sied, au fait, je te l'ai dit ? »

Katrine sourit furtivement et se leva. « Il faut que j'y retourne, Kripos a demandé à utiliser nos salles d'interrogatoire. Prends soin de toi, Harry.

— Je fais de mon mieux. Va l'attraper.

— Harry…

— Sinon c'est moi qui le ferai. Nina ! »

Dagny Jensen marchait sur le sentier détrempé, entre les pierres tombales du cimetière Vår Frelser. Cela sentait le métal brûlé d'un chantier de réfection de la chaussée sur Ullevålsveien, les bouquets de fleurs pourris et la terre humide. Et la crotte de chien. C'était ça, le printemps à Oslo, juste après la fonte des neiges, mais elle se demandait parfois qui étaient ces promeneurs qui emmenaient leur chien dans le cimetière habituellement désert, où ils pouvaient laisser les déjections sans témoins.

Comme tous les lundis après sa dernière heure de cours à Katedralskolen, qui ne se trouvait qu'à trois ou quatre minutes à pied et où elle enseignait l'anglais, Dagny était allée sur la tombe de sa mère. Sa mère lui manquait, leurs conversations quotidiennes lui manquaient. Sa mère avait été une telle présence dans sa vie que, quand la maison de retraite l'avait informée de sa mort, elle n'y avait pas cru. Pas plus que quand elle avait vu le corps. On aurait dit une poupée de cire, une mauvaise copie. Son cerveau avait intégré la mort de sa mère, mais pas son corps. C'était lui qui réclamait d'assister à la mort de sa mère pour pouvoir l'accepter. C'est pourquoi elle rêvait encore qu'on frappait à la porte de son appartement de Thorvald Meyers gate et que c'était sa mère, le plus naturellement du monde. Pourquoi pas ? On allait bientôt envoyer des gens sur Mars, alors qui pouvait savoir s'il était médicalement impossible de réinsuffler la vie à un corps mort ? Lors des funérailles, la pasteure, une jeune femme, avait déclaré que personne n'avait aucune certitude sur ce qui se trouvait de l'autre côté des portes de la mort, que tout ce que nous savions, c'était que ceux qui les franchissaient ne revenaient jamais. Dagny en avait été révoltée. Non pas parce que ce qu'on appelait l'Église nationale fût devenue arrangeante au point de renoncer à sa seule réelle fonction : donner des réponses sûres et réconfortantes sur ce qui nous attendait après la mort. C'était ce « jamais », que la pasteure avait affirmé avec une telle évidence. Si les gens avaient besoin d'un espoir, d'une idée fixe que les êtres qui leur étaient chers allaient un jour se relever d'entre les morts, pourquoi le leur enlever ? Si la religion de la pasteure disait la vérité, alors ce qui était arrivé par le passé devait bien pouvoir arriver encore ? Dans deux ans, Dagny aurait quarante ans, elle n'avait jusqu'à présent été ni mariée ni fiancée, elle n'avait pas eu d'enfant, elle n'était pas allée en Micronésie, elle n'avait pas réalisé son projet de fonder cet orphelinat en Érythrée ni fini d'écrire son recueil de poèmes.

Et elle espérait ne plus jamais entendre prononcer le mot « jamais ».

Dagny remontait le sentier dans la partie du cimetière la plus proche d'Ullevålsveien quand un homme de dos attira son attention. Du moins plutôt la longue natte noire qui descendait dans son dos, et le fait qu'il ne portait pas de veste par-dessus sa chemise à carreaux en flanelle. Il se tenait devant une pierre tombale qu'elle avait remarquée parce qu'elle était restée complètement enneigée tout l'hiver et qu'elle s'était dit que le défunt ou la défunte était sans famille, en tout cas sans personne qui l'aime.

Dagny Jensen avait ce type de physique qu'on oublie très facilement. Petite femme menue, elle avait jusqu'ici avancé dans la vie en rasant les murs. C'était de surcroît l'heure de pointe – bien qu'il ne fût pas encore quinze heures –, puisque ces quarante dernières années le temps de travail en Norvège avait diminué, jusqu'à un niveau qui tout à la fois impressionnait et agaçait les étrangers. L'homme semblait pourtant l'avoir entendue approcher ; quelle ne fut pas sa surprise, quand il se tourna vers elle, de voir qu'il était vieux. Son visage parcheminé était parcouru de sillons si marqués et si profonds qu'on les aurait dits taillés jusqu'à l'os. Sous sa chemise, son corps avait l'air svelte, athlétique et juvénile, mais son visage et le blanc jaunâtre autour de ses pupilles en tête d'épingle et de ses iris marron révélaient qu'il devait avoir au moins soixante-dix ans. Il avait un bandeau rouge autour du front, comme un Indien, et une moustache éparse autour de ses lèvres épaisses.

« Bonjour, dit-il bien fort pour couvrir le bruit de la circulation.

— Comme c'est sympathique de voir quelqu'un sur cette tombe », répondit Dagny en souriant. Elle n'avait pas l'habitude d'être si communicative avec les inconnus, mais aujourd'hui elle était de bonne humeur, presque euphorique, même, car Gunnar, qui venait d'être embauché comme prof d'anglais, lui aussi, l'avait invitée à aller boire un verre.

L'homme lui rendit son sourire.

« C'est mon fils, déclara-t-il d'une voix grave et rocailleuse.

— C'est triste. » Elle vit que ce qui était enfoncé dans la terre devant la pierre tombale n'était pas une fleur, mais une plume.

« Dans la tribu Cherokee, l'usage était de mettre une plume d'aigle dans le cercueil de ses morts, expliqua l'homme, qui avait lu dans ses pensées. Là, ce n'est pas un aigle, mais une buse.

— Ah ? Où l'avez-vous trouvée ?

— Une plume de buse ? La nature est partout autour d'Oslo, vous ne saviez pas ? »

L'homme sourit.

« Oh, la civilisation semble tout de même bien présente. Enfin, quoi qu'il en soit, une plume, c'est une belle idée, elle pourra peut-être emmener l'âme de votre fils au ciel. »

L'homme secoua la tête. « Pas de civilisation, non, c'est la nature sauvage. Mon fils a été assassiné par un policier. Maintenant, il n'ira sans doute pas au ciel, quel que soit le nombre de plumes que je lui donne, mais il ne brûle pas non plus dans des enfers aussi cuisants que ceux vers lesquels se dirige ce policier. » Il n'y avait rien de haineux dans sa voix, juste du regret, comme s'il avait de la compassion pour le policier. « Et vous, à qui rendez-vous visite ?

— À ma mère », répondit Dagny en regardant la tombe du fils. Valentin Gjertsen. Ce nom lui était vaguement familier.

« Vous n'êtes pas veuve, alors. Car une j-jolie femme comme vous s'est bien sûr m-mariée jeune et a des enfants ?

— Ni l'un ni l'autre, merci », répondit-elle en riant, et une pensée lui traversa fugitivement l'esprit : un enfant avec ses jolies boucles blondes à elle et le sourire rassurant de Gunnar. Cela la fit sourire encore plus. « Comme c'est joli, dit-elle en désignant l'objet en métal ouvragé qui était enfoncé dans la terre de la tombe. Qu'est-ce que ça symbolise ? »

Il le prit et le lui présenta. On aurait dit un serpent qui se terminait par une pointe aiguë. « Cela symbolise la mort. Y a-t-il de la f-folie dans votre famille ?

— Euh… pas à ma connaissance. »

Il remonta sa manche sur le poignet qui portait sa montre.

« Deux heures et quart », observa Dagny.

Il sourit comme s'il s'agissait d'un renseignement superflu, appuya sur un bouton sur le côté de la montre et leva les yeux en déclarant d'un ton explicatif : « Deux minutes et demie. »

Allait-il chronométrer quelque chose ?

Soudain, il avait fait deux grands pas et se tenait juste devant elle. Il sentait le feu de bois. Et comme s'il lisait ses pensées, il dit : « Je te sens aussi. Je le sentais déjà quand tu marchais sur le sentier. » Ses lèvres étaient mouillées maintenant, elles s'enroulèrent comme des anguilles dans une nasse quand il parla. « Tu es en phase d'o-ovulation. »

Dagny regrettait de s'être arrêtée. Cependant, elle resta plantée là, comme rivée à son regard.

« Et si tu ne résistes pas, ce sera vite terminé », chuchota-t-il.

Puis ce fut comme si elle parvenait enfin à se libérer d'un coup sec et elle se tourna pour courir, mais une main preste était passée sous sa veste courte, avait saisi sa ceinture de pantalon et la tirait en arrière. Elle eut le temps de pousser un bref cri et de lancer un regard vers la tombe vide avant d'être balancée – et enfoncée – dans la haie qui poussait devant la clôture d'Ullevålsveien. Deux bras puissants se posèrent autour de sa poitrine, la tinrent comme dans un étau. Elle put aspirer un peu d'air pour crier au secours, mais on aurait dit qu'il l'attendait, car au moment où elle commençait à former un bruit en expirant, il resserra l'étau et la vida de son air. Elle constata qu'il avait toujours le serpent ondulant en métal dans une main. L'autre se déplaça vers sa gorge et appuya. Sa vue s'obscurcissait déjà et le bras autour de sa poitrine eut beau se desserrer soudain, elle sentit son corps devenir mou et lourd.

Ceci n'est pas en train de se produire, pensa-t-elle alors que la main de l'homme forçait son passage entre ses cuisses par-derrière. Elle sentit un objet pointu contre son ventre juste au-dessous de sa boucle de ceinture et entendit le bruit de déchirure quand la pointe lacéra entièrement l'entrejambe de son pantalon, de l'avant à l'arrière de la ceinture. Ceci n'est pas en train de se produire en plein jour dans un cimetière au centre d'Oslo. Ceci ne m'arrive pas à moi !

Puis la main autour de son cou lâcha prise, et quand elle aspira goulûment dans ses poumons douloureux le mélange d'air de printemps et de gaz d'échappement, Dagny entendit dans sa tête le bruit du matelas moisi que maman gonflait avec la pompe à pied. Elle sentit en même temps une pointe appuyer contre sa gorge. Elle entrevit le couteau sinueux tout en bas de son champ de vision et perçut la voix chuchotante et rauque tout contre son oreille :

« Le premier, c'était un serpent constricteur. Celui-ci, c'est un serpent à venin. Une petite morsure et tu meurs. Donc tiens-toi juste parfaitement, parfaitement immobile et ne fais pas un bruit. Comme ça, oui. Exactement comme ça. Tu es b-bien installée ? »

Dagny Jensen sentit les larmes rouler sur ses joues.

« Allons, allons, tout va bien se passer. Veux-tu faire de moi un homme heureux en m'épousant ? » Dagny sentit la pointe de couteau appuyer plus fort contre sa gorge.

« Tu le veux ? »

Elle hocha doucement la tête.

« Alors nous sommes fiancés, mon amour. » Elle sentit ses lèvres dans sa nuque. Juste devant, de l'autre côté de la haie et de la clôture, des pas claquaient sur le trottoir, deux personnes en conversation animée qui s'éloignaient.

« Et maintenant, il faut le consommer. Je t'ai expliqué que le serpent que tu avais contre le cou symbolisait la m-mort, mais celui-ci symbolise la v-vie... »

Dagny Jensen le sentit et serra fort les paupières.

« Notre vie. Que nous allons créer maintenant... »

Il s'enfonça et elle serra les dents pour ne pas crier.

« Pour chaque fils que je perds, j'en mettrai au monde c-cinq, cracha-t-il dans son oreille dans une nouvelle estocade. Et tu n'oseras pas détruire ce qui est à nous, tu m'entends ? Car un enfant est l'œuvre de Dieu. »

Une dernière poussée et il éjacula dans un long gémissement.

Il enleva le couteau et la lâcha. Dagny se dégagea et constata que ses paumes étaient ensanglantées de s'être agrippées à la haie épineuse. Elle resta penchée en avant, lui tournant le dos.

« Tourne-toi », ordonna l'homme.

Elle ne voulait pas, mais fit ce qu'il lui disait.

Il avait son portefeuille à la main, en avait sorti sa carte bancaire.

« Dagny Jensen, lut-il. Kjelsåsveien. Une rue sympa. Je passerai régulièrement. » Il lui tendit le portefeuille, pencha la tête sur le côté et la regarda. « N'oublie pas que ceci est notre secret, Dagny. Dorénavant je vais veiller sur toi et te protéger, comme un aigle que tu ne vois jamais, mais que tu sais être là-haut, et qui te voit. Rien ne peut t'aider, car je suis un esprit que nul ne peut capturer, mais il ne peut rien t'arriver de mal non plus, car nous sommes fiancés et ma main repose sur toi. »

Il leva la main, et ce ne fut qu'à ce moment-là qu'elle vit que ce qu'elle avait pris pour un vilain cratère était en fait un trou béant.

Il s'en alla, et Dagny Jensen s'effondra, sans force, et avec de gros sanglots, dans la neige sale près de la clôture. À travers ses larmes, elle vit le dos avec la natte du vieil homme, qui marchait d'un pas tranquille dans le cimetière en direction du portail nord. Un petit bruit aigu de pulsation se fit entendre et l'homme s'arrêta, remonta sa manche et appuya vers son poignet. La sonnerie s'arrêta.

Harry ouvrit les yeux. Il était couché dans quelque chose de doux et son regard tomba sur le joli petit lustre en cristal que Rakel avait rapporté de Moscou après ses années à l'ambassade. Vues de juste au-dessous, les pendeloques formaient un S qu'il n'avait jamais remarqué. Une voix de femme prononça son nom. Il se retourna, mais ne vit personne. « Harry », répéta la voix. Il rêvait. Était-ce le réveil ? Il ouvrit les yeux. Il était toujours assis. Il était toujours au Schrøder.

« Harry ? » C'était la voix de Nina. « Tu as de la visite. »

Il leva les yeux. Droit sur ceux pleins d'inquiétude de Rakel. Le visage avait la bouche de Rakel, la peau légèrement irradiante de Rakel, mais les cheveux lisses russes du père. Non, il dormait toujours.

« Oleg », fit Harry d'une voix pâteuse. Il esquissa une tentative pour se mettre sur ses jambes et embrasser son beau-fils, mais dut renoncer. « Je pensais que tu arriverais plus tard.

— J'ai atterri à Oslo il y a une heure. » Le grand jeune homme se laissa tomber sur la chaise où s'était assise Katrine. Il grimaça comme s'il s'était assis sur une punaise.

Harry regarda par la fenêtre et s'aperçut à sa stupéfaction qu'il faisait nuit.

« Et comment as-tu su où…

— Bjørn Holm m'a transmis le tuyau. J'ai eu une agence de pompes funèbres au téléphone, j'ai rendez-vous demain matin. Tu viendras ? »

Harry laissa sa tête retomber en avant. Il gémit. « Bien sûr que je vais venir, Oleg. Putain, je suis là à être bourré quand tu arrives et maintenant, tu fais ce qui devrait être mon boulot.

— Désolé, mais c'est plus facile d'agir. De s'occuper le ciboulot avec des tâches pratiques. J'ai commencé à réfléchir à ce qu'on allait faire de la maison quand… »

Il se tut, leva la main devant son visage, enfonça son pouce et son majeur dans ses tempes.

« C'est dingue, hein ? Maman est à peine froide que… »

Ses doigts massèrent ses tempes et il déglutit plusieurs fois.

« Ce n'est pas dingue, non, répondit Harry. Ton cerveau cherche un moyen de sortir de la douleur. Moi, j'ai trouvé le mien, mais je ne te le recommande pas. »

Il bougea le verre vide qui était entre eux. « Tu peux tromper la douleur pendant un temps, mais ensuite elle te retrouve. Quand tu baisses la garde, quand ta tête dépasse à peine du bord de la tranchée. En attendant, on a le droit de ne pas trop ressentir.

— Engourdi, déclara Oleg. Je suis juste engourdi. Tout à l'heure, je me suis rendu compte que je n'avais rien mangé de la journée, alors je me suis acheté un hot-dog au chili. Je l'ai noyé sous la moutarde la plus forte juste pour sentir quelque chose. Et tu sais quoi ?

— Oui. Je sais. Rien.

— Rien, répéta Oleg en clignant des yeux pour chasser une poussière.

— La douleur viendra. Tu n'as pas besoin de chercher. Elle te trouvera. Toi et tous les trous de ta cuirasse.

— Et toi, elle t'a trouvé ?

— Je dors. J'essaie de ne pas me réveiller. »

Harry regarda ses mains. Il aurait tout donné pour pouvoir prendre un peu de la souffrance d'Oleg. Qu'était-il censé dire ? Que rien ne serait jamais aussi douloureux que la première fois qu'on perdait quelqu'un qu'on aimait vraiment ? Il ne savait même plus si c'était vrai. Il toussota :

« La maison est fermée jusqu'à ce que le groupe de scène du crime ait fini. Tu dors chez moi ?

— Je vais dormir chez les parents de Helga.

— OK. Comment le prend-elle ?

— Mal. Rakel et elle étaient devenues de vraies amies. »

Harry acquiesça. « On parle de ce qui a pu se produire ? »

Oleg secoua la tête. « J'ai longuement parlé avec Bjørn, il m'a dit ce que nous savons, et ne savons pas. »

Nous. Harry nota qu'après seulement quelques mois de stage, Oleg trouvait déjà naturel de parler de la police à la première personne du pluriel. Il employait ce « nous » auquel lui ne s'était jamais mis, en vingt-cinq années de service. Même si l'expérience lui avait enseigné que ce pronom était enraciné en lui plus solidement qu'il ne le suspectait. Car la police était un foyer. Pour le meilleur et pour le pire. Surtout pour le meilleur quand on avait perdu tout le reste. Il espérait qu'Oleg et Helga s'accrocheraient l'un à l'autre.

« Je suis appelé en audition très tôt demain matin, annonça Oleg. Kripos.

— Oui.

— Ils vont me poser des questions sur toi ?

— Oui, s'ils font leur travail.

— Qu'est-ce que je dois dire ? »

Harry haussa les épaules. « La vérité. Sans fard, telle que tu la vois.

— D'accord. » Oleg ferma les yeux et inspira profondément deux ou trois fois. « Tu m'offres une bière ? »

Harry soupira. « Comme tu le vois, je ne vaux pas grand-chose comme homme, mais je suis en tout cas un homme qui a du mal à rompre ses promesses. C'est pourquoi je n'ai jamais beaucoup promis à ta mère. Mais je lui ai promis ceci : que, puisque ton père est porteur du même mauvais gène que moi, je ne te servirai jamais, jamais une goutte d'alcool.

— Mais maman le faisait, pourtant.

— Cette promesse, c'était mon idée à moi, Oleg. Je n'ai pas l'intention de t'empêcher de quoi que ce soit. »

Oleg se tourna en levant un doigt. Nina répondit d'un signe de tête.

« Tu vas dormir combien de temps ? demanda Oleg.

— Aussi longtemps que je peux. »

La bière arriva et Oleg la but lentement, à petites gorgées. Il reposait chaque fois le verre entre eux, comme si c'était une chose qu'ils partageaient. Ils ne disaient rien. N'en avaient pas besoin. Ne pouvaient pas. Leurs pleurs silencieux étaient assourdissants.

Son verre terminé, Oleg prit son téléphone et le regarda. « C'est le frère de Helga, il vient me chercher en voiture et il est devant, là. On te dépose ? »

Harry secoua la tête. « Merci, mais j'ai besoin de marcher.

— Je t'enverrai un texto avec l'adresse des pompes funèbres.

— Bien. »

Ils se levèrent en même temps. Harry constata qu'il manquait encore à Oleg deux centimètres pour atteindre son mètre quatre-vingt-treize à lui. Avant de se souvenir que la course était terminée, qu'Oleg avait fini de grandir et était un homme adulte. Ils s'embrassèrent, se serrèrent fort. Le menton sur l'épaule l'un de l'autre. Ils ne lâchèrent pas.

« Papa ?

— Hmm ?

— Quand tu as appelé en disant que c'était à propos de maman et que je t'ai demandé si vous alliez vous remettre ensemble. C'était parce que deux jours avant, je lui avais demandé si elle ne pouvait pas te donner une autre chance. »

Harry sentit sa poitrine se nouer.

« Qu'est-ce que tu dis ?
— Elle a dit qu'elle allait y réfléchir pendant le week-end, mais je sais qu'elle le voulait. Elle voulait que tu lui reviennes. »

Harry ferma les yeux et serra les mâchoires si fort qu'il eut l'impression que ses molaires allaient éclater. Pourquoi a-t-il fallu que tu viennes me rendre si seul ? Il n'y avait pas dans le monde assez d'alcool pour feinter cette douleur.

10

Rakel avait voulu qu'il revienne.

Cela arrangeait-il les choses ou ne faisait-il que les aggraver ?

Harry tira son téléphone de sa poche pour l'éteindre. Il nota qu'Oleg lui avait envoyé un message au sujet de certaines questions pratiques des pompes funèbres. Trois appels en absence qu'il supposait être la presse, ainsi qu'un appel d'un numéro qu'il reconnaissait comme celui d'Alexandra de la Médecine légale. Voulait-elle lui présenter ses condoléances ? Ou coucher avec lui ? Parce que les condoléances, elle aurait pu les envoyer par SMS. C'était peut-être les deux. La jeune laborantine lui avait dit plusieurs fois que les sentiments forts l'excitaient, qu'ils soient bons ou mauvais. Fureur, joie, haine, douleur, mais chagrin ? Voui. Désir et honte. L'excitante énormité de baiser quelqu'un qui est en deuil, il devait bien y avoir plus dérangé. N'était-il pas plus dément, par exemple, qu'il soit là à réfléchir aux éventuels fantasmes sexuels d'Alexandra quelques heures après qu'on avait découvert Rakel morte ? Hein, c'était quoi, ça, putain ?

Harry garda le bouton enfoncé jusqu'à ce que l'écran s'éteigne et remit son téléphone dans sa poche de pantalon. Il regarda le micro sur la table devant lui, dans la pièce de maison de poupée.

La petite lumière rouge montrait que l'enregistrement avait commencé. Il fixa son regard sur la personne en face de lui.

« On commence ? »

Sung-min Larsen fit un signe de tête. Au lieu d'accrocher son imperméable Burberry sur la patère à côté de la veste de Harry, il l'avait plié sur le dossier de la chaise libre. Larsen s'éclaircit la voix avant de commencer.

« Il est quinze heures cinquante, le 13 mars, et nous sommes à l'hôtel de police, dans la salle d'interrogatoire 3. L'audition est menée par Sung-min Larsen et la personne entendue est Harry Hole... » Harry écoutait son interlocuteur poursuivre dans un norvégien si articulé et si correct qu'on aurait dit une vieille pièce radiophonique. Larsen soutint son regard alors qu'il récitait le numéro d'identité et l'adresse de Harry sans consulter les notes qu'il avait devant lui. Il les avait peut-être apprises par cœur pour impressionner ce confrère qui, pour l'heure, était plus célèbre que lui. À moins que ce ne soit sa tactique habituelle pour faire peur : il faisait la démonstration de sa supériorité intellectuelle afin que la personne interrogée abandonne toute velléité de manipulation et de mensonge. Et puis il y avait bien sûr la troisième possibilité : que Sung-min Larsen ait tout simplement très bonne mémoire.

« En tant que policier, je suppose que vous connaissez vos droits et vous avez renoncé à la présence d'un avocat.

— Suis-je un suspect ? » demanda Harry en regardant au-delà des rideaux, dans la salle de contrôle où le commissaire divisionnaire Winter les observait, les bras croisés.

« C'est une audition de routine, et vous n'êtes pas mis en examen. » Larsen suivait le manuel à la lettre. Il poursuivit en attirant l'attention de Harry sur le fait que l'audition allait être enregistrée. « Pouvez-vous me parler un peu de votre relation avec la défunte, Rakel Fauke ?

— C'est... c'était ma femme.

— Vous êtes séparés ?

— Non. Enfin si, elle est morte. »

Sung-min Larsen lança un coup d'œil vers Harry, comme s'il se demandait s'il s'agissait là d'une provocation. « Pas séparés, donc ?

— Non, nous n'en avons pas eu le temps, mais j'avais déménagé.

— J'ai cru comprendre en parlant avec d'autres gens que c'était elle qui vous avait quitté. À quoi était due la rupture ? »

Elle voulait qu'il revienne.

« Des différends. Pouvons-nous aller directement à l'étape où vous me demandez si j'ai un alibi à l'heure du meurtre ?

— Je comprends que ce soit douloureux, mais…

— Merci de m'expliquer ce que vous comprenez, Larsen, et vous avez mis dans le mille, c'est effectivement douloureux, mais si je vous présente cette requête c'est que je suis pressé.

— Ah ? J'avais cru saisir que vous étiez suspendu jusqu'à nouvel ordre.

— Oui, mais j'ai pas mal de boisson en retard.

— Et c'est urgent ?

— Oui.

— Je voudrais néanmoins faire le point sur les contacts que vous avez eus avec Rakel Fauke dans la période qui a précédé le meurtre. D'après votre beau-fils, Oleg, ni vous ni sa mère n'avez jamais vraiment su lui expliquer les raisons de votre rupture, mais il pense que cela n'a pas arrangé les choses que vous consacriez de plus en plus de temps à chercher Svein Finne qui venait de sortir de prison, quand vous étiez maître de conférences à l'école de police.

— Quand je disais requête, c'était une façon polie de dire non.

— Donc vous refusez de vous expliquer sur votre relation avec la défunte ?

— Je *décline* la possibilité de vous raconter des détails privés et je vous *offre* de vous indiquer mon alibi afin que nous puissions tous deux gagner du temps. Afin que Winter et vous puissiez vous concentrer sur la recherche du coupable. Je pars du principe que vous vous souvenez des cours où je disais que, dans les affaires de meurtre qui n'étaient pas résolues dans les quarante-huit heures, la mémoire des témoins et les traces matérielles se dégradaient tant que la probabilité d'élucidation était divisée par deux. On s'occupe de la nuit du meurtre, Larsen ? »

L'enquêteur de Kripos fixait un point sur le front de Harry tout en tapant en rythme l'arrière d'un stylo contre la table. Harry vit qu'il avait envie de lancer un regard à Winter pour que celui-ci lui signale comment continuer : faire pression sur lui ou le laisser obtenir ce qu'il voulait.

« Oui, dit Larsen. Faisons cela.

— Bien, répondit Harry. Racontez-moi.

— Pardon ?

— Racontez-moi où j'étais la nuit du meurtre. »

Sung-min Larsen sourit.

« Vous voulez que moi, je raconte ?

— Vous avez choisi d'entendre d'autres personnes avant de m'interroger, afin d'être préparés le mieux possible. Ce que moi aussi, j'aurais fait à votre place, Larsen. Cela signifie que vous avez parlé à Bjørn Holm et que vous savez que j'étais au Jealousy Bar, où il est venu me chercher dans la soirée avant de me ramener chez moi et me mettre au lit. J'étais bourré comme un coing, je ne me souviens de rien du tout et je n'ai pas la moindre idée des horaires. C'est pourquoi je ne suis tout simplement pas en mesure de vous indiquer des horaires confirmant ou infirmant ce qu'il vous a dit, mais j'espère que vous avez parlé avec le propriétaire du Jealousy et éventuellement d'autres témoins, qui auront confirmé la déposition de Holm. Comme je ne sais pas non plus à quelle heure ma femme est morte, c'est presque à vous de me dire si j'ai un alibi ou non, Larsen. »

Larsen appuya à répétition sur le poussoir de son stylo tout en scrutant Harry, comme un joueur de poker qui fait rouler ses jetons avant de décider s'il va miser. « D'accord, fit-il en lâchant son stylo. Nous avons vérifié les stations de base de la zone autour des lieux du crime pendant la période de temps concernée et aucune n'a reçu de signal de votre téléphone mobile.

— OK. Je ne suis plus vraiment dans le coup, est-ce que les téléphones mobiles continuent aujourd'hui d'envoyer un signal automatique à la station de base la plus proche toutes les demi-heures ? »

Larsen ne répondit pas.

« Alors j'aurais pu avoir laissé mon téléphone chez moi ou être sorti de la zone en moins d'une demi-heure. Donc je pose encore la question : ai-je un alibi ? »

Cette fois, Larsen ne put se retenir, son regard glissa vers la salle de contrôle. Du coin de l'œil, Harry vit Winter passer la main sur son crâne de granit avant de faire un petit signe de tête à l'enquêteur.

« Bjørn Holm dit que vous avez quitté le Jealousy Bar à vingt-deux heures trente, ce que confirme le propriétaire. Holm dit qu'il vous a aidé à rentrer à votre appartement et à vous coucher. En repartant, il a croisé votre voisin, Gule, qui rentrait de son service dans les transports publics d'Oslo. J'ai cru comprendre que Gule habite au rez-de-chaussée, au-dessous de chez vous, et il dit qu'il ne s'est pas couché avant trois heures du matin, que les cloisons sont fines, et qu'il vous aurait entendu si vous étiez sorti.

— Hmm, et à quelle heure la Médecine légale fixe la mort de la victime ? »

Larsen baissa les yeux comme s'il avait besoin de consulter

ses notes, mais Harry savait que toutes les données étaient gravées dans son cerveau, qu'il avait simplement besoin de temps pour décider ce qu'il pouvait – et voulait – raconter à la personne interrogée. Harry remarqua aussi que Larsen ne regardait pas Winter avant de prendre sa décision.

« Le corps n'ayant pas été déplacé, la Médecine légale fonde son estimation sur la température corporelle par rapport à la température de la pièce. Il n'en reste pas moins difficile d'estimer l'heure dans la mesure où elle était probablement là depuis un jour et demi, mais il est raisonnablement certain que cela s'est passé entre vingt-deux heures et deux heures du matin.

— Je suis donc officiellement mis hors de cause dans cette affaire ? »

L'enquêteur en costume hocha lentement la tête. Dans la salle de contrôle, Harry nota que Winter s'était redressé sur sa chaise, comme pour protester, mais Larsen l'ignora.

« Hmm, et maintenant vous vous demandez si je ne me suis pas trouvé un tueur à gages et un alibi, parce que je voulais bel et bien la dégager de la route, mais que, étant enquêteur criminel, je savais bien sûr que les projecteurs seraient braqués sur moi ? Est-ce pour cela que je suis encore ici ? »

Larsen passa la main sur la pince à cravate où Harry avait vu le logo de British Airways. « Pas vraiment, mais nous n'oublions pas que les premières quarante-huit heures sont déterminantes, donc nous voulions juste clarifier ce point avant de vous demander ce que vous, vous pensez qu'il ait pu se passer.

— Moi ?

— Vous n'êtes plus suspect, mais vous êtes toujours... » Larsen laissa sa phrase en suspens un instant avant de prononcer son nom en articulant à outrance : « Harry Hole. »

Harry lança un coup d'œil vers Winter. Était-ce pour cela qu'il avait laissé son enquêteur révéler ce qu'ils savaient ? Ils étaient enlisés. Ils avaient besoin d'aide. Ou Sung-min Larsen agissait-il de sa propre initiative ? Winter eut soudain l'air singulièrement figé.

« Alors, c'est vrai ? fit Harry. Le tueur n'a pas laissé la moindre trace matérielle sur les lieux du crime ? »

Harry prit l'inexpressivité de Larsen comme une confirmation.

« Je n'ai aucune idée de ce qui s'est passé, déclara Harry.

— Bjørn Holm dit que vous avez trouvé une empreinte non identifiée de botte ou de godillot dans la propriété.

— Oui, mais ce pourrait être quelqu'un qui s'est trompé de chemin, ça arrive.

— Ah bon ? Il n'y avait aucun signe d'effraction et la Médecine légale a établi que votre… que la victime avait été tuée sur les lieux où on l'a découverte. Cela porte à croire qu'on a laissé entrer le tueur. La victime aurait-elle laissé entrer un homme qu'elle ne connaissait pas ?

— Hmm. Vous avez remarqué les barreaux aux fenêtres ?

— Des barreaux en fer forgé devant chacune des douze fenêtres, mais pas devant les quatre du sous-sol, répondit Larsen sans avoir besoin de réfléchir.

— Ce n'est pas de la paranoïa, mais la conséquence de vivre avec un enquêteur criminel un peu trop en vue. »

Larsen nota. « Alors supposons que le tueur était quelqu'un qu'elle connaissait. La reconstitution préliminaire suggère qu'ils étaient face à face. Le tueur plutôt vers la cuisine et la victime plutôt vers la porte d'entrée quand il l'a poignardée, d'abord deux fois dans le ventre. »

Harry avait de la peine à respirer. Le ventre. La souffrance de Rakel avant le coup dans la nuque. Le coup de grâce.

« Le fait que le tueur se trouve plus près de la cuisine, poursuivit Larsen, ça m'a fait penser qu'il évoluait dans la zone intime du foyer, qu'il était familier des lieux. Vous êtes d'accord, Hole ?

— C'est une possibilité. Une autre serait qu'il l'ait contournée pour prendre le couteau qui manque dans le bloc à couteaux.

— Comment savez-vous...

— J'ai eu le temps de jeter un coup d'œil sur les lieux du crime avant que votre chef me jette dehors. »

Larsen inclina légèrement la tête sur le côté en regardant Harry. Comme s'il le jaugeait. « Je vois. Quoi qu'il en soit, cette histoire de cuisine nous a fait envisager une troisième possibilité. Que ce soit une femme.

— Ah ?

— Je sais que c'est rare, mais je viens de lire qu'une femme avait avoué le meurtre de Borggata. La fille de la victime. Vous en avez entendu parler ?

— Plus ou moins.

— Une femme hésite moins à ouvrir à une autre femme et à la faire entrer, même si elles ne se connaissent pas bien. Vous êtes d'accord ? Et pour une raison x ou y, j'imagine plus facilement une femme allant directement dans la cuisine d'une autre femme qu'un homme. OK, c'est peut-être un peu tiré par les cheveux.

— Je suis d'accord », fit Harry, sans révéler s'il faisait référence à la première ou à la deuxième déclaration, ou aux deux. Ou s'il était d'accord d'une manière générale, s'était fait la même réflexion quand il était sur les lieux du crime.

« Y a-t-il des femmes qui auraient pu avoir un mobile pour faire du mal à Rakel Fauke ? demanda Larsen. La jalousie, par exemple ? »

Harry secoua la tête. Il aurait bien sûr pu mentionner Silje Gravseng, mais il n'y avait aucune raison maintenant. Quelques années auparavant, elle avait été son étudiante et le plus approchant qu'il ait connu d'un stalker. Elle était venue dans son bureau un soir et avait essayé de le séduire. Harry l'avait éconduite et elle avait réagi en voulant porter plainte pour viol, mais sa déposition comportait des lacunes si manifestes que son propre avocat, Johan Krohn, l'avait empêchée de poursuivre et que toute l'histoire s'était conclue par son départ de l'école de police. Elle était ensuite allée trouver Rakel chez elle, non pas pour lui faire du mal ou la menacer, mais au contraire pour lui demander pardon. Harry n'en avait pas moins procédé à une petite vérification sur Silje Gravseng la veille. Peut-être parce qu'il se souvenait de la haine dans son regard quand elle avait compris qu'il ne voulait pas d'elle. Peut-être parce que l'absence de traces matérielles suggérait que le tueur avait quelque connaissance en investigation criminelle. Peut-être parce qu'il voulait avoir éliminé toutes les autres possibilités avant de délivrer le jugement final. La vérification avait été vite faite et montrait que Silje Gravseng travaillait comme agent de sécurité à Tromsø, où elle avait été en service, à mille sept cents kilomètres d'Oslo, la nuit de samedi.

« Revenons au couteau, dit Larsen comme il n'obtenait pas de réponse. Ceux du bloc font partie d'un jeu de couteaux japonais et la taille et la forme de celui qui manque correspondent aux plaies de la victime. Si nous partons du principe que c'est bien l'arme utilisée, il semblerait que le meurtre ait été spontané et pas soigneusement prémédité. D'accord ?

— C'est une possibilité. Une deuxième serait que le tueur ait connu l'existence du bloc à couteaux avant de venir. Une troisième que le tueur ait utilisé son propre couteau, mais que, en plus d'ôter les traces matérielles, il ait voulu vous troubler en enlevant des lieux du crime un couteau similaire. »

Larsen nota de nouveau. Harry consulta sa montre en toussotant.

« Pour finir, Hole. Vous dites ne pas connaître de femmes qui en auraient voulu à la vie de Rakel Fauke. Des hommes ? »

Harry secoua lentement la tête.

« Et ce Svein Finne ? »

Il haussa les épaules. « Vous n'avez qu'à lui demander.

— Nous ne savons pas où le trouver. »

Harry se leva, prit sa veste sur la patère. « Si je le croise, je le saluerai de votre part et je lui dirai que vous le cherchez, Larsen. »

Il se tourna vers la fenêtre pour adresser un salut militaire à deux doigts à Winter. Lequel lui répondit d'un seul doigt levé et d'un sourire acerbe.

Larsen se leva et lui tendit la main. « Merci de votre aide, Hole. Bon, vous connaissez le chemin.

— La question est plutôt de savoir si vous, vous le connaissez. » Harry fit un bref sourire à Larsen, lui serra la main encore plus brièvement et s'en alla.

Devant l'ascenseur, il appuya sur le bouton d'appel et colla son front à la plaque de métal brillant à côté de la porte.

Elle voulait te reprendre.

Alors, cela arrangeait-il les choses ou les empirait-il ?

Tous ces « et si » inutiles. Toute cette autoflagellation de « j'aurais dû ». Le reste aussi, cet espoir pathétique auquel on se cramponnait, qu'il existe un endroit où ceux qui s'aiment, ceux qui ont des racines d'Old Tjikko, se retrouveront, parce que penser le contraire était intolérable.

L'ascenseur s'ouvrit. Vide. Juste ce cercueil oppressant qui le rendait claustrophobe à l'inviter ainsi à descendre. Où ? Dans une obscurité omniprésente ? Et puis Harry ne prenait pas l'ascenseur, il avait horreur des ascenseurs.

Il hésita. Puis il entra.

11

Harry se réveilla en sursaut et regarda la pièce. L'écho de son propre cri résonnait encore entre les murs. Il consulta sa montre. Dix heures. Du soir. Il reconstruisit les dernières trente-six heures. Il avait été plus ou moins saoul la majorité du temps, il ne s'était rien passé du tout, et cependant il était en mesure de reconstruire une espèce de chronologie sans trous. En règle générale, il y arrivait, excepté ce samedi soir au Jealousy qui n'était qu'un long black-out. Ce devait être les effets à long terme de la consommation abusive d'alcool qui l'avaient finalement rattrapé.

Harry sortit ses pieds du lit en essayant de se rappeler ce qui l'avait fait crier cette fois. Il regretta quand le souvenir lui revint. Il tenait le visage de Rakel entre ses mains et ses yeux sans éclat regardaient fixement non pas lui, mais à travers lui, comme s'il n'était pas là. Elle avait une fine couche de sang sur le menton, comme si elle avait toussé et qu'une bulle de sang avait éclaté sur ses lèvres.

Harry attrapa la bouteille de Jim Beam qui était sur la table du salon et en but une gorgée. Cela ne marchait plus. Il en but une autre. Ce qui était étrange, c'était que même s'il ne l'avait pas vu – et il ne le verrait pas avant l'enterrement vendredi –, le masque mortuaire de Rakel avait paru très réel dans le rêve.

Il regarda son téléphone, noir et HS à côté de la bouteille sur la table. Éteint depuis son interrogatoire de la veille. Il aurait dû l'allumer. Oleg avait sûrement appelé. Il y avait des trucs à régler. Harry devait se ressaisir. Il prit le bouchon de la bouteille de Jim Beam au bout de la table. Il le huma. Ça ne sentait rien. Il le balança dans le mur nu et empoigna fermement le goulot dans un geste de strangulation.

12

À trois heures de l'après-midi, Harry cessa de boire. Ce n'était ni un événement particulier ni une quelconque pensée qui l'avaient empêché de poursuivre jusqu'à quatre heures, cinq heures, ou la fin de la soirée, mais tout simplement son corps qui n'en pouvait plus. Il alluma son téléphone, ignora messages et appels en absence et appela Oleg.

« Remonté à la surface ?

— Complètement noyé, plutôt, répondit Harry, et toi ?

— Je me maintiens.

— Bien. Flagellation d'abord ? Et on parle des choses pratiques ensuite ?

— OK. Prêt ?

— Vas-y. »

Dagny Jensen consulta sa montre. Il n'était que vingt et une heures et ils avaient à peine fini le plat principal. Gunnar avait beau avoir assuré l'essentiel de la conversation, Dagny n'en pouvait plus. Elle lui expliqua qu'elle avait mal à la tête et, par bonheur, il se montra compréhensif. Ils firent l'impasse sur le dessert et il insista pour la raccompagner chez elle bien qu'elle lui ait assuré que ce n'était vraiment pas nécessaire.

« Je sais qu'Oslo est une ville sûre, observa-t-il. C'est juste que je trouve ça sympa de marcher. »

Il parlait de choses amusantes et sans danger et elle faisait son possible pour être présente et rire au bon moment malgré le chaos total qui régnait en elle, mais quand ils passèrent devant le cinéma Ringen et commencèrent à remonter Thorvald Meyers gate vers l'immeuble où elle habitait, il y eut un blanc. Et enfin, il le dit.

« Tu as l'air de ne pas être tout à fait dans ton assiette depuis deux, trois jours. Ce n'est pas mes affaires, mais tout va bien, Dagny ? »

Elle savait qu'elle l'avait attendu. Espéré. Que quelqu'un lui pose la question. Que cela lui permette d'oser. Contrairement à toutes les victimes de viol qui se taisaient, qui expliquaient leur silence par la honte, l'impuissance, la peur de ne pas être crues. Elle s'était toujours dit qu'elle n'aurait jamais réagi comme ça. D'ailleurs, elle ne ressentait rien de tout cela. Alors pourquoi avait-elle fait pareil ? Était-ce parce qu'à son retour du cimetière, après avoir pleuré sans interruption pendant deux heures, elle avait appelé la police, mais que, en attendant d'être transférée aux mœurs ou quelle que puisse bien être la brigade où ils voulaient qu'elle porte plainte, elle avait soudain craqué et raccroché ? Pour s'endormir ensuite sur le canapé et se réveiller au milieu de la nuit, où sa première pensée avait été que le viol n'était qu'une chose qu'elle avait rêvée. Elle avait éprouvé un immense soulagement. Jusqu'à ce qu'elle se souvienne. Mais l'espace d'une seconde, elle avait vu que ça pouvait aussi n'être qu'un mauvais rêve, et si elle le décidait, ça pouvait le rester, à condition de n'en parler à personne.

« Dagny ? »

Elle respira d'un souffle tremblant et parvint à rendre sa voix audible : « Non, tout va bien. J'habite ici. Merci de m'avoir raccompagnée, Gunnar. On se voit demain.

— J'espère que tu te sentiras mieux à ce moment-là.

— Merci. »

Il avait dû remarquer qu'elle avait eu un mouvement de recul quand il lui donnait l'accolade, il fut en tout cas prompt à la relâcher. Elle se dirigea vers la montée D en cherchant les clefs dans son sac et quand elle releva les yeux, elle s'aperçut que quelqu'un était sorti de l'obscurité et entré dans la lumière de la lampe au-dessus de la porte d'entrée. Un homme svelte, aux épaules larges, en blouson en daim marron et avec un foulard rouge autour de ses longs cheveux noirs. Elle s'arrêta net, le souffle coupé.

« N'aie pas peur, Dagny que j'aime, je ne vais rien te faire. » Ses yeux luisaient comme des braises dans son visage ridé. « Je suis juste ici pour veiller sur toi et notre enfant. Car je tiens mes promesses. » Il parlait à voix basse, presque un chuchotement, mais n'avait pas besoin de parler fort pour qu'elle entende. « Parce que tu te souviens de ma promesse, n'est-ce pas ? Nous sommes fiancés, Dagny. Jusqu'à ce que la mort nous sépare. »

Dagny tenta de reprendre son souffle, mais son organe respiratoire était comme paralysé. « Pour sceller ces vœux, répétons-les avec Dieu comme témoin, Dagny. Retrouvons-nous à l'église catholique de Vika, dimanche soir, comme ça nous pourrons l'avoir pour nous tout seuls. À vingt et une heures ? Ne me laisse pas seul devant l'autel. » Il eut un rire furtif. « D'ici là, bonne nuit. À tous les deux. »

Faisant un pas de côté, il regagna l'obscurité, si bien qu'elle fut un instant éblouie par la lumière et quand elle mit sa main en visière, il avait déjà disparu. Dagny resta muette, tandis que des larmes chaudes ruisselaient sur ses joues. Elle regarda sa main qui tenait la clef jusqu'à ce qu'elle cesse de trembler. Puis elle ouvrit la porte et entra.

13

Les altocumulus s'étiraient comme une nappe crochetée dans le ciel au-dessus de l'église de Voksen.

« Toutes mes condoléances », dit Mikael Bellman d'une voix pleine de pathos et avec une expression de compassion travaillée. L'anciennement jeune directeur de la police, désormais relativement jeune ministre de la Justice, serra la main de Harry dans sa main droite et recouvrit leurs mains ainsi jointes de la main gauche. Comme pour exprimer sa sincérité. Ou pour s'assurer que Harry ne retirerait pas sa main avant que les photographes présents – qui s'étaient fait refuser les photos dans l'église – aient obtenu leur dû. Puis une fois cochée la case ministre-de-la-Justice-qui-prend-le-temps-d'aller-à-l'enterrement-d'anciens-collègues-de-la-police, il partit en hâte vers le SUV noir qui l'attendait. Il s'était sans doute assuré au préalable que Hole était hors de tout soupçon.

Harry et Oleg continuèrent de serrer des mains et de saluer les gens qui étaient venus, la plupart des amis et des collègues de Rakel. Quelques voisins. À part Oleg, Rakel n'avait plus de famille proche, mais l'assistance avait néanmoins occupé plus de la moitié de la grande église. L'agent des pompes funèbres leur avait expliqué que s'ils avaient attendu la semaine suivante pour les funérailles, il y aurait sans doute eu encore plus de monde, car les gens auraient pu s'organiser. Harry était content qu'Oleg ait demandé qu'il ne soit fait mention d'aucune réception après l'enterrement. Ni l'un ni l'autre ne connaissaient particulièrement bien les collègues de Rakel et ils n'avaient pas envie de parler aux voisins. Ce qui devait être dit de Rakel, Oleg, Harry et deux amies d'enfance l'avaient dit dans leurs discours commémoratifs à l'église, et ça suffisait, même le pasteur avait su se limiter à des cantiques, des prières et ce qui était écrit dans le Livre.

« Merde. » C'était Øystein Eikeland, l'un des deux amis d'enfance de Harry. Les yeux pleins de larmes, il posa lourdement ses mains sur ses épaules et lui souffla une haleine à l'alcool frais dans le visage. Il n'y avait peut-être pas que son physique qui faisait que Harry pensait à lui quand les gens débitaient leurs blagues sur Keith Richards. À chaque cigarette que tu fumes dans cette vie, Dieu t'enlève une heure… et la donne à Keith Richards. Harry vit que son copain se creusait violemment la tête, puis il ouvrit enfin sa bouche aux chicots bruns et répéta, juste avec un peu plus d'intensité : « Merde.

— Merci, répondit Harry.

— Les Sabots n'a pas pu venir, expliqua Øystein sans relâcher Harry. Enfin, c'est qu'il a ces crises d'angoisse, là, quand il y a un rassemblement de plus de… de plus de deux personnes, quoi, mais il te salue et il dit… » Øystein plissa un œil vers le soleil du matin. « Merde.

— On va être quelques-uns à se retrouver au Schrøder.

— Bière gratuite ?

— Maximum trois.

— OK. »

« Roar Bohr, j'étais le supérieur hiérarchique de Rakel. »

Le regard de Harry tomba sur les yeux gris ardoise d'un homme qui mesurait quinze centimètres de moins que lui, mais qui faisait toutefois assez grand. Son attitude, mais aussi ce

« supérieur hiérarchique », légèrement désuet, lui évoquèrent un officier militaire. Sa poignée de main était ferme, son regard décidé et franc mais il y avait là aussi une certaine fragilité, voire de la vulnérabilité. Enfin, c'étaient peut-être les circonstances.

« Rakel était ma meilleure collaboratrice et c'était une personne formidable. C'est une grosse perte pour le NHRI et pour nous qui y travaillons, et plus encore pour moi, puisque c'était une collaboratrice très proche.

— Merci », répondit Harry, qui le croyait.

Mais c'était peut-être juste cette main chaude. La main chaude de quelqu'un qui travaille dans les droits de l'homme. Harry suivit Roar Bohr du regard alors qu'il allait rejoindre deux femmes sur la pelouse et il remarqua que Bohr baissait les yeux pour voir où il mettait les pieds. Comme le réflexe de quelqu'un qui cherche des mines terrestres. L'une des femmes lui semblait familière, même de dos. Bohr lui parla, tout bas manifestement, puisqu'elle dut se pencher, et il lui posa légèrement la main sur les reins.

Puis la file des gens venus présenter leurs condoléances s'étiola. Le corbillard avait emporté le cercueil, certains étaient déjà partis à une réunion, avaient retrouvé un emploi du temps normal. Harry vit Truls Berntsen marcher seul vers l'arrêt de bus pour regagner la Brigade criminelle, et probablement jouer au Solitaire. D'autres restaient devant l'église à discuter en petits groupes. Le directeur de la police Gunnar Hagen et Anders Wyller, le jeune enquêteur dont Harry louait l'appartement, se tenaient avec Katrine et Bjørn, qui avaient amené leur enfant. D'aucuns trouvaient sans doute une certaine consolation dans le bruit de pleurs d'enfant à un enterrement, un rappel que la vie continuait. C'est-à-dire, ceux qui souhaitaient que la vie continue. Harry annonça aux personnes encore présentes qu'on se rassemblait au Schrøder. Sœurette, la sœur de Harry, était montée de Kristiansand avec son petit copain, elle vint serrer dans ses bras son frère et Oleg, longuement, et leur annonça qu'ils devaient repartir. Harry répondit que c'était dommage, mais qu'il comprenait. En vérité, il était soulagé. À part Oleg, Sœurette était la seule personne susceptible de le faire pleurer en public.

Helga conduisit Harry et Oleg au Schrøder. Nina leur avait préparé une grande table. Une douzaine de personnes se présentèrent, et Harry était penché au-dessus de son café à écouter la rumeur de la conversation des autres quand quelqu'un posa une main sur son dos. C'était Bjørn.

« Ce n'est sans doute pas habituel de faire des cadeaux à un enterrement. » Il tendit à Harry un objet plat carré enveloppé de papier cadeau. « Mais dans les moments difficiles, ça m'a aidé, moi.

— Merci, Bjørn. » Harry retourna le paquet. Il n'était pas difficile de deviner ce que c'était. « Au fait, je voulais te demander un truc.

— Oui ?

— Pendant mon audition, Sung-min ne m'a pas parlé du piège photographique. Ce qui signifie que tu ne l'as pas mentionné quand tu as été entendu.

— Il ne m'a pas posé la question et je me suis dit qu'il t'appartenait d'en parler si tu trouvais ça pertinent.

— Hmm. Tu t'es donc dit ça...

— Je me dis que si tu n'en as pas parlé non plus, ce doit être que ce n'est pas pertinent.

— Tu n'as rien dit parce que tu as compris que j'avais l'intention de partir à la chasse à Finne sans que Kripos ou d'autres s'en mêlent ?

— Cette phrase, je vais faire comme si je ne l'avais pas entendue, et si je l'avais entendue, je n'aurais pas compris de quoi tu parlais.

— Merci, Bjørn. Encore une chose : qu'est-ce que tu sais de Roar Bohr ?

— Bohr ? Juste que c'est le patron de la boîte où travaillait Rakel. Les droits de l'homme, c'est ça ?

— L'Institut national pour les droits de l'homme.

— Exact. C'est Bohr qui a prévenu la police qu'ils s'inquiétaient que Rakel ne soit pas venue travailler.

— Hmm. »

Harry lança un coup d'œil vers la porte qui s'ouvrait. Il oublia instantanément les éventuelles questions qu'il aurait voulu poser à Bjørn. C'était elle, la femme au dos tourné qui avait parlé avec Bohr. Elle resta à regarder autour d'elle en hésitant. Elle n'avait pas beaucoup changé. Le visage aux pommettes hautes, les sourcils de jais marqués au-dessus de grands yeux verts presque enfantins, les cheveux châtain miel, les lèvres pleines de sa bouche un peu large.

Son regard trouva enfin celui de Harry et s'illumina.

« Kaja ! » entendit-il s'exclamer Gunnar Hagen au même instant. « Viens t'asseoir. » Le directeur de la police avança une chaise.

La femme sur le seuil sourit à Hagen et lui fit signe qu'elle devait d'abord saluer Harry. La peau de sa main était aussi douce que dans ses souvenirs.

« Mes condoléances. Je compatis, Harry. »

Sa voix aussi.

« Merci. Je te présente Oleg. Helga, son amie. Oleg et Helga, voici Kaja Solness, une ancienne collègue. » Des poignées de main s'échangèrent.

« Alors tu es de retour, observa Harry.

— Pour le moment.

— Hmm. » Il chercha quelque chose à dire. Ne trouva rien. Elle posa une main de plume sur son bras.

« Occupe-toi des tiens, moi, je vais aller parler à Gunnar et aux autres. »

Harry fit un signe de tête et la regarda qui, sur ses longues jambes, se faufilait entre les chaises jusqu'à l'autre extrémité de la table.

Oleg se pencha vers lui. « C'est qui, elle ? À part une ancienne collègue.

— Longue histoire.

— J'ai vu ça. La version courte, c'est ? »

Harry but une gorgée de son café. « Qu'un jour, je l'ai laissée partir pour ta mère. »

Il était quinze heures quand, avant-dernier invité à partir, Øystein se leva et cita de façon erronée Bob Dylan en guise d'adieu. La dernière invitée vint s'asseoir sur la chaise à côté de Harry.

« Tu n'as pas de travail auquel aller aujourd'hui ? demanda Kaja.

— Ni demain non plus. Suspendu jusqu'à nouvel ordre. Et toi ?

— Je suis en stand-by pour la Croix-Rouge. C'est-à-dire que je touche un salaire, mais que, en ce moment précis, je suis en Norvège à attendre que ça pète quelque part dans le monde.

— Ce qui devrait arriver, non ?

— Oui. De ce point de vue, c'est un peu comme de travailler à la Brigade criminelle, on reste plus ou moins à espérer un événement épouvantable.

— Hmm. La Croix-Rouge. Sacré changement après la Brigade criminelle.

— Oui et non. Je suis responsable de la sécurité. Ma dernière mission, c'était deux ans en Afghanistan.

— Et avant ?

— Deux ans aussi. En Afghanistan. » Elle sourit. Montrant

ses petites dents pointues, l'élément qui rendait son visage juste assez imparfait pour être intéressant.

« Qu'est-ce que l'Afghanistan a de si bien ? »

Elle haussa les épaules. « Au début, c'est sans doute juste d'être confronté à des problèmes si graves qu'en comparaison les tiens te paraissent minimes. C'est aussi voir qu'on a besoin de toi. Mais après, tu te mets à aimer les gens que tu rencontres et avec qui tu travailles.

— Comme Roar Bohr.

— Oui. Il t'a dit qu'il avait été en Afghanistan ?

— Non, mais il a l'air d'un soldat qui craint de marcher sur une mine. Il était dans les forces spéciales ? »

Kaja l'observa pensivement. Ses pupilles étaient dilatées dans ses iris verts. On ne gaspillait pas la lumière au Schrøder.

« Classé secret défense ? »

Elle haussa les épaules. « Bohr était lieutenant-colonel dans le FSK, oui. Il faisait partie des gens qui ont été envoyés à Kaboul avec une liste de terroristes talibans recherchés que la FIAS voulait éliminer.

— Hmm. C'était un général de bureau ou il a personnellement tué des djihadistes ?

— Nous avions des réunions sécurité communes à l'ambassade, mais je n'ai jamais su les détails. Je sais juste que Roar et sa sœur ont tous deux été champions de tir dans le Vest Agder.

— Et il est arrivé au bout de la liste ?

— Je suppose. Vous êtes assez semblables, Bohr et toi, vous n'abandonnez pas la partie avant d'avoir attrapé ceux que vous deviez.

— Si Bohr était si bon dans son travail, pourquoi a-t-il arrêté et s'est-il lancé dans les droits de l'homme ? »

Elle leva un sourcil. Comme pour lui demander pourquoi il s'intéressait tant à Bohr. Mais elle eut l'air de conclure qu'il avait juste besoin de parler d'autre chose, tout sauf Rakel, lui-même, la situation, ici et maintenant.

« La FIAS a été remplacée par Resolute Support, et nous sommes passés d'une force dite de maintien de la paix à une opération non combattante. Alors ils n'ont plus eu le droit de tirer. Et puis sa femme voulait qu'il rentre. Elle n'avait plus la force d'être seule avec deux enfants. Un officier norvégien avec quelque ambition de devenir général doit en pratique avoir accompli au moins une mission en Afghanistan, donc quand Roar a demandé à partir, il savait qu'il renonçait à un poste au sommet. Du coup, c'était peut-être moins amusant, et puis les gens avec son expérience de direction sont prisés dans d'autres secteurs.

— Mais passer d'abattre des gens aux droits de l'homme ?

— Tu crois qu'il se battait pour quoi en Afghanistan ?

— Hmm. Un idéaliste et quelqu'un qui a le sens de la famille, donc.

— Roar est un homme qui a des valeurs. Qui fait des sacrifices pour ceux qu'il aime. Comme tu l'as fait, toi. » Elle grimaça. Un bref sourire de douleur. Elle boutonna son manteau. « Et ça, ça se respecte, Harry.

— Hmm. Tu penses que j'ai sacrifié quelque chose à l'époque ?

— Nous pensons être rationnels, mais nous obéissons à tous les diktats du cœur, non ? » Elle plongea la main dans son sac et en tira une carte de visite qu'elle posa sur la table. « J'habite toujours au même endroit. Si tu as besoin de parler, je sais un peu ce que c'est de perdre et de regretter quelqu'un. »

Le soleil avait glissé derrière la colline, il colorait le ciel en orange quand Harry entra dans la maison en rondins. Oleg était en train de remonter à Lakselv et lui avait donné les clefs pour qu'il puisse ouvrir à un expert qui allait estimer la valeur de la propriété la semaine suivante. Harry avait demandé à Oleg de bien réfléchir : voulait-il vraiment vendre la maison, ne pouvait-elle pas être un endroit où revenir après son année de stage ? Un endroit pour lui et Helga, peut-être. Oleg lui avait promis d'y penser sérieusement, mais il semblait décidé.

Le groupe de scène du crime avait fini son travail et rangé derrière lui. C'est-à-dire que la mare de sang avait disparu, mais pas le classique dessin à la craie qui montrait la position du corps. Harry imaginait l'agent immobilier proposant, avec tact et d'un ton emprunté, de gommer la craie avant les visites.

Il alla à la fenêtre de la cuisine et regarda le ciel pâlir, l'éclat disparaître. L'obscurité lui succéder. Il était sobre depuis vingt-huit heures et Rakel morte depuis au moins cent quarante et une.

Il avança dans la pièce, se posta au-dessus du dessin à la craie. S'agenouillant, il passa le bout de son doigt sur le plancher rugueux. Il se coucha par terre, se colla au dessin, se recroquevilla en position fœtale, essaya de se faire de la place à l'intérieur des contours blancs, et là, enfin, vinrent les pleurs. S'il s'agissait bien de pleurs, car il n'y avait aucune larme, juste des cris rauques qui naissaient dans sa poitrine, s'amplifiaient et devaient forcer leur passage à travers sa gorge bien trop serrée avant d'emplir la pièce et de sonner comme les cris d'un homme qui se bat pour ne pas mourir. Quand il eut fini de crier, il se renversa sur le dos pour pouvoir respirer. Alors vinrent les larmes. Et à travers elles, flou comme dans un rêve, il vit le lustre de cristal juste au-dessus de lui. Les pendeloques formaient un S.

14

Les oiseaux de Lyder Sagens gate chantaient de bonheur.

Peut-être parce qu'il était neuf heures du matin et que rien encore n'avait eu le temps de gâcher leur journée. Peut-être parce que le soleil brillait et que cela semblait être un parfait début de week-end avec de bonnes prévisions météo. Ou alors parce que à Lyder Sagens gate, même les oiseaux étaient plus heureux qu'ailleurs. Car dans le pays qui trônait régulièrement en tête des palmarès des pays les plus heureux du monde, cette rue pas particulièrement spectaculaire, nommée d'après un professeur de Bergen, constituait un sommet. Quatre cent soixante-dix mètres de bonheur, libérés non seulement des soucis économiques, mais encore des excès de la traque matérialiste, avec des maisons ordinaires, sans chichis et des jardins vastes, mais pas exagérément soignés, où les jouets d'enfants éparpillés de façon assez charmante ne laissaient aucun doute sur les priorités de la famille. Bohèmes, mais avec une Audi neuve, pas trop ostentatoire toutefois, garée dans un garage rempli de vieux meubles de jardin en bois lasuré, lourds et délicieusement peu pratiques. Si Lyder Sagens gate était probablement l'une des rues les plus onéreuses du pays, l'idéal semblait y être l'artiste ayant hérité sa maison de sa grand-mère ; quoi qu'il en soit, les habitants avaient globalement l'air de bons sociaux-démocrates, qui croyaient au développement durable et avaient des valeurs aussi sûres que les poutres surdimensionnées qui dépassaient çà et là de leurs villas de style alpin suisse de la fin du XIXe.

Harry poussa le portail, dont la plainte résonna comme un écho du passé. Tout était comme avant. Le grincement des marches en bois du perron. La sonnette sans nom. Les chaussures pour homme, pointure quarante-six, que Kaja Solness avait mises devant la porte pour dissuader les cambrioleurs et autres intrus.

Kaja ouvrit et écarta de son visage une mèche blondie par le soleil.

Même la veste en laine bien trop grande sous ses bras croisés et les chaussons troués en laine feutrée étaient les mêmes.

« Harry, constata-t-elle.

— Tu n'es pas loin de chez moi à pied, alors je me suis dit que je pouvais passer plutôt que d'appeler.

— Quoi ? » Elle inclina la tête sur le côté.

« C'est ce que je t'ai dit la première fois que j'ai sonné à ta porte.

— Comment peux-tu t'en souvenir ? »

Parce que j'avais cogité un certain temps avant de trouver ces mots, pensa Harry en souriant. « Cerveau éponge. Je peux entrer ? »

Voyant le temps d'hésitation dans son regard, il se rendit compte qu'il n'avait même pas envisagé qu'elle puisse avoir quelqu'un. Un compagnon. Un amant. Ou une autre raison de le garder sur le pas de la porte.

« Enfin, si je ne dérange pas ?

— Euh, non, non, c'est… juste un peu inattendu.

— Je peux revenir plus tard.

— Non. Non, pas du tout, je t'ai dit que tu n'avais qu'à venir. » Elle ouvrit la porte et le laissa entrer.

Kaja posa une tasse de thé fumant sur la table basse devant

eux et s'installa sur le canapé, ses longues jambes repliées sous elle. Harry fixa son regard sur le livre ouvert à l'envers. *Jane Eyre*, Charlotte Brontë. Il se souvenait d'une histoire de jeune femme qui tombe amoureuse d'un bourru divorcé, qui finalement se révèle avoir toujours sa femme enfermée dans la propriété.

« On ne me laisse pas enquêter sur le meurtre, dit-il. Bien que j'aie été mis hors de cause dans l'affaire.

— C'est la procédure normale dans ces cas-là, non ?

— Je ne sais pas s'il y a des procédures pour les enquêteurs criminels dont la femme a été tuée. Et je sais qui l'a fait.

— Tu sais ?

— Je suis plus ou moins sûr.

— Preuves ?

— Flair.

— Comme tous ceux qui ont travaillé avec toi, j'ai beaucoup de respect pour ton flair, Harry, mais tu es sûr qu'il est fiable quand il s'agit de ta propre femme ?

— Il n'y a pas que ça. J'ai exclu toutes les autres possibilités.

— Toutes ? » Kaja tenait sa tasse sans boire, comme si elle avait fait du thé avant tout pour se réchauffer les mains. « Il me semble me souvenir que j'avais un mentor dénommé Harry qui me disait qu'il existait toujours d'autres possibilités, qu'on accordait trop de crédit aux conclusions basées sur la déduction.

— Rakel n'avait aucun ennemi à part lui. Qui n'est pas son ennemi à elle, mais le mien. Il s'appelle Svein Finne. Connu aussi comme le Fiancé.

— Qui est-ce ?

— Un agresseur et meurtrier. On l'appelle le Fiancé parce qu'il engrosse ses victimes et les tue si elles ne portent pas sa progéniture jusqu'à terme. J'étais un jeune enquêteur et j'ai travaillé nuit et jour pour l'attraper. C'était mon premier, et j'ai ri de plaisir en refermant ses menottes. » Harry baissa les yeux sur ses propres mains. « C'est sans doute la dernière fois que j'ai éprouvé une telle joie d'arrêter quelqu'un.

— Ah ? Pourquoi cela ? »

Le regard de Harry erra sur le joli papier peint ancien à fleurs. « Les raisons sont sans doute multiples, et j'ai un recul limité sur moi-même, mais l'une d'elles est probablement que dès que Finne a eu purgé sa peine, il a violé une fille de dix-neuf ans et menacé de la tuer si elle avortait. Elle l'a fait quand même. Une semaine plus tard, on l'a retrouvée gisant sur le ventre dans un bois de Linnerud. Du sang partout, ils étaient sûrs qu'elle était morte, mais en la retournant, ils ont entendu un bruit, comme une voix de bébé qui disait "maman". Elle a été emmenée à l'hôpital et a survécu. La voix de bébé n'était pas la sienne. Finne lui avait ouvert le ventre et y avait enfoncé un poupon sur piles avant de recoudre. »

Kaja en eut le souffle coupé. « Désolée. J'ai perdu un peu de mon entraînement. »

Harry hocha la tête. « Alors je l'ai de nouveau attrapé. Je me suis servi d'un appât et je l'ai pris le pantalon sur les chevilles. Littéralement. Il y a une photo. Flash puissant, un peu surexposée. Au-delà de l'humiliation, j'ai personnellement fait en sorte que Svein "le Fiancé" Finne passe vingt de ses presque quatre-vingts ans sous les verrous. Notamment pour un meurtre qu'il dit n'avoir pas commis. Donc voilà ton mobile. Voilà ton flair. On peut sortir fumer sur la terrasse ? »

Ils allèrent chercher leurs manteaux et s'assirent sur la grande terrasse couverte qui donnait sur une pommeraie. Harry regarda vers les fenêtres du premier étage de la maison d'en face. Aucune n'était éclairée.

« Ton voisin, fit Harry en sortant son paquet de cigarettes. Il ne veille plus sur toi ?

— Greger a fêté ses quatre-vingt-dix ans il y a deux ans, mais il est mort, ici, l'année dernière, soupira-t-elle.

— Donc maintenant tu dois veiller sur toi-même ? »

Elle haussa les épaules. Elle imprimait à ce geste le rythme d'une danse. « J'ai le sentiment qu'on veille toujours un peu sur moi.

— Tu es devenue croyante ?

— Non. Je peux te piquer une clope ? »

Harry la regarda. Elle était assise sur ses mains. Il se souvint qu'elle faisait toujours ça, parce qu'elle était si frileuse.

« Tu sais qu'on était assis exactement ici, à faire exactement la même chose, il y a combien d'années ? Sept ? Huit ?

— Oui, dit-elle. Je me souviens. »

Elle libéra une de ses mains, tint fermement la cigarette entre son index et son majeur pendant que Harry lui donnait du feu, aspira la fumée et recracha un nuage gris. Elle manipulait sa cigarette avec la même gaucherie que naguère. Harry sentit le doux arrière-goût des souvenirs. Ils avaient parlé du tabagisme dans le film *Now, Voyager*, de monisme matérialiste, de libre arbitre, de John Fante et du plaisir de voler des petites choses. Puis, comme sanction de ces secondes indolores, il sursauta quand son nom fut prononcé et que le couteau fut de nouveau remué dans la plaie.

« Tu sembles si sûr de toi quand tu dis que Rakel n'avait pas d'autres ennemis que ce Finne, Harry. Qu'est-ce qui te fait croire que tu connaissais tous les détails de sa vie ? Les gens peuvent habiter ensemble, partager un lit, partager tout, mais cela ne signifie pas pour autant qu'ils partagent leurs secrets. »

Harry toussota. « Je la connaissais, Kaja. Elle me connaissait. Nous nous connaissions. Nous n'avions pas de secr… » Entendant la vibration de sa voix, il s'interrompit.

« Soit, Harry, mais je ne sais pas ce que tu veux que je fasse, là. Te consoler ou te conseiller ?

— Me conseiller.

— D'accord. » Kaja posa sa cigarette au bord de la table en

bois. « Alors je vais te donner une autre piste, juste comme exemple. Rakel pourrait avoir eu une liaison. Il t'est peut-être impossible de l'imaginer te trompant, mais crois-moi, les femmes savent mieux cacher ce genre de choses que les hommes, surtout si elles trouvent qu'elles ont une bonne raison de le faire. Ou, plus exactement, les hommes savent moins bien démasquer la tromperie que les femmes. »

Harry ferma les yeux. « Ça me paraît être une grossière…

— … généralisation. Et comment. Mais en voici une autre. Les femmes sont infidèles pour d'autres raisons que les hommes. Peut-être que Rakel savait qu'elle devait s'éloigner de toi, mais qu'elle avait besoin d'un catalyseur. Comme une aventure. Ensuite, une fois que cette liaison a exercé ses fonctions et que Rakel s'est sentie libérée de toi, elle a quitté cet autre homme aussi, et hop, tu as un homme très amoureux et blessé avec un mobile de meurtre.

— OK, mais est-ce que tu y crois toi ?

— Non, mais ça montre qu'il peut exister d'autres possibilités, et je ne crois en tout cas pas au mobile que tu attribues à Finne.

— Ah bon ?

— Qu'il aurait tué Rakel juste parce que tu as fait ton travail de policier ? Qu'il te déteste et te menace, soit, mais les gens comme Finne sont gouvernés par leurs désirs de sexe, pas de vengeance. Pas plus que d'autres criminels, en tout cas. Si grandes gueules qu'ils aient pu être, je ne me suis jamais sentie menacée par des gens que j'avais envoyés en taule. Il y a une marge entre balancer une menace au rabais et assumer le coût et le risque d'un meurtre. Je crois que Finne aurait eu besoin d'un mobile plus fort pour risquer douze ans de prison, qui pourraient être les dernières années de sa vie. »

Harry tira une grosse bouffée pleine de colère. Parce qu'il sentait que tout en lui résistait à ce qu'elle venait de dire. Parce qu'il savait qu'elle avait raison. « Et quel genre de mobile de vengeance considérerais-tu comme suffisamment fort ? »

De nouveau, ce haussement d'épaules dansant, presque enfantin. « Je ne sais pas. Un truc personnel. Qui soit à l'avenant de ce qu'il t'a fait.

— Mais c'est le cas. Je l'ai privé de sa liberté, de la vie qu'il adorait. Donc il m'a enlevé ce que j'aimais le plus.

— Rakel. » Kaja fit la moue en hochant la tête. « Pour que tu continues de vivre avec la douleur.

— Précisément. » Harry constata qu'il ne restait de sa cigarette que le filtre. « Tu comprends les choses, Kaja. C'est pour ça que je suis venu.

— Qu'est-ce que tu veux dire ?

— Tu sens que ça ne colle pas. » Harry tenta de sourire. « Je suis devenu mon propre exemple d'enquêteur dirigé par l'affect, qui commence par la conclusion et cherche ensuite les questions en espérant que leurs réponses seront une confirmation. C'est pour ça que j'ai besoin de toi, Kaja.

— Je ne te suis pas.

— Je suis suspendu, alors je ne peux travailler avec personne de la brigade. Quand on est enquêteur, on a besoin d'un sparring-partner. On a besoin de résistance. De nouvelles idées. Or tu es une ancienne enquêtrice, qui n'a rien à faire de ses journées.

— Non. Non, Harry.

— Écoute-moi, Kaja. » Harry se pencha en avant. « Je sais que tu ne me dois rien du tout, je sais que je t'ai quittée autrefois. Que j'aie eu le cœur brisé est une explication, mais ce n'était pas une excuse pour briser le tien. Je sais ce que j'ai fait, et je le referais si c'était à refaire. Parce qu'il le fallait, parce que j'aimais Rakel. Je sais que c'est beaucoup te demander, mais je te le demande quand même. Parce que je suis en train de devenir fou, Kaja. Il faut que je fasse quelque chose, et la seule chose que je sache faire, c'est enquêter sur des meurtres. Et boire. Je pourrais boire jusqu'à ce que mort s'ensuive s'il le faut. »

Harry vit Kaja tressaillir de nouveau.

« Je dis juste les choses telles qu'elles sont, poursuivit-il. Tu n'as pas besoin de répondre tout de suite, tout ce que je te demande, c'est d'y réfléchir. Tu as mon numéro. Maintenant, je vais te laisser tranquille. »

Il se leva.

Il enfila ses godillots, franchit le portail, rejoignit Suhms gate, descendit Norabakken, passa devant l'église de Fagerborg, parvint à résister à deux débits de boisson ouverts, avec leurs ouailles autour du bar, il aperçut l'entrée du stade de Bislett, qui autrefois avait lui aussi rassemblé des fidèles, mais évoquait désormais un bâtiment pénitentiaire, il leva les yeux sur ce ciel d'une limpidité absurde et entrevit en traversant la rue l'éclat éblouissant d'un S qui vibrait dans la pulsation du soleil. Quand des freins de tram crissèrent, ce fut comme l'écho de son propre cri quand il s'était relevé d'un plancher et que sa chaussure avait glissé dans du sang.

Devant son écran d'ordinateur, Truls Berntsen regardait le troisième épisode de la première saison de *The Shield*. Il avait vu la série d'un bout à l'autre deux fois et recommencé à zéro. Car il en allait des séries télévisées comme des films pornographiques : les vieilles, celles des débuts, restaient et demeuraient les meilleures. Et puis Truls était Vic Mackey. Pas tout à fait, d'accord, mais Vic était en tout cas ce que Truls avait envie d'être : corrompu de part en part, mais avec un code moral qui rendait la chose acceptable. C'était ce qui était tellement cool. Pouvoir être si *bad*, mais que ce soit admissible parce que tout n'était qu'une question d'appréciation. D'angle adopté. Les nazis et les communistes avaient bien fait des films de guerre, eux aussi, et obtenu que les gens soient du côté de leurs porcs. Rien n'était entièrement vrai et rien n'était pur mensonge. Le point de vue. Tout était dans le point de vue.

Le téléphone sonna.

C'était inquiétant.

C'était Hagen qui avait mis en place la permanence de week-end à la Brigade criminelle. Avec seulement une personne de garde, il est vrai. Mais cela ne dérangeait pas Truls, il prenait volontiers les gardes des autres. Premièrement, il n'avait rien d'autre à faire, deuxièmement, il avait besoin d'argent et de jours de récupération pour son voyage à Pattaya cet automne. Troisièmement, c'étaient des journées avec strictement rien à foutre puisque le central s'occupait des appels. Oui, il doutait même que les gens du central soient au courant que quelqu'un assurait la permanence du week-end à la Brigade criminelle, et il n'avait aucune intention de les en informer.

Cet appel était donc inquiétant, puisque l'affichage indiquait qu'il provenait du central, justement.

À la cinquième sonnerie, Truls jura doucement, baissa le son de *The Shield*, sans toutefois arrêter l'image, et décrocha.

« Oui ? fit-il en parvenant à faire sonner cette unique syllabe positive comme un rejet total.

— Ici le central. Nous avons là une dame qui a besoin d'assistance. Elle voudrait voir des photos de violeurs dans le cadre d'un viol.

— C'est l'affaire de la Brigade des mœurs.

— Vous avez les mêmes photos et eux n'ont pas de permanence le week-end.

— Il vaudrait mieux qu'elle revienne lundi.

— Il vaudrait mieux qu'elle voie les photos pendant qu'elle se souvient encore du visage. Vous avez une permanence le week-end ou pas ?

— OK, grogna Truls Berntsen. Emmenez-la ici, alors.

— On est relativement occupés là, et si vous veniez la chercher ?

— Occupé, moi aussi. » Truls attendit, mais n'obtint pas de réponse. « OK, j'arrive, soupira-t-il.

— Bien. Au fait, ça commence à faire un moment que ça ne s'appelle plus la Brigade des mœurs. On dit Brigade des crimes sexuels maintenant.

— *Fuck you, too* », marmonna Truls, si bas que ça n'avait sûrement pas été compris. Il raccrocha, cliqua sur « Pause », figeant *The Shield* juste avant l'une de ses scènes préférées, celle où Vic liquide son collègue Terry d'une balle juste au-dessous de l'œil gauche.

« Donc ceci n'est pas un viol que vous avez subi, mais un que vous pensez avoir vu, récapitula Truls Berntsen en tirant une chaise supplémentaire vers son bureau. Vous êtes sûre que c'était un viol ?

— Non, répondit la femme qui s'était présentée comme Dagny Jensen, mais si je reconnais l'un des violeurs que vous avez dans vos archives, je serai relativement sûre. »

Truls gratta son front proéminent de créature de Frankenstein. « Mais vous ne voulez donc pas porter plainte avant d'avoir reconnu le coupable ?

— C'est exact.

— Ce n'est pas la procédure habituelle, mais disons que je peux vous faire dix minutes de diaporama sur cet écran et que si on trouve le gars, vous ferez le reste, plainte et déposition, à l'accueil. Je suis tout seul et j'ai plein de boulot là, vous comprenez. *Deal* ?

— D'accord.

— Alors on commence. Âge supposé du violeur ? »

Au bout de trois minutes seulement, Dagny Jensen désigna une photo sur l'écran. « Qui est-ce ? »

Il remarqua qu'elle luttait pour maîtriser le tremblement de sa voix. « C'est Svein Finne en personne, dit Truls. C'est lui que vous avez vu ?

— Qu'est-ce qu'il a fait ?

— Qu'est-ce qu'il n'a pas fait, plutôt ? Voyons voir. » Truls pianota sur son clavier, appuya sur « Enter » et un casier judiciaire détaillé s'afficha.

Il vit le regard de Dagny Jensen sautiller sur la page et une horreur croissante apparaître sur son visage alors que le monstre émergeait du jargon aride de la police.

« Il a tué, murmura-t-elle. Des femmes qu'il avait rendues enceintes.

— Coups et blessures et meurtre, rectifia Truls. Il a purgé sa peine, mais s'il y en a un contre qui nous prendrions volontiers une nouvelle plainte, c'est Finne.

— Mais vous êtes… tout à fait sûrs que vous arriveriez à le prendre ?

— Oh, nous arriverons bien à le trouver si nous cherchons. Une tout autre question est bien sûr de savoir si nous le ferions condamner avec une accusation de viol. Dans ces affaires, c'est souvent la parole de l'un contre celle de l'autre, et nous ne pourrions alors que le relâcher, mais c'est clair qu'avec un témoin comme vous, ça fait deux contre un. Avec un peu d'espoir. »

Dagny Jensen déglutit plusieurs fois.

Truls bâilla en consultant sa montre. « Maintenant que vous avez vu la photo, vous pouvez peut-être descendre à l'accueil et commencer la paperasse, hein ?

— Oui, répondit la femme en fixant l'écran. Oui, bien sûr. »

15

Assis sur le canapé, Harry regardait le mur. Il n'avait pas allumé la lumière et le soir tombant avait peu à peu estompé contours et couleurs pour se déposer comme une serviette rafraîchissante sur son front. Il aurait voulu que le soir tombant puisse l'effacer, lui aussi. Quand on y songeait, la vie n'avait pas besoin d'être très compliquée, elle pouvait se comprimer en cette question binaire des Clash : *Should I stay or should I go ?* Boire ? Ne pas boire ? Il voulait se noyer. Disparaître. Mais il ne pouvait pas, pas tout de suite.

Il déballa le cadeau qu'il avait reçu de Bjørn. Comme il le supposait, c'était un vinyle. *Road to Ruin*. Des trois albums des Ramones qu'Øystein affirmait mordicus être les seuls réellement bons (et ici, il renvoyait habituellement à Lou Reed, qui avait qualifié la musique des Ramones de «*shit*»), Bjørn avait acheté à Harry celui qu'il n'avait pas. Dans la bibliothèque derrière lui – entre le premier album des Rainmakers et le premier album des Rank and File – se trouvaient *Ramones* et *Rocket to Russia*, son préféré.

Harry sortit le soleil de vinyle de sa pochette et posa *Road to Ruin* sur la platine.

Voyant un titre de chanson qu'il reconnaissait, il plaça le saphir au début de « I Wanna Be Sedated ». La pièce s'emplit de riffs de guitare. Le son était plus produit, plus mainstream, que sur leur premier album. Il aimait le solo de guitare minimaliste, mais était sans doute un peu moins convaincu par la modulation qui suivait, on approchait dangereusement du boogie-rock de Status Quo dans ce qu'il avait de plus grossier, mais c'était joué de façon couillue. Harry aimait cela. Comme sa chanson préférée, « Rockaway Beach », où les Ramones se laissaient porter avec la plus grande assurance par les Beach Boys, comme des gens qui auraient volé une bagnole et descendraient tranquillement la grand-rue avec leurs vitres baissées.

Alors que Harry essayait de décider s'il aimait « I Wanna Be Sedated » ou non, et s'il allait sortir dans un bar ou non, la pièce fut éclairée par le téléphone sur la table basse.

Il plissa les yeux vers l'écran, poussa un soupir. Devait-il décrocher ou non ?

« Salut, Alexandra.

— Salut, Harry. J'ai essayé de te joindre. Il faut que tu changes le message de ton répondeur.

— Tu trouves ?

— Parlez-moi si vous le devez, imita-t-elle. Même pas ton nom, juste six mots qui ressemblent à une mise en garde et puis un bip ?

— J'ai l'impression que le message exerce l'effet recherché.

— Là où je veux en venir, monsieur Hole, c'est que je t'ai appelé plusieurs fois.

— J'ai vu, mais je n'ai pas été… d'humeur.

— J'en ai entendu parler. » Elle poussa un gros soupir et sa voix prit soudain des accents de compassion douloureuse. « C'est affreux.

— Oui. »

Une pause suivit, comme un intermède muet marquant la transition d'un acte à l'autre. Car quand Alexandra reprit la parole, elle n'avait ni ses modulations graves et joueuses ni son ton de souffrance compatissante. Sa voix était professionnelle.

« Je t'ai trouvé une information. »

Harry soupira en se passant la main sur le visage. « OK, je suis tout ouïe. »

Cela faisait si longtemps qu'il s'était adressé à elle pour la première fois qu'il avait renoncé à tirer quoi que ce soit d'Alexandra Sturdzas. Plus de six mois auparavant, il était monté au service de Médecine légale du Rikshospital et avait été accueilli par une jeune femme tout droit sortie du laboratoire, elle avait un visage dur vérolé, des yeux qui lançaient des éclairs et un accent presque imperceptible. Elle l'avait emmené dans son bureau et avait raccroché sa blouse blanche pendant que Harry lui demandait si elle pouvait l'aider un peu en sous-main à comparer l'ADN des affaires de Svein Finne avec ceux de vieilles affaires de meurtres et de viols sur lesquelles il y avait prescription.

« Donc, Harry Hole, vous voulez que je grille la queue pour vous ? »

Depuis que le Storting avait supprimé le délai de prescription en 2014, il y avait naturellement un afflux de demandes d'analyse d'ADN pour des affaires antérieures à cette technologie et les temps d'attente avaient explosé.

Harry avait envisagé un ou deux détours, mais il avait vu à son regard direct que ce n'était pas nécessaire.

« Oui.

— Intéressant. En échange de quoi ?

— Échange ? Voyons… Qu'est-ce que vous voulez ?

— On pourrait commencer par une bière avec Harry Hole. »

Alexandra Sturdzas portait des vêtements noirs ajustés qui mettaient en valeur un corps athlétique dont les lignes évoquaient à Harry les félins et les voitures de sport ; mais il n'avait jamais été porté sur l'automobile et il était plutôt chiens.

« Si c'est ce qu'il faut, je vous offre une bière, mais moi, je ne bois pas. Et je suis marié.

— Ça, on verra», avait-elle répondu dans un rire rauque.

Elle avait l'air d'avoir beaucoup vécu, mais il était singulièrement difficile de lui donner un âge, elle pouvait avoir n'importe quoi entre dix et vingt ans de moins que lui. Elle avait incliné la tête et l'avait regardé. «Retrouvez-moi au Revolver demain à vingt heures, et on verra ce que j'ai pour vous, OK?»

Elle n'avait pas eu grand-chose. Ni ce jour-là ni depuis. Juste assez pour s'inviter pour une bière de temps à autre. Il avait toutefois veillé à ce que leurs rencontres restent brèves et professionnelles. Jusqu'à ce que Rakel le jette dehors, et que le barrage se brise en emportant tout sur son passage, y compris ses principes de distance professionnelle.

Harry vit que le mur avait pris une nuance encore plus grise.

«Je n'ai pas de correspondance directe dans une affaire», commença Alexandra.

Harry bâilla, c'était la vieille rengaine.

«Mais je me suis souvenue que j'avais la possibilité de comparer l'empreinte génétique d'ADN de Svein Finne à toutes celles que nous avons dans notre fichier. J'ai alors eu une correspondance partielle avec un tueur.

— Qu'est-ce que ça veut dire?

— Ça veut dire que si Svein Finne n'est pas un meurtrier condamné, il a en tout cas un fils qui l'est.

— Oh, merde!» Quelque chose apparut à Harry. Un pressentiment. «Comment s'appelle le tueur?

— Valentin Gjertsen.»

Un frisson parcourut l'échine de Harry. Valentin Gjertsen. Ce n'était pas qu'il croyait davantage à l'inné qu'à l'acquis, mais il y avait une certaine logique dans l'idée que la semence de Svein Finne, ses gènes aient contribué à fabriquer un fils qui avait été l'un des pires meurtriers de l'histoire criminelle de la Norvège.

«Tu sembles moins surpris que je n'aurais cru, observa Alexandra.

— Je suis moins surpris que je n'aurais cru, répondit Harry en se frottant la nuque.

— Ça t'est utile ?

— Oui. Oui, ça m'est utile. Merci beaucoup, Alexandra.

— Qu'est-ce que tu fais, là, tout de suite ?

— Hmm. Bonne question.

— Et si tu venais faire un tour chez moi pour me remercier en personne ?

— Comme je le disais, je ne suis pas d'humeur à...

— Nous n'avons pas besoin de faire quoi que ce soit. Peut-être que nous avons tous les deux juste besoin de rester un peu couchés tout contre quelqu'un. Tu te rappelles où j'habite ? »

Harry ferma les yeux. Il y avait eu quelques lits, quelques porches et immeubles depuis que le barrage avait sauté et l'alcool avait déposé son voile sur les visages, les noms, les adresses. Et puis à cet instant précis, l'image de Valentin Gjertsen occultait tout autre souvenir potentiel.

« Bon sang, Harry ! Tu étais bourré, mais tu ne pourrais pas au moins faire semblant de te souvenir ?

— Grünerløkka. Seilduksgata.

— Bon garçon. Dans une heure ? »

Quand il eut raccroché et qu'il appela Kaja Solness, une pensée lui traversa l'esprit. Il se souvenait de Seilduksgata parce que quel que soit son degré d'ébriété, il avait toujours un ou deux souvenirs, il n'avait jamais de trou noir total. Ce n'étaient peut-être pas les effets à long terme de l'alcool qui faisaient qu'il ne se souvenait de rien de ce soir au Jealousy Bar, peut-être y avait-il quelque chose qu'il voulait oublier.

« Bonjour, vous êtes sur le répondeur de Kaja. »

« J'ai le mobile que tu cherchais, dit Harry après le bip. Il s'appelle Valentin Gjertsen et il se trouve que c'est le fils de Svein Finne. Valentin Gjertsen est mort. Il a été tué. Par moi. »

16

Alexandra Sturdzas émit un son prolongé en étirant les bras au-dessus de sa tête, ses doigts et ses pieds nus effleuraient le cadre de lit en laiton. Puis elle se tourna sur le côté, coinça la couette entre ses cuisses et cala un des grands oreillers blancs sous sa tête. Un large sourire fit presque disparaître ses yeux sombres de son visage dur. « Comme c'est sympa d'être venu, fit-elle en posant la main sur la poitrine de Harry.

— Hmm. » Couché sur le dos, Harry regardait la forte lumière du plafonnier. Alexandra avait ouvert la porte vêtue d'une longue robe de chambre en soie, lui avait pris la main et l'avait conduit droit dans la chambre à coucher.

« Tu as mauvaise conscience ? demanda-t-elle.

— Toujours, répondit Harry.

— D'être ici, je veux dire.

— Pas particulièrement. Ça ne fait que s'ajouter au nombre des indices.

— Indices de quoi ?

— De ce que je suis un mauvais homme.

— Mais si tu as déjà mauvaise conscience de toute façon, tu peux aussi bien te déshabiller.

— Donc il n'y a aucun doute que Valentin Gjertsen était le fils de Finne ? » Harry joignit les mains derrière sa tête.

« Non.

— C'est une course de relais sacrément absurde, quand on y pense. Valentin Gjertsen est probablement le résultat d'un viol.

— Qui ne l'est pas ? » Elle frotta son sexe contre la cuisse de Harry.

« Tu savais que Valentin Gjertsen avait violé sa dentiste de prison pendant un rendez-vous ? Ensuite il lui a passé ses collants en nylon sur la tête et il y a mis le feu.

— Tais-toi, Harry, j'ai envie de toi. Il y a des capotes dans le tiroir de la table de nuit.

— Non, merci.

— Non ? Tu n'as quand même pas envie de redevenir père ?

— Je ne parlais pas des capotes. » Harry posa la main sur les deux d'Alexandra qui travaillaient à ouvrir sa ceinture.

« Mais bon sang ! cracha-t-elle. Qu'est-ce que tu veux que je foute de toi si tu ne veux pas baiser ?

— Bonne question.

— Pourquoi tu ne veux pas ?

— Production de testostérone basse, je suppose. »

Soufflant par le nez avec colère, elle se renversa sur le dos. « Non seulement c'est ton ex, Harry, mais en plus elle est morte. Quand vas-tu l'accepter ?

— Tu veux dire que cinq jours de célibat, c'est exagéré ? »

Elle lui lança un coup d'œil. « Très drôle, mais tu ne prends pas les choses de façon aussi cool que tu le prétends, si ?

— Faire semblant, c'est la moitié du travail. » Harry leva les hanches pour sortir son paquet de cigarettes de sa poche. « Les études montrent qu'on devient de meilleure humeur en contractant les zygomatiques. Si tu veux pleurer, ris. Moi, je dors. C'est quoi, la politique en matière de tabagisme dans ta chambre à coucher ?

— Que tout est permis, mais quand les gens fument devant

moi, j'ai comme politique de citer ce qui est écrit sur le paquet. Fumer tue, mon ami.

— Hmm. Bien trouvé, ce "mon ami".

— C'est pour faire comprendre que fumer, ce n'est pas juste un truc qu'on se fait à soi, on le fait à tous ceux qui nous aiment.

— J'avais compris. Donc, avec le risque d'un cancer et d'encore plus mauvaise conscience, j'allume par là même une cigarette. » Harry tira une bouffée et recracha la fumée vers le plafonnier. « Tu aimes bien la lumière, observa-t-il.

— J'ai grandi à Timişoara.

— Ah oui ?

— La première ville d'Europe à avoir eu des réverbères électriques. Avant nous, il n'y a eu que New York.

— Et c'est pour ça que tu aimes la lumière.

— Non, mais toi, tu aimes bien les *fun facts*.

— Ah bon ?

— Oui. Comme le fait que Finne avait un violeur pour fils.

— C'est un peu plus qu'un *fun fact*.

— Pourquoi ? »

Harry tira une bouffée, mais sa cigarette n'avait aucun goût. « Parce que son fils donne à Finne un motif de vengeance suffisant. J'ai traqué ce fils dans le cadre de plusieurs affaires de meurtre. Et j'ai fini par l'abattre.

— Toi... ?

— Valentin Gjertsen n'était pas armé, mais il a provoqué les tirs en faisant semblant de saisir une arme. Malheureusement j'étais le seul témoin. L'Unité spéciale d'inspection de la police a trouvé problématique que j'aie fait feu trois fois, mais j'ai été mis hors de cause. Ils ne pouvaient pas prouver, comme ils disaient, que ce n'était pas de la légitime défense.

— Finne l'a su ? Et maintenant tu penses que c'est pour ça qu'il a tué ton ex-femme ? »

Harry hocha lentement la tête. « Œil pour œil, dent pour dent.

— Logiquement, il aurait peut-être dû tuer Oleg. »

Harry haussa un sourcil. « Donc tu sais comment il s'appelle ?

— Tu parles beaucoup quand tu es bourré, Harry, et bien trop de ton ex-femme et de ton gamin.

— Oleg n'est pas de moi, mais du premier mariage de Rakel.

— Tu me l'as dit aussi, mais est-ce que ce n'est pas juste de la biologie, ça ? »

Harry secoua la tête. « Pas pour Svein Finne. Il n'aimait pas Valentin Gjertsen en tant que personne, il le connaissait sans doute à peine. Il l'aimait parce qu'il diffusait ses gènes. Le moteur de Finne est de répandre son sperme et sa progéniture. Pour lui, la biologie est tout, c'est ce qui lui donne la vie éternelle.

— C'est dément.

— Vraiment ? » Harry regarda sa cigarette. Il se demandait où se situait le cancer du poumon dans l'enfilade de choses qui attendaient de le tuer. « Nous sommes peut-être plus étroitement liés à la biologie que nous voulons bien le penser. Nous naissons peut-être tous chauvins du lien de sang, racistes et nationalistes, avec un désir instinctif de domination mondiale pour notre propre lignée. Puis on nous le désapprend plus ou moins. En tout cas dans la plupart des cas.

— De toute façon, nous souhaitons savoir d'où nous venons, d'un point de vue purement biologique. Tu savais que ces vingt dernières années, nous avons eu une augmentation de trois cents pour cent du nombre de prélèvements d'ADN de gens qui veulent savoir qui est leur père ou si leurs enfants sont vraiment leurs enfants ?

— *Fun fact* ?

— Ça en dit long sur le lien entre notre identité et nos gènes.

— Tu crois ?

— Oui. » Elle leva le verre de vin qu'elle avait sur sa table de chevet. « Sans quoi je n'aurais pas été ici.

— Au lit avec moi ?

— En Norvège. Je suis venue ici pour trouver mon père. Ma mère n'a jamais voulu me parler de lui, elle m'a juste dit qu'il était norvégien. Quand elle est morte, je me suis acheté un billet d'avion et je suis venue ici pour le chercher. La première année, j'avais trois boulots. La seule chose que je savais de mon père, c'était qu'il était probablement intelligent, parce que maman était d'une intelligence tout à fait moyenne et que moi j'avais eu d'excellentes notes en Roumanie, que j'avais parlé couramment le norvégien au bout de six mois. Mais je n'avais pas trouvé mon père. Alors j'ai obtenu une bourse pour faire des études de chimie à la NTNU et j'ai été embauchée à la Médecine légale, au département d'analyse d'ADN.

— Où tu as pu continuer de chercher.

— Oui.

— Et ?

— Je l'ai trouvé.

— Vraiment ? Alors tu as dû avoir du bol, parce que, pour autant que je sache, vous effacez les profils génétiques des affaires de paternité au bout d'un an.

— Des affaires de paternité, oui. »

Le voile se leva pour Harry. « Tu as trouvé ton père dans le fichier de la police. C'était un criminel ?

— Oui.

— Hmm. Pour quoi a-t-il été condamn… »

La poche de Harry vibra. Il regarda le numéro, appuya sur « Répondre ». « Salut, Kaja. Tu as eu mon message ?

— Oui. » Sa voix était douce contre son oreille.

« Et ?

— Et je suis d'accord, je crois que tu as trouvé le mobile de Finne.

— Hmm. Cela signifie-t-il que tu veux m'aider?

— Je ne sais pas. » Dans la pause qui suivit, il entendit le souffle de Kaja dans une oreille et celui d'Alexandra dans l'autre. « À ta voix, on dirait que tu es couché, Harry. Tu es chez toi?

— Non, il est chez Alexandra. »

La voix d'Alexandra vrilla les tympans de Harry.

« Qui c'était? demanda Kaja.

— Ça..., répondit Harry, c'était Alexandra.

— Ah, je ne vais pas déranger, alors. Bonne soirée.

— Tu ne déranges p... »

Kaja avait déjà raccroché.

Harry regarda son téléphone. Il le remit dans sa poche. Il écrasa sa cigarette dans la grosse bougie sur la table de chevet et s'assit au bord du lit.

« Hé, tu vas où?

— Chez moi. » Il se pencha et l'embrassa sur le front.

Harry marchait d'un pas vif vers l'ouest, alors que son cerveau moulinait sans interruption.

Il sortit son téléphone et composa le numéro de Bjørn.

« Harry?

— C'était Finne.

— On va réveiller le petit, Harry, chuchota Bjørn Holm. On peut faire ça demain?

— Svein Finne est le père de Valentin Gjertsen.

— Oh merde!

— Son mobile, c'est la vendetta. Je suis sûr. Il faut que vous recherchiez Finne et quand vous aurez son adresse, il vous faudra un mandat de perquisition. Si vous trouvez le couteau, c'est affaire classée...

— J'entends ce que tu dis, Harry, mais Gert vient enfin de s'endormir et du coup, moi aussi, je dois dormir. Je ne suis d'ailleurs pas si sûr que cela suffira pour que nous obtenions un mandat de perquisition. Ils veulent des éléments plus concrets.

— Mais c'est de la vendetta, Bjørn. La vengeance du sang est dans notre nature. Tu ne te serais pas volontiers vengé sur quelqu'un de la famille du tueur si quelqu'un avait tué Gert ?

— En voilà une question.

— Réfléchis.

— Oh ! J'en sais rien, Harry.

— T'en sais rien ?

— Demain. D'accord ?

— Bien sûr. » Harry serra fort les paupières et jura intérieurement. « Désolé de me conduire comme un con, Bjørn, mais c'est juste que je n'arrive pas à...

— Il n'y a aucun problème, Harry. On en parle demain. Et tant que tu es suspendu, c'est sûrement aussi bien que tu ne dises à personne que nous parlons de l'affaire.

— Évidemment. Dors, mon pote. »

Harry ouvrit les yeux et laissa glisser son téléphone dans sa poche. Samedi soir. Devant lui, sur le trottoir, une fille ivre sanglotait, le front appuyé contre une façade. Derrière elle se tenait un garçon qui baissait la tête, il avait posé une main consolatrice sur son dos. « Il baise d'autres nanas, cria la fille. Il s'en fout de moi ! Tout le monde s'en fout de moi !

— Moi, je m'en fous pas, dit le garçon à voix basse.

— Toi, oui », fit-elle en soufflant avec mépris avant de sangloter de nouveau. Le regard de Harry croisa celui du garçon au moment où il les dépassait.

Samedi soir. Il y avait un bar cent mètres plus loin sur le même trottoir. Il aurait peut-être dû traverser la rue pour l'éviter. Il n'y avait pas tellement de circulation, juste quelques taxis. Beaucoup de taxis, d'ailleurs. Qui formaient une muraille de carrosseries noires impossible à franchir. Merde, merde, merde.

Truls Berntsen regardait la septième et dernière saison de *The Shield*. Il envisagea de faire un tour sur Pornhub, mais rejeta cette idée. Quelqu'un au service d'informatique avait sûrement un journal des sites sur lesquels les employés avaient surfé. Est-ce qu'on disait encore *surfer* ? Truls consulta de nouveau sa montre. Internet était plus lent à la maison, mais il était temps de rentrer à la porcherie. Il enfila son blouson, remonta la fermeture éclair. Quelque chose le travaillait. Il ne voyait pas vraiment ce que ça pouvait être, parce que ç'avait été un jour où il allait être payé par la collectivité sans avoir eu besoin de se rendre utile, un jour où il allait pouvoir se coucher en sachant que, une fois de plus, le bilan des comptes était en sa faveur.

Truls Berntsen regarda son téléphone.

C'était idiot, mais si ça lui permettait d'arrêter d'y penser, soit.

« Central de la police.

— C'est Truls Berntsen. La femme, là, que vous avez envoyée ici, elle a porté plainte contre un certain Svein Finne quand elle est redescendue ?

— Elle n'est pas revenue.

— Elle est juste partie ?

— Elle a dû, oui. »

Truls Berntsen raccrocha. Il cogita un peu. Pianota de nouveau sur le téléphone. Attendit.

« Harry. »

C'était tout juste s'il entendait la voix de son collègue par-dessus la musique et les beuglements derrière. « Tu es à une soirée ?

— Bar.

— Ils passent Motörhead, observa Truls.

— Et c'est la seule chose positive qu'il y ait à dire sur cet endroit. Qu'est-ce que tu veux ?

— Svein Finne. Tu as essayé de garder un œil sur lui, non ?

— Et ? »

Truls raconta la visite qu'il avait eue.

« Hmm. Tu as le nom et le numéro de téléphone de cette dame ?

— Elle s'appelait Dagny Machin-Chose. Jensen, peut-être. Tu peux demander au central s'ils ont pris ses coordonnées, mais j'en doute.

— Pourquoi ça ?

— Je crois qu'elle a peur que Finne ne découvre qu'elle est venue ici.

— OK. Je ne peux pas appeler le central, je suis suspendu. Est-ce que tu pourrais le faire à ma place ?

— J'avais prévu de rentrer. »

Truls écouta le silence de son interlocuteur. Lemmy qui chantait « Killed by Death ».

« Bon, d'accord, grouina Truls.

— Et encore une chose. Mon badge est désactivé, donc je ne peux pas entrer dans mon bureau. Tu pourrais prendre mon pistolet de service qui est dans le tiroir du bas et me retrouver devant l'Olympen dans vingt minutes ?

— Pistolet ? Qu'est-ce que tu vas en faire ?

— Me défendre contre la méchanceté du monde.

— Ton tiroir est verrouillé.

— Mais tu t'es fait faire une copie de la clef.

— Hein ? Qu'est-ce qui te fait croire ça ?

— J'ai vu que tu avais déplacé des choses. Un jour, tu y as gardé un bout de haschich, saisi par les Stups, vu le sachet. Pour qu'ils ne le trouvent pas dans ton tiroir à toi si jamais ils le cherchaient. »

Truls ne répondit pas.

« Alors ?

— Dans quinze minutes, grouina Truls. *Sharp*. Je n'ai pas envie de rester à me les geler. »

Debout les bras croisés, Kaja Solness regardait par la fenêtre du salon. Elle avait froid. Elle avait toujours eu froid. À Kaboul, où la température passait de moins cinq à plus de trente, ses séances de tremblements nocturnes pouvaient survenir aussi bien en juillet qu'en décembre, et il n'y avait alors pas grand-chose d'autre à faire qu'attendre le matin, attendre d'être dégelée par le soleil du désert. C'était pareil pour son frère, et un jour elle lui avait demandé s'il pensait qu'ils étaient nés créatures à sang froid, incapables de réguler leur propre température corporelle, et, comme les reptiles, tributaires de la chaleur extérieure pour ne pas se figer et mourir de froid. Et longtemps, elle avait cru que c'était le cas. Qu'elle n'avait pas le contrôle. Qu'elle était désespérément à la merci de son environnement. Des autres.

Elle scruta l'obscurité. Son regard erra le long de la clôture du jardin.

Était-il là quelque part ?

C'était impossible à dire. Le noir était impénétrable et de toute façon un homme comme lui n'ignorait rien de l'art de se cacher.

Elle tremblait, mais elle n'avait pas peur. Car elle savait désormais qu'elle n'était pas à la merci de son environnement. Qu'elle n'avait pas besoin des autres. Qu'elle pouvait façonner sa destinée. Elle pensa au son de la voix de l'autre femme.

Non, il est chez Alexandra.

Sa destinée. Et celle des autres.

17

Dagny Jensen s'arrêta brusquement. Elle avait fait sa promenade habituelle sur les bords de l'Akerselva. Elle avait nourri les canards. Elle avait souri aux familles avec jeunes enfants et aux propriétaires de chiens. Elle avait regardé si elle repérait sa première anémone des bois de l'année. Elle avait tout fait pour ne penser à rien. Car elle n'avait rien fait d'autre que ruminer toute la nuit, et tout ce qu'elle voulait maintenant, c'était oublier.

Mais il ne le lui permettait pas. Elle regarda avec insistance le personnage qui se trouvait devant l'entrée de son immeuble. Il tapait du pied, comme s'il avait froid. Comme s'il attendait depuis longtemps. Elle allait tourner les talons quand elle se rendit compte que ce n'était pas lui.

Cet homme-ci était plus grand que Finne.

Dagny approcha.

Il n'avait pas les cheveux longs, mais une brosse blonde ébouriffée. Elle approcha encore. « Dagny Jensen ? fit l'homme.

— Oui ?

— Harry Hole. De la police d'Oslo. »

Son débit était très mécanique.

« De quoi s'agit-il ?

— Hier, vous avez voulu porter plainte pour viol.

— J'ai changé d'avis.

— J'avais compris. Vous avez peur. »

Dagny l'observa. Il n'était pas rasé, ses yeux étaient injectés de sang, et comme sur un panneau d'interdiction, une cicatrice couleur foie barrait la moitié de son visage, qui, sans être totalement exempt de la brutalité de celui de Svein Finne, avait un je-ne-sais-quoi qui l'adoucissait, le rendait presque beau.

« Ah bon ? demanda-t-elle.

— Oui. Je suis ici pour vous demander votre aide pour attraper l'homme qui vous a violée. »

Dagny sursauta. « Moi ? Vous avez mal compris, Hole, ce n'est pas moi qui me suis fait violer. Si tant est qu'il s'agissait d'un viol. »

Hole ne répondit pas. Il se contenta de soutenir son regard. C'était lui qui l'observait à présent. « Il a essayé de vous mettre enceinte et maintenant qu'il espère que vous portez son enfant, il veille sur vous. Il est venu ici ? »

Dagny cligna des yeux deux fois. « Comment savez-vous…

— C'est son truc. Est-ce qu'il vous a menacée en vous disant ce qui allait arriver si vous supprimiez l'enfant ? »

Dagny Jensen déglutit. Elle avait été sur le point de lui demander de partir, mais maintenant elle hésitait. Elle ne savait pas si elle devait croire à cette histoire de capturer Finne. Ils n'avaient pas de preuves. Ce policier avait toutefois une qualité que l'autre n'avait pas eue. De la détermination. Il y avait là de la volonté. Et c'était peut-être comme les prêtres, songea Dagny, nous les croyons parce que nous souhaitons très fort que ce qu'ils disent soit vrai.

Dagny versa le café dans les tasses posées sur la petite table de cuisine rabattable.

Le grand policier avait réussi à s'encastrer sur une chaise entre le plan de travail et la table. « Donc Finne voulait que vous le retrouviez à l'église catholique de Vika ce soir ? À vingt et une heures ? » Il ne l'avait pas interrompue pendant son récit, n'avait pas pris de notes, mais ses yeux éraillés qui reposaient sur elle lui avaient donné le sentiment qu'il absorbait chaque mot qu'elle prononçait, qu'il visualisait la scène comme elle, image par image, dans ce court-métrage d'horreur qui repassait en boucle dans sa tête.

« Oui.

— Eh bien. Nous pourrions bien sûr l'arrêter là-bas. L'interroger.

— Mais vous avez besoin de preuves.

— Oui. Sans preuves, nous devrons le libérer tôt ou tard, et comme il aura compris que c'est vous qui l'avez dénoncé…

— … je courrai un danger encore plus grand. »

Le policier acquiesça.

« C'est pour ça que je n'ai pas porté plainte, expliqua Dagny. C'est comme de tirer sur un ours, non ? Si vous ne l'abattez pas du premier coup, vous n'avez pas le temps de réarmer avant qu'il vous tombe dessus. Et là, mieux vaudrait n'avoir pas tiré.

— Hmm. D'un autre côté, même le plus gros des ours peut être abattu d'une unique balle bien placée.

— Mais comment ? »

Le policier entoura sa tasse de café de sa main. « Il y a plusieurs méthodes. L'une d'elles serait de vous utiliser comme appât. En vous équipant d'un micro caché. De le faire parler du viol. » Il baissa les yeux sur la table.

« Continuez. »

Il leva les yeux. Le bleu de ses iris avait l'air délavé. « Il faut l'interroger sur les conséquences qu'il envisage si vous ne faites pas ce qu'il vous dit. Pour que nous ayons les menaces. Si nous avons sur la même bande les menaces et une conversation dans laquelle il confirme indirectement le viol, nous aurons de quoi le faire condamner.

— Vous utilisez toujours des bandes ? »

Le policier porta la tasse à ses lèvres.

« Je suis désolée, dit Dagny. C'est juste que je suis tellement...

— Bien entendu, répondit le policier, et je comprendrais bien que vous refusiez.

— Vous disiez qu'il y avait d'autres moyens ?

— Oui. » Le policier n'en dit pas davantage, se contenta de boire son café.

« Mais ? »

Il haussa les épaules. « À bien des égards, l'église est idéale. Il n'y a pas de bruit, ce qui nous donnerait une bonne qualité d'enregistrement, et vous seriez dans un lieu public, où il ne peut pas vous attaquer...

— Nous étions dans un lieu public la dernière fois.

— ... et nous pourrions être sur place pour surveiller. »

Dagny le regarda. Ses yeux avaient une expression qui lui semblait familière. Elle comprenait maintenant pourquoi. Elle avait lu la même chose dans son propre regard, qu'elle avait d'abord prise pour une fêlure du miroir. C'était une blessure. Un élément détruit. Et quelque part, sa voix lui rappelait les voix chevrotantes des élèves qui lui servaient leurs boniments quand ils n'avaient pas rendu leur dernier devoir. Elle alla à la cuisinière, posa la casserole et regarda par la fenêtre. De là, elle pouvait voir les promeneurs du dimanche, mais ne le voyait pas, lui. C'était un petit paradis dépourvu de naturel, forcé. Dagny n'avait jamais vu les choses sous cet angle par le passé, cela lui avait toujours semblé être dans l'ordre des choses. Elle revint vers la petite table de la cuisine et se laissa retomber sur sa chaise.

« Si je le fais, il faut que je sois sûre qu'il ne reviendra pas. Vous comprenez, Hole ?

— Oui, je comprends et vous avez ma parole que vous ne reverrez plus jamais Svein Finne. Jamais. OK ? »

Jamais. Elle savait que ce n'était pas vrai. Tout comme elle savait que la pasteure ne disait pas la vérité quand elle parlait de salut. Que c'était du réconfort. Mais ça marchait. On avait beau percer à jour les mots « jamais » et « salut », c'étaient les mots-clefs qui ouvraient la porte du cœur, et le cœur croyait ce qu'il voulait croire. Dagny sentit qu'elle respirait plus facilement. Elle cligna un peu des yeux. Quand elle le voyait ainsi, avec la lumière de la fenêtre formant une auréole autour de sa tête, elle ne voyait plus la blessure dans son regard, n'entendait plus la fausseté de sa voix.

« Bon, d'accord, conclut-elle. Expliquez-moi comment nous allons procéder. »

Harry s'arrêta dans la rue devant chez Kaja Solness et appela son numéro pour la troisième fois. Avec le même résultat. « Le téléphone de votre correspondant n'est pas disponible... » Il ouvrit le portail en fer forgé gémissant et se dirigea vers sa maison.

C'était de la folie. Bien sûr que c'était de la folie, mais que pouvait-il faire d'autre ? Il sonna. Attendit. Sonna encore.

Collant son front au vaste œil-de-bœuf de la porte, il vit son manteau suspendu à une patère, celui qu'elle avait porté à l'enterrement, et, au-dessous, ses grandes bottes noires sur le meuble à chaussures.

Il fit le tour de la maison. Dans l'ombre de la façade nord, des tas de neige émaillaient encore l'herbe fanée aplatie.

Il lança un regard vers la fenêtre de ce qui avait été sa chambre à coucher, mais elle pouvait évidemment avoir déplacé son lit dans une autre chambre. Il se pencha pour ramasser de quoi faire une boule de neige. Et là, une empreinte. De botte ou de godillot. Son cerveau commença à fouiller dans sa base de données. Il trouva ce qu'il cherchait. Une empreinte de botte dans la neige devant une maison de Holmenkollen.

Sa main entra dans sa veste. Bien sûr, il pouvait s'agir d'une tout autre empreinte. Bien sûr, elle avait pu sortir. Il saisit la crosse de son pistolet de service, un Heckler & Koch P30L, se ramassa sur lui-même et regagna le perron à longues enjambées silencieuses. Il repositionna sa main autour du pistolet et le prit par le canon, afin de pouvoir briser la vitre de l'œil-de-bœuf, mais il vérifia d'abord si la porte était ouverte.

Elle l'était.

Il pénétra à l'intérieur. Tendit l'oreille. Silence. Flaira l'air. Juste un vague effluve de parfum, celui de Kaja, venant probablement de l'écharpe pendue à côté de son manteau.

Il avança dans le couloir avec le pistolet braqué devant lui.

La porte de la cuisine était ouverte et l'interrupteur rouge de la cafetière brillait. Harry resserra sa prise autour de la crosse, posa un doigt sur la queue de détente. Il continua sa progression dans la maison. La porte du salon était entrebâillée. Un bourdonnement. Comme des mouches. Harry la poussa délicatement du pied tout en brandissant le pistolet devant lui.

Elle était allongée par terre. Les yeux fermés, les bras croisés sur la poitrine de sa veste en laine trop grande. Son corps et son visage pâle baignés de la lumière qui se déversait par la fenêtre du salon.

Harry souffla dans un gémissement. Il abaissa son pistolet et s'accroupit. Plaçant son pouce et son index autour d'un chausson en feutre élimé, il tira sur son gros orteil. Kaja sursauta, cria et ôta son casque. « Bon sang, Harry !

— Désolé, j'ai essayé de te joindre. » Il s'assit sur le tapis à côté d'elle. « J'ai besoin d'aide. »

Kaja ferma les yeux, mit la main sur sa poitrine, elle haletait toujours. « C'est ce que tu disais, oui. » Ce qui ne paraissait être qu'un bourdonnement du casque, entendait-il maintenant, était du heavy rock connu, à un volume relativement élevé.

« Et tu m'as appelé parce que tu voulais que je te convainque de dire oui, déclara-t-il en sortant son paquet de cigarettes.

— Je ne suis pas du genre à me laisser convaincre, Harry. »

Il désigna du menton le casque. « Tu t'es laissé convaincre d'écouter Deep Purple… »

Était-ce un soupçon de rougissement qu'il voyait sur ses joues ?

« C'est juste parce que tu disais que c'était le meilleur groupe de la catégorie d'un-comique-involontaire-mais-génial-quand-même.

— Hmm. » Harry glissa une cigarette non allumée entre ses lèvres. « Ce plan entrant dans la même catégorie, je pars du principe qu'il t'intéresse et je vais commencer par…

— Harry…

— Et garde en tête qu'en m'aidant à mettre un violeur notoire sous les verrous, tu aideras aussi toutes les femmes de cette ville. Tu aideras Oleg à faire punir l'homme qui a tué sa mère. Tu m'aideras moi à…

— Harry, stop.

— … à sortir d'une situation dont je suis moi-même responsable. »

Elle haussa l'un de ses sourcils sombres.

« Ah ?

— J'ai recruté une victime de Svein Finne comme appât pour le prendre en flagrant délit. J'ai obtenu qu'une femme innocente porte un micro et un enregistreur en lui faisant croire que cela faisait partie d'une opération de police, alors qu'en réalité, c'est juste un policier suspendu qui fait cavalier seul. Aidé d'une complice, une ancienne collègue. Toi. »

Kaja le dévisagea. « Tu déconnes ?

— Non. Il apparaît qu'il n'y a aucune limite morale à ce que je suis prêt à faire pour prendre Svein Finne.

— Je ne l'aurais pas formulé autrement.

— J'ai besoin de toi, Kaja. Tu es dans le coup ?

— Et pourquoi diable le serais-je ? C'est de la pure folie.

— Combien de fois avons-nous su qui était le coupable sans

pouvoir rien faire parce que nous devions respecter les règles ? Eh bien, tu n'es plus dans la police, tu n'as pas besoin de les respecter.

— Mais toi, si, même si tu es suspendu. Tu risques non seulement ton poste, mais encore ta liberté. C'est toi qu'on va boucler.

— Je ne perdrai rien du tout, Kaja, je n'ai plus rien à perdre.

— Le sommeil. Tu sais à quoi tu exposes cette femme ?

— Pas le sommeil non plus. Dagny Jensen sait que ceci n'est pas réglementaire, elle m'a percé à jour.

— Te l'a-t-elle dit ?

— Non, et on s'en tient là. Comme ça, elle pourra affirmer ensuite qu'elle pensait que c'était une opération de police légale et ne risquera rien. Son désir que Svein Finne soit enlevé est aussi fort que le mien. »

Kaja se tourna sur le ventre et se redressa sur ses coudes. Les manches de sa veste remontèrent sur ses longs avant-bras menus. « Enlevé. Qu'est-ce que tu entends par là, exactement ? »

Harry haussa les épaules. « Qu'il soit mis hors jeu. Ôté.

— Ôté de… ?

— Des rues. De la société.

— Mis en prison, donc ? »

Harry tira sur sa cigarette non allumée. « Par exemple. »

Kaja secoua la tête. « Je ne sais pas si j'ose, Harry. Tu es… changé. Tu as toujours repoussé les limites, mais ça, ce n'est pas toi. Ce n'est pas nous. C'est… » Elle continua de secouer la tête.

« Dis-le.

— C'est de la haine. Ce n'est qu'un vilain mélange de chagrin et de haine.

— Tu as raison. » Harry enleva d'un coup sec la cigarette de sa bouche et la remit dans le paquet. « Je me suis trompé. Je n'ai pas tout perdu. J'ai encore la haine. »

Il se leva et sortit du salon, entendit le bourdonnement de

Ian Gillan qui, dans un vibrato crié, promettait de vous rendre les choses difficiles, vous alliez… Il ne finit pas sa phrase, la guitare de Ritchie Blackmore avait pris le dessus avant que Gillan n'arrive à la conclusion : « Into the Fire »… Harry sortit de la maison, franchit le portail, entra dans le jour aveuglant.

Pia Bohr frappa à la porte de la chambre de sa fille.

Elle attendit. Pas de réponse.

Elle ouvrit la porte.

Il était assis sur le lit, de dos. Il portait toujours son uniforme de camouflage, son pistolet, le fourreau avec le poignard et ses NVG, ses lunettes de vision nocturne.

« Il faut que tu arrêtes. Tu m'entends, Roar ? Ça ne peut pas durer. »

Il se retourna vers elle.

Ses yeux rougis et les traînées sur son visage indiquaient qu'il avait pleuré. Et qu'il n'avait probablement pas dormi.

« Où étais-tu, cette nuit ? Roar ? Il faut que tu me parles. »

Son mari, ou ce qui autrefois avait été son mari, se tourna de nouveau vers la fenêtre. Pia Bohr soupira. Il ne disait jamais où il était allé, mais la boue sur le sol suggérait que ce pouvait être une forêt. Un champ. Une décharge publique. Elle s'assit de l'autre côté du lit. Elle avait besoin de cette distance. La distance qu'on souhaite garder avec un étranger.

« Qu'est-ce que tu as fait ? demanda-t-elle. Qu'est-ce que tu as fait, Roar ? »

Elle attendit dans la crainte de sa réponse. Quand il n'eut pas répondu au bout de cinq secondes, elle se leva et quitta prestement la pièce. Presque soulagée. Quoi qu'il ait fait, elle était innocente. Elle lui avait demandé trois fois. Que pouvait-on exiger de plus ?

18

Dagny consulta sa montre à la lueur de la lampe au-dessus de l'entrée de l'église catholique. Vingt et une heures. Et si Finne ne venait pas ? Elle entendait la rumeur de la circulation sur Drammensveien et Munkedamsveien, mais quand elle regarda la ruelle qui montait vers le parc du Palais royal, elle ne vit ni passants ni voitures. Pas plus que vers le bas, en direction d'Aker Brygge et du fjord. L'œil du cyclone, l'angle mort de la ville. L'église était coincée entre deux immeubles de bureaux et presque rien n'indiquait que c'était une maison de Dieu. Certes, le toit du bâtiment était pointu, surmonté d'une flèche, mais il n'y avait pas de croix sur la façade, pas de Jésus ni de Marie, pas de locution latine. Les ornements de la porte en bois massif – qui de plus était large, haute et non verrouillée – pouvaient peut-être orienter la pensée vers le religieux, mais au-delà de cela, ç'aurait pu être, pour autant que Dagny sache, l'entrée d'une synagogue, d'une mosquée ou du temple de n'importe quelle petite communauté religieuse. En approchant d'une vitrine à côté de la porte, on pouvait toutefois lire sur des affichettes que, ce dimanche, des messes s'étaient succédé depuis le matin. En norvégien, en anglais, en polonais, et en vietnamien. La dernière – en polonais – s'était achevée à peine une demi-heure plus tôt. La rumeur ne cessait jamais, mais encore une fois, cette rue était calme. À quel point était-elle seule ? Dagny n'avait pas demandé à Harry Hole combien de collègues il avait postés pour la surveiller, si certains d'entre eux étaient dehors ou s'ils étaient tous à l'intérieur. Peut-être parce qu'elle ne voulait pas savoir, parce qu'elle risquerait alors de se trahir. Son regard coula le long des fenêtres et des porches d'en face, elle cherchait, pleine d'espoir. Sans espoir. Parce que en son for intérieur, elle pressentait fortement qu'il n'y avait que Hole. Lui et elle. C'était ce qu'il avait essayé de lui dire avec les yeux. Après son départ, elle avait regardé sur Internet et eu la confirmation de ce qu'il lui semblait avoir lu dans la presse. Harry Hole était un policier star et le mari de la pauvre femme qui avait récemment été tuée. Au couteau. Cela expliquait son regard, quelque chose de détruit, un miroir fêlé. Il était trop tard, maintenant. C'était elle qui avait déclenché tout ce cirque et quand elle aurait pu l'arrêter, elle ne l'avait pas fait. Oui, elle se mentait sans doute à elle-même tout autant que Hole l'avait fait. Elle avait vu son pistolet.

Dagny avait froid, elle aurait dû s'habiller plus chaudement. Elle consulta de nouveau sa montre.

« Est-ce moi que tu attends ? »

Son cœur s'arrêta.

Comment diable avait-il réussi à arriver jusqu'à elle sans qu'elle le voie ?

Elle acquiesça.

« Sommes-nous seuls ? »

Elle acquiesça encore.

« Vraiment ? Personne n'est venu célébrer le pacte de mariage que nous allons conclure ? »

Dagny ouvrit la bouche, mais rien n'en sortit.

Svein Finne sourit. Ses lèvres épaisses et humides encadraient ses dents jaunes. « Il faut respirer, mon amour. Nous ne voudrions pas que le manque d'oxygène inflige des lésions cérébrales à notre enfant, si ? »

Dagny obéit. Elle respira. « Il faut qu'on parle, articula-t-elle d'une voix chevrotante. Je crois que je suis enceinte.

— Bien sûr que tu es enceinte. »

Dagny parvint tout juste à réprimer un mouvement de recul quand il leva le bras et qu'elle vit un instant la lumière au-dessus de la porte de l'église par le trou dans sa main, avant qu'il ne la pose, chaude et sèche, contre sa joue. Elle pensa à respirer, déglutit. « Il faut que nous parlions des aspects pratiques. On peut aller à l'intérieur ?

— À l'intérieur ?

— Dans l'église. Il fait froid ici.

— Bien sûr. Après tout, nous allons nous marier. Pas de temps à perdre. »

Il passa la main sur le côté de son cou. Elle avait scotché le petit micro entre les bonnets de son soutien-gorge, sous son pull fin et son manteau. Hole avait dit qu'ils ne pouvaient pas être certains d'avoir un bon enregistrement si elle ne le faisait pas entrer dans l'église, afin d'éviter le bruit de fond de la ville et de lui donner un prétexte pour ôter ce manteau qui étouffait le son. Dans l'église, Finne ne pourrait pas leur échapper et ils l'arrêteraient dès qu'ils auraient assez sur l'enregistrement pour le mettre en examen.

« On entre, alors ? » Dagny se déroba de la main de Finne. Elle plongea les siennes dans les poches de son manteau et parvint à produire un frisson visible.

Finne ne bougea pas. Il ferma les yeux, renversa la tête en arrière et huma l'air. « Je sens quelque chose.

— Des odeurs ? »

Il ouvrit les yeux et la regarda de nouveau.

« Je sens le chagrin, Dagny. Le désespoir. La douleur. »

Cette fois, Dagny n'eut pas besoin de faire semblant pour frissonner.

« Tu n'avais pas cette odeur la dernière fois. As-tu eu de la visite ?

— De la visite ? » Elle tenta de rire, mais ne produisit qu'une toux râpeuse. « Et de qui donc ?

— Je ne sais pas, mais cette odeur m'est plus ou moins familière. Laisse-moi chercher dans ma banque de souvenirs... » Il posa un doigt sous son menton. Plissa le front. La scruta. « Dagny, ne me dis pas que tu as... Tu n'as pas... Si, Dagny ?

— J'ai quoi ? » Elle essaya de repousser la panique qui s'immisçait.

Il secoua la tête avec mélancolie. « Tu lis la Bible, Dagny ? Tu connais le semeur ? Sa semence qui est la parole. La promesse. Si la graine ne se fixe pas, Satan viendra la dévorer. Satan prendra la foi. Il prendra notre enfant, Dagny. Car je suis ce semeur. Dis-moi, as-tu rencontré Satan ? »

Dagny déglutit, elle hocha la tête, mais sans savoir si elle acquiesçait ou désapprouvait.

Svein Finne soupira. « Toi et moi, nous avons conçu ensemble un enfant de l'amour dans un délicieux moment. Peut-être que tu le regrettes maintenant. Peut-être que, tout simplement, tu ne veux pas d'enfant, mais tant que tu sauras que c'est un véritable enfant de l'amour, tu n'arriveras pas à accomplir un meurtre de sang-froid, et c'est pourquoi tu cherches une excuse qui te permette de l'éliminer. » Il parlait fort, et ses lèvres molles formaient bien les mots pour qu'ils soient tout à fait distincts.

Comme un comédien sur une scène de théâtre, songea-t-elle. Qui utilise le volume et la diction pour que chaque mot puisse s'entendre même au dernier rang.

« Tu te mens à toi-même, Dagny. Tu te racontes que ce n'est pas comme ça que ça s'est passé. Je ne voulais pas, il m'a forcée. Tu te racontes que tu pourrais le faire croire à la police. Car cet homme, ce Satan, t'a dit que j'avais été en prison pour d'autres prétendus viols.

— Vous vous trompez. » Dagny avait renoncé à toute tentative de maîtriser le tremblement de sa voix. « On va à l'intérieur ? » Elle entendit qu'elle était suppliante.

Finne inclina la tête sur le côté et la fixa du regard. On aurait dit un oiseau observant le ver avant de planter son bec dedans. Jaugeant sa proie, comme s'il n'avait pas encore décidé s'il allait la laisser vivre.

« Des vœux de mariage, c'est sérieux, Dagny. Je ne voudrais pas que tu prennes cela à la légère ni que tu agisses dans la précipitation. Tu me parais… hésitante. Peut-être que nous devrions attendre un peu ?

— On ne pourrait pas en parler ? À l'intérieur ?

— Quand je suis dans le doute, je laisse mon père décider.

— Votre père ?

— Oui. Le destin. » Il attrapa un objet dans sa poche de pantalon, le tint entre son pouce et son index. Du métal bleu-gris. Un dé.

« C'est votre père ?

— Le destin est notre père à tous, Dagny. Un ou deux, ça veut dire qu'on se marie aujourd'hui. Trois ou quatre que nous attendons un autre jour. Cinq ou six signifie… » Il se pencha en avant pour chuchoter à son oreille. « Que tu m'as trahi et que je vais te trancher la gorge sur-le-champ. Tu seras là muette et offerte comme l'agneau sacrificiel que tu es, et tu te laisseras faire. Tends ta main. »

Finne se redressa. Dagny le dévisagea. Ses yeux n'exprimaient aucune émotion, du moins aucune qui lui soit connue : pas de colère, pas de compassion, pas d'excitation, pas de nervosité, pas de maternité, pas de haine, pas d'amour. Tout ce qu'elle voyait, c'était de la volonté. Sa volonté à lui. Une puissance hypnotique, autoritaire, sans raison ni logique. Juste cette volonté. Elle voulut crier. Elle voulut partir en courant. Elle tendit la main.

Finne ferma ses paumes, secoua le dé. Il retourna vivement la main du dessous, la posa sur la paume ouverte de Dagny. Elle sentit sa peau chaude, sèche et rugueuse et frissonna. Il retira sa main. Regarda dans celle de Dagny. Sa bouche s'étira en un large sourire. Dagny avait cessé de respirer. Elle retira sa main. Le dé montrait trois points noirs. « Au revoir, mon amour, déclara Finne en levant les yeux. Ma promesse tient toujours. »

Par automatisme, Dagny leva elle aussi les yeux, vers le ciel, où les lumières de la ville teintaient celui-ci de jaune. Quand elle les baissa, Finne avait disparu. Elle entendit claquer une porte d'immeuble de l'autre côté de la rue.

Elle poussa la porte qui était derrière elle et entra. On aurait dit que les notes d'orgue de la dernière messe restaient en suspens dans le vaste espace. Elle alla au fond de l'église, dans l'un des deux isoloirs contre le mur, s'assit. Tira le rideau.

« Il est parti, annonça-t-elle.

— Où ? demanda la voix derrière la grille.

— Je ne sais pas. De toute façon, c'est trop tard. »

« Sentait ? » fit Harry, et il entendit l'écho dans l'église. Il avait beau pouvoir affirmer qu'ils étaient seuls dans l'église, il baissa la voix : « Il a dit qu'il le sentait ? Et il a lancé un dé ? »

Dagny acquiesça et pointa le doigt sur l'enregistreur qu'elle avait posé entre eux sur le banc. « Tout y est.

— Et il n'a rien avoué ?

— Non. Il s'est juste qualifié de semeur. Vous n'avez qu'à écouter. »

Pour s'empêcher de jurer, Harry s'appuya contre le dossier, si fort que le banc entier bascula une seconde.

« Qu'est-ce qu'on fait maintenant ? » demanda Dagny.

Harry se passa la main sur le visage. Comment Finne avait-il pu savoir ? À part lui-même et Dagny, Kaja et Truls étaient les seuls au courant de l'opération. Il l'avait peut-être simplement lu sur elle, son visage, son langage corporel. C'était bien sûr possible, la peur est un véritable haut-parleur. Quoi qu'il en soit, savoir ce qu'ils allaient faire maintenant, c'était une sacrée bonne question.

« Il faut que je le voie mourir, déclara Dagny.

— Finne est vieux, il peut arriver beaucoup de choses. Je vous préviendrai quand il sera mort. »

Dagny secoua la tête. « Vous ne comprenez pas. Il faut que je le voie quand il meurt. Sans quoi mon corps n'acceptera pas qu'il est parti et il hantera mes rêves. Exactement comme ma mère. »

Un simple bip signala l'arrivée d'un message, Dagny sortit un téléphone argenté de sa poche.

Et Harry fut frappé par l'idée que Rakel n'avait pas hanté ses rêves depuis sa mort. Pas encore, pas dans un rêve dont il s'était souvenu en se réveillant, en tout cas. Pourquoi ? Enfin, il y avait bien eu ce rêve du masque mortuaire, et il songea qu'il voulait, désirait, qu'elle le hante, plutôt un masque mortuaire avec des asticots se tortillant au coin de sa bouche que ce néant vide et froid.

« Doux Jésus… », murmura Dagny.

Son visage était éclairé par l'écran de son téléphone. Elle avait la bouche ouverte et les yeux écarquillés.

Le téléphone tomba sur le sol dans un bruit métallique, avec l'écran vers le haut. Harry se pencha. La vidéo s'était arrêtée sur la dernière image, un cadran de montre aux chiffres lumineux rouges. Il appuya sur la touche « Play ». Il n'y avait pas de son, le grain était épais et la caméra bougeait, mais il put identifier un ventre blanc avec une plaie dont le sang pulsait. Une main velue avec un bracelet de montre gris entra dans le champ. Tout se passait très vite. La main s'enfonçait dans la plaie, jusqu'à la montre, dont l'écran s'activait et s'éclairait alors que davantage de sang giclait. La caméra était baissée ou zoomait sur la montre et ensuite l'image se figeait. Le film était terminé. Harry s'efforça de ravaler sa nausée.

« Que… qu'est-ce que c'est ? bredouilla Dagny.

— Je ne sais pas, répondit Harry en regardant fixement l'image finale du cadran de montre. Je ne sais pas, répéta-t-il.

— Je ne peux pas. Il va me tuer aussi, et vous ne pouvez pas l'arrêter seul. Parce que vous êtes seul, non ?

— Si. Je suis seul.

— Alors il faut que je cherche de l'aide ailleurs. Je dois penser à moi.

— Oui. » Harry n'arrivait pas à détourner le regard de l'image figée. La qualité de la vidéo était trop mauvaise pour qu'on puisse identifier quelqu'un à partir des images du ventre ou de la main, mais la montre, elle, était suffisamment nette. L'horaire. La date. Trois heures. La nuit où Rakel avait été tuée.

19

Le rayon de soleil qui entrait par la fenêtre faisait chatoyer le papier blanc sur le bureau de Katrine Bratt.

« Dans sa plainte, Dagny Jensen dit que tu l'as convaincue de tendre un piège à Svein Finne. »

Elle leva les yeux de la feuille, trouva les longues jambes qui commençaient à son bureau et conduisaient à l'homme vautré dans le fauteuil devant elle. Une paire de Ray-Ban avec du gaffer noir sur une branche cachait ses yeux bleu clair. Il avait bu récemment. Parce qu'il n'y avait pas que l'odeur doucereuse de vieille cuite qui émanait de ses vêtements et de son corps, et lui rappelait les plombages dentaires, les maisons de retraite et les framboises pourries. Il y avait aussi son haleine alcoolisée, rafraîchissante, purifiante. Bref, le type assis en face d'elle était un alcoolique qui était à mi-chemin entre la bière réparatrice pour soigner sa gueule de bois et une nouvelle cuite.

« Est-ce exact, Harry ?

— Oui. » L'homme toussa sans mettre sa main devant sa bouche. Elle vit une goutte de salive scintiller au soleil sur l'accoudoir de son fauteuil. « Ils ont trouvé d'où venait le message ?

— Oui, dit Katrine. Un téléphone prépayé. Qui est HS et ne peut pas être retracé.

— Svein Finne. C'est lui qui l'a envoyé. C'est lui qui filme, c'est lui qui plonge la main dans le ventre.

— Dommage que ce ne soit pas celle avec le trou. Nous aurions pu l'identifier.

— C'est lui. Tu as bien vu l'heure et la date sur la montre ?

— Oui, et c'est évidemment suspect que la date soit celle de la nuit du meurtre, mais c'est donc une heure après la fourchette de temps estimée par la Médecine légale pour la mort de Rakel.

— Et le mot-clef est ici *estimée*, rappela Harry. Tu sais aussi bien que moi qu'ils ne tombent pas juste à l'heure près.

— Peux-tu identifier le ventre comme celui de Rakel ?

— Allons, l'image est grossière et la caméra n'arrête pas de bouger.

— Donc ça pourrait être n'importe qui. Finne pourrait même avoir trouvé ça sur Internet et l'a envoyé à Dagny Jensen pour lui faire peur.

— Très bien, alors on dit ça, trancha Harry, qui posa les mains sur les accoudoirs et commença à se lever.

— Reste assis ! » aboya Katrine.

Harry se laissa retomber dans le fauteuil.

Katrine poussa un gros soupir. « Dagny est sous protection policière.

— Vingt-quatre heures sur vingt-quatre ?

— Oui.

— Bien. Autre chose ?

— Oui. La Médecine légale vient de m'informer que Valentin Gjertsen était le fils biologique de Svein Finne. Et que tu le savais depuis un certain temps. »

Katrine guetta une réaction, mais ne vit que son propre reflet dans les verres miroirs bleus.

« Alors… Tu as décidé que Svein Finne avait tué Rakel pour se venger de toi. Tu as totalement ignoré la procédure en mettant en danger quelqu'un, une victime de viol, pour obtenir ce que tu recherches à titre personnel. Ce n'est pas seulement ce que nous appelons une grossière erreur de jugement en service, Harry, c'est carrément passible de sanction pénale. »

Katrine se tut. Que regardait-il derrière ses foutues lunettes de soleil ? Elle ? Le tableau au mur derrière ? Le bout de ses godillots ?

« Tu es déjà suspendu, Harry. Je ne dispose pas vraiment d'autres moyens de sanction que le licenciement. Ou la plainte contre toi. Ce qui conduirait aussi à ton licenciement si tu étais jugé coupable. Tu comprends ?

— Oui.

— Oui ?

— Oui, ce n'est pas franchement compliqué. Je peux y aller, maintenant ?

— Non ! Tu sais ce que j'ai dit à Dagny Jensen quand elle a demandé une protection policière ? Je lui ai dit qu'elle allait en avoir une, mais que les policiers qui allaient la protéger étaient aussi des êtres humains et qu'ils risquaient de mettre un peu moins d'ardeur à la tâche s'ils apprenaient que la personne à protéger avait porté plainte contre un collègue pour excès de zèle. J'ai fait pression sur elle, Harry, une victime innocente. Qu'est-ce que tu as à répondre à ça ? »

Harry hocha lentement la tête. « Moui. Et si je répondais "Je peux y aller maintenant ?" ?

— Y aller ? » Katrine leva les bras au ciel. « Vraiment ? C'est tout ce que tu trouves à dire ?

— Non, mais mieux vaut que je m'en aille avant de le dire. »

Katrine gémit. Elle posa les coudes sur son bureau, joignit les mains et y appuya son front. « D'accord. Vas-y. »

Harry ferma les yeux. Il sentait le large tronc de bouleau dans son dos et le soleil printanier brut qui réchauffait son visage. Devant lui se trouvait une simple croix en bois marron. Elle portait le nom de Rakel, sans date ni quelconque inscription. L'employée des pompes funèbres avait parlé de *ventetegn*, « signe d'attente », la croix qu'on utilisait en attendant que la pierre tombale soit prête, mais Harry n'avait pu s'empêcher de faire sa propre interprétation : c'était un signe qu'elle l'attendait.

« Je dors, déclara Harry. J'espère que ça ne te dérange pas. Parce que si je me réveille, je m'écroulerai et je n'arriverai pas à l'attraper. Et je vais l'attraper, je te le jure. Tu te souviens comme tu avais peur des zombies carnivores dans *La Nuit des morts-vivants* ? Eh bien… » Harry leva sa flasque. « J'en suis un maintenant. »

Il but une grosse gorgée. C'était peut-être parce qu'il était déjà passablement anesthésié, mais l'alcool ne semblait pas lui apporter de réconfort supplémentaire, il s'affala le long de l'arbre, sentit la neige sous ses fesses et ses cuisses.

« Au fait, on raconte que tu voulais me reprendre. C'était Old Tjikko ? Tu n'as pas besoin de répondre. »

Il porta de nouveau le goulot à ses lèvres, l'enleva, ouvrit les yeux.

« Il y a de la solitude. Avant de te rencontrer, j'étais très seul, mais je ne me sentais jamais seul. Me sentir seul, c'est nouveau, me sentir seul, c'est… intéressant. Quand on est sortis ensemble, tu n'as pas rempli de vide, mais tu en as laissé un béant en partant, dis donc. On pourrait avancer que l'amour est un projet à perte. Qu'en penses-tu, toi ? »

Il ferma encore les yeux, écouta.

De l'autre côté de ses paupières, la lumière s'affaiblit et la température chuta. Ce devait être un nuage fortuit qui avait vogué devant le soleil et Harry attendait que le chauffage se rallume alors qu'il dérivait dans le sommeil. Jusqu'à ce que quelque chose le fige sur place. Car il entendait respirer. Ce n'était pas un nuage, mais quelqu'un ou quelque chose qui se tenait au-dessus de lui. Harry ne l'avait pas entendu arriver bien qu'il fût entouré de neige de toutes parts. Il ouvrit les yeux.

Le soleil faisait une auréole autour de la silhouette devant lui.

La main de Harry alla fouiller dans sa veste.

« Je t'ai cherché », fit la silhouette à voix basse.

Harry s'interrompit.

« Et tu m'as trouvé Qu'est-ce qui se passe, maintenant ? »

La silhouette fit un pas de côté et un instant Harry fut ébloui par le soleil.

« Maintenant, on va chez moi », répondit Kaja Solness.

« Merci, mais je suis obligé ? » Harry grimaça en humant le thé dans le petit bol que Kaja lui avait tendu.

« Je ne sais pas, fit Kaja en souriant. Comment était la douche ?

— Tiède.

— C'est parce que tu y es resté trois quarts d'heure.

— Ah bon ? » Harry se rassit dans le canapé en tenant le récipient. « Désolé.

— Pas de problème. Les vêtements te vont ? »

Harry baissa les yeux sur son pull et son pantalon.

« Mon frère était un peu plus petit que toi, observa-t-elle en souriant encore.

— Donc tu as changé d'avis et tu veux m'aider quand même ? » Harry goûta le thé. C'était amer et ça rappelait les infusions de cynorrhodon qu'on lui faisait boire dans son enfance quand il avait le rhume. Il avait horreur de ça, mais sa mère disait que le cynorrhodon renforçait le système immunitaire, qu'une seule tasse contenait autant de vitamine C que quarante oranges. Peut-être étaient-ce ces surdoses qui avaient fait qu'il ne s'était jamais enrhumé depuis, et ne mangeait jamais d'oranges.

« Oui, c'est toi que je veux aider, dit-elle en s'asseyant dans le fauteuil en face de lui, mais pas sur ton affaire.

— Ah ?

— Tu sais que tu montres tous les signes classiques du SSPT ? »

Harry la regarda.

« Syndrome de stress post-traumatique, expliqua-t-elle.

— Je sais ce que c'est.

— D'accord, mais est-ce que tu en connais les symptômes ? »

Harry haussa les épaules. « Répétition du traumatisme. Rêves, flash-back. Évitement affectif. On devient un zombie. On se sent comme un zombie, un outsider sur pilule du bonheur, à plat, sans désir de vivre plus longtemps que nécessaire. Le monde semble irréel, la perception du temps change. Comme mécanisme de défense, on fragmente le traumatisme, on se souvient de certains détails, mais on ne les relie pas entre eux, de sorte qu'on ne peut pas comprendre l'épisode dans sa globalité et son contexte. »

Kaja acquiesça. « N'oublie pas l'hyperstimulation. L'anxiété, la dépression. L'irritabilité et l'agressivité. Les problèmes de sommeil. Comment se fait-il que tu en saches si long ?

— Le psychologue de la maison m'a fait le topo.

— Ståle Aune ? Et il prétendait que tu ne souffrais pas de SSPT ?

— Eh bien. Il ne l'excluait pas. D'un autre côté, j'ai ces symptômes depuis l'adolescence et comme je n'ai pas souvenir que ç'ait été autrement, il en a déduit que ça pouvait aussi être ma personnalité. Ou mon enfance, la mort de ma mère. Apparemment, le deuil peut facilement se confondre avec un SSPT. »

Kaja secoua la tête avec détermination. « J'en ai eu ma dose, donc je sais ce que c'est que le deuil, Harry. Et puis tu me rappelles beaucoup trop les soldats que j'ai vus quitter l'Afghanistan avec un SSPT déjà florissant. Certains d'entre eux sont devenus invalides, certains se sont suicidés. Mais tu sais quoi ? Le pire, c'étaient ceux qui revenaient. Ceux qui avaient réussi à passer sous les radars et qui étaient devenus des bombes non explosées et un danger pour eux-mêmes comme pour les autres soldats.

— Je n'ai pas fait la guerre, j'ai juste perdu quelqu'un.

— Tu as fait la guerre, Harry. Pendant bien trop longtemps. Tu es l'un des rares policiers qui aient dû tuer en service plusieurs fois, et s'il y a une chose que nous avons apprise en Afghanistan, c'est ce que tuer peut faire à quelqu'un.

— Et moi, j'ai vu ce que ça ne faisait pas. J'ai vu des gens s'en délester comme si ce n'était rien du tout. Ou qui ne font qu'attendre la prochaine occasion.

— Tu as évidemment raison sur le fait que chacun réagit différemment, mais chez les gens à peu près normaux, la question du mobile joue aussi un rôle. Une étude de la RAND Corporation montre qu'au moins vingt, et sans doute plutôt près de trente pour cent des soldats américains qui ont été en service en Afghanistan ou en Irak ont développé un SSPT. Pareil pour les soldats américains de la guerre du Vietnam. Chez les soldats alliés de la Seconde Guerre mondiale, les chiffres semblent être divisés par deux. Les psychologues pensent que c'est parce que, au Vietnam, en Irak et en Afghanistan, les soldats ne comprenaient pas l'enjeu de la guerre menée. Alors que tout le monde comprenait pourquoi il fallait combattre Hitler. Les soldats qui sont allés au Vietnam, en Irak ou en Afghanistan sont revenus dans une communauté qui, au lieu de les accueillir triomphalement, les regardait avec suspicion. Eux-mêmes n'arrivent pas à trouver de récit qui justifie leurs actes, les gens qu'ils ont tués. C'est plus facile de tuer pour Israël, les chiffres de SSPT descendent à huit pour cent. Non pas parce que la violence y serait moins brutale, mais parce que les soldats peuvent se voir en défenseurs d'un petit pays entouré d'ennemis et qu'ils bénéficient d'un large soutien au sein de la population. Cela leur donne une justification morale simple, concrète, du fait qu'ils tuent. Ce qu'ils font est nécessaire, ça a un sens.

— Hmm. Tu veux dire que je suis traumatisé, mais que les gens que j'ai tués, je les ai tués par nécessité. Oui, ils viennent me trouver la nuit, mais j'appuie toujours sur la queue de détente sans hésiter. Chaque fois.

— Tu fais partie des huit pour cent qui développent un SSPT malgré toutes les possibilités qui leur sont offertes de justifier leurs meurtres, dit Kaja. Ils ne le font pas. Inconsciemment, mais activement, ils cherchent une manière d'endosser la responsabilité de leurs actes. Comme tu estimes maintenant être responsable de…

— OK, alors disons ça, coupa Harry.

— … la mort de Rakel. »

Le silence se fit dans le salon. Harry regarda dans le vide, en clignant des yeux. Encore et encore.

Kaja déglutit. « Je suis désolée, ce n'est pas ce que je voulais dire. Du moins je ne voulais pas le dire de cette façon.

— Tu as raison, à part sur cette histoire de chercher la responsabilité. Là, c'est ma faute, c'est un fait. Si je n'avais pas tué le fils de Svein Finne…

— Tu faisais ton travail.

— … Rakel serait encore en vie.

— Je connais des spécialistes du SSPT. Tu as besoin d'aide, Harry.

— Oui. D'aide pour capturer Finne.

— Ce n'est pas ça ton plus gros problème.

— Si. »

Elle soupira. « Combien de temps as-tu passé à chercher son fils avant de le trouver ?

— Qui compte les années ? Je l'ai trouvé.

— Personne ne capture Finne, c'est un esprit. »

Harry leva les yeux.

« Avant la Brigade criminelle, j'étais aux mœurs, poursuivit

Kaja. J'ai lu les rapports sur Svein Finne, ça faisait partie des lectures obligatoires.

— L'esprit, fit Harry.

— Comment ?

— C'est ce que nous recherchons tous. » Il se leva. « Merci pour l'eau chaude, et pour le tuyau.

— Le tuyau ? »

Le vieux avait les yeux rivés à la robe bleue qui flottait dans les courants du torrent. La vie était un bal d'éphémères. On était debout dans une pièce saturée de parfum et de testostérone, on battait la mesure en souriant à la plus belle parce qu'on l'imaginait faite pour nous. Jusqu'à ce qu'on l'invite et qu'elle décline en regardant par-dessus notre épaule, vers l'autre, celui qui n'était pas comme nous. Ensuite, une fois qu'on avait réparé son cœur brisé, on revoyait ses attentes à la baisse et on invitait la deuxième plus belle. Puis la troisième plus belle. Jusqu'à ce qu'on arrive à celle qui acceptait l'invitation. Si on avait la chance de bien danser ensemble, on l'invitait à la danse suivante. Celle d'après aussi. Jusqu'à ce que la soirée se termine et qu'on lui demande si elle voulait partager l'éternité avec nous. « Oui, mon amour, mais nous ne sommes que des éphémères », disait-elle avant de mourir.

Et puis venait la nuit, la nuit véritable, et la seule chose qu'on ait, c'était un souvenir, une robe bleue qui s'agitait pour nous attirer, et la promesse qu'il ne s'écoulerait pas plus d'un jour avant qu'on puisse la suivre. La robe bleue était la seule chose qui permettait de rêver de danser encore, un jour.

« J'aurais voulu un piège photographique. »

La voix grave et rauque venait du comptoir.

Le vieux se retourna. C'était un homme de grande taille. Large d'épaules, mais maigre.

« Nous en avons plusieurs modèles…, commença Alf.

— Je sais, j'en ai acheté un ici il y a quelque temps, mais cette fois, je voudrais le modèle perfectionné. Celui qui envoie un message à votre mobile quand il y a eu du passage. Il faut aussi qu'on puisse le cacher.

— Je vois. Je vais aller vous en chercher un qui je crois va convenir. »

Son gendre se dirigea vers le présentoir des caméras de chasse et le grand se retourna et croisa son regard. Le vieux se souvenait de son visage, parce qu'il l'avait déjà vu dans le magasin, mais aussi parce qu'il n'avait pas réussi alors à déterminer si ce regard était celui d'un ruminant ou d'un prédateur. Curieux, parce que maintenant, il n'y avait plus le moindre doute. Cet homme était un prédateur, mais ce n'était pas le seul élément qu'il reconnaissait dans ce regard. Le vieux força ses yeux. Alf revint et le grand se retourna vers le comptoir.

« Quand cet appareil perçoit du mouvement, il prend une photo et l'envoie aussitôt au numéro de téléphone que vous entrez dans…

— Merci, je le prends. »

Une fois le grand sorti du magasin, le vieux retourna à l'écran de télévision. Un jour, toutes les robes bleues seraient déchirées et emportées par le courant, les souvenirs lâcheraient prise, disparaîtraient. Il voyait la cicatrice de la perte et de la résignation tous les jours dans le miroir. C'était ça qu'il avait reconnu dans le regard du grand. La perte. Mais pas la résignation. Pas encore.

Harry entendit le gravier crisser sous ses chaussures, il songea que c'était ce qui arrivait quand on vieillissait, on fréquentait de plus en plus les cimetières. On faisait connaissance avec ses futurs voisins dans l'endroit où on allait passer l'éternité. Il s'arrêta devant la petite pierre noire. Il s'accroupit, creusa un trou dans la neige et y mit le pot de lys blancs, tassa la neige autour, arrangea les tiges. Il recula pour s'assurer que tout était bien. Puis il leva les yeux et contempla les rangées de pierres tombales. Si la règle était d'être enterré aussi près que possible de son domicile, Harry allait reposer par ici, et non à côté de Rakel, qui était au cimetière de Voksen. C'était à sept minutes de son appartement, trois et demie en courant vite, il avait chronométré. La concession d'une tombe n'était que de vingt ans, après quoi on pouvait y ajouter d'autres cercueils, par-dessus ou à côté. Donc si le destin le voulait, ils pouvaient être réunis dans la mort. Un frisson le fit tressaillir sous sa veste. Il consulta sa montre. Puis il marcha rapidement vers la sortie.

« Comment ça va ?
— Ça va, répondit Oleg.
— Ça va ?
— Avec des hauts et des bas.
— Hmm. » Harry plaqua le téléphone contre son oreille, comme pour raccourcir la distance entre eux, entre un appartement de Sofies gate où Bruce Springsteen étirait les paroles de « Stray Bullet » dans le soir tombé et la maison deux mille kilomètres au nord, où Oleg avait vue sur la base militaire aérienne et le fjord de Porsanger.

« J'appelle pour te demander d'être prudent.
— Prudent ? »

Harry lui parla de Svein Finne. « Si Finne se venge parce que j'ai tué son fils, cela signifie que toi aussi, tu pourrais être en danger.
— Je viens à Oslo, déclara Oleg d'un ton décidé.
— Non !
— Non ? Il a tué maman et moi, je suis censé juste rester là à…
— D'abord, la Brigade criminelle ne te laisserait pas appro-

cher de l'enquête. Si tu participais à l'enquête, toi le fils de la victime, tu imagines toute l'eau que tu apporterais au moulin de l'avocat de la défense. Ensuite, il est probable qu'il ait choisi ta mère plutôt que toi parce que tu te trouves à bonne distance de son terrain de chasse.

— Je viens.

— Écoute ! S'il en a après toi, tu restes où tu es pour deux raisons. Un, il ne fera pas deux mille kilomètres en voiture, donc il ira en avion, et il atterrira dans un petit aéroport où tu auras donné sa photo aux employés. De toute façon, Svein Finne n'est pas quelqu'un qui passe facilement inaperçu dans une petite agglomération. Avec toi sur place, nous augmentons les possibilités de le capturer. OK ?

— Mais…

— Deux, imagine que tu ne sois pas là quand il arrive, et qu'il trouve Helga seule à la maison. »

Silence. Juste Springsteen et un piano.

Oleg toussota. « Tu me tiens informé ?

— Informé. OK ? »

Ils raccrochèrent et Harry resta ensuite à fixer le téléphone qu'il avait posé sur la table basse. Le boss avait commencé une nouvelle chanson qui, elle non plus, n'avait pas été choisie pour *The River*. « The Man Who Got Away ».

Pas question. Pas cette fois.

Le téléphone gisait HS et froid sur la table.

À vingt-trois heures trente, il n'y tint plus.

Il laça ses chaussures, prit son téléphone et alla dans l'entrée. Ses clefs de voiture n'étaient pas sur la commode où il avait l'habitude de les laisser et il fouilla dans toutes les poches de tous ses pantalons et vestes jusqu'à ce qu'il les trouve finalement dans le jean ensanglanté qu'il avait mis dans la corbeille de linge sale. Il monta dans sa Ford Escort, ajusta son dossier, tourna la clef dans le contact et tendit machinalement la main vers la radio, mais changea d'avis. Il l'avait réglée sur StoneHardFM, parce qu'ils ne parlaient pas et qu'ils ne passaient rien d'autre que du hard rock à encéphalogramme plat, de l'antidouleur, vingt-quatre heures sur vingt-quatre, mais là, il n'avait pas besoin d'antidouleur. Il avait besoin de la douleur, au contraire. Il roula donc sans musique dans les rues somnolentes du centre-ville d'Oslo et gravit les pentes qui passaient devant l'ancienne École navale et sinuaient jusqu'à Nordstrand. Il se rangea sur le bas-côté, prit la lampe de poche dans la boîte à gants, sortit et regarda le fjord noir et cuivre baigné de lune, qui s'étirait vers le sud-ouest, vers le large, vers le Danemark. Il attrapa le pied-de-biche dans le coffre, l'examina. Il y avait un truc qui ne collait pas, un truc auquel il avait pensé, mais qui était si infime, comme un fragment flottant sur la rétine, que maintenant, il avait oublié. Il mordit sa prothèse, frissonna quand ses dents entrèrent en contact avec le titane. En vain, la pensée s'était évanouie, comme un rêve qui glisse inexorablement hors de l'étreinte de la mémoire.

Harry pataugea dans la neige jusqu'au bord de la colline où se trouvaient les vieilles casemates, c'était là qu'Øystein, Les Sabots et lui se bourraient la gueule à trois pendant que leurs conscrits célébraient la fin du lycée, le 17 Mai, la Saint-Jean et tout ce qu'ils avaient bien pu fêter.

La municipalité avait mis des verrous sur les portes après le reportage d'un quotidien de la capitale. Les employés municipaux savaient bien sûr que les casemates étaient utilisées par des prostituées et des toxicomanes. On avait déjà publié des photos par le passé, des photos de jeunes gens s'injectant de l'héroïne dans des avant-bras grêlés de plaies, et de femmes étrangères en tenue de pute couchées sur des matelas troués, mais ce qui avait fait réagir l'opinion publique, c'était une photo en particulier. Même pas spécialement violente. Un jeune homme assis sur un matelas avec son matos à côté de lui. Il regardait l'objectif avec des yeux de chien battu. Ce qui avait ému l'opinion publique, c'était qu'il avait l'air d'un jeune Norvégien tout ce qu'il y a de plus ordinaire : yeux bleus, pull Marius et cheveux courts entretenus. On aurait facilement pu croire à un cliché pris dans le chalet familial pendant les vacances de Pâques. Le lendemain, la municipalité mettait des verrous sur toutes les portes et placardait des mises en garde ; toute effraction était délictueuse et des patrouilles régulières seraient assurées. Harry savait que c'était une menace en l'air, le directeur de la police n'avait même pas assez de monde et d'argent pour enquêter sur les cambriolages où il y avait effectivement eu vol.

Harry inséra le pied-de-biche entre la porte et l'encadrement.

Il lui fallut appliquer tout le poids de son corps pour faire céder le verrou.

À l'intérieur, le silence n'était rompu que par l'écho de gouttes dans l'obscurité, ce qui lui évoquait un sonar de sous-marin. Les Sabots avait raconté qu'il en avait téléchargé un enregistrement sur Internet et l'avait mis sur « Repeat » pour s'endormir. L'impression d'être sous l'eau l'apaisait. Parmi les composantes de l'odeur infecte, Harry ne put en distinguer que trois : la pisse, l'essence et le béton mouillé. Il alluma sa lampe de poche et avança dans la casemate. Sa torche trouva un banc en bois qui avait vraisemblablement été volé dans un parc environnant, et un matelas noir d'humidité et de moisissures. Des planches avaient été clouées sur le créneau horizontal qui donnait sur le fjord. C'était – comme il le supposait – l'endroit parfait.

Et il ne put s'en empêcher.

Il éteignit la lampe.

Il ferma les yeux. Le sentiment, il le voulait maintenant, à l'avance.

Il essaya d'imaginer, mais les images ne venaient pas.

Pourquoi ? Peut-être fallait-il qu'il alimente sa haine.

Il pensa à Rakel. Rakel sur le plancher du salon. Svein Finne sur elle. Alimenter la haine.

Et l'image vint.

Harry poussa un cri dans le noir et ouvrit les yeux.

C'était quoi, ce bordel ? Pourquoi son cerveau fabriquait-il ces images de lui-même couvert de sang ?

Svein Finne fut tiré de son sommeil par une branche qui cassait.

Tout de suite parfaitement réveillé, il leva les yeux vers l'obscurité et le toit de sa tente deux places. L'avaient-ils trouvé ? Ici, si loin de toute habitation, dans une forêt de sapins touffue, sur un terrain si accidenté que même des chiens auraient eu du mal à s'y déplacer ?

Il tendit l'oreille, chercha à identifier ce que cela pouvait être. Un soufflement. Pas humain. Des pas lourds. Si lourds qu'ils faisaient vibrer le sol forestier. C'était un gros animal. Un élan, peut-être. Dans sa jeunesse, Svein Finne s'était souvent enfui dans les bois, emportant sa tente pour passer la nuit dans les vallées de Maridalen ou Sørkedalen. La forêt d'Oslo était grande, elle offrait la liberté et plein de cachettes à un jeune garçon qui avait l'art de se mettre dans le pétrin, qui ne s'intégrait pas, que les gens semblaient ou fuir ou vouloir chasser. Réaction fréquente quand on avait peur. Svein Finne ne comprenait pas comment ils pouvaient savoir. Il le dissimulait pourtant. Il ne l'avait montré qu'à quelques personnes, son vrai visage. Il comprenait alors qu'elles aient pris peur. Il se sentait plus à sa place ici dans les bois avec les animaux que dans la ville qui ne se trouvait qu'à deux heures de marche. La plupart des habitants d'Oslo ne semblaient pas mesurer le nombre d'espèces qui vivaient aux portes de leur salon. Chevreuils, lièvres, martres. Des renards, bien sûr, qui se nourrissaient abondamment de leurs poubelles. Quelques cerfs. Une nuit de lune, il avait vu un lynx avancer à pas feutrés de l'autre côté d'un étang. Et il y avait des oiseaux. Des balbuzards pêcheurs. Des chouettes hulottes et des nyctales de Tengmalm. Les autours des palombes et les éperviers d'Europe de son enfance, en revanche, il n'en avait pas vu, mais une buse variable avait volé entre les cimes au-dessus de lui. L'élan s'était rapproché. Les branches ne craquaient plus. Un élan, ça faisait craquer les branches. Soudain, un museau s'enfonça dans la toile de la tente, la renifla de haut en bas. Un museau en quête de nourriture. En pleine nuit. Ce n'était pas un élan.

Finne se retourna dans son sac de couchage, attrapa sa lampe de poche et l'abattit sur le museau. Lequel disparut aussitôt, et Finne entendit un gros renâclement de l'autre côté de la tente. Puis le museau revint, et cette fois, il appuya très fort sur la tente. Finne alluma et éteignit sa lampe, il avait vu ce que c'était. Il avait aperçu la silhouette de la grande tête, la gueule. Il y eut un bruit de déchirure quand les griffes entaillèrent la toile. Rapide comme l'éclair, Finne saisit le fourreau du couteau qu'il gardait toujours à côté de lui sur son tapis de sol, baissa la fermeture à glissière de la tente et sortit d'une roulade pour éviter de tourner le dos à l'animal. Il avait établi son bivouac dans une descente, sur une surface de deux ou trois mètres carrés exempte de neige. Au-dessus, un rocher scindait le ruissellement, si bien que les eaux de fonte coulaient de part et d'autre de la tente. Finne roula nu dans la pente. Il ne sentit pas la douleur quand des branches et des pierres le coupèrent, il était trop absorbé par l'écoute du sous-bois qui craquait dans la course de l'ours qui le poursuivait. Il avait perçu qu'il y avait fuite, et son instinct de chasse s'était activé ; Svein Finne savait qu'aucun homme ne pouvait courir plus vite qu'un ours, en tout cas pas sur ce genre de terrain, mais il n'avait aucune intention d'essayer. Ni non plus de se coucher sur le sol en faisant le mort, stratégie parfois conseillée en cas de rencontre avec un ours. Un ours qui vient de sortir de sa tanière a désespérément faim, il est tout à fait prêt à manger même un véritable cadavre. Ce que les gens pouvaient être cons. Svein Finne était arrivé en bas de la pente, il mit ses pieds sous lui, s'adossa à un gros tronc d'arbre et se leva. Il alluma sa torche et la braqua en direction du bruit qui approchait. L'animal s'arrêta net quand il eut de la lumière dans les yeux. Ébloui, il se dressa de toute sa hauteur et agita les pattes en l'air. C'était un ours brun. D'environ deux mètres de haut. Il aurait pu être plus grand, songea Finne, qui planta ses dents dans le fourreau et en tira son couteau puukko. Son grand-père paternel prétendait que la dernière fois qu'un ours avait été tué dans la forêt d'Oslo, en 1882, par le garde forestier Kjelsås, sous un arbre déraciné de Grønnvollia, en contrebas d'Opkuven, l'animal mesurait près de deux mètres et demi.

L'ours retomba sur ses quatre pattes. Sa peau pendait. Soufflant par le nez, il tourna la tête dans un sens puis dans l'autre, regarda tour à tour la forêt et la lumière, comme s'il n'arrivait pas à se décider.

Finne tint le couteau devant lui. « Tu ne veux pas bosser pour ta nourriture, nounours ? Tu te sens faible ce soir ? »

L'animal rugit, comme de frustration, et Finne rit si fort que la paroi rocheuse au-dessus d'eux en prolongea l'écho. « Mon grand-père faisait partie des gens qui ont mangé le tien en 1882, cria Finne. Il a dit que c'était très mauvais, même avec beaucoup d'assaisonnement, mais je mangerais bien un morceau de toi quand même, nounours, alors viens. Viens ici, pauvre imbécile. »

Finne fit un pas en avant vers l'ours, qui recula un peu, se balança sur ses pattes. Il avait l'air perplexe, il courbait presque l'échine.

« Je connais ça, poursuivit Finne. Tu es resté enfermé pendant une éternité et puis tout à coup tu sors et il y a trop de lumière, pas assez de nourriture, et tu es entièrement seul. Pas parce que tu as été exclu du groupe, mais parce que tu n'es pas comme eux, tu n'es pas un animal grégaire, c'est toi qui les as exclus. » Finne fit un autre pas en avant. « Mais cela ne signifie pas pour autant que tu ne peux pas te sentir seul, hein ? Répands ton sperme, nounours, fabriques-en qui soient comme toi, qui te comprennent. Qui sachent rendre honneur à leur père. Ha, ha ! File, parce que dans le Sørkedalen, il n'y a pas d'ourses. File, ceci est mon terrain de chasse, pauvre affamé ! Tu ne trouveras rien d'autre ici que la solitude ! »

L'ours prit son élan ses pattes antérieures, comme pour se remettre debout, mais il n'y parvint pas. Finne le voyait maintenant. Il était vieux. Peut-être malade. Et Finne perçut une odeur reconnaissable entre toutes. L'odeur de la peur. Ce qui faisait peur à l'animal, ce n'était pas la créature nettement plus petite qui se tenait sur deux jambes en face de lui, mais que cette créature ne dégage pas la même odeur. Une créature sans peur. Folle. Capable de tout.

« Alors, vieux nounours ? »

L'ours grogna, découvrit un jeu de crocs jaunes.

Puis il se tourna, s'en alla d'un pas lourd et fut englouti par l'obscurité.

Svein Finne resta à écouter le craquement de branches de plus en plus lointaines. L'ours reviendrait. Quand il serait encore plus affamé ou quand il aurait mangé et regagné assez de forces pour reprendre son territoire. Demain, Finne devrait commencer à chercher un endroit plus inaccessible encore, voire une construction avec des murs. Mais d'abord aller en ville acheter un piège. Et se rendre sur la tombe. La meute.

Katrine n'arrivait pas à dormir.

Dans son berceau près de la fenêtre, le petit dormait, lui, c'était l'essentiel.

Elle se retourna dans le lit et ses yeux rencontrèrent le visage pâle de Bjørn. Il avait les paupières closes, mais ne ronflait pas.

Ce qui signifiait qu'il ne dormait pas, lui non plus. Elle étudia son visage. Les fines paupières rougeâtres aux veines apparentes, les sourcils clairs, la peau opalescente. On aurait dit qu'il avait avalé une lampe allumée. Gonflé et éclairé de l'intérieur. Qu'ils sortent ensemble avait beaucoup surpris. Les gens n'avaient pas posé la question directement, bien sûr, mais elle lisait sur leurs visages : Qu'est-ce qui fait qu'une belle femme financièrement indépendante choisit un type sans le sou et moins que moyennement séduisant ? Une élue de la commission parlementaire des affaires juridiques l'avait certes prise à part, à un de ces cocktails de réseautage de « femmes occupant des postes importants », pour lui dire qu'elle l'admirait d'avoir épousé un collègue de rang social inférieur. Katrine lui avait répondu que Bjørn Holm était un sacré bon coup et lui avait demandé si elle, en revanche, n'était pas un peu gênée d'avoir un mari à statut élevé qui gagnait plus qu'elle. Et quelle était la probabilité que son prochain mari soit un homme de bas rang. Katrine n'avait pas la moindre idée de qui était le mari de cette femme politique, mais à en juger par son expression, elle avait tapé plus ou moins dans le mille. Elle avait du reste horreur de ces rassemblements de femmes dans le vent. Non qu'elle ne soutienne pas la cause ou ne trouve pas qu'il faille se battre pour une véritable égalité entre les sexes, mais parce qu'elle ne supportait pas cette sororité forcée et cette rhétorique reposant sur l'affect. Parfois, elle avait envie de leur demander de la boucler et de s'en tenir à l'égalité des chances et à l'idée qu'à travail égal, salaire égal. Bien sûr qu'il était largement temps de changer les mentalités, concernant le harcèlement sexuel direct, mais aussi les techniques de domination sexuelle indirectes et souvent inconscientes des hommes. Ça ne devait pas toutefois être le premier sujet à l'ordre du jour, car cela détournait l'attention de la question de fond en termes d'égalité entre les sexes. Si les femmes donnaient la priorité à leurs fiertés blessées plutôt qu'à leur fiche de paie, elles allaient encore perdre en s'étant feintées elles-mêmes. Car seuls de plus gros salaires, et plus de pouvoir économique, sauraient les rendre invincibles. Certes, elle aurait peut-être vu les choses autrement si elle avait été la personne la plus vulnérable de cette chambre à coucher. Elle était allée trouver Bjørn quand elle était le plus faible, le plus fragile, quand elle avait besoin de quelqu'un qui l'aime inconditionnellement. Le policier scientifique un peu rond, mais gentil et charmant, qui en croyait à peine ses yeux, avait répondu par un quasi-sacrifice de soi pour vénérer la reine. Elle s'était raconté qu'elle n'allait pas tirer profit de la situation, qu'elle avait vu trop de gens – des hommes comme des femmes – se transformer en monstres simplement parce que leur partenaire les y conviait. Et elle avait essayé. Essayé.

Elle avait vu d'autres gens essayer aussi, mais face au véritable test – la troisième personne, l'enfant – ils avaient failli. L'instinct de survie qui vous permettait de tenir bon au quotidien avait pris le dessus, et éradiqué les égards pour le partenaire.

La troisième personne. Celle qui était aimée plus fort que le partenaire.

Dans le cas de Katrine, cette troisième personne était là depuis le début.

Une fois. Elle s'était trouvée comme ça une fois, dans le même lit que lui, le troisième. Elle l'avait écouté respirer, alors qu'une tempête d'automne faisait trembler les vitres, craquer les murs, s'écrouler son monde. Il appartenait à une autre, elle ne faisait que l'emprunter, mais si elle ne pouvait rien avoir de plus, alors elle prenait ça. Regrettait-elle cette crise de folie ? Oui. Oui, bien sûr qu'elle regrettait. Avait-ce été l'instant le plus heureux de sa vie ? Non. Il y avait eu du désespoir et un curieux engourdissement. Le tout pouvait-il être surpassé ? Absolument pas.

« À quoi tu penses ? » chuchota Bjørn.

Et si elle lui disait ? Si elle lui racontait tout ?

« À l'enquête, répondit-elle.

— Ah bon.

— Comment se peut-il que vous n'ayez strictement rien ?

— Comme je te l'ai dit, le coupable a nettoyé derrière lui. C'est à l'enquête que tu penses, ou… à autre chose ? »

Katrine ne voyait pas son expression dans le noir, mais elle entendait sa voix. Il avait toujours su pour le troisième. Bjørn était celui à qui elle s'était confiée quand il n'était qu'un ami, elle une nouvelle recrue de l'hôtel de police et Harry l'homme dont elle était bêtement et désespérément tombée amoureuse. Ça remontait à loin. En revanche, elle ne lui avait jamais parlé de cette nuit-là.

« Un couple qui vit à Holmenkollen est rentré en voiture la nuit du meurtre, dit Katrine. Ils ont vu un homme adulte redescendre Holmenkollveien à pied à minuit moins le quart.

— Ça correspond à l'heure présumée du meurtre, entre vingt-deux heures et deux heures, répondit Bjørn.

— Les adultes qui ne sont pas en état d'ébriété se déplacent en voiture à Holmenkollen. Le dernier bus était passé et nous avons vérifié les caméras de surveillance de la station de T-bane de Holmenkollen. Un tramway s'est arrêté à vingt-trois heures trente-cinq, mais la seule personne qui soit descendue était une femme. Que fait un piéton dehors si tard le soir ? S'il avait fait tout le chemin depuis un bar jusque chez lui, il aurait marché dans l'autre sens, et s'il descendait en ville, il serait allé à la station de T-bane, tu ne crois pas ? À moins de vouloir éviter les caméras de surveillance.

— Un homme qui marche dehors. C'est un peu mince, non ? Ils ont donné un signalement ?

— Juste le truc habituel. Taille moyenne, entre vingt-cinq et soixante ans, ethnicité inconnue, mais en tout cas pas très sombre de peau.

— Donc la raison pour laquelle tu bloques là-dessus, c'est…

— … que c'est la seule information valable que nous ayons.

— Donc vous n'avez rien tiré de la voisine ?

— Mme Syvertsen ? Sa chambre donne sur l'arrière. Sa fenêtre était ouverte, mais elle dit qu'elle a dormi comme un bébé toute la nuit. »

Comme un à-propos ironique, un couinement introductif se fit entendre dans le berceau. Ils se regardèrent, sur le point de rire.

Katrine leur tourna le dos et s'enfonça dans l'oreiller, mais ne parvint pas à bloquer de ses tympans deux nouveaux couinements et la coutumière pause avant la sirène. Elle sentit le mouvement du matelas quand Bjørn roula hors du lit.

Elle ne pensait pas à l'enfant. Elle ne pensait pas à Harry. Elle ne pensait pas à l'enquête. Elle pensait au sommeil. Au sommeil profond du mammifère, avec les deux hémisphères du cerveau éteints.

Kaja passa la main sur la crosse rugueuse du pistolet. Elle avait éteint toutes les sources de bruit du salon et écoutait le silence. Il était dehors quelque part, elle l'avait entendu. Elle s'était procuré le pistolet juste après ce qui s'était passé avec Hala à Kaboul.

Hala et Kaja étaient deux des neuf femmes d'un logement communautaire de vingt-trois personnes, la plupart employées du Croissant-Rouge ou de la Croix-Rouge, mais certaines aussi à des postes civils dans les forces de maintien de la paix. Hala était une personne exceptionnelle avec une histoire exceptionnelle mais ce qui la distinguait le plus des autres gens de la maison était qu'elle était afghane. Leur maison n'était pas très loin du Kabul Serena Hotel et du palais présidentiel. L'attaque talibane du Serena en 2008 avait montré qu'aucun quartier de Kaboul n'était entièrement sûr, mais tout était relatif et elles se sentaient protégées par les gardes derrière leur haute clôture.

L'après-midi, Hala montait avec Kaja sur le toit plat pour faire voler des cerfs-volants qu'elles avaient achetés au Strand Bazaar pour un dollar ou deux. Kaja s'était figuré que ce n'était qu'un cliché romantique tiré d'un best-seller, cette histoire de cerfs-volants dans le ciel de Kaboul comme symboles de la libération de la ville du régime taliban. Dans les années quatre-vingt-dix, les talibans avaient interdit de faire voler des cerfs-volants parce que c'était une distraction qui prenait du temps de prière, mais le week-end, il y en avait bel et bien des centaines dans le ciel, des milliers même. D'après Hala, grâce aux nouvelles encres arrivées sur le marché, ils étaient même de couleurs encore plus vives qu'avant les talibans. Elle lui avait montré comment coopérer, l'une dirigeant le cerf-volant, l'autre surveillant les fils, sans quoi elles ne réchapperaient pas des autres cerfs-volants qui essayaient de leur faire la guerre en coupant leurs fils ou leur voilure avec des bouts de verre collés sur leurs propres fils. Oui, certes, ce n'était pas difficile de voir le parallèle avec le mandat auto-imposé de l'Occident en Afghanistan, mais ça n'en restait pas moins un jeu. Si elles perdaient un cerf-volant, il leur suffisait d'en lancer un autre. Et plus beau encore que les cerfs-volants dans le ciel, il y avait le spectacle de la lumière dans les yeux sublimes de Hala qui les regardait.

Il était plus de minuit quand Kaja avait entendu les sirènes et vu les gyrophares par la fenêtre de la chambre. Inquiète que Hala ne soit pas rentrée, elle s'était habillée et était sortie. Les voitures de police étaient garées dans une venelle. Il n'y avait pas de rubalises et les badauds se rassemblaient déjà. À cette heure de la nuit, c'étaient essentiellement de jeunes hommes afghans en blouson de cuir imitation Gucci ou Armani. Sur combien de lieux de crime Kaja s'était-elle rendue en tant qu'enquêtrice de la Brigade criminelle ? Cependant, il lui arrivait encore de se réveiller en sursaut quand elle rêvait de cette nuit-là. Le couteau utilisé avait fait de grandes entailles dans son *salwar kameez*, exposant la peau au-dessous, et la tête de Hala était renversée en arrière dans une torsion impossible, comme si sa nuque était brisée, si bien que sa gorge tranchée était béante et que Kaja avait eu une vue directe sur l'intérieur rose et déjà desséché. Quand elle s'était penchée au-dessus du corps, une nuée de phlébotomes étaient sortis de la plaie, comme un esprit noir d'une lampe, et Kaja les avait dissipés en battant des mains sauvagement.

L'autopsie avait montré que Hala avait eu un rapport sexuel juste avant le meurtre, et si les preuves physiques ne pouvaient exclure qu'il ait été consenti, on supposait – eu égard aux circonstances et au fait que c'était une fille célibataire qui s'en tenait aux règles strictes des Hazara croyants – qu'il s'agissait d'un viol. La police n'avait jamais trouvé le ou les coupables. On avait dit de Kaboul que le risque de s'y faire violer dans la rue était infime par rapport au risque d'être pulvérisée par un EEI. Même si le nombre de viols était en hausse après la chute des talibans, pour la police c'était l'œuvre de ces derniers, justement, qui montraient ainsi ce qui attendait les femmes afghanes qui travaillaient pour la FIAS, Resolute Support ou d'autres organisations occidentales. Quoi qu'il en soit, le viol et meurtre de Kaboul avait fait peur aux femmes du logement communautaire. Kaja leur avait appris le maniement d'une arme, et, d'une étrange façon, ce pistolet – transmis comme un bâton de relais quand l'une ou l'autre devait sortir après la tombée de la nuit – avait fait d'elles une équipe. Une équipe de cerfs-volants.

Kaja le soupesa. Quand elle était dans la police, tenir un pistolet chargé lui avait toujours inspiré un mélange de peur et de sécurité. En Afghanistan, elle s'était mise à le voir comme un outil indispensable, un objet dont on appréciait la présence. Comme le couteau. Ça, c'était Anton qui lui avait appris à s'en servir. Qui lui avait appris qu'à la Croix-Rouge aussi – en tout cas sa Croix-Rouge à lui – on défendait sa propre vie, en tuant si nécessaire. Elle se souvenait que la première fois qu'elle avait rencontré Anton, elle s'était dit que ce Suisse raffiné, presque maniéré et bien trop beau, grand, blond, n'était pas pour elle. Elle s'était complètement trompée. Tout en ayant raison. En ce qui concernait le meurtre de Hala, en revanche, elle ne se trompait pas, elle avait raison sur toute la ligne.

Ce n'étaient pas les talibans qui avaient fait le coup. Elle savait qui c'était, mais elle manquait de preuves.

Kaja serra fortement la crosse. Elle écouta. Elle respira. Elle attendit. Engourdie. C'était ce qu'il y avait de si curieux : son cœur battait comme si elle était au bord de la panique, et en même temps elle était parfaitement indifférente. Elle avait peur de mourir, mais pas spécialement envie de vivre. Malgré tout, elle avait bien donné le change lors de l'escale obligatoire à Tallinn pour le débriefing de retour d'Afghanistan. Le psychologue n'y avait vu que du feu.

20

Harry se réveilla, et rien n'avait changé. Il lui fallut quelques secondes pour se souvenir, pour comprendre que ce n'était pas un cauchemar, pour que le poing serré le heurte au diaphragme. Il se tourna sur le côté et regarda la photo sur sa table. Rakel, Oleg et lui, souriants, assis sur un rocher entouré de feuilles mortes, lors d'une de ces promenades que Rakel aimait tant, et Harry soupçonnait qu'il y avait pris goût, lui aussi. Pour la première fois, il se fit cette réflexion : si c'était là le début d'une journée qui n'allait faire qu'empirer, combien de journées pareilles supporterait-il ? Il allait se répondre quand il se rendit compte que ce n'était pas son réveil qui l'avait réveillé. À côté de la photo, son téléphone vibrait, presque immobile, comme un bruissement d'ailes de colibri. Il le saisit.

Un texto avec photo.

Le cœur de Harry accéléra.

Il tapota l'index deux fois sur le verre et eut l'impression que son cœur s'arrêtait net. Svein « le Fiancé » Finne penchait la tête avec le regard un peu au-dessus de l'objectif. Au-dessus, le ciel avait une teinte rougeâtre.

Harry s'élança hors du canapé-lit et attrapa le pantalon plié par terre. Il se débattit pour enfiler son tee-shirt tout en marchant vers la porte de son appartement, il passa sa veste, laça ses chaussures et se précipita dans l'escalier. Il enfonça ses mains dans les poches de sa veste et s'assura que tout ce qu'il y avait mis la veille y était : clefs de voiture, menottes et pistolet Heckler & Koch.

Il franchit la porte de l'immeuble, respira l'air froid du matin et monta dans son Escort, qui était garée contre le trottoir. Trois minutes et demie en courant vite. Mais il avait besoin de la voiture pour la deuxième étape. Harry jura en silence alors que le moteur rechignait à démarrer. Ce serait *game over* au prochain contrôle technique. Il tourna encore la clef en écrasant la pédale d'accélérateur. Là ! Dans le silence matinal, Harry remonta les pavés mouillés de Stensberggata. Combien de temps les gens restent-ils auprès d'une tombe ? Après avoir coupé à travers le bouchon naissant sur Ullevålsveien, il se gara juste devant l'entrée nord du cimetière. Il laissa la voiture ouverte, avec les feux de détresse allumés et son badge de police en évidence sur le tableau de bord.

Il courut, mais s'arrêta sitôt le portail passé. De l'endroit où il se trouvait, il avait immédiatement aperçu la personne seule devant la tombe. Tête baissée, longue natte fournie dans le dos. Harry serra la main autour de la crosse du pistolet dans sa poche et commença à marcher. Ni vite ni lentement. Il s'arrêta quand il fut à trois mètres de l'homme.

« Que voulez-vous ? »

Le simple son de sa voix le fit frissonner. La dernière fois qu'il avait entendu le pilon de sa voix retentissante et son ton déclamatoire, c'était dans une cellule de la prison d'Ila où il était venu chercher de l'aide pour capturer l'homme qui était dans la tombe devant eux. Il ne se doutait alors pas le moins du monde que Valentin Gjertsen était le fils de Svein Finne. A posteriori, il se disait qu'il aurait dû. Il aurait dû se rendre compte que, d'une manière ou d'une autre, des fantasmes de violence si démentielle devaient provenir de la même source.

« Svein Finne, fit Harry en entendant le tremblement de sa voix rauque. Vous êtes en état d'arrestation. »

Il n'entendit pas le rire de Finne, vit juste le léger tressautement de ses épaules.

« Apparemment, c'est votre réplique attitrée quand vous me voyez, Hole.

— Mettez les mains derrière le dos. »

Finne poussa un soupir appuyé. Il s'exécuta, d'un geste nonchalant, comme si cela rendait sa position plus confortable.

« Je vais vous menotter. Avant de songer à faire une bêtise, sachez que j'ai un pistolet braqué sur vos lombaires.

— Vous voulez me tirer une balle dans les lombaires, Hole ? »

Finne tourna la tête en ricanant. Son regard marron. Ses lèvres épaisses et humides. Harry respirait par le nez. La tête froide. Il fallait garder la tête froide maintenant, ne pas penser à elle. Penser aux tâches à accomplir, rien d'autre. Des choses simples, pratiques.

« Parce que vous pensez que j'ai plus peur de la paralysie que de la mort ? »

Cherchant à calmer son tremblement, Harry respira profondément. « Parce que j'aimerais des aveux avant que vous mouriez.

— Comme vous les avez obtenus de mon fils ? Avant de l'abattre ?

— J'ai dû l'abattre parce qu'il résistait quand j'ai voulu l'arrêter.

— Oui, je suppose que c'est comme ça que vous souhaitez vous en souvenir. Et c'est sans doute comme ça que vous vous souvenez de la fois où vous m'avez tiré dessus aussi. »

Harry vit le trou dans la paume de Svein Finne ; comme Torghatten, la montagne par laquelle passait la lumière. Un trou laissé par une interpellation au début de sa carrière. C'était cependant l'autre main qui attirait son attention. Le bracelet de montre gris autour de son poignet. Sans baisser son pistolet, il saisit la main de Finne et la retourna. Il appuya sur la montre. Les chiffres indiquant l'heure et la date s'allumèrent en rouge. Dans le cimetière vide, le cliquetis des menottes ressemblait à un baiser humide.

Harry tourna la clef dans le contact vers la gauche, et le moteur s'éteignit.

« Belle matinée, observa Finne en regardant le fjord en contrebas par le pare-brise de l'Escort, mais pourquoi ne sommes-nous pas à l'hôtel de police ?

— Je pensais vous donner le choix, répondit Harry. Vous pouvez m'offrir des aveux sur-le-champ et ensuite, on descend à l'hôtel de police, où vous aurez un petit déjeuner et une cellule chauffée. Ou alors vous refusez, et on va faire un tour dans la casemate allemande, là.

— Hé, hé ! Vous me plaisez, Hole. Vraiment. Je vous déteste en tant que personne, mais j'aime votre personnalité. » Il humecta ses lèvres. « Et j'avoue, bien sûr. Elle…

— Attendez que j'aie allumé l'enregistreur, dit Harry en tirant son téléphone de sa poche de manteau.

— … l'a fait de son plein gré. » Finne haussa les épaules. « Je crois même qu'elle a aimé plus que moi. »

Harry déglutit. Il ferma les yeux un instant. « Aimé avoir un couteau dans le ventre ?

— Un couteau ? » Finne se tourna sur son siège, regarda Harry. « Je l'ai prise contre la clôture juste derrière l'endroit où vous m'avez arrêté. Je suis évidemment conscient que c'est une infraction à la loi de baiser dans un cimetière, mais vu son insistance pour en avoir davantage, je trouverais raisonnable qu'elle paie la majeure partie de l'amende. Elle a vraiment porté plainte ? Elle a dû regretter son comportement malséant. Oui, ça ne me surprendrait pas. Enfin, elle croit peut-être même à sa version des faits, la honte peut tout nous faire refouler. Vous savez, en prison, un psychologue a essayé de m'expliquer le compas de la honte de Nathanson. Il disait que j'avais tellement honte d'avoir tué la fille, comme vous le prétendiez, que je devais fuir la honte en refoulant ce qui s'était passé. C'est ça le truc, ici, Dagny a tellement honte de sa concupiscence dans le cimetière que sa mémoire en fait un viol. Ça vous rappelle des souvenirs, Hole ? »

Harry allait répondre quand il sentit monter la nausée. Honte. Refoulement. Finne se pencha en avant sur son siège dans un cliquetis de menottes.

« De toute façon, vous savez bien comment ça se passe dans les affaires de viol, quand il n'y a ni témoins ni preuves matérielles c'est la parole de l'un contre celle de l'autre. Je sortirai libre, Hole. C'est de ça qu'il s'agit ? Vous savez que la seule façon de me mettre en cage pour viol est de me forcer à faire des aveux. Désolé, Hole. Enfin, j'avoue donc avoir baisé dans un lieu public, ça vous donne au moins de quoi me mettre une amende. Le petit déjeuner tient toujours ? »

« J'ai dit quelque chose qu'il ne fallait pas ? » fit Finne en riant alors qu'il titubait dans la vieille neige. Il tomba sur les genoux, Harry le hissa et le poussa vers les casemates.

Harry était accroupi devant le banc en bois. Il avait déposé sur le sol ce qu'il avait trouvé en fouillant Svein Finne. Un dé en métal bleu-gris. Deux billets de cent et de la petite monnaie, mais pas de ticket de tram ou de bus. Un couteau dans un fourreau. Avec un manche en bois marron, une lame courte. Pointu. Pouvait-ce être l'arme du crime ? Il n'y avait aucune trace de sang. Harry leva les yeux. Il avait arraché l'une des planches qui occultaient le créneau pour faire entrer un peu de lumière dans la pièce. Il arrivait que des joggeurs passent sur le sentier juste devant, mais pas quand il y avait encore de la neige. Personne n'entendrait les cris de Svein Finne.

« Joli couteau, remarqua Harry.

— Je les collectionne, répondit Finne. J'en avais vingt-six que vous avez saisis, vous ne vous souvenez pas ? Jamais récupérés. »

Le soleil bas du matin éclaira le visage de Svein Finne et son torse musclé nu. Pas la gonflette des oiseaux de cage, obtenue à force de soulever de la fonte répétitivement dans des salles de gym exiguës, mais la variante maigre, fruit de l'exercice. Un corps de danseur classique, songea Harry. Iggy Pop. Propre. Finne était assis sur le banc, les mains menottées au dossier. Harry lui avait aussi enlevé ses chaussures, mais pas son pantalon.

« Je me souviens des couteaux. À quoi sert le dé ?

— À prendre les décisions difficiles.

— Luke Rhinehart. Donc vous avez lu *L'Homme-dé*.

— Je ne lis pas, Hole, mais vous pouvez garder le dé, c'est un cadeau que je vous fais. Laissez le sort décider quand vous-même ne savez pas. Vous allez trouver cela très libérateur, croyez-moi.

— Donc c'est plus libérateur de laisser le sort décider que de décider soi-même ?

— Bien sûr. Imaginez que vous ayez envie de tuer quelqu'un, mais que vous n'arriviez pas à le faire. Vous avez besoin d'aide. Du destin. Si le dé dit que vous devez tuer, c'est le destin qui est responsable, il vous libère, vous et votre libre arbitre, vous comprenez ? Tout ce qu'il faut, c'est lancer le dé. »

Harry vérifia que l'enregistreur était bien activé avant de poser le téléphone sur le banc. Il reprit son souffle. « Vous avez lancé le dé avant de tuer Rakel Fauke ?

— Qui est Rakel Fauke ?

— Ma femme. Le meurtre a eu lieu dans notre cuisine de

Holmenkollveien il y a dix jours. » Il vit une lueur se mettre à danser dans les yeux de Finne.

« Mes condoléances.

— La ferme ! Racontez-moi.

— Et sinon ? » Finne soupira comme s'il s'ennuyait. « Vous avez l'intention d'aller chercher votre batterie de voiture et de l'utiliser sur mes testicules ?

— La batterie de voiture comme instrument de torture est un mythe. Il n'y a pas assez de courant.

— Comment le savez-vous ?

— Je me suis renseigné sur les instruments de torture sur Internet hier soir. » Harry frotta la pointe du couteau contre son pouce. « Apparemment, ce n'est pas la douleur en soi qui fait avouer les gens, mais la peur de la douleur. Enfin, c'est clair, il faut une peur fondée, le tortionnaire doit convaincre la victime que la douleur qu'il est prêt à lui infliger n'a de limites que celles de son imagination. Or s'il est une chose dont je dispose en ce moment, Finne, c'est l'imagination. »

Svein Finne humecta ses grosses lèvres molles. « Je vois. Vous voulez les détails ?

— Tous.

— Le seul détail que j'aie pour vous, c'est que je ne l'ai pas fait. »

Harry serra le poing autour du manche du couteau et frappa. Il sentit le cartilage du nez céder, il sentit le coup dans ses propres jointures et le sang chaud de Finne sur le revers de sa main. Les yeux de Finne s'emplirent de larmes de douleur, ses lèvres s'écartèrent. Elles découvrirent ses grandes dents jaunes en un large sourire. « Tout le monde tue, Hole. » Sa voix de pasteur avait pris un timbre différent, plus nasal. « Vous, vos collègues, votre voisin. Sauf moi. Moi, je crée de nouvelles vies, je répare ce que vous détruisez. Je peuple le monde de moi-même, de gens qui veulent le bien. » Il secoua la tête. « Je ne comprends pas pourquoi les gens se donnent du mal pour faire grandir ce qui n'est pas à eux. Comme vous avec votre bâtard. Oleg, c'est ça ? Est-ce parce que vous-même n'avez pas de sperme viable, Hole ? Ou est-ce que vous ne baisiez pas assez bien Rakel pour qu'elle veuille de votre progéniture ? »

Harry frappa encore. Le coup toucha le même endroit. Il se demandait si le craquement singulièrement sec provenait bel et bien de l'arête nasale ou s'il avait simplement résonné dans sa tête. Finne renversa la tête en arrière en éclatant d'un rire jubilatoire : « Encore ! »

Assis sur le sol, adossé au mur en béton, Harry écoutait son halètement se mêler à la respiration sifflante sur le banc. Il avait enroulé la chemise de Finne autour de sa main, mais les douleurs ressenties lui indiquaient que la peau d'au moins une jointure s'était ouverte. Depuis combien de temps avaient-ils commencé ? Combien de temps allait-ce prendre ? Sur le site Internet, il était écrit que personne, strictement personne, ne résistait à la torture sur la durée, que les gens disaient ce qu'on voulait entendre, voire ce qu'ils pensaient qu'on voulait entendre. Jusqu'ici, Svein Finne n'avait fait que répéter un unique mot : *encore*. Il avait eu ce qu'il demandait.

« Couteau. » On ne reconnaissait plus la voix de Finne. Quand Harry leva les yeux, il ne reconnut pas non plus l'homme. Les tuméfactions de son visage lui avaient fermé les yeux et le sang formait comme une barbe rouge dégoulinante.

« On utilise un couteau.

— Un couteau ? répéta Harry dans un murmure.

— Les humains se plantent des couteaux les uns dans les autres depuis l'âge de pierre, Hole. La peur est inscrite dans nos gènes. L'idée qu'un objet pénètre dans notre peau, arrive à l'intérieur, détruise ce qui est en nous, ce qui est nous. Montrez-leur un couteau et ils feront ce que vous voudrez.

— Qui fait ce que vous voulez ? »

Finne se racla la gorge et un crachat rouge atterrit sur le sol entre eux. « Tout le monde. Les femmes, les hommes. Vous. Moi. Au Rwanda, on offrait aux Tutsis d'acheter des balles pour pouvoir être abattus plutôt que hachés menu à la machette. Et vous savez quoi ? Ils allongeaient le fric.

— OK, j'ai un couteau, fit Harry en désignant de la tête le couteau sur le sol entre eux.

— Et où voulez-vous l'enfoncer ?

— Je pensais au même endroit que là où vous avez poignardé ma femme. Dans le ventre.

— Mauvais bluff, Hole. Si vous me poignardez dans le ventre, je n'arriverai plus à parler et j'aurai perdu tout mon sang avant que vous ayez vos aveux. »

Harry ne répondit pas.

« Enfin, attendez, poursuivit Finne en inclinant sa tête sanglante sur le côté. Cette boxe inefficace, alors que vous vous êtes même documenté sur la torture, se pourrait-il que ce soit parce que, au fond, vous ne voulez pas du tout d'aveux ? » Il huma l'air. « Oui, nous y voilà. Vous voulez que je ne fasse pas d'aveux. Vous voulez un autre prétexte pour, oui, pour être obligé de me tuer, afin que la justice soit pleinement exécutée. Vous aviez juste besoin d'un prélude avant le meurtre. Pour pouvoir dire que vous aviez essayé, que ce n'était pas ce que vous vouliez. Que vous n'êtes pas comme les tueurs qui font ça tout simplement pour le plaisir. » Le rire de Finne évolua en toux gargouillante. « Oui, j'ai menti, je suis un tueur, moi aussi. Parce que c'est bel et bien formidable de tuer, Hole, n'est-ce pas ? Voir un enfant venir au monde, savoir que c'est votre propre création, ne peut être surpassé que par une chose : expédier quelqu'un hors de ce monde. Achever une vie, être la destinée de quelqu'un, son dé. Parce que alors vous êtes Dieu, Hole, et vous pouvez le nier autant qu'il vous plaira, mais c'est exactement ce que vous ressentez en ce moment. Exquis, n'est-ce pas ? »

Harry se leva.

« Donc je suis navré de devoir gâcher cette mise à mort, Hole, mais j'avoue. Mea culpa, Hole. J'ai tué votre femme, Rakel Fauke. »

Harry se figea. Finne tourna le visage vers le plafond. « Avec un couteau, chuchota-t-il, mais pas celui que vous tenez à la main. Elle criait quand elle est morte. Elle criait votre nom. Haarr-y. Haarr-yy… »

Harry sentit l'autre fureur venir. La fureur froide, celle qui le rendait calme. Et fou. Dont il avait craint la venue et qui ne devait pas prendre le dessus.

« Pourquoi ? » demanda Harry. Sa voix était soudain détendue. Sa respiration était redevenue normale.

« Pourquoi ?

— Le mobile ?

— Eh bien, c'est évident, non ? Le même que vous, Hole. La vengeance. Nous sommes dans une vendetta classique, vous avez tué mon fils, je tue votre femme. C'est ce que nous nous faisons, nous autres, les humains, c'est ce qui nous distingue des animaux ; nous nous vengeons. C'est rationnel, mais nous n'avons même pas besoin de l'envisager comme un acte de raison, nous sentons juste que c'est délicieux. N'est-ce pas le cas pour vous, là, Hole ? Vous faites de votre douleur celle d'un autre. Quelqu'un dont vous pouvez vous convaincre qu'il porte la faute de votre souffrance.

— Prouvez-le.

— Prouver quoi ?

— Que vous l'avez tuée. Racontez-moi quelque chose que vous n'auriez pas pu savoir autrement sur le meurtre ou les lieux du crime.

— "Pour Harri". Avec un "i". »

Harry cligna des yeux.

« "De la part d'Oleg", continua Finne. C'est pyrogravé sur une planche à pain accrochée au mur entre les placards et la cafetière. »

Dans le silence qui suivit, on n'entendit rien d'autre que le sang qui tombait en gouttes d'une régularité métronomique.

« Vous avez vos aveux. » Finne se racla la gorge, puis cracha. « Ce qui vous donne deux possibilités. Vous pouvez me mettre en détention provisoire et me faire condamner par la loi norvégienne. C'est ce que fait un policier. Ou alors vous pouvez faire ce que font les tueurs. »

Harry acquiesça d'un signe de tête. Il s'accroupit une nouvelle fois. Il prit le dé, creusa les mains et le secoua avant de le laisser rouler sur le sol en béton. Il le regarda pensivement. Puis il l'enfonça dans sa poche, saisit le couteau et se leva. Le soleil qui filtrait entre les planches fit scintiller la lame. Il se posta derrière Finne, mit son bras gauche autour de son front et bloqua sa tête contre sa poitrine.

« Hole ? » La voix était devenue un peu plus aiguë. « Hole, ne... » Finne tira d'un coup sec sur ses menottes et Harry sentit le tremblement de son corps.

Enfin, une once de crainte devant la mort.

Harry souffla et lâcha le couteau dans sa poche de veste. Il continua de tenir la tête alors qu'il sortait un mouchoir de son pantalon et frottait avec le visage de Finne. Il essuya le sang sous son nez, autour de sa bouche et sur son menton. Finne souffla par le nez et jura, mais il n'opposa pas de résistance. Harry déchira deux bouts de mouchoir et les lui fourra dans les narines. Puis il renfonça le mouchoir dans sa poche, contourna le banc et contempla le résultat. Finne haletait comme s'il avait couru un quatre cents mètres. Harry avait frappé essentiellement avec le tee-shirt enroulé autour de son poing, il n'y avait pas de coupures, juste des tuméfactions et du sang qui avait coulé de son nez.

Harry sortit, tassa de la neige dans le tee-shirt et revint l'appliquer sur le visage de Finne.

« Tenter de me rendre plus présentable et prétendre que ça n'est jamais arrivé ? demanda Finne qui avait déjà retrouvé son calme.

— C'est trop tard, ça, répondit Harry, mais ma sanction dépendra de l'étendue de mauvais traitements, donc disons que c'est un effort pour limiter les dégâts. Et puis d'ailleurs vous m'avez provoqué parce que vous vouliez que je vous frappe.

— Ah oui, je le voulais ?

— Bien sûr. Vous vouliez donner à votre avocat des preuves matérielles que vous avez été maltraité pendant un interrogatoire de police. Parce que n'importe quel juge refusera à la police de présenter des preuves obtenues par des méthodes non réglementaires. C'est sans doute pour ça que vous avez avoué. Parce que vous partiez du principe que vos aveux vous sortiraient d'ici tout en ne vous coûtant rien plus tard.

— Peut-être bien. Vous n'avez en tout cas pas l'intention de me tuer.

— Non ?

— Vous l'auriez fait tout à l'heure. Peut-être que je me trompe, peut-être que vous n'avez pas ça en vous, finalement.

— Vous voulez dire que je devrais ?

— Comme vous l'avez dit vous-même, c'est trop tard maintenant, un sac de glace ne va pas réparer ça. Je vais rester libre. »

Harry ramassa son téléphone sur le banc. Il éteignit son enregistreur et appela Bjørn Holm.

« Oui ?

— C'est Harry. J'ai Svein Finne. Il vient de m'avouer le meurtre de Rakel et j'ai un enregistrement. »

Il y eut un blanc et Harry entendit des pleurs d'enfant.

« Vraiment ? articula lentement Bjørn.

— Vraiment. Je voudrais que tu viennes l'arrêter.

— Moi ? Mais tu ne viens pas de dire que tu l'avais déjà arrêté ?

— Pas arrêté, non, dit Harry en regardant Finne. Je suis suspendu donc en l'espèce, je ne suis qu'une personne privée qui retient une autre personne privée contre sa volonté. Finne pourra éventuellement porter plainte contre moi à cause de ça, mais je suis sûr qu'on me jugera avec clémence dans la mesure où c'est l'homme qui a tué ma femme. L'essentiel est qu'il soit maintenant arrêté et entendu de façon réglementaire par des policiers.

— Je vois. Vous êtes où ?

— À la casemate allemande au-dessus de l'École navale. Finne est attaché à un banc à l'intérieur.

— D'accord, et toi ?

— Eh bien…

— Non, Harry.

— Non, quoi ?

— Je n'ai pas la force d'aller te ramasser dans un bar ce soir.

— Hmm. Je t'envoie le fichier audio par mail. »

Mona Daa se posta à l'entrée du bureau du rédacteur en chef. Il était au téléphone. « Ils ont arrêté quelqu'un pour le meurtre de Rakel Fauke, déclara-t-elle tout haut.

— Il faut que j'y aille, fit le rédacteur, qui raccrocha sans attendre de réponse et leva les yeux. Tu es sur l'affaire, Daa ?

— Mon papier est déjà écrit.

— Publie ! Quelqu'un d'autre a déjà publié ?

— Nous avons reçu le communiqué de presse il y a cinq minutes, il va y avoir une conférence de presse à seize heures. Ce que je voulais voir avec toi, c'est si nous donnons le nom de la personne arrêtée ou non.

— Le nom était-il mentionné dans le communiqué de presse ?
— Bien sûr que non.
— Alors pourquoi l'as-tu ?
— Parce que je suis une de tes meilleurs journalistes.
— En cinq minutes ?
— La meilleure, en fait.
— Alors qui est-ce ?
— Svein Finne. Condamnations pour agressions, viols, un casier long comme une mauvaise année. On balance son nom ? »

Le rédacteur en chef passa la main sur son crâne rasé. « Eh bien. Pas évident. »

Mona connaissait bien sûr le dilemme. Dans l'article 4.7 de la charte déontologique des médias, la presse s'imposait de faire usage de précaution pour ce qui était de donner des noms quand elle parlait de comportements répréhensibles ou criminels, a fortiori à un stade précoce de l'enquête. L'identification devait se justifier par un besoin légitime d'information. D'un autre côté, son journal, *VG*, avait bien rendu public le nom d'un professeur dont le crime avait été d'envoyer des textos malséants à des femmes. Tout le monde convenait bien sûr que ce type était un porc, mais pour autant qu'ils sachent, ce n'était pas une infraction à la loi et il était difficile de voir en quoi le public avait besoin de connaître le nom du professeur. Dans le cas de Finne, on pouvait justifier la publication du nom par le fait que le public avait besoin de savoir de qui il fallait se méfier, mais était-on bien en présence de ce que la charte qualifiait de « … risque imminent d'agression de personnes sans défense, en cas d'actes criminels graves et répétés » quand Finne était en détention provisoire ?

« On attend avant de mettre son nom, conclut le rédacteur en chef, mais révèle son casier et dis que *VG* sait qui c'est. Comme ça, on aura au moins une étoile auprès de la Commission professionnelle de la presse.

— C'est ce que j'ai fait, mon papier est prêt. Nous avons aussi mis la main sur une nouvelle photo inédite de Rakel.

— Formidable. »

Le rédacteur avait raison. Au bout d'une semaine et demie de couverture intense du meurtre, l'iconographie commençait à être un peu répétitive.

« Une photo de son mari policier sous le titre de l'article, peut-être ? »

Mona Daa cligna des yeux. « Tu veux dire Harry Hole juste au-dessous d'"Arrestation d'un suspect dans l'affaire Rakel" ? N'est-ce pas un peu trompeur ? »

Le rédacteur en chef haussa les épaules. « Ils verront vite de quoi il s'agit en lisant le papier. »

Mona Daa hocha lentement la tête. L'effet de choc du célèbre visage moche-beau de Harry Hole sous un tel titre donnerait naturellement davantage de clics de plus qu'une photo de Rakel, encore une. Les lecteurs leur pardonneraient ce malentendu apparemment involontaire, ils le faisaient toujours. Les gens ne voulaient pas être trompés pour de vrai, mais ça ne les dérangeait pas de se faire mener un peu en bateau d'une manière divertissante. Alors pourquoi Mona Daa avait-elle tant d'aversion pour cet aspect d'un boulot qu'elle adorait en tous points par ailleurs ?

« Mona ?

— Je m'en occupe. » D'une poussée, Mona s'écarta du chambranle. « Ça va être explosif. »

21

Dans le bureau du directeur de la police, Katrine Bratt réprima un bâillement en espérant qu'aucune des trois autres personnes autour de la table ne l'avait remarqué. La journée précédente s'était terminée tard après la conférence de presse sur l'arrestation dans l'affaire Rakel. Quand elle était enfin rentrée et s'était couchée, le petit l'avait maintenue éveillée pendant la majeure partie de la nuit. Il y avait peut-être toutefois de l'espoir qu'aujourd'hui ne soit pas une journée marathon. Le nom de Svein Finne n'ayant été publié dans aucun média, on était dans un creux, un œil du cyclone où régnait effectivement le calme – en tout cas pendant un temps – mais il était encore trop tôt le matin pour savoir ce que cette journée allait apporter.

« Merci de nous recevoir aussi rapidement, fit Johan Krohn.

— C'est la moindre des choses, répondit le directeur de la police Gunnar Hagen en hochant la tête.

— Bien. À nos affaires, alors. »

La phrase standard d'un homme qui se sentait chez lui dans les « affaires », songea Katrine. Car s'il aimait manifestement avoir les projecteurs braqués sur lui, Johan Krohn était avant tout un obsédé du droit. Un avocat désormais célèbre, qui approchait la cinquantaine avec une éternelle allure d'adolescent, un ancien souffre-douleur qui portait maintenant comme une armure sa renommée professionnelle et son autosatisfaction toute neuve. Cette histoire de souffre-douleur, Katrine l'avait lue dans un hebdomadaire. Ce n'était certes pas le passage-à-tabac-à-toutes-les-récrés que Katrine avait subi dans son enfance, mais plutôt de la moquerie et un harcèlement général, ainsi que des anniversaires et des jeux auxquels il n'était jamais invité, le genre de mauvais traitements dont, à l'heure actuelle, une célébrité sur deux déclarait avoir été victime, pour être ensuite encensée pour sa franchise et sa sincérité. Krohn affirmait avoir raconté son histoire pour rendre les choses plus faciles à d'autres premiers de la classe qui se faisaient embêter à l'école. Katrine trouvait donc curieux que ses compétences juridiques remarquables soient contrebalancées par son manque d'empathie. Enfin, elle savait qu'elle était injuste, ils étaient – comme maintenant – chacun de leur côté de la table, et ce n'était pas le boulot de Krohn d'avoir de l'empathie pour les victimes. La capacité des avocats de la défense à débrancher leur empathie avec la victime pour ne se concentrer que sur le bien de leurs clients était peut-être même une condition de la sécurité juridique. Du succès personnel de Krohn aussi. Ce qui la tracassait. Tout comme les nombreuses affaires qu'elle avait perdues face à lui.

Krohn jeta un coup d'œil sur la montre Patek Philippe à son poignet gauche tout en levant la main droite vers la jeune femme qui était assise à côté de lui, vêtue d'un tailleur Hermès discret, mais d'un prix sûrement exorbitant, et qui avait très certainement obtenu son diplôme de droit avec des notes brillantes. Katrine Bratt comprit que les viennoiseries rassies, les restes d'une réunion de la veille si elle ne se trompait pas, n'allaient pas être consommées cette fois non plus.

D'un geste exercé – l'infirmière de bloc tendant le scalpel au chirurgien –, la jeune femme plaça un dossier jaune dans la main de Krohn.

« L'affaire a été très médiatisée, observa Krohn. Ce qui ne sert ni mon client ni vous. »

Mais qui te sert toi, songea Katrine en se demandant si on attendait d'elle qu'elle serve le café aux invités et au directeur de la police.

« Je suppose qu'il est dans l'intérêt de tous que nous parvenions à un accord aussi vite que possible. » Krohn ouvrit le dossier, mais ne le regarda pas. Katrine ne savait pas si la mémoire photographique parfaite de Krohn était un mythe ou une réalité, si son numéro attitré dans les soirées avait véritablement été de demander à ses condisciples de lui indiquer un chiffre entre un et trois mille sept cent soixante pour ensuite réciter le contenu de cette page des Lois de Norvège. Soirées de nerds. Les seules auxquelles Katrine avait été invitée quand elle était étudiante. Parce qu'elle était si belle, et parce qu'elle ne faisait partie d'aucun cercle, malgré ses vêtements en cuir et sa coiffure punk. Elle ne traînait pas avec les punks, et elle ne traînait pas avec les normaux qui avaient tout dans la vie. Donc les coincés-qui-regardaient-leurs-chaussures l'avaient invitée dans leur groupe chaleureux, mais, refusant d'endosser le rôle classique de la jolie-fille-solidaire-des-nerds-si-adorablement-inadaptés, elle déclinait leurs invitations. Car Katrine Bratt avait assez à faire avec elle-même. Largement assez. Une pluie de diagnostics psychiatriques. D'une manière ou d'une autre, elle s'en était pourtant sortie.

« Dans le sillage de l'arrestation de mon client pour suspicion du meurtre de Rakel Fauke, ont donc surgi trois plaintes pour viol, poursuivit Krohn. L'une a été déposée par une héroïnomane qui a déjà perçu des dommages et intérêts de l'État à deux reprises avec des dossiers pour le moins ténus et sans qu'il y ait eu de condamnation. D'après ce que j'ai cru comprendre, la deuxième a demandé à retirer sa plainte aujourd'hui. La troisième, Dagny Jensen, n'a pas de dossier tant qu'il n'y a pas de preuves matérielles et l'explication de mon client est qu'elle avait clairement donné son consentement. Même un homme qui a purgé une peine doit tout de même avoir droit à une vie sexuelle sans devenir le gibier de la police ou de toute femme qui a des regrets le lendemain, non ? »

Katrine chercha des signes de réaction chez la jeune femme aux côtés de Krohn, elle n'en trouva pas.

« Nous savons ce que ces affaires floues de viol exigent de la police, et il y en a donc trois. » Krohn avait le regard braqué droit devant lui, comme si le texte invisible de son discours y flottait. « Maintenant, je ne suis pas là pour défendre les intérêts de la société, mais, comme je le disais, je crois que, dans cette affaire précise, nos intérêts pourraient converger. Mon client s'est dit prêt à faire des aveux dans l'affaire de meurtre s'il n'y a pas d'accusation de viol. Il s'agit d'une affaire de meurtre où, si j'ai bien compris, tout ce que vous avez est… » Krohn regarda dans ses papiers comme pour s'assurer que c'était vraiment ça. « … une planche à pain, des aveux sous la torture et une vidéo qui pourrait montrer n'importe qui, peut-être même venir d'un film. » Krohn leva de nouveau les yeux avec une mine interrogatrice.

Gunnar Hagen regarda Katrine.

Laquelle toussota. « Du café ?

— Non, merci. » Krohn gratta – ou peut-être lissa – délicatement son sourcil avec son index. « Si nous nous mettions d'accord, mon client envisagerait aussi de retirer sa plainte contre l'inspecteur principal Harry Hole pour séquestration et coups et blessures.

— Le titre d'inspecteur principal n'a pas lieu d'être dans ce contexte, grogna Hagen. Harry Hole a agi comme personne privée. Si des gens de la maison enfreignaient la loi en service, je porterais plainte moi-même.

— Bien sûr, répondit Krohn. Je ne mets absolument pas en doute l'intégrité de la police, je ne faisais que le mentionner.

— Alors vous savez sûrement que la police norvégienne n'a pas l'habitude de se livrer au genre de tractations douteuses dont vous parlez. Une réduction de peine, d'accord, mais abandonner l'accusation de viol…

— Je comprends que le directeur de la police ait des réserves, mais puis-je rappeler que mon client n'est pas très loin des quatre-vingts ans et que, soyons réalistes, s'il était condamné pour meurtre à son âge, il mourrait en prison. Honnêtement, qu'il y soit pour meurtre ou pour viol, je ne vois pas quelle grande différence cela ferait. Donc au lieu de vous cramponner à des principes qui ne servent personne, que diriez-vous de demander aux femmes qui ont porté plainte pour viol contre mon client ce qu'elles préfèrent : savoir que Svein Finne va mourir dans une cellule dans les douze années qui viennent ou le revoir dans la rue dans quatre ans. Pour ce qui est de l'indemnisation, je suis sûr que mon client et les parties prétendument lésées pourront trouver un arrangement à l'amiable hors du système judiciaire. »

Krohn rendit le dossier à la juriste et Katrine la vit le regarder avec un amour et une joie mêlés de crainte. Elle était passablement certaine qu'après les heures de bureau ces deux-là s'envoyaient en l'air sur les meubles en cuir sombre du cabinet d'avocats.

« Merci. » Hagen se leva en tendant la main par-dessus la table. « Vous aurez de nos nouvelles sous peu. »

Katrine se leva aussi et serra la main étonnamment moite et molle de Krohn. « Et comment votre client le prend-il ? »

Krohn la regarda d'un air grave. « Mal, bien sûr, il est très abattu. »

Katrine savait qu'elle ne devrait pas, mais elle ne put s'en empêcher : « Alors vous pourriez peut-être prendre une viennoiserie pour lui remonter un peu le moral ? De toute façon, nous allons les jeter. »

Le regard de Krohn s'attarda un instant sur elle avant de se fixer sur le directeur de la police. « J'espère avoir de vos nouvelles dans le courant de la journée. »

Quand ils sortirent du bureau du directeur de la police, Katrine constata que la jupe de la groupie de Krohn était si serrée qu'elle devait faire au moins trois pas quand lui n'en faisait qu'un. Elle évalua brièvement les conséquences éventuelles d'un lancer de viennoiseries par la fenêtre au moment où ils sortaient de l'hôtel de police.

« Alors ? fit Gunnar Hagen quand la porte se fut refermée derrière eux.

— Pourquoi présente-t-on systématiquement les avocats de la défense comme les chevaliers errants de la justice ? »

Hagen rit doucement. « Ce sont les opposants nécessaires de l'État policier, Katrine, et l'objectivité n'a jamais été ton fort. Ni la maîtrise de soi.

— La maîtrise de soi ?

— Remonter le moral ? »

Katrine haussa les épaules. « Qu'est-ce que tu penses de sa proposition ? »

Hagen se frotta le menton. « Qu'elle est problématique, mais c'est clair, chaque jour qui passe, la pression ne fait qu'augmenter dans l'affaire Rakel et si nous ne réussissons pas à faire condamner Finne, ce sera l'échec de la décennie. D'un autre côté, laisser tomber trois plaintes avec toute l'encre qui a coulé ces dernières années sur les violeurs qui restent en liberté… Qu'en penses-tu, Katrine ?

— Je déteste ce type, mais sa proposition est raisonnable. Je trouve que nous devrions être pragmatiques et regarder la situation dans sa globalité. Laisse-moi parler aux femmes qui ont porté plainte contre lui.

— D'accord. » Hagen toussota doucement. « À propos d'objectivité…

— Oui ?

— Ton jugement ne serait pas légèrement influencé par le fait que cette solution pourrait impliquer aussi l'absence de poursuites contre Harry, par hasard ?

— Quoi ?

— Vous avez été des collègues proches et…

— Et ?

— Et je ne suis pas aveugle, Katrine. »

Elle alla à la fenêtre, regarda le petit chemin qui partait de l'hôtel de police et traversait le Botspark, où la neige avait enfin battu pleinement en retraite, pour descendre vers la circulation au ralenti de Grønlandsleiret.

« As-tu déjà fait une chose que tu regrettais, Gunnar ? Je veux dire regrettais vraiment.

— Hmm. On parle toujours de travail policier ?

— Pas nécessairement.

— Tu cherches à me dire quelque chose ? »

Katrine songea à la libération que ce serait de le dire à quelqu'un. Que quelqu'un sache. Elle s'était imaginé que le fardeau, le secret, serait plus facile à porter avec le temps, mais c'était l'inverse, chaque jour qui passait, il s'alourdissait.

« Je le comprends, dit-elle tout bas.

— Krohn.

— Non, Svein Finne. Je comprends qu'il veuille avouer. »

22

Dagny Jensen posa ses mains sur le pupitre froid et regarda la policière aux cheveux sombres qui était assise à la table juste devant elle. C'était la récréation et elle entendait les rires et les cris des élèves dans la cour.

« Je comprends que ce ne soit pas une décision facile à prendre, dit la femme qui s'était présentée comme Katrine Bratt, directrice de la Brigade criminelle de la circonscription policière d'Oslo.

— J'ai l'impression que la décision a déjà été prise pour moi, répondit Dagny.

— Nous ne pouvons évidemment pas vous forcer à retirer une plainte.

— Mais dans les faits, c'est ce que vous faites. Vous reportez sur moi la responsabilité de ce qu'il puisse être condamné dans cette affaire de meurtre. »

La policière baissa les yeux.

« Vous savez quel est le but principal de l'Éducation nationale norvégienne ? demanda Dagny. Apprendre aux élèves à devenir des citoyens responsables, leur apprendre que c'est une obligation tout autant qu'un privilège. Bien sûr que je vais retirer ma plainte si cela signifie qu'on va pouvoir enfermer Svein Finne jusqu'à la fin de ses jours.

— En ce qui concerne les dommages et intérêts aux victimes de viol…

— Je ne veux pas d'argent. Je veux juste oublier. » Dagny consulta sa montre, quatre minutes avant la sonnerie. Elle avait hâte. Oui, même après dix ans d'enseignement, elle se réjouissait à la perspective de donner un cours, d'offrir à de jeunes gens ce qu'elle envisageait sincèrement comme le vecteur potentiel d'un avenir meilleur. Elle trouvait que cela avait du sens. Au fond, c'était tout ce qu'elle voulait. Ça, et oublier. « Vous me promettez que vous le ferez condamner ?

— Je vous le promets, déclara la policière en se levant.

— Harry Hole, dit Dagny. Que va-t-il advenir de lui ?

— Je ne sais pas, mais on peut espérer que l'avocat de Finne retirera la plainte pour enlèvement.

— Espérer ?

— Ce qu'il a fait, c'était illégal, bien entendu, et ce n'est pas comme ça que la police doit travailler, mais il s'est sacrifié pour que nous puissions prendre Finne.

— Tout comme il m'a sacrifiée moi pour sa revanche personnelle.

— Comme je le disais, je ne veux pas défendre les méthodes de Harry Hole dans cette affaire, mais le fait est que sans lui, Svein Finne aurait probablement pu continuer de vous terroriser et de terroriser d'autres femmes. »

Dagny Jensen hocha lentement la tête.

« Je dois repartir pour préparer l'interrogatoire. Je vous remercie de nous aider. Je vous promets que vous ne le regretterez pas. »

23

« Non, non, vous ne me dérangez absolument pas, madame Bratt. » Johan Krohn coinça son portable entre son oreille et son épaule tout en reboutonnant sa chemise. « Donc les trois plaintes sont retirées ?

— Combien de temps vous faut-il pour pouvoir venir en interrogatoire avec Finne ? »

Johan Krohn appréciait ses « R » gutturaux de Bergen. C'est-à-dire en fait que Bratt ne les prononçait pas, elle les suggérait. Comme une langue juste assez longue. Katrine Bratt lui plaisait. Elle était belle, intelligente et elle lui offrait de la résistance. Le fait qu'elle porte une alliance ne signifiait pas forcément grand-chose. Il en était la preuve vivante. Et il trouvait aussi un petit peu excitant qu'elle semble si tendue. Cette tension que ressent l'acheteur qui a donné sa mallette pleine d'argent au dealer et attend le sac contenant la drogue. Krohn alla à la fenêtre, créa un jour dans le store en glissant l'index et le pouce entre les lattes, et contempla Rosenkrantz gate, cinq étages au-dessous du cabinet d'avocats. Il était à peine quinze heures, mais à Oslo, cela voulait dire que c'était l'heure de pointe. Sauf quand on était avocat. Johan Krohn se demandait parfois ce qui allait se passer le jour où il n'y aurait plus de pétrole et où le peuple norvégien devrait de nouveau répondre aux attentes du vrai monde. L'optimiste en lui disait que tout irait très bien, que les gens s'adaptaient plus vite qu'on ne pensait, qu'il suffisait de regarder les pays qui se retrouvaient en situation de guerre. Le réaliste, en revanche, disait que, dans un pays sans tradition d'innovation et de travail cérébral poussé, ce serait retour à la case départ et la Norvège reviendrait au bas de l'échelle économique européenne.

« Nous pouvons être là dans deux heures, répondit Krohn.

— Bien.

— À tout à l'heure, madame Bratt. »

Krohn raccrocha et resta un instant immobile, sans savoir où mettre son téléphone.

« Tiens », fit une voix dans l'obscurité. Il s'avança vers le canapé Chesterfield et prit le pantalon qu'on lui tendait.

« Alors ?

— L'appât a marché, annonça Krohn en s'assurant qu'il n'y avait pas de taches sur son pantalon avant de l'enfiler.

— Il y a un appât ? Comme dans "mordre à l'hameçon" ?

— Ce n'est pas à moi qu'il faut le demander, dans ce cas précis, je ne fais que suivre les instructions du client.

— Mais tu crois qu'il y a un hameçon ? »

Krohn haussa les épaules et chercha du regard ses chaussures. « Je suppose que je vois chez les autres ce qu'il y a en moi. »

Il s'assit à la table massive en chêne noir – *Quercus velutina* – qui avait appartenu à son père, et composa un numéro de téléphone.

« Mona Daa. » La voix énergique de la chroniqueuse judiciaire de *VG* grésilla dans la pièce par le haut-parleur.

« Bonjour, mademoiselle Daa, ici Johan Krohn. D'habitude, c'est vous qui m'appelez, mais cette fois, je vais prendre l'initiative. J'ai une affaire qui mériterait une certaine couverture dans votre journal.

— S'agit-il de Svein Finne ?

— Oui. La police d'Oslo vient de me confirmer qu'elle abandonne l'enquête sur les allégations infondées de viol qui sont venues s'ajouter au chaos entourant cette suspicion de meurtre.

— Et je peux vous citer là-dessus ?

— Vous pouvez citer que je confirme les rumeurs qui circulaient sur le sujet et qui étaient, je suppose, la raison pour laquelle vous m'avez appelé. »

Pause.

« Je vois, mais je ne peux pas faire de papier là-dessus, Krohn.

— Alors écrivez que je l'ai communiqué pour devancer la rumeur. Peu importe que vous ayez entendu les rumeurs ou non. »

Nouvelle pause.

« Soit. Pouvez-vous me donner des détails sur…

— Non ! coupa Krohn. Vous pourrez en avoir davantage ce soir. Et attendez dix-sept heures avant de publier.

— Bien donné ne se reprend plus, Krohn ; mais si je l'ai en exclusivité…

— C'est à vous et vous seule, ma chère. À plus tard au téléphone.

— Juste une dernière chose. Comment avez-vous obtenu mon numéro, il n'est écrit nulle part ?

— Comme je le disais, vous m'avez appelé sur mon téléphone mobile et le numéro s'affiche alors sur l'écran.

— Donc vous l'avez enregistré ?

— Moui, dans un sens. » Krohn raccrocha et se tourna vers le canapé en cuir. « Ma petite Alise, si tu arrives à renfiler cette jupe, nous avons un peu de travail. »

Bjørn Holm était sur le trottoir du Jealousy Bar à Grünerløkka. Il entrebâilla la porte et entendit à la musique qui s'en échappait qu'il allait sans doute le trouver là. Il tira la poussette derrière lui dans la salle quasiment vide. C'était un bar de taille moyenne, style pub anglais, avec des tables en bois simples devant un grand comptoir et d'autres avec banquettes formant des loges le long des murs. Il n'était que dix-sept heures et les lieux allaient se remplir dans la soirée. Pendant la brève période où ils avaient dirigé le Jealousy, Øystein Eikeland et Harry avaient réussi à en faire ce phénomène rare qu'était un bar où on venait pour la musique. Pas de sets de DJ sophistiqués, juste des chansons, les unes après les autres, dictées par le thème du soir, indiqué sur le programme de la semaine à la porte. Bjørn avait pu endosser le rôle de consultant pour les soirées country et Elvis, et, plus mémorablement, quand il avait fallu faire la playlist des chansons-de-plus-de-quarante-ans-d'artistes-et-de-groupes-venant-d'États-américains-qui-commencent-par-un-M.

Harry était assis au comptoir, la tête penchée, le dos tourné. De l'autre côté, Øystein Eikeland salua le nouvel arrivant en levant une pinte de bière. Ça n'augurait rien de bon, mais au moins, Harry se tenait encore droit.

« Interdit aux moins de vingt ans, mon pote ! » cria Øystein par-dessus la musique, « Good Time Charlie's Got the Blues », début des années soixante-dix, le seul hit de Danny O'Keefe. Pas la musique typique de Harry, mais tout à fait le genre de chansons qu'il dépoussiérait pour les passer au Jealousy Bar.

« Même accompagné d'un adulte ? » Bjørn parqua la poussette devant une banquette.

« Et depuis quand tu es adulte, au juste, Holm ? » Øystein posa sa pinte.

Bjørn sourit. « Tu le deviens à l'instant où tu vois ton gosse pour la première fois et où tu réalises qu'il est complètement à l'ouest et qu'il va avoir carrément besoin de toute ton aide. Comme lui, là. » Bjørn posa la main sur l'épaule de Harry. Il se rendit alors compte que celui-ci n'avait la tête baissée que parce qu'il lisait sur son téléphone.

« Tu as vu le papier de *VG* sur l'arrestation ? » demanda Harry en levant une tasse. Du café, constata Bjørn.

« Oui. Ils ont mis une photo de toi.

— Ça, à la rigueur, je m'en fous, mais regarde ce qu'ils viennent de publier. » Harry lui tendit son téléphone et Bjørn lut.

« Je vois qu'il est écrit que nous avons passé un marché, dit Bjørn. Meurtre contre viol. OK, ce n'est pas courant, mais ça arrive.

— Mais ce qui n'arrive pas, c'est que ce soit écrit dans le journal, remarqua Harry. En tout cas pas avant que l'ours soit tué.

— Tu penses qu'il n'est pas tué ?

— Quand tu conclus un pacte avec le diable, il faut te demander pourquoi le diable juge que c'est un bon marché.

— Tu ne serais pas un peu parano, là ?

— J'espère juste que nous aurons des aveux dans un interrogatoire de police en bonne et due forme. Ce que j'ai pu enregistrer dans la casemate, un avocat comme Krohn peut le démonter.

— Maintenant que c'est dans le journal et tout, il est bien obligé de faire des aveux. Sinon on lui collera les affaires de viol. Katrine est d'ailleurs en train de l'interroger en ce moment même.

— Hmm. » Harry pianota sur son téléphone et le leva à son oreille. « Il faut que j'informe Oleg, alors. Qu'est-ce que tu fabriques ici, au fait ?

— Je… hé hé… j'ai promis à Katrine que j'allais vérifier que tout allait bien. Tu n'étais ni chez toi ni au Schrøder. Après l'autre jour, je croyais que tu n'avais plus droit de cité ici…

— Oui, mais ce con ne va pas venir travailler avant ce soir. » Harry fit un signe de tête vers la poussette. « Je peux jeter un œil ?

— Il est très sensible à la présence humaine, ça le réveille.

— OK. » Harry baissa le téléphone de son oreille. « Occupé. Tu as des suggestions pour la playlist de jeudi prochain ?

— Thème ?

— Les reprises qui sont meilleures que l'original.

— Joe Cocker, "A Little…

— Elle est déjà dedans. La version de Francis and the Lights de "Can't Tell Me Nothing" ?

— Kanye West ? T'es pas bien, Harry ?

— OK, et une chanson de Hank Williams ?

— T'as complètement perdu la boule ou quoi ? Personne ne fait Hank mieux que Hank.

— Et la reprise de Beck de "Your Cheatin' Heart" ?

— Tu veux que je t'en colle une ou quoi ? »

Harry et Øystein rirent et Bjørn comprit qu'on se fichait de lui.

Harry passa un bras autour de ses épaules. « Tu me manques, mon pote. Est-ce qu'on ne pourrait pas élucider un meurtre franchement bestial bientôt ? »

Bjørn acquiesça en scrutant avec stupéfaction le visage souriant de Harry. L'éclat d'une intensité surnaturelle de ses yeux. Il avait peut-être réellement disjoncté ? Le chagrin l'avait peut-être enfin fait basculer. Mais ce fut alors comme si le sourire de Harry cédait, comme du verglas craquant un matin d'octobre, et Bjørn vit de nouveau les abysses noirs et désespérés de la douleur. Comme si Harry avait juste voulu goûter la joie. Avant de la recracher. « Si, répondit doucement Bjørn. Ça devrait pouvoir se faire. »

Katrine regardait fixement le voyant rouge au-dessus du micro, l'enregistrement était lancé. Elle savait que si elle levait les yeux, son regard croiserait celui de Svein « le Fiancé » Finne. Ce qu'elle ne souhaitait pas. Non par peur d'être influencée, mais parce qu'elle craignait que cela ne l'influence lui. Vu son rapport manifestement dérangé aux femmes, ils avaient discuté de l'opportunité de le faire interroger par un homme, mais la lecture d'anciens procès-verbaux d'auditions semblait indiquer qu'il s'était ouvert davantage les fois où il avait été interrogé par une femme. Avait-ce été avec ou sans contact visuel ? Katrine l'ignorait.

Elle avait mis un chemisier qui ne devait ni paraître osé ni donner l'impression qu'elle avait peur de son regard. Elle lança un coup d'œil vers la salle de contrôle, où un agent s'occupait du matériel d'enregistrement. Il avait la compagnie de Magnus Skarre, du groupe d'enquête, et de Johan Krohn qui, avec quelque réticence, avait quitté la salle d'interrogatoire quand Finne lui-même avait demandé à être seul avec Katrine. Celle-ci fit un bref signe de tête à l'agent, qui répondit d'un signe de tête aussi. Elle lut le numéro de l'affaire, énonça son nom et celui de Finne, le lieu, la date et l'heure. C'était une pratique ancienne qui datait de l'époque où on pouvait perdre des bandes, mais cela servait aussi à rappeler que la partie formelle de l'interrogatoire avait commencé.

« Oui, répondit Finne avec un petit sourire et une diction exagérément claire quand Katrine lui demanda si on lui avait notifié ses droits et le fait que l'interrogatoire était enregistré.

— Commençons par le soir et la nuit du 10 mars. Appelée ci-après nuit du meurtre. Que s'est-il passé ?

— J'avais pris des cachets. »

Katrine garda les yeux baissés pendant qu'elle notait.

« Valium. Stesolid. Ou Rohypnol. Peut-être un peu de tout. »

La voix de Finne lui évoquait le bruit des roues du tracteur de son grand-père sur le gravier de Sotra.

« Donc c'est peut-être pour ça que tout cela reste un peu flou pour moi », poursuivit-il.

Katrine cessa de noter. Flou ? Elle sentit une saveur métallique au fond de sa gorge, le goût de la panique. Avait-il l'intention de se rétracter ?

« Ou alors c'est juste parce que je deviens toujours un peu vaseux quand je suis excité. »

Katrine leva les yeux. Le regard de Svein Finne captura le sien. Elle eut le sentiment d'une vrille dans son cerveau.

Il s'humecta les lèvres, sourit, baissa la voix. « Mais je me souviens toujours du principal. C'est pour ça qu'on le fait, non ? Pour les souvenirs qu'on peut emporter et utiliser dans les moments de solitude. »

Avant de baisser de nouveau les yeux sur ses notes, Katrine eut le temps de voir la main droite qui montait et descendait pour lui dépeindre la scène.

Skarre avait plaidé en faveur des menottes, mais Katrine avait rejeté l'idée : croire qu'il leur faisait peur lui conférerait une supériorité psychologique. Cela pourrait le tenter de jouer avec eux. Et là, une minute après le début de l'interrogatoire, c'était exactement ce qu'il faisait.

Katrine regarda dans les papiers qu'elle avait devant elle. « Si vous avez du mal à vous souvenir, nous pouvons parler des trois affaires de viol que j'ai ici. Avec des témoignages qui devraient vous aider en cas de trous de mémoire.

— Touché, fit Finne – et sans lever les yeux, elle sut qu'il souriait toujours –, mais comme je le disais, je me souviens de l'essentiel.

— Dites-moi.

— J'y suis arrivé autour de neuf heures du soir. Elle avait mal au ventre et était plutôt pâle.

— Attendez. Comment êtes-vous entré ?

— C'était ouvert, donc je suis entré directement. Elle a crié, crié. Elle avait tellement peur. Donc je l'ai tenue.

— Clef de cou ? Prise de lutte ?

— Je ne m'en souviens plus. »

Elle savait qu'ils allaient trop vite, qu'il lui fallait obtenir plus de détails, mais là, il s'agissait avant tout d'obtenir des aveux avant qu'il ne change d'avis. « Et puis ?

— Elle avait très mal. Le sang coulait. Je me suis servi d'un c-couteau...

— Le vôtre ?

— Non, un plus tranchant, un que j'ai trouvé sur place.

— Où l'avez-vous employé ?

— I-ici.

— La personne interrogée désigne son ventre, dit Katrine.

— Son nombril, précisa Finne d'une voix enfantine affectée. Son nombril.

— Son nombril », répéta Katrine en ravalant sa nausée. Et son sentiment de triomphe. Ils avaient les aveux. Le reste n'était qu'une cerise sur le gâteau.

« Pourriez-vous décrire Rakel Fauke ? Et la cuisine ?

— Rakel ? Belle. Comme v-vous, Katrine. Vous vous ressemblez.

— Qu'est-ce qu'elle portait ?

— Je ne m'en souviens pas. On vous a déjà dit combien vous vous ressemblez ? Comme des s-s-sœurs.

— Décrivez la cuisine.

— Une prison. Des barreaux en fer forgé devant les fenêtres. On aurait presque pu croire qu'ils avaient peur de quelqu'un. » Finne rit. « On dit que c'est bon, Katrine ?

— Bon ?

— J'ai des ch-choses à faire. »

Katrine ressentit une légère panique. « Mais nous venons de commencer.

— Mal à la tête. C'est dur d'évoquer des choses aussi traumatisantes, vous le comprenez sûrement.

— Répondez juste à...

— Ce n'était pas une question, ma mignonne. J'ai fait ce que j'avais à faire ici. Si vous en voulez davantage, vous n'avez qu'à descendre me rendre visite dans ma cellule ce soir. Je suis l-libre.

— La vidéo que Dagny Jensen a reçue. Est-ce vous qui l'avez envoyée et montre-t-elle la victime ?

— Oui. » Finne se leva.

Du coin de l'œil, Katrine vit que Skarre se dirigeait déjà vers la porte. Elle leva une main en direction de la fenêtre pour l'arrêter. Elle baissa les yeux sur sa feuille de questions, essaya de réfléchir. Elle pouvait faire du forcing. Et risquer que Krohn fasse annuler les aveux en raison de méthodes d'interrogatoire excessivement dures. Ou alors elle pouvait se contenter de ce qu'elle avait, qui était largement suffisant pour justifier l'action du ministère public. Les détails, ils pourraient se les procurer plus tard, avant le procès. Elle consulta la montre que Bjørn lui avait offerte pour leur premier anniversaire de mariage.

« Fin de l'interrogatoire à quinze heures trente et une », conclut-elle.

En levant les yeux, elle s'aperçut qu'un Gunnar Hagen écarlate était entré dans la salle de contrôle et parlait à Johan Krohn. Skarre entra dans la salle d'interrogatoire et menotta Finne pour le ramener en cellule. Katrine vit Krohn répondre en haussant les épaules et Hagen devenir plus rouge encore.

« À plus tard, madame Bratt. »

Les mots avaient été prononcés si près de son oreille qu'elle sentit la fine pluie de postillons qui les accompagnait. Sur quoi Finne et Skarre sortirent. Elle vit Krohn leur emboîter le pas. Katrine s'essuya avec un mouchoir en papier avant de rejoindre Hagen.

« Krohn a parlé de notre marché à *VG*. C'est sur le site maintenant.

— Et qu'avait-il à dire pour sa défense ?

— Qu'aucune des parties n'avait fait de promesse de secret. Ensuite il m'a demandé si j'avais le sentiment d'avoir passé un marché qui ne tolérait pas le grand jour. Parce que ces marchés-là, lui les évitait.

— Cette espèce de raclure, cet hypocrite. Il veut juste se montrer, montrer ce qu'il arrive à faire.

— Espérons-le.

— Qu'est-ce que tu veux dire ?

— Krohn est un rusé et talentueux, mais j'en connais un qui est encore plus rusé. »

Katrine regarda Hagen. Elle se mordit la lèvre. « Son client, tu veux dire ? »

Hagen acquiesça, puis ils tournèrent tous deux les talons et franchirent la porte ouverte pour aller dans le couloir. Ils virent les dos de Finne, Skarre et Krohn qui attendaient l'ascenseur.

« Vous ne me dérangez jamais quand vous m'appelez, Krohn. » Mona Daa ajusta son écouteur tout en examinant son reflet dans le miroir qui couvrait tout un mur de la salle de sport. « Comme vous le verrez dans votre journal des appels, j'ai moi aussi essayé de vous joindre. À l'instar de tous les journalistes de Norvège, je suppose.

— On le dirait bien, en effet. Permettez-moi d'aller droit au but. Nous allons maintenant envoyer un communiqué de presse sur les aveux, où nous envisageons de mettre une photo de Finne prise il y a seulement deux semaines.

— Bien. Celles que nous avons doivent dater de dix ans.

— Vingt, en l'occurrence. La condition de Finne pour envoyer cette photo privée est que vous la publiiez en une.

— Pardon ?

— Ne me demandez pas pourquoi, mais c'est ce qu'il veut.

— Vous comprendrez sûrement que je ne puisse ni ne veuille faire une promesse pareille.

— Je comprends cette histoire d'intégrité journalistique, tout comme vous comprenez sûrement la valeur d'une telle photo. »

Mona inclina la tête en scrutant son corps. Avec la ceinture large qu'elle utilisait pour soulever des poids, son corps de pingouin (analogie due probablement à sa démarche en canard, qui lui venait d'une malformation congénitale) prenait temporairement une forme de sablier. Parfois, elle soupçonnait cette ceinture d'être la véritable raison pour laquelle elle consacrait tant d'heures à cette musculation absurde qui n'allait lui servir qu'à davantage de musculation absurde. Tout comme la reconnaissance personnelle était un moteur plus important dans son travail que d'être la chienne de garde de la liberté d'expression ou de la curiosité journalistique, et toutes ces foutaises qu'on avait l'habitude de débiter à la remise annuelle des prix de journalisme. Non qu'elle ne crût pas à tout cela, mais c'était de second ordre, ça venait après les rayons de soleil auxquels on se dorait – soi et sa vignette dans le journal –, après l'image dans le miroir dont on se repaissait. De ce point de vue, Finne n'était sans doute ni plus ni moins pervers quand il voulait avoir sa photo en grand dans le journal, même s'il était agresseur en série et tueur. Après tout, c'était ce qu'il faisait dans la vie, alors on pouvait peut-être comprendre qu'il veuille être pour le moins un agresseur et tueur célèbre. Comme chacun sait, quand on ne peut pas être aimé, le désir qui vient après est d'être craint.

« Mais c'est un dilemme hypothétique, déclara Mona Daa. Si la photo est à peu près de bonne qualité, nous voudrons à coup sûr la publier en grand. Surtout si vous nous laissez l'avoir une heure avant de l'envoyer aux autres, OK ? »

Roar Bohr appuya sa carabine, une Blaser R8 Professional, sur le rebord de la fenêtre et regarda par sa lunette de visée Swarovski X5i. Leur villa était située dans une pente à l'ouest du Ring 3, juste en contrebas du carrefour de Smestad. Par la fenêtre de sous-sol ouverte, il voyait le quartier résidentiel de l'autre côté du périphérique et Smestaddammen, un petit bassin artificiel peu profond, creusé au XIXe siècle pour approvisionner les bourgeois de la ville en glace.

Le point rouge de son viseur trouva un grand cygne blanc qui glissait sans mouvements sur la surface, comme poussé par le vent. Il se situait à quatre, cinq cents mètres de distance, bien au-delà de ce que leurs collègues américains des forces de la coalition appelaient le *maximum point blank range*. Sur la tête du cygne à présent. Bohr bougea le viseur de façon à ce que le point soit dans l'eau, juste au-dessus du corps du cygne. Il se concentra sur sa respiration. Il augmenta la pression sur la queue de détente. Même les jeunes recrues de Rena comprenaient que les balles avaient une trajectoire courbe parce que même les plus rapides subissaient la force de gravité, ce qui signifiait que plus on était loin, plus on devait viser haut. Les jeunes recrues comprenaient aussi que si la cible se situait plus haut dans le terrain, on devait viser encore un peu plus haut au-dessus d'elle, puisque la balle devait « peiner en montée ». Elles tendaient en revanche à moins bien accepter que, en présence d'une cible située plus bas que soi, on doive aussi viser plus haut – et non plus bas – qu'en terrain plat.

Roar Bohr voyait aux arbres qu'il n'y avait pas de vent. Autour de dix degrés. Le cygne se déplaçait à une vitesse d'environ un mètre seconde. Il imagina la balle filant à travers la petite tête. Le cou perdant sa cambrure et s'enroulant sur lui-même comme un serpent au-dessus du corps blanc comme la craie. Difficile, même pour un tireur d'élite du commando spécial de la défense. Pas plus toutefois que ce que ses collègues auraient attendu de Roar Bohr, ce qu'il aurait attendu de lui-même. Il relâcha son souffle et déporta sa lunette de visée vers l'îlot juste à côté du pont. C'était là que vivaient maman cygne et les enfants. Il fouilla du regard l'îlot, puis le reste du bassin, mais ne vit rien. Il soupira, cala sa carabine contre le mur et se dirigea vers l'imprimante qui caquetait laborieusement en faisant émerger le bout d'une feuille A4. Il avait fait une capture d'écran de la photo qui venait d'être publiée sur le site de *VG* et examinait maintenant le visage presque terminé. Nez épaté. Lèvres épaisses façonnées en rictus. Cheveux très tirés en arrière, probablement tressés dans la nuque, et qui devaient être ce qui donnait à Svein Finne ses yeux en amande et cet air hostile. L'imprimante cracha le reste de la page dans un dernier long soupir, comme si elle voulait écarter d'elle cet immonde personnage. Qui, avec une apparente morgue, venait d'avouer le meurtre de Rakel Fauke. Comme les talibans qui prétendaient avoir posé n'importe quelle bombe qui détonait en Afghanistan, en tout cas quand l'attaque avait réussi. Qui revendiquaient le meurtre, comme le faisaient parfois certains soldats en Afghanistan quand l'occasion se présentait. C'était parfois du pur pillage de tombe. Roar avait vu des soldats revendiquer des victimes que l'officier qui dirigeait le peloton révélait ensuite être l'œuvre d'un soldat tombé – après avoir regardé les enregistrements des caméras sur les casques de leurs propres morts.

Roar Bohr attrapa la feuille d'un geste sec et se dirigea vers le mur à l'autre bout du grand sous-sol. Il fixa la feuille sur l'une des cibles devant la boîte en métal qui récupérait les balles, revint sur ses pas. La distance était de dix mètres cinquante. Il ferma la fenêtre où il avait mis du triple vitrage plombé et chaussa son casque antibruit. Puis il ramassa son pistolet, un High Standard HD 22, qui était à côté de l'ordinateur, ne se positionna pas davantage qu'il ne pouvait compter en avoir le temps en situation de stress, braqua son arme sur la cible et fit feu. Une fois. Deux fois. Trois fois.

Bohr ôta son casque, prit le silencieux et entreprit de le visser sur son High Standard. Les silencieux modifiaient l'équilibre, donc c'était comme de s'entraîner avec deux armes différentes. Il entendit des pieds dévaler l'escalier du sous-sol.

« Mince », marmonna-t-il en fermant les yeux. Il les rouvrit et vit le visage pâle, furieux de Pia, qui était devant lui, bouche bée.

« Tu m'as fait une peur bleue ! Je croyais être toute seule à la maison !

— Je suis navré, Pia, moi aussi je croyais être seul.

— Ça ne change rien, Roar ! Tu m'as promis de ne plus tirer dans la maison ! Et là, je reviens du supermarché, je ne me doute de rien et… Pourquoi n'es-tu pas au bureau, d'ailleurs ? Et qu'est-ce que tu fais nu ? Qu'est-ce que tu as sur le visage ? »

Roar Bohr baissa les yeux sur son corps. C'était bien vrai qu'il était nu. Il passa l'index sur son visage, regarda le bout de son doigt : la peinture de camouflage noire du FSK. Il reposa le pistolet sur son bureau et enfonça au hasard son index sur une touche de son clavier d'ordinateur.

« Je travaille à la maison. »

Il était huit heures du soir et le groupe d'enquête était rassemblé au Justisen, le bistrot attitré de la Brigade criminelle. C'était Skarre qui avait pris l'initiative de fêter l'affaire élucidée et Katrine n'avait pas trouvé de bon contre-argument. Ni su s'expliquer pourquoi elle en avait ne serait-ce que cherché un ; c'était une tradition pour marquer les victoires, qui soudait le groupe, et en tant que directrice, elle aurait dû être la première à appeler au ralliement au Justisen quand ils avaient obtenu les aveux de Finne. Le fait que cela se soit passé au nez et à la barbe de Kripos ne faisait rien pour rendre le triomphe moins doux. Cela lui avait valu un coup de fil grognon de Winter, qui considérait que, ayant la responsabilité principale de l'affaire, c'était Kripos qui aurait dû assurer l'interrogatoire de Finne, mais il avait accepté, non sans renâcler, l'explication selon laquelle c'était une vraie pagaille, avec trois viols, qui relevaient de la police d'Oslo, et que seule la police d'Oslo pouvait se livrer à cette transaction. C'est dur d'argumenter contre le succès.

Alors pourquoi ressentait-elle malgré tout une gêne ? Tout collait, et pourtant il y avait ce détail, ce que Harry avait l'habitude d'appeler la seule fausse note d'une symphonie. On l'entendait, mais on ne parvenait pas à la situer.

« Endormie, cheffe ? »

Katrine sursauta et leva son verre de bière vers la série de verres levés autour de la table. Ils étaient tous là. À part Harry, qui n'avait pas répondu à son appel. En réponse à ses pensées, elle sentit son téléphone vibrer et s'empressa de le sortir. Elle vit sur l'écran que c'était Bjørn. L'espace d'un instant, il y eut cette idée hérétique. Elle pouvait faire semblant de ne pas l'avoir vu. Expliquer plus tard – ce qui était la vérité – que, après l'envoi du communiqué de presse sur les aveux, elle avait croulé sous les appels, qu'elle n'avait vu son nom parmi les appels en absence qu'après. Mais évidemment, ce putain d'instinct maternel intervint. Elle se leva, rejoignit le couloir qui menait aux toilettes pour s'éloigner du bruit et appuya sur « Répondre ».

« Un problème ?

— Non, non, dit Bjørn. Il dort. Je voulais juste…

— Tu voulais juste ?

— Te demander si tu allais rester tard.

— Pas plus tard que nécessaire, mais je ne peux pas les planter là.

— Mais non, je sais. Il y a qui ?

— Qui ? Ben, le groupe d'enquête.

— C'est tout ? Pas de… outsiders ? »

Katrine se redressa. Bjørn était un homme gentil et plein de tact. Un homme apprécié de tous pour son charme et son assurance discrète. Mais même s'ils n'en avaient jamais parlé, elle ne doutait pas qu'il se demandât régulièrement comment il avait pu finir avec la fille qui faisait baver au moins la moitié des hommes de la Brigade criminelle – et quelques femmes aussi, du moins avant qu'elle ne devienne leur cheffe. L'une des raisons pour lesquelles il n'avait pas abordé le sujet était sans doute qu'il savait qu'on faisait difficilement moins sexy qu'un partenaire pas sûr de lui et chroniquement jaloux. Il était parvenu à le cacher, même quand elle l'avait largué au bout d'un an et demi et qu'ils s'étaient retrouvés après un temps de pause, mais sur la durée, jouer la comédie devenait plus ardu, et ces derniers mois, elle avait senti un changement entre eux. C'était peut-être qu'il était à la maison avec l'enfant, ou tout simplement le manque de sommeil. À moins qu'elle ne soit devenue trop sensible à cause du rythme infernal des six derniers mois.

« Juste nous, répondit-elle. Je serai à la maison avant dix heures.

— N'hésite pas à rester plus tard, je voulais seulement savoir.

— Avant dix heures », répéta-t-elle en observant cet homme de grande taille dans la foule de clients qui scrutait la salle.

Elle raccrocha.

Il s'efforçait d'avoir l'air détendu, mais elle voyait la tension dans son corps, l'expression traquée de son regard. Puis il l'aperçut et elle put voir ses épaules se relâcher.

« Harry ! s'exclama-t-elle. Tu es venu. » Elle le serra dans ses bras, profita de cette courte étreinte pour respirer cette odeur si connue et pourtant si étrangère. De nouveau, elle se fit la réflexion que ce que Harry Hole avait de mieux, c'était qu'il sentait bon. Pas un parfum chic ou la fraîcheur des forêts vertes et des prairies. Parfois, il sentait les lendemains de cuite, et elle avait occasionnellement perçu des relents corsés de sueur, mais globalement, son odeur avait quelque chose de bon sans qu'elle puisse la définir. C'était lui. Elle n'était quand même pas censée avoir mauvaise conscience pour ça, si ?

Magnus Skarre les rejoignit, le regard brillant et avec un grand sourire bienheureux.

« Ils disent que c'est ma tournée. » Il leur posa la main sur l'épaule à tous les deux. « Une bière, Harry ? Il paraît que c'est toi qui as réussi à trouver Finne. Oh ! Ha ha !

— Un coca », répondit Harry en dégageant la main de Skarre d'une secousse discrète.

Skarre disparut vers le bar.

« Donc tu ne bois plus », constata Katrine.

Harry acquiesça. « Pour l'instant.

— Pourquoi crois-tu qu'il ait avoué ?

— Finne ?

— Je sais bien que c'est parce que les aveux lui donnent une remise de peine et qu'il a compris que, avec la vidéo qu'il a envoyée, nous avons un dossier solide contre lui. Comme ça, évidemment, il n'y avait plus les affaires de viol, mais est-ce la seule raison ?

— Qu'est-ce que tu veux dire ?

— Tu ne crois pas qu'il est possible aussi que nous souhaitions tous, que nous éprouvions tous le besoin de confesser nos péchés ? »

Il la regarda. Il humecta ses lèvres sèches. « Non. »

Katrine remarqua un homme en blazer et chemise bleue penché au-dessus de leur tablée et vit quelqu'un pointer le doigt dans leur direction. L'homme fit un signe de tête et se dirigea vers eux à grands pas.

« Alerte au journaliste, soupira Katrine.

— Jon Morten Melhus, se présenta l'homme. Madame, j'ai essayé de vous joindre au téléphone toute la soirée. »

Katrine le regarda de plus près. Madame. En Norvège, les journalistes ne s'embarrassaient plus guère de titres de politesse.

« J'ai fini par avoir quelqu'un à l'hôtel de police, j'ai expliqué de quoi il s'agissait et on m'a dit que je pourrais probablement vous trouver ici. »

Personne à l'hôtel de police n'aurait indiqué où elle se trouvait au premier venu.

« Je suis chirurgien à l'hôpital d'Ullevål. J'appelais parce qu'il y a quelque temps, nous avons eu un incident assez spectaculaire. Un accouchement présentait des complications et nous avons dû procéder à une césarienne de toute urgence. La parturiente était accompagnée d'un homme qui avait indiqué être le père de l'enfant, chose que la femme avait confirmée. Au début, on aurait dit qu'il allait se rendre utile. Quand la parturiente a su que nous allions devoir lui ouvrir le ventre, elle a eu très peur et l'homme s'est assis auprès d'elle, lui a caressé le front, l'a réconfortée et lui a promis que ça allait être rapide. Ce qui est vrai, en général, extraire l'enfant ne prend pas plus de cinq minutes. Si je m'en souviens, c'est parce que je l'ai entendu dire : "Un couteau dans le ventre. Et c'est terminé." Choix de mots qui, sans être inexact, reste un peu particulier, mais je me suis dit qu'il n'y avait rien d'inhabituel à cela, et puis il l'a embrassée après. Ce qui l'était peut-être un peu plus, c'est qu'il lui essuie les lèvres après le baiser. Ça, et qu'il filme la césarienne, mais la chose vraiment singulière, c'est que soudain, il force le passage vers la parturiente en voulant sortir le bébé lui-même. Avant que nous puissions l'arrêter, il plonge la main droit dans l'incision. »

Katrine grimaça.

« Merde, fit Harry à voix basse. Merde, merde, merde. »

Katrine le regarda. Elle commençait à comprendre, mais elle était surtout déconcertée.

« Nous parvenons finalement à l'éloigner et à mener à bien l'opération, poursuivit Melhus. Par bonheur, aucun signe d'infection chez la mère.

— Svein Finne. C'était Svein Finne.»

Melhus regarda Harry en hochant lentement la tête. « Mais il nous a donné un autre nom.

— Bien entendu. Vous avez vu la photo de lui que *VG* a publiée cet après-midi.

— Oui, et je n'ai strictement aucun doute sur le fait qu'il s'agit du même homme. Surtout pas après avoir vu le tableau à l'arrière-plan. La photo a été prise dans la salle d'attente de notre maternité.

— Alors pourquoi porter plainte si tard, et pourquoi auprès de moi personnellement ? » demanda Katrine.

Pendant une petite seconde, Melhus eut l'air perplexe. « Je ne porte pas plainte. Non. Il n'est pas inhabituel que les gens soient légèrement imprévisibles face à une épreuve physique ou psychologique comme un accouchement compliqué. Et, je le disais, il ne donnait absolument aucune impression de vouloir nuire à la mère, il ne se préoccupait que de l'enfant. Le calme est revenu et, je le disais donc, tout s'est bien passé. Il a même coupé le cordon.

— Avec un couteau, suggéra Harry.

— C'est exact. »

Katrine plissa le front. « Qu'est-ce qu'il y a, Harry ? Qu'as-tu compris que je ne perçois pas ?

— L'horaire, dit Harry en s'adressant à Melhus. Vous avez vu l'affaire de meurtre dans les journaux et vous venez nous dire que Svein Finne a un alibi. Cette nuit-là, il était en salle de travail.

— Nous sommes dans la zone grise du secret professionnel, c'est pourquoi je voulais vous en parler personnellement, Bratt. » Melhus regarda Katrine avec le regard de compassion professionnelle de quelqu'un qui a l'habitude d'apporter des mauvaises nouvelles. « J'ai parlé à la sage-femme et elle dit que cet homme était présent de l'arrivée de la parturiente vers vingt et une heures trente à la fin de l'accouchement aux alentours de cinq heures du matin. »

Katrine mit la main sur son visage.

À la grande table résonnèrent des rires jubilatoires suivis de verres entrechoqués, quelqu'un venait manifestement de faire une plaisanterie réussie.

DEUXIÈME PARTIE

24

[illegible]

Le cœur de Harry battait la chamade et refusait de s'apaiser. [illegible] Il avait couru. [illegible] quand il était sorti du [illegible]. Le froid paralysant [illegible] ses genoux, vers l'entrejambe. Harry était sur l'esplanade de l'Opéra.

24

Ce fut juste avant minuit que *VG* lâcha la nouvelle de la libération de Svein « le Fiancé » Finne. Toujours dans *VG*, Johan Krohn déclarait que son client n'avait pas rétracté ses aveux. La police était arrivée par ses propres moyens à la conclusion qu'on ne pouvait probablement pas incriminer Svein du meurtre de Rakel Fauke, que c'était d'un autre acte passible de sanction qu'il était question. Son client aurait pu en venir à faire du mal à une femme qui accouchait et à son enfant. Il y avait des témoins, et même une preuve filmée, mais personne n'avait porté plainte. Quoi qu'il en soit, les aveux étaient faits, son client avait honoré sa part du marché et Krohn mettait la police en garde contre les conséquences si elle ne remplissait pas la sienne, à savoir l'abandon de la mise en examen dans le cadre de trois plaintes vagues et infondées pour viol.

Le cœur de Harry battait la chamade et refusait de s'apaiser. Il avait de l'eau jusqu'aux chevilles et il haletait. Il avait couru. Couru dans la ville jusqu'à ce qu'il ne reste plus de rues, et alors il avait couru jusqu'ici, et pourtant ce n'était pas pour cela que son cœur était si incontrôlable, ça avait commencé quand il était sorti du Justisen. Le froid paralysant monta, au-dessus de ses genoux, vers l'entrejambe. Harry était sur l'esplanade de l'Opéra.

Sous lui, le marbre blanc descendait dans le fjord comme un pôle en fonte, comme un présage de fin du monde imminente.

Bjørn Holm se réveilla. Il resta sans bouger dans le lit, l'oreille tendue.

Ce n'était pas le petit. Ce n'était pas Katrine qui était venue se coucher derrière lui sans vouloir parler. Il ouvrit les yeux. Une faible lueur éclairait le plafond blanc de la chambre à coucher. Il tendit la main vers la table de chevet, vit qui appelait sur l'écran. Il hésita. Puis il se glissa sans bruit hors du lit et sortit dans le couloir. Il appuya sur « Répondre ».

« On est au milieu de la nuit, chuchota-t-il.

— Merci, c'est ce que je me demandais, fit Harry sèchement.

— Je t'en prie. Bonne nuit.

— Ne raccroche pas. Je ne peux pas accéder aux fichiers de l'affaire Rakel. On dirait que mon code BID a été bloqué.

— Ça, c'est à Katrine qu'il faut en parler.

— Katrine est directrice, elle doit respecter les procédures, tu le sais aussi bien que moi. Mais j'ai ton BID, j'ai une calculette OTP, et il n'est pas impensable que j'arrive aussi à deviner ton mot de passe. Tu ne vas bien sûr pas me le donner, ce serait une infraction aux consignes. »

Pause.

« Mais ? soupira Bjørn.

— Tu pourrais me donner par inadvertance un indice.

— Harry…

— J'en ai besoin, Bjørn. J'en ai hyper besoin. Que ce ne soit pas Finne signifie juste que c'est quelqu'un d'autre. Allez, Katrine en a besoin aussi, parce que je sais bien que ni vous ni Kripos n'avez quoi que ce soit.

— Alors pourquoi toi ?

— Tu le sais.

— Oui ?

— Parce que dans un monde d'aveugles, je suis le borgne qui a le seul œil disponible. »

Bjørn ne put réprimer un rire plaintif.

Nouvelle pause.

« Deux lettres, quatre chiffres, dit Bjørn. Si je pouvais choisir, je voudrais mourir comme lui, quand la nouvelle année commence. »

Il raccrocha.

25

« D'après le professeur Paul Mattiuzzi, on peut classer la plupart des tueurs dans huit catégories, déclara Harry. Un. Les agressifs chroniques. Ceux qui contrôlent mal leurs pulsions, qui s'énervent facilement, qui n'acceptent pas l'autorité, qui se convainquent que la violence est une réponse légitime, et qui en leur for intérieur aiment extérioriser leur fureur. C'est le type chez qui on voit les choses venir. »

Harry glissa une cigarette entre ses lèvres.

« Deux. Les hostiles contrôlés. Ceux qui expriment rarement de la colère, qui sont émotionnellement rigides et qui apparaissent comme polis et sérieux. Ce sont des gens qui respectent les règles et se voient comme les gardiens de la justice. Des gens gentils qui se font exploiter. Ce sont des cocottes-minute silencieuses et on ne voit rien venir avant qu'elles explosent. C'est le genre dont les voisins disent après coup : "Mais il avait pourtant l'air si sympathique." »

Harry alluma son briquet, l'approcha de sa cigarette et aspira.

« Trois. Les lésés. Ceux qui ont le sentiment de se faire marcher dessus, de ne pas avoir ce qu'ils méritent, que c'est la faute de tous les autres s'ils n'ont pas réussi dans la vie. Ils sont rancuniers, surtout vis-à-vis des gens qui les ont critiqués ou réprimandés. Ils endossent le rôle de victimes, sont psychologiquement impuissants, et quand, faute d'autres moyens de réagir, ils recourent à la violence, cette violence est généralement dirigée contre les gens à qui ils en veulent. Quatre. Les traumatisés. »

Harry recracha la fumée par la bouche et le nez.

« Le meurtre vient en réponse à une unique atteinte à l'identité du tueur, si offensante et intolérable qu'elle lui donne l'impression de ne plus avoir le moindre pouvoir. Le meurtre est nécessaire pour empêcher l'anéantissement du noyau même de son existence. Si on connaît au préalable les circonstances, on peut généralement prédire et prévenir ce meurtre. »

Harry tenait sa cigarette entre la deuxième phalange de son index et son majeur alors qu'il se mirait dans la petite flaque de boue à moitié desséchée et encadrée de terre marron et de gravier gris.

« Et puis tu as les autres. Cinq. Le narcissique obsessionnel et immature. Six. Le paranoïaque jaloux aux frontières de la folie. Sept. Frontières de la folie largement dépassées. »

Harry remit la cigarette entre ses lèvres et leva les yeux. Il coula son regard sur la maison en rondins. Les lieux du crime. Le soleil matinal scintillait sur les vitres. Rien ne semblait changer, si ce n'est le degré d'abandon. C'était pareil à l'intérieur. Une sorte de pâleur, comme si le silence buvait les couleurs des murs et des rideaux, les visages des photos, les souvenirs des livres. Il n'avait rien vu qu'il n'ait vu la dernière fois, il n'avait rien pensé qu'il n'ait pensé alors, ils en étaient là où ils avaient échoué dans la nuit : de retour à la case départ, en faillite, avec derrière eux les ruines fumantes d'hôtels et de maisons.

« Et la catégorie huit ? demanda Kaja, qui frissonna sous son manteau et tapa du pied dans le gravier.

— Le professeur Mattiuzzi l'appelle "*just plain bad & angry*". Soit toute combinaison des sept autres.

— Et tu crois que le tueur que tu recherches se trouve dans

l'une des huit catégories qu'un psychologue américain a inventées ?

— Hmm.

— Et tu penses que Svein Finne est innocent ?

— Non, mais du meurtre de Rakel, oui. »

Harry tira sur sa Camel. Si fort qu'il sentit la chaleur de la fumée dans sa gorge. Curieusement, cela n'avait pas été un choc que les aveux de Finne soient faux. Il le sentait depuis la casemate, quelque chose clochait, Finne avait eu l'air de se réjouir un peu trop de la situation. Il avait sciemment provoqué la violence physique pour que, quels que soient les meurtres ou les viols avoués, les aveux soient impossibles à utiliser dans un tribunal. Avait-il toujours su que le meurtre de Rakel s'était produit la nuit où il était à la maternité ? Avait-il été conscient que la vidéo pouvait être mal interprétée ? Ou n'était-ce que plus tard, avant l'interrogatoire à l'hôtel de police, qu'il s'était aperçu de cette ironie du sort, des coïncidences qui avaient mis en scène cette tragi-comédie ? Harry regarda vers la fenêtre de la cuisine, devant laquelle s'était trouvée en avril dernier une remorque où Rakel et lui avaient rassemblé des feuilles et des branches après avoir nettoyé le jardin. C'était juste après la sortie de prison de Finne, qui avait menacé Harry à mots plus ou moins couverts de rendre visite à sa famille. Si Finne s'était tenu debout sur cette remorque une nuit, il avait pu voir entre les barreaux de la fenêtre, voir la planche à pain sur le mur de la cuisine, et lire le texte s'il avait une bonne vue. Il avait constaté que la maison était une forteresse. Alors il avait renoncé à son plan.

Harry doutait que ce soit Krohn qui ait mis en scène cette comédie du faux aveu utilisé pour se débarrasser des accusations de viols. Il savait mieux que quiconque que ce genre de combine ne pouvait lui rapporter que des clopinettes, mais risquait de nuire grandement à sa crédibilité. Or la crédibilité était la seule véritable monnaie d'échange, même pour un avocat de la défense autorisé à manipuler.

« Tu es conscient que tes catégories n'affinent pas précisément la sélection ? » Kaja s'était tournée et regardait en bas, vers la ville. « On peut tous à un moment ou un autre correspondre à l'une de ces descriptions.

— Hmm, mais tout le monde peut-il mener à bien de sang-froid un meurtre prémédité ?

— Pourquoi me poses-tu une question dont tu connais la réponse ?

— Peut-être que j'ai juste envie d'entendre quelqu'un le dire. »

Kaja haussa les épaules. « Le meurtre n'est qu'une question de contexte. Ce n'est pas un problème de tuer si on se voit comme le boucher le plus respecté de la ville, le soldat courageux de la patrie ou le bras de la justice. Voire un juste vengeur pratiquant l'auto-justice.

— Merci.

— De rien, ça vient de ton cours à l'école de police. Alors qui a tué Rakel ? Quelqu'un qui a des traits de personnalité correspondant à une des catégories de gens qui tuent sans contexte ? Une personne normale qui tue en se fabriquant un contexte ?

— Eh bien. Je pense que même quelqu'un de fou a besoin d'une justification. Même dans une crise de fureur, il y a un instant où on parvient à se convaincre qu'on est dans son bon droit. La folie est un dialogue solitaire, où on se donne soi-même les réponses qu'on veut. Cette conversation-là, nous l'avons tous eue.

— Ah bon ?

— Moi oui, en tout cas. » Harry baissa les yeux vers l'allée de la maison, gardée de part et d'autre par des sapins sombres et lourds. « Pour te donner une réponse : je crois que c'est là que commence le goulot d'étranglement des coupables potentiels. C'est pour ça que je voulais que tu voies les lieux du crime. Tout est en ordre, mais le meurtre est impur, passionnel. C'est comme si nous nous trouvions face à un tueur qui à la fois est exercé et ne l'est pas. Ou alors il est peut-être exercé, mais psychologiquement déséquilibré, ce qui est typique des meurtres motivés par la frustration sexuelle ou la haine personnelle.

— Comme il n'y a pas de signe d'agression sexuelle, tu en conclus qu'il s'agit de haine ?

— Oui. C'est pour ça que Svein Finne apparaissait comme le suspect parfait. Un agresseur exercé qui voudrait venger le meurtre de son fils.

— Alors il aurait peut-être dû te tuer toi, plutôt ?

— Je pensais que Svein Finne savait que vivre après avoir perdu l'être qu'on aimait, c'était pire que mourir, mais je pensais mal.

— Que tu aies la mauvaise personne ne signifie pas nécessairement que tu as le mauvais mobile.

— Hmm. Tu veux dire que c'est difficile de trouver des gens qui détestaient Rakel, mais facile d'en trouver qui me détestent moi ?

— Juste une idée comme ça, précisa Kaja.

— Bien. C'est peut-être par là qu'il faut commencer.

— Le groupe d'enquête a peut-être dans ses dossiers des éléments que nous ignorons. »

Harry secoua la tête. « J'ai compulsé leurs fichiers cette nuit, et tout ce qu'ils ont, ce sont des détails isolés. Pas de fil conducteur ni de piste concrète.

— Je croyais que tu n'y avais pas accès.

— Je me souviens du BID de quelqu'un qui a accès. Parce qu'il déconnait en disant que le service informatique lui avait donné sa taille de soutien-gorge. BH100. Son mot de passe, je l'ai deviné.

— Sa date de naissance ?

— Presque. HW1953.

— Qui est ?

— L'année où on a retrouvé Hank Williams mort dans une voiture le 1er janvier.

— Juste des idées décousues, donc. On va y réfléchir dans un endroit où il fait plus chaud ?

— Oui, répondit Harry, qui allait tirer la dernière bouffée de sa cigarette.

— Attends, fit Kaja en tendant la main. Je peux… ? »

Harry la regarda avant de lui donner la cigarette. Ce n'était pas vrai qu'il voyait. Il était plus aveugle qu'aucun d'eux, aveuglé de larmes, mais ce fut soudain comme s'il parvenait à les chasser une seconde en clignant des yeux et que pour la première fois depuis qu'ils s'étaient revus, il voyait Kaja Solness. C'était la cigarette. Les souvenirs affluèrent d'un seul coup et sans prévenir. La jeune policière qui était venue le chercher à Hong Kong pour le ramener à Oslo afin qu'il puisse traquer un tueur en série que la police n'arrivait pas à prendre. Elle l'avait trouvé sur un matelas de Chungking Mansion, dans les limbes de la drogue et de l'indifférence. On n'aurait trop su dire qui avait le plus besoin d'être sauvé, de la police d'Oslo ou de Harry. Et la voilà qui était de nouveau là. Kaja Solness, qui niait sa propre beauté en montrant aussi souvent qu'elle le pouvait ses dents pointues irrégulières qui gâchaient ce visage par ailleurs parfait. Il se souvenait des heures matinales qu'ils avaient partagées dans une grande maison vide, des cigarettes qu'ils avaient fumées à deux. En règle générale, Rakel demandait la première bouffée de cigarette, Kaja, elle, voulait la dernière.

Il les avait quittées toutes les deux, il était reparti à Hong Kong. Mais il était revenu pour l'une d'entre elles. Rakel.

Harry vit les lèvres framboise de Kaja entourer le filtre jaune et se resserrer à peine quand elle aspira la fumée. Puis elle laissa tomber le mégot sur la terre brune et humide entre la flaque de boue et le gravier, l'écrasa du pied et commença à marcher vers la voiture. Harry allait la suivre, mais il s'arrêta.

Son regard était tombé sur le mégot de cigarette piétiné.

Il pensait à la reconnaissance de schémas et de motifs répétés. On disait que l'aptitude du cerveau à reconnaître des motifs était ce qui nous distinguait des bêtes, que notre quête éternelle, machinale, de motifs répétés était ce qui avait fait se développer notre intelligence et ce qui avait permis notre civilisation. Et il reconnut le motif de l'empreinte de chaussure. Il l'avait vu dans les photos du fichier « Photos des lieux du crime » dans les dossiers de l'enquête. Il l'avait vu le jour où quelqu'un s'était tenu à quelques mètres de l'endroit où il se trouvait maintenant, dans la neige parmi les arbres, là où le piège photographique avait été enlevé. Un bref commentaire de la photo indiquait qu'on n'avait pas trouvé de correspondance dans le fichier de motifs de semelles d'Interpol.

Harry toussota.

« Kaja ? »

Il vit le dos étroit qui se dirigeait vers la voiture se figer. Dieu seul sait pourquoi, peut-être avait-elle entendu dans sa voix un timbre que lui-même n'avait pas perçu. Elle se retourna vers lui. Elle avait les lèvres retroussées et il voyait ses dents pointues.

26

« Les fantassins ont tous les cheveux bruns », déclara l'homme trapu, musclé, qui était profondément assis dans le fauteuil derrière la table basse. Plutôt que juste en face, Erland Madsen avait placé son fauteuil dans un angle à quatre-vingt-dix degrés par rapport à celui de Roar Bohr. Pour que ses patients puissent choisir eux-mêmes s'ils voulaient le regarder ou non. Ne pas avoir à voir son interlocuteur exerçait la même fonction que le confessionnal : le patient avait le sentiment de parler tout seul. Quand on ne voit pas les réactions qu'on suscite, que ce soient le langage corporel ou les expressions du visage, on a moins de limites. Il avait caressé l'idée de se procurer un divan, même si c'était devenu un cliché, un numéro de café-théâtre.

Madsen consulta son carnet. Le carnet, au moins, ils avaient pu le garder. « Pourriez-vous approfondir ?

— Approfondir les cheveux bruns ? » Roar Bohr sourit. Et quand son sourire atteignit ses yeux ardoise, on aurait dit que les pleurs en eux – des pleurs secs, sans bruit, qui étaient juste là – renforçaient ce sourire, tout comme le soleil est particulièrement cuisant aux franges d'un nuage. « Ils ont les cheveux bruns et ils savent parfaitement vous loger une balle dans le crâne à deux cents mètres de distance, mais ce à quoi vous les reconnaissez quand vous allez à un poste de contrôle, c'est qu'ils sont bruns et sympas. C'est comme si c'était leur boulot. Non pas abattre l'ennemi comme ils s'y sont entraînés, mais au contraire faire le dernier truc qu'ils auraient pensé devoir faire quand ils ont postulé dans l'armée de terre et traversé l'enfer pour entrer au FSK. À savoir sourire et être sympas avec les civils franchissant un poste de contrôle qui, deux fois dans l'année écoulée, a été pulvérisé lors d'un attentat suicide. Ça s'appelle gagner les cœurs.

— Et vous, vous en avez gagné ?

— Aucun », répondit Roar Bohr.

En tant que spécialiste du syndrome de stress post-traumatique, Madsen était devenu une espèce de docteur Afghanistan, le psychologue dont avaient entendu parler et que consultaient ceux qui avaient des problèmes après avoir été dans les zones de guerre. Mais s'il finissait par en savoir beaucoup sur le quotidien et les sentiments dont ils parlaient, Madsen savait aussi d'expérience qu'il valait mieux être une feuille vierge. Interroger comme s'il ne savait pas. Laisser les patients s'échauffer en parlant de choses concrètes, de choses simples. Rien ne devait être sous-entendu, il fallait leur faire comprendre qu'ils devaient lui donner tous les tenants et aboutissants. Les patients ne savaient pas toujours eux-mêmes où se situaient les points douloureux, et c'était parfois dans ce qu'ils percevaient comme trivial et insignifiant, dans des sujets sur quoi ils auraient facilement pu faire l'impasse, dans ce que leur inconscient s'efforçait de cacher, de protéger du contact. Mais pour l'instant, l'heure était à l'échauffement.

« Pas de cœurs, alors ? fit Madsen.

— Personne en Afghanistan ne comprend vraiment pourquoi la FIAS est là. Même les gens de la FIAS ne le comprennent pas forcément. Personne en tout cas ne se figure qu'elle n'est là que pour apporter bonheur et démocratie à un pays qui ne saisit pas le concept de démocratie et n'est pas intéressé par les valeurs qu'elle incarne. Tant que nous les aidons pour l'eau courante, le ravitaillement et le déminage, les Afghans répètent ce que nous disons. Au-delà de ça, on peut aller se faire voir en enfer, et là, je ne parle pas seulement des sympathisants des talibans.

— Alors pourquoi y êtes-vous allé ?

— Si on veut grimper les échelons dans l'armée de terre, il faut être passé par la FIAS.

— Et vous voulez grimper les échelons ?

— Il n'y a pas d'autre voie. Quand l'ascension s'arrête, on meurt. L'armée de terre prépare une mort lente, douloureuse et humiliante à ceux qui s'imaginent pouvoir cesser d'aspirer à monter.

— Racontez-moi Kaboul.

— Kaboul. » Bohr se redressa dans son fauteuil.

« Des chiens errants.

— Des chiens errants ?

— Ils sont partout. Des chiens sans maîtres.

— Vous voulez dire littéralement, pas... »

Bohr secoua la tête en souriant. Pas de soleil dans les yeux, cette fois. « Les Afghans, eux, ont bien trop de maîtres. Les chiens vivent des ordures. Il y a beaucoup d'ordures. Ça sent les gaz d'échappement, et le brûlé. Ils brûlent tout et n'importe quoi pour se chauffer. Des ordures, de l'huile. Du bois. Il neige à Kaboul, mais moi, ça me faisait plutôt l'effet d'être des retombées grises. Il y a de jolis bâtiments, bien sûr. Le palais présidentiel. Le Serena Hotel doit bien avoir cinq étoiles. Les jardins de Babur sont jolis. Mais ce qu'on voit le plus quand on roule dans la ville, ce sont des bâtiments d'un ou deux étages, simples, vétustes, des boutiques de bric-à-brac. Ou de l'architecture russe dans ce qu'elle a de plus déprimant. » Bohr secoua la tête. « J'ai vu des photos de Kaboul avant l'invasion soviétique et c'est vrai ce qu'on dit, Kaboul était belle à l'époque.

— Mais pas quand vous y habitiez ?

— En fait, nous n'habitions pas dans Kaboul, mais dans des tentes juste en dehors. Des tentes vraiment bien, presque comme des maisons. Nos bureaux, en revanche, étaient dans des bâtiments en dur. Nous n'avions pas d'air conditionné dans les tentes, juste des ventilateurs. Qui souvent n'étaient pas allumés, parce que les nuits étaient froides. Le jour, en revanche, il faisait parfois tellement chaud qu'on ne mettait pas le nez dehors. Ce n'étaient pas les cinquante degrés avec forte humidité de Bassorah en Irak, mais quand même, Kaboul, en été, ça pouvait être l'enfer.

— Et pourtant vous y êtes retourné… » Madsen regarda ses notes. « Trois fois ? Des missions de douze mois ?

— Une de douze mois, deux de six mois.

— Votre famille et vous étiez bien sûr au courant du risque qu'on court quand on part dans une zone en guerre. Tant du point de vue de la santé mentale que des relations avec les proches.

— On me l'a expliqué, oui. Que la seule chose qu'on rapportait d'Afghanistan, c'étaient des nerfs à fleur de peau, un divorce et un avancement au grade de colonel juste avant l'âge de la retraite si on avait réussi à dissimuler sa consommation d'alcool.

— Mais…

— Mais ma voie était toute tracée. On misait sur moi. École d'état-major, école supérieure de la Défense nationale. Il n'y a pas de limites à ce que les gens sont prêts à faire quand on leur donne le sentiment d'être des élus. Dans la pratique, être envoyé sur la Lune dans une boîte de conserve dans les années soixante, c'était une mission suicide, et tout le monde le savait. Pour recruter ses astronautes, la NASA n'a demandé qu'aux meilleurs pilotes de se porter volontaires, à savoir ceux qui avaient déjà de brillantes perspectives d'avenir, à une époque où les pilotes – même dans l'aviation civile – avaient un statut social à la hauteur de celui des stars de cinéma et des footballeurs. On ne demandait pas aux jeunes pilotes aventuriers et sans peur, mais aux plus expérimentés, aux plus stables. Ceux qui savaient ce qu'était le risque et qui ne le recherchaient pas. Ceux qui étaient mariés, ceux qui venaient d'avoir un enfant ou deux. Bref : ceux qui avaient tout à perdre. À votre avis, combien d'entre eux ont décliné l'offre de suicide en public que leur faisait le pays ?

— C'est pour ça que vous êtes parti ? »

Bohr haussa les épaules. « C'était sans doute un mélange d'ambition personnelle et d'idéalisme. Je ne sais plus dans quelles proportions.

— De quoi vous souvenez-vous le mieux de votre retour à la maison ? »

Bohr eut un petit sourire. « Du fait que ma femme devait toujours me rééduquer. Ne pas répondre "bien reçu" quand elle me demandait de prendre du lait au supermarché. M'habiller comme il fallait, parce que après des années à ne porter que des uniformes à cause de la chaleur, les costumes paraissent très... serrés. Et, en société, à serrer la main aux femmes aussi, même à celles qui portaient un hijab.

— On parle de tuer ? »

Bohr tira sur sa cravate et consulta sa montre. Il respira lentement et profondément. « Oui ?

— Nous avons encore le temps. »

Bohr ferma les yeux un instant. Il les rouvrit. « Tuer, c'est compliqué. Et c'est très simple. Les soldats qu'on sélectionne pour une unité d'élite comme le FSK ne doivent pas seulement répondre à un ensemble d'exigences physiques et mentales, mais aussi être capables de tuer. Donc nous recherchons des gens capables de prendre du recul par rapport au fait de tuer. Vous avez sûrement vu des films et des émissions de télé sur le recrutement des troupes spéciales, comme la formation des rangers, qui traite essentiellement de gestion du stress, de résolution de problèmes sans avoir ni mangé ni dormi, et où il s'agit globalement d'être opérationnel comme soldat même sous stress émotionnel et physique. Quand j'étais simple soldat, on insistait peu sur l'acte de tuer, sur la capacité de chacun à priver quelqu'un de ses jours et à l'assumer. Aujourd'hui, on en sait plus. On sait que ceux qui vont tuer doivent se connaître eux-mêmes. Ils ne doivent pas être surpris de leurs propres sentiments. Ce n'est pas que ce ne soit pas naturel de tuer un autre individu de la même espèce que soi, c'est naturel au contraire. Dans la nature, ça arrive sans arrêt. La plupart des gens ressentent sans doute une certaine réticence, ce qui est logique du point de vue de l'évolution ; mais la réticence doit pouvoir être surmontée quand les circonstances l'exigent. C'est même en soi un signe de bonne santé d'être capable de tuer, ça témoigne d'une certaine maîtrise de soi. S'il y avait un dénominateur commun à mes soldats du FSK, c'était qu'ils prenaient le fait de tuer avec un calme extrême ; mais si quelqu'un en accusait ne serait-ce qu'un d'entre eux d'être un psychopathe, je lui en collerais une sur le bec.

— Juste une sur le bec ? » Madsen eut un petit sourire en coin.

Bohr ne répondit pas.

« J'aimerais que vous parliez un peu plus directement de votre problème. Quand vous avez vous-même tué. Je vois dans les notes de notre séance précédente que vous parliez de vous-même comme d'un malformé, mais vous n'aviez pas voulu entrer dans les détails. »

Bohr répondit d'un signe de tête.

« Je vois que vous êtes dubitatif, alors je ne peux que répéter ce que je vous ai déjà dit : je suis soumis au secret professionnel total. »

Bohr se passa la main sur le front. « Je sais, mais là, je vois que l'heure tourne et je commence à être un peu pressé, j'ai une réunion au boulot. »

Madsen acquiesça. Son désir d'entendre l'histoire des patients allait rarement au-delà de la curiosité purement professionnelle, mue par le désir d'identifier où le bât blessait, mais là, c'était différent. Il espérait que son visage ne trahissait pas sa déception. « D'accord, alors disons que ça suffit, et si vous ne voulez pas en parler du tout...

— Je veux en parler, je... » Bohr se tut. Il boutonna sa veste de costume. « Il faut que j'en parle à quelqu'un. Sans quoi... »

Madsen attendit, mais il n'y eut pas de suite.

« On se voit lundi, à la même heure ? » demanda Madsen.

Oui, il allait se procurer un divan. Voire un confessionnal.

« J'espère que tu aimes ton café fort, cria Harry vers le salon alors qu'il versait l'eau de la bouilloire dans les tasses.

— Tu as combien de disques, au juste ? cria Kaja en réponse.

— Environ mille cinq cents. »

La chaleur brûla les jointures de Harry quand il glissa ses doigts dans l'anse des tasses. En trois longs pas rapides, il s'était déporté de la cuisine au salon. Kaja était à genoux sur le canapé et passait en revue sa discothèque.

« Environ ? »

Harry releva une commissure en une espèce de sourire.

« Mille cinq cent trente-six.

— Comme la plupart des garçons névrosés, tu classes bien sûr tes disques par ordre alphabétique d'après le nom de l'artiste, mais je vois au moins que l'ordre chronologique n'est pas respecté pour les disques d'un même artiste.

— Non. » Il posa les tasses sur la table basse, à côté de l'ordinateur, et souffla sur ses doigts. « Ils sont juste dans l'ordre où je les ai achetés. Avec l'acquisition la plus récente à gauche. »

Kaja rit. « Vous êtes cinglés !

— Eh bien, Bjørn considère qu'il n'y a que moi qui sois cinglé, que tout le monde les classe d'après la date de sortie. »

Il s'assit sur le canapé et elle s'affala à côté de lui avant de boire une gorgée de café.

« Hmm.

— Café lyophilisé d'un bocal que je viens d'ouvrir, expliqua Harry.

— J'avais oublié à quel point c'est bon, fit-elle en riant.

— Comment ? Personne ne t'en a servi depuis tout ce temps ?

— Il n'y a manifestement que toi qui saches comment traiter une femme, Harry.

— Ça, ma vieille, tu ne peux pas l'exclure. » Harry pointa le doigt sur l'écran. « Là, tu as une photo de l'empreinte dans la neige devant la maison de Rakel. Tu vois que c'est la même ?

— Oui, dit Kaja en levant sa propre botte, mais l'empreinte de la photo est donc celle d'une grande pointure ?

— Probablement du quarante-trois ou du quarante-quatre.

— Les miennes sont du trente-huit. Je les ai achetées à un marché aux puces de Kaboul et c'étaient les plus petites qu'il y avait.

— Et ce sont des bottes militaires datant de l'occupation soviétique ?

— Oui.

— Elles doivent avoir au moins trente ans, alors.

— Impressionnant, non ? À Kaboul, on avait un lieutenant-colonel qui disait que si l'Union soviétique avait été dirigée par ses cordonniers, la confédération n'aurait jamais implosé.

— Tu penses au lieutenant-colonel Bohr ?

— Oui.

— Ça veut dire que lui aussi en avait ?

— Je ne m'en souviens pas, mais elles avaient du succès et elles étaient bon marché. Pourquoi tu te poses la question ?

— Dans le fichier du journal des appels de Rakel, Roar Bohr apparaissait tellement souvent qu'ils ont vérifié son alibi la nuit du meurtre.

— Et ?

— Sa femme dit qu'il était à la maison toute la soirée et toute la nuit. Ce qui me frappe dans les appels de Bohr, c'est que, en moyenne, pour un coup de fil que Rakel lui a passé, lui l'a appelée trois fois. Ça n'en fait peut-être pas du harcèlement pour autant, mais la pratique habituelle, c'est qu'un employé répond un peu plus souvent aux appels de son patron, non ?

— Je ne sais pas. Tu penses que Bohr pourrait avoir eu pour Rakel un intérêt autre que professionnel ?

— Qu'est-ce que tu en penses, toi ? »

Kaja se gratta le menton. Sans qu'il sache pourquoi, cela le frappa comme un geste masculin, peut-être que ça avait un rapport avec la pilosité faciale.

« Bohr est un patron consciencieux, dit Kaja. Ce qui signifie qu'il peut parfois apparaître comme un peu trop investi et impatient. Je n'ai pas de mal à l'imaginer appelant trois fois avant même qu'on ait eu le temps de répondre au premier appel.

— À une heure du matin ? »

Kaja grimaça. « Tu veux qu'on te contredise ou...

— De préférence.

— Rakel était directrice adjointe du NHRI si j'ai bien compris ?

— Directrice juridique. Mais oui.

— Et elle faisait quoi ?

— Rapports aux organes de traités des Nations unies. Conférences. Conseil aux politiques.

— Au NHRI, on est toujours à la merci des horaires de travail et des délais des autres. Le siège des Nations unies a six heures de retard sur nous. Alors ce n'est pas totalement aberrant que le patron t'appelle un peu tard de temps en temps.

— Où habite... quelle est l'adresse de Bohr ?

— Quelque part à Smestad. Je crois que c'est sa maison d'enfance.

— Hmm.

— À quoi tu penses ?

— C'est décousu.

— Balance. »

Harry se frotta le menton. « Étant suspendu, je ne peux ni faire venir un suspect en interrogatoire ni demander de mandat de perquisition ou opérer de quelque autre façon visible de Kripos et de la Brigade criminelle. Ce que nous pouvons faire, en revanche, c'est creuser un peu dans leur angle mort, là où ils ne nous voient pas.

— Alors quelles sont tes idées ?

— Voici l'hypothèse. Bohr a tué Rakel. Ensuite, il est rentré directement chez lui en se débarrassant de l'arme du crime en chemin. Il est sans doute reparti de Holmenkollen par la même route que nous. Où te serais-tu débarrassée d'un couteau entre Holmenkollveien et Smestad ?

— Le bassin de Holmendammen se trouve à un jet de pierre de la route.

— Bien, fit Harry, mais les documents de l'enquête indiquent qu'ils ont cherché là et que la profondeur moyenne n'est que de trois mètres, donc ils l'auraient retrouvé.

— Alors où ? »

Il ferma les yeux en appuyant sa tête contre le mur de vinyles derrière lui et reconstruisit le chemin qu'il avait si souvent fait. Holmenkollen-Smestad. Guère plus de trois, quatre kilomètres, mais une infinité de possibilités de se défaire d'un petit objet. Surtout des jardins. Un fourré juste avant Stasjonsveien était une possibilité. Il entendit le couinement métallique d'un tramway au loin et la plainte d'un autre juste devant. Puis, soudain, un flash. Vert, cette fois. Avec une puanteur de mort.

« Les ordures, fit-il. La benne à ordures.

— La benne à ordures ?

— À la station-service, juste en bas de Stasjonsveien. »

Kaja rit. « Il y a une chance sur mille et tu as l'air tellement sûr de ton fait.

— Eh bien, je me dis que c'est la première chose que moi, j'aurais faite.
— Ça va ?
— Comment ça ?
— Tu es tout pâle.
— Manque de fer », dit Harry en se levant.

« L'entreprise qui nous loue le conteneur vient le chercher quand il est plein, expliqua la femme à lunettes à la peau mate.
— Et à quand remonte le dernier passage ? » demanda Harry en observant la grande benne grise à côté du bâtiment de la station-service.
La femme, qui s'était présentée comme directrice de la station, avait expliqué que la benne métallique était destinée à la station-service, essentiellement les emballages, et qu'elle n'avait pas souvenir d'avoir vu de passants s'en servir pour leur usage personnel. Elle leur avait montré la gueule métallique, dont on pouvait actionner les mâchoires en appuyant sur un bouton rouge sur le côté, les déchets étaient alors compressés et repoussés vers l'arrière du système digestif de la benne. À quelques mètres d'eux, Kaja relevait le nom et le numéro de téléphone de l'entreprise de conteneurs inscrits sur le métal gris.
« Ça doit faire un bon mois, estima la directrice de la station-service.
— La police l'a-t-elle ouverte pour en vérifier le contenu ? demanda Harry.
— Je croyais que vous m'aviez dit que c'était vous, la police.
— La main droite ne sait pas toujours ce que fait la gauche dans une si grande enquête. Pouvez-vous nous ouvrir la benne pour que nous regardions ce qu'il y a à l'intérieur ?
— Je ne sais pas. Il faut que j'appelle mon patron.
— Je croyais que vous m'aviez dit que c'était vous la patronne, rétorqua Harry.

— J'ai dit que j'étais directrice de station, ça ne veut pas dire que…

— Nous comprenons, fit Kaja en souriant. Si vous pouviez l'appeler, nous apprécierions. »

La femme les quitta et entra dans le bâtiment rouge et jaune. Harry et Kaja restèrent à observer les enclos du terrain en gazon synthétique en contrebas, où deux gamins s'entraînaient aux derniers tours de Neymar qu'ils avaient vus sur YouTube.

Au bout d'un moment, Kaja regarda sa montre. « On va à l'intérieur demander comment ça se passe ?

— Non, répondit Harry.

— Pourquoi ?

— Le couteau n'est pas là.

— Mais tu as dit…

— Je me suis trompé.

— Et qu'est-ce qui t'en rend si sûr ?

— Regarde. » Harry pointa l'index. « Des caméras de surveillance. C'est pour ça que personne ne parasite la benne. Et un tueur qui vient d'avoir la présence d'esprit d'ôter des lieux du crime une caméra de chasse bien camouflée ne file pas se débarrasser de l'arme du crime dans une station-service sous vidéosurveillance. » Harry commença à marcher vers les terrains de foot.

« Où vas-tu ? » cria Kaja derrière lui.

Il ne répondit pas. Il n'avait pas de réponse. Il n'en eut pas avant d'arriver derrière la station-service à un bâtiment dont l'entrée était surmontée du logo du club de sport Ready. Sur le côté s'alignaient six poubelles en plastique vert. Hors de portée des caméras de surveillance. Harry souleva le couvercle de la plus grande, libérant une odeur putride de nourriture avariée.

Il bascula la poubelle sur ses deux roues arrière et la fit rouler jusqu'à la place devant le bâtiment. Où il la renversa.

« Quelle odeur ! observa Kaja, qui l'avait rejoint.

— C'est bien.

— Bien ?

— Ça veut dire qu'elle n'a pas été vidée depuis un certain temps, expliqua Harry, qui s'était accroupi et commençait à fouiller dans les ordures. Tu commences une des autres poubelles ?

— On ne parlait pas de fouiller les poubelles dans la description du poste.

— Avec le salaire de misère que tu touches, tu aurais dû comprendre que, tôt ou tard, il y aurait des ordures dans le tableau.

— Tu ne me verses aucun salaire, rappela Kaja en basculant la plus petite poubelle.

— C'est ce que je voulais dire par salaire de misère. Et puis la tienne pue moins que la mienne.

— Personne ne pourra dire que tu ne sais pas motiver tes employés. »

Kaja s'accroupit et Harry nota qu'elle commençait en haut à gauche, comme on l'apprenait en techniques de perquisition à l'école de police.

Un homme était sorti sur le perron et s'était posté juste au-dessous du logo Ready. « Qu'est-ce que vous fichez, bon sang ? »

Harry se leva, rejoignit l'homme et lui montra son insigne de la police. « Savez-vous s'il y a des gens qui auraient pu voir quelqu'un ici le soir du 10 mars ? »

L'homme regarda fixement l'insigne puis, la bouche ouverte, il reporta son regard sur Harry. « Vous êtes Harry Hole.

— C'est exact.

— Le super-enquêteur en personne ?

— Il ne faut pas croire tout ce que vous…

— Et vous fouillez dans nos poubelles.

— Désolé si vous trouvez ça décevant.

— Harry… » C'était Kaja.

Harry se tourna. Elle tenait un objet entre son pouce et son index. Cela ressemblait à un tout petit bout de plastique noir. « Qu'est-ce que c'est ? » Il plissa les yeux et sentit son cœur s'emballer.

« Je ne suis pas sûre, mais je crois que c'est une de ces... »

Cartes mémoires, pensa Harry. Comme il y en a dans les pièges photographiques.

Le soleil brillait dans la cuisine de Lyder Sagens gate, où Kaja éjectait la carte mémoire de ce que Harry avait pris pour un appareil photo au rabais, mais qui, lui avait-elle expliqué, un peu vexée, était un Canon G9 acheté en 2009 une véritable petite fortune et ayant en l'occurrence bien supporté les vicissitudes du temps. Elle enfonça ensuite la carte mémoire de la poubelle dans le logement vide, connecta l'appareil à son MacBook à l'aide d'un câble et cliqua sur « Photos ». Une série d'icônes apparurent. Certaines montraient la maison de Rakel sous différentes nuances de lumière du jour. D'autres avaient été prises dans le noir, si bien qu'il ne voyait que la lumière de la cuisine.

« Je t'en prie », dit Kaja avant de se diriger vers la machine à expresso qui grondait furieusement en préparant la deuxième tasse, mais Harry comprit que c'était surtout pour le laisser seul.

Les icônes étaient datées.

L'avant-dernière du 10 mars, la dernière du 11. La nuit du meurtre.

Il respira. Qu'allait-il voir ? Que craignait-il de voir ? Et que souhaitait-il voir ? Son cerveau lui faisait l'effet d'être un essaim de guêpes face à une agression, donc autant en terminer. Il appuya sur le symbole « Play » du 10 mars.

Quatre icônes plus petites apparurent avec l'horaire.

La caméra s'était activée quatre fois avant minuit la nuit du meurtre.

Harry appuya sur le premier enregistrement, qui indiquait 20h02min10s.

Nuit. De la lumière derrière le rideau de la cuisine. Mais quelqu'un, ou quelque chose, avait donc évolué dans l'obscurité et déclenché l'enregistrement. Putain, il aurait dû suivre le conseil du type du magasin et acheter une caméra plus chère avec le Zero Blur. Ou était-ce No Glow? Une technologie qui permettait de voir ce qui était devant la caméra même dans la nuit noire, en tout cas. Soudain, le perron s'éclairait quand la porte de la maison s'ouvrait et dans l'embrasure apparaissait une silhouette qui ne pouvait être que Rakel. Elle se tenait là une ou deux secondes avant de laisser entrer quelqu'un et la porte se refermait.

Harry respirait bruyamment par le nez.

Quelques longues secondes s'écoulèrent, puis l'image se figea.

L'enregistrement suivant avait commencé à 20h29min25s. Harry cliqua. La porte de la maison était ouverte, mais les lumières du salon et de la cuisine étaient éteintes ou très tamisées, et il voyait à peine la personne qui sortait, refermait derrière elle, descendait les marches et disparaissait dans l'obscurité totale. C'était cependant à huit heures et demie du soir, soit une heure et demie avant la fourchette de temps estimée par la Médecine légale. Les enregistrements importants étaient les deux suivants.

Harry sentit qu'il avait les paumes moites quand il appuya sur la troisième icône, dont l'horaire était 23h21min09s.

Une voiture arrivait dans la cour. Les phares éclairaient la façade puis le véhicule s'arrêtait juste devant le perron et les phares s'éteignaient. Harry fixait l'écran, il essaya en vain de vriller son regard à travers l'obscurité.

Les secondes galopaient sur l'horloge, mais rien ne se passait. Le chauffeur restait-il tranquillement à attendre dans l'habitacle obscur? Non, puisque l'enregistrement ne s'arrêtait pas, le capteur de la caméra devait continuer de percevoir du mouvement. Enfin, Harry entrevit quelque chose. Le perron s'illumina faiblement alors que la porte s'ouvrait et ce qui ressemblait à une personne voûtée disparaissait à l'intérieur. La porte se refermait et l'image redevenait noire. Avant de se figer au bout de quelques secondes.

Il cliqua sur le dernier enregistrement, avant minuit, 23h 38min 21s.

Obscurité.

Rien.

Qu'avait donc détecté le capteur PIR? C'était en tout cas un objet mobile qui avait un pouls, et une température différente du milieu ambiant.

Au bout de trente secondes, l'enregistrement cessait.

Ce pouvait être un humain qui traversait la cour de la maison, ou un oiseau, un chat, un chien. Harry se frotta vigoureusement le visage. C'était quoi, bordel, l'intérêt d'un piège photographique dont le capteur était nettement plus sensible que l'objectif? Il se souvenait vaguement que le vendeur du magasin avait fait une remarque dans ce goût-là, justement, quand il lui suggérait de mettre un peu plus d'argent dans sa caméra. Mais c'était à une époque où Harry commençait à avoir du mal à financer sa boisson tout en gardant un endroit où dormir le soir.

« On a du nouveau ? demanda Kaja en posant l'une des tasses devant lui.

— Quelque chose, mais pas assez. » Harry appuya sur l'icône du 11 mars. Un seul enregistrement. 02h 23min 12s. « Croise les doigts », dit-il en lançant la vidéo.

La porte de la maison s'ouvrait et ils purent tout juste distinguer une silhouette dans la faible lumière grise de l'entrée. Elle restait sur place quelques secondes, avait l'air de chanceler. Puis la porte se fermait et c'était l'obscurité totale.

« Il est sorti, il est en mouvement », commenta Harry.

Lumière.

Les phares de la voiture s'allumaient. Feux arrière. Feux de recul. Puis ils s'éteignaient. Noir complet.

« Le contact a été coupé. Qu'est-ce qui se passe ?

— Je ne sais pas. » Harry se pencha vers l'écran. « Il y a quelque chose qui approche, tu vois ?

— Non. »

L'image tressauta et la silhouette de la maison devint bancale. Une nouvelle secousse et elle le fut plus encore. Puis l'enregistrement s'arrêta.

« Qu'est-ce que c'était ?

— Il a descendu le piège photographique, conclut Harry.

— Mais est-ce qu'on n'aurait pas dû le voir s'il était allé directement de la voiture à la caméra ?

— Il a fait une courbe autour. C'est lui que tu as vu approcher, sur la gauche.

— Pourquoi en courbe, puisqu'il allait jeter les enregistrements de toute façon ?

— Il a évité la zone où il y a le plus de neige, moins de boulot pour ôter les empreintes de ses bottes après. »

Kaja hocha lentement la tête. « Il avait dû faire une reconnaissance soignée des lieux s'il connaissait l'existence de la caméra.

— Oui. Et il a exécuté le meurtre avec une précision quasi militaire.

— Quasi ?

— Il est d'abord monté en voiture et a failli oublier cette histoire de caméra.

— Il ne l'avait pas prévue ?

— Si. » Harry porta son café à ses lèvres. « Tout était planifié dans les moindres détails. Comme le fait que la lumière de l'habitacle ne se soit pas allumée quand il est sorti de la voiture et ensuite quand il est remonté dedans. Il l'avait éteinte pour le cas où les voisins entendraient la voiture et jetteraient un œil pour voir qui c'était.

— Mais ils auraient vu sa voiture.

— Je doute que ç'ait été sa propre voiture. Dans ce cas, il se serait garé à une certaine distance. On aurait presque dit qu'il voulait montrer la voiture sur les lieux du crime.

— Pour que d'éventuels témoins induisent la police en erreur ?

— Hmm. » Harry avala son café en grimaçant.

« Désolée, je n'avais pas de lyophilisé, s'excusa Kaja. Alors quelle est la conclusion ? Exécution impeccable ou non ?

— J'en sais rien. » Harry recula sur sa chaise pour sortir son paquet de cigarettes de sa poche. « Le fait qu'il manque d'oublier le piège photographique ne cadre pas tout à fait avec le reste. Il y a aussi le moment où on dirait qu'il chancelle à la porte, tu as vu ? On croirait presque que la personne qui sort n'est pas la même que celle qui est entrée. Et qu'est-ce qu'il fabrique là-dedans pendant deux heures et demie ?

— Qu'est-ce que tu crois ?

— Qu'il se drogue. Ou se drogue et boit. Roar Bohr prend-il des cachets ? »

Kaja secoua la tête avec le regard rivé au mur derrière Harry.

« C'est un non ? demanda-t-il.

— C'est un "je ne sais pas".

— Mais tu ne l'exclus pas ?

— Est-ce que j'exclus qu'un homme du FSK ayant fait trois missions en Afghanistan soit accro aux cachets ? Absolument pas.

— Hmm. Tu peux sortir la carte mémoire ? Je vais l'apporter à Bjørn. La police scientifique pourra peut-être en tirer quelque chose.

— Certes. » Kaja saisit l'appareil photo. « Que penses-tu du couteau ? Pourquoi ne l'a-t-il pas jeté au même endroit que la carte mémoire ? »

Harry scruta le contenu de sa tasse. « Les lieux du crime indiquent qu'il a une petite idée des méthodes de travail de la police. Il sait probablement aussi un peu comment nous cherchons l'arme possible du crime dans les environs, et qu'il y a de relativement grandes chances que nous trouvions un couteau dans une poubelle à moins d'un kilomètre.

— Mais la carte mémoire...

— ... il pouvait la jeter sans crainte. Il ne pensait même pas que nous la chercherions. Qui aurait pu savoir que Rakel avait une caméra de chasse camouflée dans sa propriété ?

— Alors où est le couteau ?

— Je ne sais pas. Mais si je devais parier, je dirais chez le tueur.

— Pourquoi ? » Kaja regardait l'écran de son appareil photo. « Si on retrouvait le couteau chez lui, il serait condamné à coup sûr.

— Parce qu'il se considère comme hors de tout soupçon. Un couteau ne pourrit pas, ne fond pas, il faut le cacher quelque part où il ne sera jamais retrouvé. Or le premier endroit où on pense avoir de si bonnes cachettes, c'est l'endroit où on habite. L'avoir près de soi donne l'impression de contrôler son destin.

— Mais s'il a utilisé un couteau trouvé sur les lieux du crime et qu'il a essuyé les empreintes digitales, on ne pourra faire de lien avec lui que si c'est chez lui qu'on le retrouve. Chez moi, c'est le dernier endroit que j'aurais choisi.

— Tu as raison. Comme je te le disais, je ne sais pas, je parie. C'est du... » Harry chercha le mot.

« Feeling ?

— Oui. Non. » Il appuya ses doigts contre sa tempe. « Je ne sais pas. Tu te souviens quand t'étais jeune et que tu allais prendre du LSD, on t'avertissait qu'à tout moment de ta vie et sans signe avant-coureur, tu pouvais très bien avoir des flash-back et te remettre à triper ? »

Kaja leva les yeux de l'écran de l'appareil. « Je n'ai jamais pris de LSD et on ne m'en a jamais proposé non plus.

— Une fille maligne. Moi, j'étais sans doute un garçon un peu plus benêt. Il y a des gens qui prétendent que ces flash-back peuvent être déclenchés. Stress. Drogue. Traumatismes. Et que parfois un flash-back est en fait un nouveau trip, que ce sont de vieux restes de substance qui s'activent, puisque le LSD est une drogue de synthèse qui n'est pas éliminée comme la cocaïne, par exemple.

— Et là, tu te demandes si tu as une remontée de LSD ? »

Harry haussa les épaules. « Le LSD modifie le niveau de conscience. Le cerveau marche en surrégime, il interprète les informations à un niveau si détaillé qu'on a une impression de connaissance cosmique. Je ne vois que cela pour expliquer que j'aie senti qu'il fallait vérifier les poubelles vertes. Je veux dire, tu ne trouves pas par hasard un petit bout de plastique comme ça dans le premier endroit un peu désert dans lequel tu cherches à un kilomètre des lieux du crime ?

— Peut-être pas, répondit Kaja, les yeux sur son appareil photo.

— Eh bien. Cette même connaissance cosmique me dit que Roar Bohr n'est pas l'homme que nous cherchons, Kaja.

— Et si je te dis que ma connaissance cosmique à moi me dit que tu te trompes ? »

Harry haussa les épaules. « C'est moi qui ai pris du LSD, pas toi.

— Mais c'est moi qui ai regardé les enregistrements d'avant le 10 mars. »

Kaja tourna l'appareil photo vers Harry.

« Ça, c'est une semaine avant le meurtre, précisa-t-elle. La personne arrive manifestement derrière la caméra, donc quand l'enregistrement commence, on ne voit que son dos. Il se met juste devant la caméra, mais malheureusement, il ne se tourne pas et on ne voit pas son visage. Quand il s'en va deux heures plus tard non plus. »

Harry vit une grosse lune juste au-dessus du toit, et en silhouette, tous les détails du canon et une partie de la crosse qui dépassait de l'épaule de quelqu'un qui occultait un peu la vue sur la maison.

« Si je ne m'abuse, dit Kaja, et Harry savait déjà qu'elle ne s'abusait pas, c'est un Colt Canada C8. Pas la carabine de base, si je puis dire.

— Bohr ?

— C'est en tout cas une arme utilisée par le FSK en Afghanistan. »

« Vous êtes conscients de la situation dans laquelle vous m'avez mise ? » Dagny Jensen avait gardé son manteau et était assise bien droite en face de Katrine Bratt, les mains agrippées au sac à main qu'elle avait sur ses genoux. « Svein Finne est acquitté de tout, il n'a même pas besoin de se cacher. En plus, maintenant, il sait que j'ai porté plainte contre lui pour viol ! »

Devant la porte, Katrine voyait Kari Beal et son corps athlétique. Elle faisait partie des trois agents qui se relayaient pour la protection de Dagny Jensen.

« Dagny…, commença Katrine.

— Jensen, coupa l'intéressée. Mademoiselle Jensen. » Puis elle cacha son visage dans ses mains et fondit en larmes. « Il est libre pour l'éternité et vous ne pourrez pas veiller sur moi pendant si longtemps. Lui, en revanche… lui, il va veiller sur moi comme… comme un paysan sur une vache pleine ! »

Ses pleurs se transformèrent en sanglots. Katrine ne savait pas quoi faire. Se lever et passer de l'autre côté de son bureau pour la réconforter ou la laisser tranquille. Ne rien faire. Voir si ça passait. Si ça disparaissait.

Katrine frissonna. « Nous sommes en train de passer au crible les possibilités de mettre malgré tout Finne en examen pour viol. De le faire écrouer.

— Vous n'allez jamais y arriver, il a cet avocat, là ; et puis il est plus malin que vous, ce n'est un secret pour personne !

— Il est peut-être plus malin, mais il est du mauvais côté.

— Et vous, vous êtes du bon ? Du côté de Harry Hole ? »

Katrine ne répondit pas.

« Vous m'avez persuadée de ne pas porter plainte contre lui », insista Dagny.

Katrine ouvrit son tiroir et lui tendit un mouchoir. « Il vous appartient bien sûr entièrement de changer d'avis, mademoiselle Jensen. Si vous portez plainte contre Hole parce qu'il s'est fait passer pour un policier en service et vous a ainsi mise en danger, je suis sûre qu'il se fera virer et sera mis en examen pour votre plus grande satisfaction. »

Katrine vit à l'expression du visage de Dagny Jensen que sa remarque avait été un peu plus acerbe qu'elle ne l'entendait.

« Vous ne savez pas, Bratt. » Dagny essuya ses yeux ruisselants de maquillage. « Vous ne savez pas ce que c'est de porter un enfant dont vous ne voulez pas…

— Nous pouvons vous prendre rendez-vous avec un médecin qui pourra…

— Laissez-moi finir ! »

Katrine se tut.

« Pardon, chuchota Dagny. C'est juste que je suis tellement épuisée. J'allais dire que vous ne savez pas l'effet que ça fait… » Elle respira en tremblant. « … de vouloir l'enfant quand même. »

Dans le silence qui suivit, Katrine put entendre des pas pressés dans le couloir devant son bureau. Des pas pressés, mais qui avaient été plus vifs la veille. Des pieds fatigués.

« Je ne sais pas ?

— Comment ?

— Rien. Je ne peux bien sûr pas me mettre à votre place. Écoutez, je souhaite capturer Finne autant que vous. Nous allons y arriver, le fait qu'il nous ait roulés avec ce marchandage ne nous arrêtera pas. C'est une promesse que je vous fais.

— La dernière fois que la police m'a fait une promesse pareille, c'était Harry Hole.

— Cette fois c'est moi qui vous le promets. Ce bureau. Ce bâtiment. Cette ville. »

Dagny Jensen posa son Kleenex sur le bureau et se leva.

« Merci. »

Après son départ, Katrine songea qu'elle n'avait jamais entendu deux petites syllabes exprimer tant et si peu à la fois. Tant de résignation. Si peu d'espoir.

Harry fixait avec insistance la carte mémoire qu'il avait posée devant lui sur le comptoir.

« Qu'est-ce que tu regardes ? » s'enquit Øystein Eikeland, qui avait mis Kendrick Lamar, « To Pimp a Butterfly ». D'après lui, c'était là que la barrière était la plus facile à franchir pour les vieux qui voulaient surmonter leurs préjugés encroûtés contre le hip-hop.

« Des enregistrements nocturnes, dit Harry.

— On dirait St. Thomas, le chanteur, quand il colle une cassette contre son oreille et dit qu'il l'écoute. Tu as vu le documentaire ?

— Non. Bien ?

— Bonne zique, évidemment, quelques interviews et passages intéressants, mais bien trop long. On dirait qu'ils avaient trop de film et qu'ils n'ont pas pu s'empêcher de faire des digressions, qu'ils n'ont pas réussi à se concentrer sur un sujet.

— Moi, c'est pareil, répondit Harry en tournant la carte mémoire.

— Tout est dans le montage. »

Harry hocha lentement la tête.

« J'ai un lave-linge à vider. » Øystein disparut dans l'arrière-salle.

Harry ferma les yeux. La musique. Les références. Les souvenirs. Prince. Marvin Gaye. Chick Corea. Des vinyles, le raclement d'un saphir, Rakel couchée sur le canapé, somnolente, souriante quand il lui chuchotait : « Écoute, là, juste là... »

Elle était peut-être couchée sur ce canapé quand il était arrivé.

Qui était-il ?

Ce n'était peut-être pas un *il*, même ça, on ne pouvait pas le déterminer à partir des enregistrements.

Mais la première personne qui était venue à pied à huit heures et repartie une demi-heure plus tard était un homme, Harry en était relativement certain. Un homme qui n'était pas attendu. Elle avait ouvert la porte et était restée plantée là pendant deux, trois secondes au lieu de le faire entrer tout de suite. Il avait peut-être demandé à entrer et elle lui avait alors ouvert sans hésiter. Donc elle le connaissait bien. À quel point ? Assez pour que, un peu moins d'une demi-heure plus tard, il ressorte en refermant lui-même la porte derrière lui. Cette visite n'avait peut-être rien à voir avec le meurtre, mais Harry n'arrivait pas à s'empêcher de se poser la question : qu'est-ce qu'un homme et une femme ont le temps de faire en un peu moins d'une demi-heure ? Pourquoi la lumière du salon et de la cuisine était-elle tamisée à son départ ? Merde, non, là, il n'avait pas le temps de laisser ses pensées errer dans ces contrées. Alors il s'empressa de passer à la suite.

La voiture qui était arrivée deux heures plus tard. Garée tout contre le perron, pourquoi ? Parce que c'était plus court pour aller à la maison, moins de risques d'être vu. Oui, cela cadrait avec la lumière automatique de l'habitacle qui était éteinte.

Mais il s'était écoulé un petit peu trop longtemps entre l'arrivée de la voiture et l'ouverture de la porte d'entrée.

Le chauffeur avait peut-être cherché quelque chose dans la voiture.

Des gants. Un chiffon pour essuyer les empreintes digitales. Il avait peut-être vérifié que la sûreté était mise sur le pistolet avec lequel il allait la menacer. Car il n'allait évidemment pas la tuer avec, les analyses balistiques identifient les pistolets, qui identifient leurs propriétaires. Il allait utiliser un couteau trouvé sur place. Le couteau parfait, celui que le meurtrier savait déjà se trouver dans le bloc sur le plan de travail de la cuisine.

Ou avait-il improvisé sur place, le couteau sur les lieux du crime n'avait-il été qu'un coup de chance ? L'idée avait effleuré Harry, parce que cela ne semblait pas très malin de passer autant de temps dans la voiture devant le perron. Rakel aurait pu se réveiller, s'alarmer, les voisins auraient pu aller à la fenêtre. Et quand l'homme avait enfin ouvert la porte d'entrée et que suffisamment de lumière avait filtré, cette silhouette étrangement recourbée qui entrait, c'était quoi ? Un individu ivre ? Cela pouvait cadrer avec le stationnement maladroit et le temps mis pour gagner la porte d'entrée, mais pas avec la lumière de l'habitacle éteinte et les lieux du crime en ordre. Un mélange de planification, d'ivresse et de chance ?

L'individu en question était resté près de trois heures, d'un peu avant minuit à environ deux heures et demie du matin. Vu l'heure de la mort estimée par la Médecine légale, il était resté un bon moment après avoir commis le meurtre. Il avait pris tout son temps pour ranger.

Pouvait-il s'agir de la même personne que plus tôt dans la soirée, qui serait revenue en voiture ?

Non.

La qualité des images ne permettait nullement de l'affirmer avec certitude, ce devait être son allure générale, la personne qui avait franchi la porte recourbée sur elle-même avait l'air plus large. D'un autre côté, cette différence de silhouette pouvait être due à des changements de vêtements ou à une ombre.

L'individu qui était ressorti à deux heures vingt-trois était resté une ou deux secondes dans l'encadrement de la porte, chancelant. Blessé ? Bourré ? Déséquilibre fortuit ? Il était monté dans sa voiture, les phares s'étaient allumés, éteints de nouveau. Il avait marché vers le piège photographique en faisant une courbe. Fin de l'enregistrement.

Harry frotta la carte mémoire, dans l'espoir d'en faire sortir un génie.

Il pensait faux. Faux ! Merde, merde, merde.

Et il avait besoin d'un break. D'un… café. Un café turc bien fort. Harry tendit les mains derrière le comptoir pour attraper le czeve, la cafetière qui leur venait de Mehmet, et il se rendit compte qu'Øystein avait changé de musique. Toujours du hip-hop, mais le jazz et les lignes de basse sophistiquées avaient disparu.

« C'est quoi, ce truc, Øystein ?

— Kanye West, "So Appalled", cria Øystein dans l'arrière-salle.

— Maintenant, alors que tu m'avais presque… Éteins ça, veux-tu.

— C'est du bon, Harry ! Prends le temps d'écouter. Il faut pas qu'on se sclérose les oreilles.

— Pourquoi pas ? Il y a mille albums du siècle dernier que je n'ai pas écoutés et c'est assez pour le restant de mes jours. » Harry déglutit. Quel délice, ces intermèdes dans le lourd, la légèreté de plume de ces répliques, de ces échanges dépourvus de sens, avec un adversaire qu'on connaissait par cœur, du ping-pong avec une balle de trois grammes.

« Secoue-toi, bro. » Øystein arriva derrière le comptoir avec un large sourire édenté. Il avait perdu sa dernière incisive dans un bar de Prague, elle était tout simplement tombée. Il avait découvert le vide aux toilettes de l'aéroport et appelé le bar, qui lui avait envoyé sa dent brunâtre par la poste, mais il n'y avait pas eu grand-chose à faire. Sans qu'Øystein en paraisse particulièrement affecté. « Ça, c'est les classiques que les vieux hiphopers écouteront, Harry. Il n'y a pas que de la forme, il y a du fond. »

Harry leva la carte mémoire à la lumière. Il hocha lentement la tête. « Tu as raison, Øystein.

— Tu ne m'apprends rien.

— Je pense faux parce que je me focalise sur la forme, sur la manière dont le meurtre a été commis. Je fais l'impasse sur ce que je rabâchais à mes étudiants. Pourquoi. Le mobile. Le contenu. »

La porte s'ouvrit derrière eux.

« Oh, merde », lâcha Øystein tout bas.

Harry jeta un coup d'œil dans le miroir derrière Øystein. Un homme approchait. Petit, le pas léger, secouant la tête, un rictus aux lèvres sous sa lisse chevelure noire. C'était le type de rictus qu'on voit chez les golfeurs et les footballeurs qui viennent d'expédier la balle ou le ballon haut dans les tribunes, probablement pour signaler qu'ils trouvent ça tellement nul qu'ils ne peuvent que rire.

« Hole. » Voix aiguë, dangereusement joviale.

« Ringdal. » Pas aiguë. Pas joviale.

Harry vit Øystein frissonner, comme si la température avait chuté dans le bar.

« Alors, que faites-vous dans mon bar, Hole ? » Clefs et pièces de monnaie tintèrent quand Ringdal ôta son blouson bleu et l'accrocha à la patère à l'entrée de l'arrière-salle. Ringdal rappelait à Harry un chanteur, mais il ne savait plus lequel.

« Eh bien, fit Harry. Est-ce qu'un "j'viens-voir-quel-soin-on-prend-de-l'héritage" serait une réponse satisfaisante ?

— La seule réponse satisfaisante serait "je-m'en-vais-d'ici". »

Harry glissa la carte mémoire dans sa poche et se poussa de son tabouret de bar. « Vous avez l'air moins blessé que je l'espérais, Ringdal. »

Ringdal retroussa les manches de sa chemise.

« Blessé ?

— Pour mériter une interdiction de séjour à vie, j'aurais tout de même dû vous casser le nez. Enfin, vous n'avez peut-être pas d'os dans le nez ? »

Ringdal rit comme s'il trouvait Harry sincèrement drôle. « Votre premier coup m'a percuté parce que je n'étais pas préparé, Hole. Un peu de sang, mais rien d'assez fort pour provoquer de la casse, hélas. Ensuite vous n'avez atteint que le vide, et le mur là-bas. » Ringdal se remplit un verre d'eau au robinet derrière le comptoir. C'était peut-être paradoxal qu'un homme qui ne buvait pas dirige un bar. Peut-être pas. « Mais c'était méritoire d'essayer, Hole. Il faudrait peut-être juste voir à être un peu moins ivre la prochaine fois que vous vous attaquerez à un champion de Norvège de judo.

— Nous y voilà, fit Harry.

— Où ça ?

— A-t-on jamais entendu parler d'un judoka qui s'y connaissait en musique ? »

Ringdal soupira, Øystein leva les yeux au ciel, et Harry comprit que la balle avait atterri dans les tribunes.

« Je m'en vais d'ici, dit Harry en se levant.

— Hole. »

Harry s'arrêta et se retourna.

« Je suis triste de ce qui est arrivé à Rakel. » Ringdal leva son verre d'eau de la main gauche comme pour porter un toast. « C'était une femme formidable. C'est dommage qu'elle n'ait pas eu le temps de continuer.

— Continuer ?

— Ah, elle ne vous l'a pas dit ? Après votre départ du conseil d'administration, je lui ai proposé de continuer comme présidente. Quoi qu'il en soit, tirons un trait là-dessus, Harry. Vous êtes le bienvenu ici et je promets d'écouter Øystein pour la musique. Je vois bien que nous avons une petite chute du chiffre d'affaires, qui bien sûr pourrait être due à un léger… » Il chercha ses mots. « … assouplissement de la politique musicale. »

Harry hocha la tête et ouvrit la porte.

Il resta sur le trottoir à regarder autour de lui.

Grünerløkka. Le raclement d'un skateboard surmonté d'un type en Converse et chemise en flanelle, plus proche de la quarantaine que de la trentaine. Harry pariait agence de graphisme, magasin de fringues ou un des restos de burgers de hipsters qui, lui avait expliqué Helga, la petite amie d'Oleg, vendaient « *same shit, same wrapping*, à part qu'il y a des truffes dans les frites, ce qui fait qu'ils peuvent tripler les prix et être trendy quand même ».

Oslo. Un jeune homme dont l'impressionnante barbe de prophète broussailleuse faisait un bavoir par-dessus sa cravate, son costume impeccable et son imper Burberry ouvert. Finance ? Ironie ? Ou simple confusion ?

La Norvège. Deux ou trois combinaisons seconde peau se hâtant sur le trottoir. Dans les mains des bâtons et des planches appelées skis. Dans la banane des *energy drinks*, des barres de protéines et pour mille couronnes de fart. Direction les zones ombragées les plus hautes de la Nordmarka et leurs dernières plaques de neige.

Harry sortit son téléphone et appela Bjørn.

« Harry ?

— J'ai trouvé la carte mémoire du piège photographique. »
Silence.
« Bjørn ?
— Oui, il fallait juste que je m'éloigne un peu des gens. C'est dément ! Qu'est-ce que tu vois ?
— Pas grand-chose, malheureusement. C'est pour ça que je me demandais si tu pourrais m'aider à faire analyser les images. Elles sont sombres, mais vous avez vos méthodes et vous pourrez en tirer plus que moi. Il y a quelques silhouettes et références, comme la hauteur de la porte et ainsi de suite. Un spécialiste de l'imagerie 3D pourrait peut-être faire un signalement approximatif. » Harry se frotta la nuque. Ça le démangeait, il ne savait pas où exactement.
« Je peux essayer, répondit Bjørn. Je vais faire appel à un spécialiste externe. Parce que tu veux que ça se passe en toute discrétion, je suppose ?
— Si je veux avoir la possibilité de suivre cette piste sans être dérangé, oui.
— Tu as copié les images ?
— Non, tout est sur la carte mémoire.
— OK. Laisse-la dans une enveloppe au Schrøder, je passerai la prendre plus tard dans la journée.
— Merci, Bjørn. »
Harry raccrocha. Il tapa un R pour Rakel. Les autres contacts qu'il avait dans son répertoire étaient O pour Oleg, Ø pour Øystein, K pour Katrine, B pour Bjørn et A pour Ståle Aune. C'était tout. Ça suffisait, même si Rakel avait dit à Ståle que Harry était ouvert aux nouvelles rencontres ; mais seulement si leur initiale n'était pas déjà occupée.
Il composa le numéro de travail de Rakel en remplaçant le dernier chiffre, celui de son poste, par un zéro.
« Roar Bohr ? demanda-t-il quand la réceptionniste répondit.
— Il n'est pas là aujourd'hui.

— Où est-il et quand sera-t-il de retour ?

— Je n'ai pas d'informations sur le sujet ici, mais j'ai un numéro de portable. »

Harry nota le numéro et l'inscrivit dans l'appli des renseignements téléphoniques. Il fit la recherche et trouva une adresse entre Smestad et Huseby et un numéro de fixe. Il regarda l'heure. Treize heures trente. Il appela.

« Oui ? répondit une voix de femme à la troisième sonnerie.

— Excusez-moi, je me suis trompé de numéro. »

Harry raccrocha et se dirigea vers l'arrêt de tram en haut de Birkelunden. Il se gratta le bras, mais ce n'était pas là que ça grattait non plus. Ce n'est que dans le T-bane pour Smestad qu'il arriva à la conclusion que c'était sans doute dans sa tête que ça le démangeait. C'était sûrement une réaction au geste bien intentionné ou soigneusement calculé de Ringdal. Il aurait préféré rester interdit de séjour plutôt que de bénéficier de cette exaspérante grâce de grand seigneur. Il avait peut-être sous-estimé le judo.

La femme qui ouvrit la porte de la villa jaune irradiait cette vitalité affairée si caractéristique des femmes entre trente et cinquante ans des couches sociales supérieures des quartiers ouest. On n'aurait su dire s'il s'agissait d'un idéal auquel elles se conformaient ou si c'était leur réel niveau d'énergie, mais Harry soupçonnait qu'on gagnait du respect à régenter sans difficulté apparente deux enfants, un chien de chasse et un mari, de préférence dans un lieu public. « Pia Bohr ?

— En quoi puis-je vous aider, monsieur ? »

Aucune confirmation et un « monsieur » au ton légèrement décourageant, mais prononcé avec un sourire confiant. Elle était petite, pas maquillée, avec des rides suggérant qu'elle approchait de la cinquantaine. Svelte comme une adolescente. Beaucoup de sport et de plein air, gageait Harry.

« Police. » Il montra son insigne.

« Bien sûr, vous êtes Harry Hole, répondit-elle sans un regard à l'insigne. J'ai vu votre photo dans le journal. Vous étiez le mari de Rakel Fauke. Toutes mes condoléances.

— Merci.

— Vous voudriez parler à Roar, je suppose ? Il n'est pas à la maison.

— Quand…

— Ce soir, peut-être. Je vais lui demander de prendre contact avec vous si je peux avoir un numéro.

— Hmm. Je pourrais peut-être vous parler à vous, madame Bohr ?

— À moi ? Pourquoi donc ?

— Ce ne sera pas long. J'ai juste besoin d'une ou deux infos. » Le regard de Harry parcourut le meuble à chaussures derrière elle. « Je peux entrer ? »

Harry nota son hésitation. Il trouva ce qu'il cherchait sur l'étagère du bas. Une paire de bottes militaires soviétiques.

« Ça tombe mal, je suis en train de… Je suis occupée.

— Je peux attendre. »

Pia Bohr eut un sourire furtif. Pas une beauté flagrante, mais mignonne-marrante, constata Harry. Peut-être ce qu'Øystein appelait une Toyota : pas le premier choix des mecs quand ils étaient ados, mais celle dont ils voyaient après coup qu'elle avait mieux vieilli que les autres.

Elle regarda sa montre. « Je dois aller à la pharmacie. On peut faire ça sur le chemin, OK ? » Si elle avait entendu l'ambiguïté comique de son choix de mots, elle ne le montra pas. Elle attrapa une veste sur une patère, sortit sur le perron et referma la porte derrière elle. Harry avait vu que c'était le même genre de verrou que chez Rakel, le verrouillage n'était pas automatique quand on rabattait la porte, il fallait une clef, mais Pia Bohr n'en sortit pas. Quartier sûr. Pas d'hommes inconnus qui entraient dans les maisons. Ils passèrent devant le garage, franchirent le portail et descendirent la rue résidentielle où les premières Tesla bourdonnaient en rentrant de courtes journées de travail.

Harry glissa une cigarette au coin de sa bouche sans l'allumer. « C'est des somnifères que vous allez chercher ?

— Pardon ? »

Harry haussa les épaules. « Insomnie. Vous avez dit à notre enquêteur que votre mari était à la maison toute la soirée et la nuit du 10 mars. Si vous êtes tout à fait sûre d'une chose pareille, c'est que vous n'avez pas dû dormir beaucoup.

— Je… Oui, c'est des somnifères.

— Hmm. Moi aussi, j'ai dû en prendre quand Rakel et moi avons cessé d'habiter ensemble. L'insomnie, ça ronge l'âme. Qu'est-ce qu'on vous donne ?

— Euh… de l'Imovane et du Somadril. » Pia avait accéléré.

Harry allongea le pas en faisant cliqueter son briquet sous la cigarette sans obtenir de feu. « Comme moi. Ça fait deux mois que j'en prends. Et vous ?

— À peu près pareil. »

Harry fourra le briquet dans sa poche.

« Pourquoi mentez-vous, Pia ?

— Plaît-il ?

— L'Imovane et le Somadril, c'est du lourd. Si vous en prenez pendant deux mois, vous êtes accro. Et si vous êtes accro, vous en prenez tous les soirs. Parce que ça marche. Suffisamment pour être dans le coma et n'avoir aucune idée de ce que votre voisin de lit a fabriqué la nuit du 10 mars si vous en aviez pris ce soir-là. De toute façon, vous ne me faites pas l'effet de quelqu'un qui est accro aux sédatifs, vous avez le pied et la tête un peu trop vifs. »

Pia Bohr ralentit.

« Mais vous pouvez bien sûr me convaincre que je me trompe, dit Harry. Il suffit de me montrer l'ordonnance. »

Pia Bohr s'arrêta complètement. Elle plongea la main dans la poche de son jean serré. Elle en sortit un papier bleu qu'elle déplia.

« Vous voyez ? » fit-elle avec un léger vibrato dans la voix. Elle lui tendit le papier. « Somadril.

— Je vois, répondit Harry en lui arrachant le papier avant qu'elle ait le temps de réagir, et quand je regarde de plus près, je vois que l'ordonnance est pour Bohr. Roar Bohr. Il ne vous a manifestement pas expliqué à quel point c'est fort, ces trucs dont il a besoin. »

Harry lui rendit l'ordonnance.

« Il y a peut-être d'autres choses qu'il ne vous a pas racontées, Pia ?

— Je...

— Il était à la maison, ce soir-là ? »

Elle déglutit. Ses joues perdirent leur teint frais, sa vitalité s'évanouit. Harry revit à la hausse ses estimations et lui donna cinq ans de plus.

« Non, murmura-t-elle. Il n'était pas là. »

Ils firent l'impasse sur la pharmacie et descendirent au bassin de Smestad. Ils s'assirent du côté est, sur un banc dans la pente, avec vue sur l'îlot qui ne pouvait accueillir qu'un saule blanc.

« Le printemps, observa Pia. Tout sauf le printemps. En été, c'est si vert ici. Tout pousse follement. Les insectes bourdonnent. Il y a des poissons, des grenouilles. C'est plein de vie. Et quand les feuilles poussent sur les arbres et que le vent joue dans ce saule, et que ça danse et que ça bruisse au point d'assourdir l'autoroute... » Elle eut un sourire triste. « Et l'automne à Oslo...

— Le plus bel automne du monde, renchérit Harry en allumant sa cigarette.

— Même l'hiver vaut mieux que le printemps. En tout cas autrefois, quand on pouvait compter sur un froid stable, quand l'eau gelait. On emmenait les enfants ici faire du patin. Ils adoraient.

— Combien… ?

— Deux. Un garçon et une fille. Vingt-huit et vingt-cinq ans. June est biologiste marine à Bergen et Gustav fait des études aux États-Unis.

— Vous avez commencé tôt. »

Elle sourit furtivement. « Roar avait vingt-trois ans et moi vingt et un quand nous avons eu June. Les couples qui sont dans le système de mutation de l'armée de terre et n'arrêtent pas de déménager ont souvent des enfants jeunes. Pour occuper les épouses, je suppose. En tant que femme d'officier, on a deux options. Se laisser apprivoiser, accepter sa vie de vache laitière, rester dans sa stalle, mettre des veaux au monde, donner du lait, ruminer.

— Et la deuxième option ?

— Ne pas être femme d'officier.

— Mais vous avez choisi l'option un.

— On dirait bien.

— Hmm. Pourquoi avez-vous menti sur la nuit du 10 mars ?

— Pour nous épargner les questions. L'attention. Vous imaginez bien les torts que cela pourrait causer à la réputation de Roar si on venait le chercher pour un interrogatoire dans une affaire criminelle ? Il n'a pas besoin de ça, si vous voyez ce que je veux dire.

— Pourquoi ? »

Elle haussa les épaules. « Personne n'a besoin de ça. Surtout pas dans notre quartier.

— Alors où était-il ?

— Je ne sais pas. Dehors.

— Dehors ?

— Il n'arrive pas à dormir.

— Somadril.

— C'était pire quand il est rentré d'Irak, on lui avait donné du Rohypnol contre l'insomnie. Il est devenu accro en deux semaines, et ça lui provoquait des black-outs. Donc maintenant il refuse de prendre quoi que ce soit. Il enfile son uniforme et il dit qu'il doit sortir en mission de reconnaissance. Monter la garde. Surveiller. Il affirme ne faire qu'aller d'un endroit à l'autre, comme dans une patrouille de nuit, qu'il reste caché. Apparemment, c'est typique des gens qui souffrent d'un syndrome de stress post-traumatique d'avoir peur tout le temps. En général, il rentre dormir pendant deux ou trois heures avant de partir travailler.

— Et ça, il arrive à le cacher au boulot ?

— On voit ce qu'on veut voir. Et Roar a toujours su donner l'impression qu'il voulait donner. C'est un homme en qui les gens ont confiance.

— Vous aussi ? »

Elle poussa un soupir. « Mon mari n'est pas une mauvaise personne, mais parfois les bonnes personnes se brisent.

— Il emporte une arme quand il sort en patrouille de nuit ?

— Ça, je ne sais pas. Il part quand je suis couchée.

— Vous savez où il était la nuit du meurtre ?

— Je le lui ai demandé après que la police m'avait posé la question. Il m'a répondu qu'il dormait dans l'ancienne chambre de June.

— Mais vous ne l'avez pas cru.

— Pourquoi dites-vous ça ?

— Sinon vous auriez dit à la police qu'il avait dormi dans une autre chambre. Vous avez menti, parce que vous aviez peur qu'il y ait autre chose. Et qu'il ait besoin d'un alibi solide.

— Vous n'êtes pas en train de me dire sérieusement que la police soupçonne Roar, Hole ? »

Harry contempla un couple de cygnes qui avançaient vers

eux. Il perçut une étincelle de lumière sur la colline de l'autre côté du périphérique. Une fenêtre qu'on ouvrait, peut-être.

« Post-traumatique, dit Harry. Quel était le traumatisme ? »

Elle soupira. « Je ne sais pas. C'est un tout. Des choses difficiles dans son enfance. L'Irak, ensuite. L'Afghanistan. Mais c'est clair, quand il est rentré de sa dernière mission et m'a annoncé qu'il quittait l'armée de terre, j'ai bien compris qu'il s'était passé quelque chose. Il avait changé. Il s'était refermé. Après avoir longtemps insisté, j'ai réussi à lui soutirer qu'il avait tué quelqu'un en Afghanistan. Maintenant, c'est pour ça qu'ils y sont, mais ça l'avait fortement touché, et il ne voulait pas en parler. Mais il était opérationnel, en tout cas.

— Et plus maintenant ? »

Son regard était celui d'une naufragée et Harry comprit pourquoi elle s'était si facilement ouverte à lui, un étranger. Pas dans notre quartier. Elle désirait parler, elle y aspirait désespérément, c'était juste qu'elle n'avait eu personne avec qui le faire.

« Depuis la mort de Rakel Fauke… de votre femme, il s'est complètement effondré. Il… il n'est pas opérationnel, non. »

L'étincelle, de nouveau. Il songea que ça devait venir d'à peu près là où se trouvait la maison des Bohr sur la colline. Il se raidit. Il avait vu quelque chose du coin de l'œil, entre eux deux, sur le blanc du dossier, une vibration qui avait bougé puis disparu, comme un insecte rouge et rapide qui ne faisait aucun bruit. Il n'y avait pas d'insectes ici en mars.

Harry plongea en avant à une vitesse fulgurante, planta ses talons dans le sol, prit son élan et se jeta en arrière vers le dossier du banc. Pia Bohr cria quand le banc se renversa et qu'ils tombèrent en arrière. Harry l'entoura de ses bras alors qu'ils glissaient du dossier et l'entraîna dans le fossé peu profond derrière le banc. Puis il entreprit de ramper dans la boue avec Pia à la traîne. Il s'arrêta. Il jeta un coup d'œil vers la colline. Il vit qu'ils avaient maintenant le saule entre eux et l'endroit où il avait vu l'étincelle. Sur le sentier, un homme en sweat à capuche avec un rottweiler s'arrêta, il semblait envisager d'intervenir.

« Police ! cria Harry. Éloignez-vous ! Il y a un sniper ! »

Harry vit une vieille dame tourner les talons et repartir en hâte, mais l'homme au rottweiler ne bougea pas. Pia essaya de se libérer, mais Harry mit tout le poids de son corps sur la petite femme si bien qu'ils restèrent couchés face à face.

« Apparemment, votre mari est à la maison quand même. » Il sortit son téléphone. « C'est pour ça que je n'ai pas pu entrer. C'est pour ça que vous n'avez pas verrouillé en sortant. » Il composa un numéro.

« Non ! s'écria Pia.

— Centre des appels d'urgence, annonça une voix au téléphone.

— Ici l'inspecteur principal Hole. Je voudrais prévenir qu'il y a un homme armé… »

Le téléphone lui fut arraché des mains. «Il ne se sert de la visée télescopique que comme jumelles. » Pia Bohr plaqua le téléphone contre son oreille. « Désolés, faux numéro. » Elle raccrocha et tendit le téléphone à Harry. « Ce n'est pas ce que vous avez dit quand vous m'avez téléphoné ? »

Harry ne bougea pas.

« Vous êtes un peu lourd, Hole. Vous ne pourriez pas…

— Comment sais-je que je ne vais pas me prendre une balle dans le front au moment où je me lèverai ?

— Parce que vous avez un point rouge sur le front depuis que nous nous sommes assis sur le banc. »

Harry la regarda. Puis il posa ses paumes sur la boue froide et se releva. Il se hissa sur ses jambes, plissa les yeux vers la colline, se tourna pour aider Pia Bohr, mais elle était déjà debout. Sa veste et son jean ruisselaient de boue noire. Harry sortit une cigarette cassée de son paquet de Camel. « Votre mari va s'enfuir maintenant ?

— Je serais tentée de le croire, soupira Pia Bohr. Il faut que vous compreniez qu'il est en mauvaise forme mentale et qu'il est très nerveux en ce moment.

— Où va-t-il ?

— Je ne sais pas.

— Vous savez que vous risquez des poursuites si vous travaillez contre la police, madame Bohr ?

— Vous parlez de moi ou de mon mari ? demanda-t-elle en époussetant ses cuisses. Ou de vous-même ?

— Pardon ?

— Votre direction ne vous a sûrement pas autorisé à enquêter sur le meurtre de votre propre femme, Hole. Vous êtes ici en tant que détective privé. Ou devrais-je dire détective givré ? »

Harry ôta le bout cassé de la cigarette et alluma ce qu'il en restait. Il baissa les yeux sur ses propres vêtements boueux. Un bouton avait été arraché, laissant un accroc sur sa veste. « Vous me prévenez si votre mari revient ? »

Pia Bohr acquiesça d'un signe de tête vers l'eau. « Celui-là, faites attention, il n'aime pas les gens. »

Harry se retourna et vit que l'un des cygnes avait mis le cap sur eux. Quand il se retourna de nouveau, Pia Bohr remontait déjà la colline.

« Détective givré ?

— Ouaip », confirma Harry en tenant la porte de Bjølsenhallen à Kaja.

Ce centre commercial et sportif était intégré dans le paysage urbain ordinaire. Kaja lui avait expliqué que le club de tennis de table de Kjelsås avait ses locaux au-dessus du supermarché au rez-de-chaussée.

« Le concept d'ascenseur, ça ne te plaît toujours pas ? demanda Kaja en galopant derrière Harry pour le suivre dans l'escalier.

— C'est pas le concept, c'est la taille, répondit Harry. Comment as-tu trouvé cet officier de la police militaire ?

— Les Norvégiens ne couraient pas les rues à Kaboul et j'ai parlé avec la plupart de ceux que je connais qui y sont maintenant. Glenne semblerait être le seul qui puisse avoir des choses à raconter. »

La fille de la réception leur indiqua le chemin. Le cri des semelles sur le sol dur et le caquètement des balles de ping-pong les atteignirent avant qu'ils n'arrivent dans la grande salle où une vingtaine d'individus, des hommes pour la plupart, dansaient recourbés sur eux-mêmes et virevoltant de part et d'autre des tables de ping-pong vertes.

Kaja se dirigea vers l'une d'elles.

Deux hommes se renvoyaient une balle au-dessus du filet, même trajectoire chaque fois, coup droit avec top spin. Ils bougeaient à peine, répétaient simplement le même geste : le bras plié et avec peu de poignet, ils frappaient dans la balle en tapant fortement du pied sur le sol. La balle allait si vite qu'elle traçait un trait blanc entre les deux hommes qui avaient l'air figés dans ce duel, comme un jeu d'ordinateur planté.

Puis il y eut une balle trop longue et elle rebondit entre les tables dans une série de petits bruits secs.

« Merde ! » s'exclama le joueur qui avait raté son coup, un homme d'allure sportive d'une quarantaine ou cinquantaine d'années, avec un bandeau noir autour du front et des cheveux argent tondus à la militaire.

« Tu n'as pas lu le spin, observa l'autre en allant chercher la balle.

— Jørn, dit Kaja.

— Kaja ! s'écria l'homme au bandeau avec un grand sourire. Voilà un soldat en nage pour toi. » Ils s'étreignirent.

Kaja lui présenta Harry.

« Merci d'avoir accepté de nous voir, dit Harry.

— Un rendez-vous avec cette demoiselle, ça ne se refuse pas.» Toujours les yeux rieurs, Glenne serra la main de Harry, juste assez fort pour qu'il puisse le percevoir comme un défi. «Mais si j'avais su, j'aurais amené des renforts...»

Kaja et Glenne rirent.

«Allons prendre un café.» Glenne posa sa raquette sur la table de ping-pong.

«Et ton adversaire? s'enquit Kaja.

— C'est mon entraîneur, acheté et payé.» Il leur montra le chemin. «Connolly et moi allons nous rencontrer à Juba cet automne, il faut que je sois prêt.

— Un collègue américain, expliqua Kaja à Harry. Quand on était à Kaboul, ils jouaient un match de ping-pong permanent.

— Tu as envie de venir? demanda Glenne. Je suis relativement sûr que ta boîte te trouverait un travail là-bas.

— Au Soudan du Sud? fit Kaja. Comment c'est là-bas en ce moment?

— Comme avant. Guerre civile, famine, Dinka, Nuer, cannibalisme, viols collectifs et plus d'armes que dans tout l'Afghanistan.

— Laisse-moi y réfléchir», répondit Kaja, et Harry comprit à l'expression de son visage qu'elle ne plaisantait pas.

Ils allèrent chercher du café au comptoir d'une cafétéria aux allures de cantine et s'assirent à une table devant une fenêtre crasseuse donnant sur l'Akerselva et l'ancienne minoterie Bjølsen Valsemølle. Jørn Glenne prit la parole avant que Harry et Kaja n'aient eu le temps de commencer à lui poser des questions :

«J'ai accepté de vous parler parce que je me suis brouillé avec Roar Bohr à Kaboul. Une femme a été violée et tuée, c'était l'interprète personnelle de Bohr. Une Hazara. La plupart des Hazara sont des paysans simples et pauvres sans éducation, mais cette jeune femme, Hela...

— Hala, corrigea Kaja. C'est le même mot que *halo*, le cercle autour de la pleine lune.

— … avait appris l'anglais et l'allemand plus ou moins en autodidacte. Elle était en train d'apprendre le norvégien aussi. Formidablement douée pour les langues. On l'a retrouvée juste devant la maison où elle habitait avec d'autres femmes qui travaillaient pour la coalition et les organisations d'aide humanitaire. Oui, d'ailleurs tu habitais là toi aussi, Kaja. »

Kaja acquiesça.

« Nous soupçonnions que c'étaient les talibans ou quelqu'un de son village. Comme vous le savez, l'honneur compte beaucoup pour les sunnites et encore plus pour les Hazara. Le simple fait qu'elle travaille pour nous autres mécréants, qu'elle fréquente des hommes et qu'elle s'habille comme une Occidentale aurait pu suffire à ce qu'on veuille faire un exemple.

— J'ai entendu parler des crimes d'honneur, glissa Harry, mais un viol d'honneur ? »

Glenne haussa les épaules. « L'un pourrait avoir entraîné l'autre. Qui sait ? Bohr nous a empêchés d'enquêter.

— Ah bon ?

— Le corps a été découvert à un jet de pierre de la maison dont la garde nous incombait. C'était en pratique une zone dont nous étions responsables et malgré tout, Bohr a laissé l'enquête à la police afghane locale. Quand j'ai protesté, il a rappelé que la police militaire, en l'espèce un autre homme et moi, avait pour mission de l'assister comme chef et de veiller à la sécurité et l'application des lois parmi les troupes norvégiennes à l'étranger, point final. Alors qu'il savait très bien que la police afghane ne disposait nullement des ressources et des moyens techniques qui sont pour nous des évidences. Le relevé d'empreintes digitales, ça vient de sortir, et vous pouvez toujours courir pour avoir un test d'ADN.

— Bohr avait des considérations politiques à prendre en

compte, précisa Kaja. Il y avait déjà une certaine réticence à ce que les forces occidentales prennent trop leurs aises et Hala était afghane.

— C'était une Hazara, rappela Glenne en soufflant par le nez. Bohr savait que l'affaire n'aurait pas la même priorité que si elle avait été pachtoune. OK, il y a eu une autopsie, et on a trouvé des traces de fluni-machin-chose. Les trucs que les hommes mettent dans le verre des femmes qu'ils vont violer…

— Flunitrazépam, dit Kaja. Comme dans le Rohypnol.

— En effet. Et vous croyez qu'un Afghan aurait envie de dépenser de l'argent pour droguer une femme avant de la violer ?

— Hmm.

— Bon sang, non ! Ça, c'était un étranger ! » Glenne tapa du plat de la main sur la table. « Et l'affaire a-t-elle été élucidée ? Bien sûr que non.

— Vous croyez que… » Harry but une gorgée de son café. Il chercha une autre façon, plus indirecte, de formuler sa question, mais changea d'avis quand, levant les yeux, il croisa le regard de Jørn Glenne. « … que Roar Bohr aurait pu être l'auteur du meurtre et faire en sorte que ceux qui avaient le moins de chances de le prendre soient chargés de l'enquête ? C'est pour ça que vous avez accepté de nous parler ? »

Glenne cligna des yeux, il ouvrit la bouche, mais aucune réponse ne vint.

« Écoute, Jørn, dit Kaja. Nous savons que Bohr a raconté à sa femme qu'il a tué quelqu'un en Afghanistan. Et j'ai parlé avec Jan…

— Jan ?

— Instructeur au FSK. Grand, blond…

— Ah, oui ! Il était fou de toi. Encore un !

— Quoi qu'il en soit, fit Kaja les yeux baissés – et Harry l'aurait presque soupçonnée de jouer les gênées pour donner ce qu'il voulait à Glenne, qui était hilare –, Jan dit qu'ils n'ont ni victimes confirmées ni victimes revendiquées pour Roar dans leurs registres. Naturellement, en tant que commandant supérieur, il n'était pas souvent en première ligne, mais le fait est qu'il n'a pas non plus tué plus tôt dans sa carrière, quand il était bel et bien en première ligne, pour le coup.

— Je sais, répondit Glenne. Officiellement, il n'y a pas eu de présence du FSK à Bassorah, mais Bohr y était, en formation au sein d'une force spéciale américaine. D'après les rumeurs, il aurait vu beaucoup d'action, mais serait resté puceau quand même. Et la fois où il a été le plus proche de l'action en Afghanistan, c'est quand le sergent Waage a été pris par les talibans.

— Cette histoire, oui, dit Kaja.

— Qu'est-ce que c'était ? » demanda Harry.

Glenne haussa de nouveau les épaules. « Bohr et Waage étaient en expé et ils se sont arrêtés dans le désert pour que le sergent puisse chier. Il est allé se mettre derrière un tas de pierres et comme il n'était pas revenu au bout de vingt minutes et ne répondait pas quand on l'appelait, Bohr affirme dans le rapport être sorti pour le chercher, mais je suis passablement certain qu'il est resté dans la voiture.

— Pourquoi ?

— Parce qu'il peut se passer un paquet de trucs dans le désert. Parce qu'un ou deux talibans avec des modèles simples de carabines et un couteau attendaient derrière le tas de pierres. Bohr le savait bien sûr. Il était en sécurité dans une voiture blindée avec un terrain dégagé entre le tas de pierres et lui. Il savait qu'il n'y aurait pas de témoins pour dire qu'il avait menti. Alors il a verrouillé toutes les portières et appelé le camp. Je crois qu'ils ont dit que c'était à cinq heures de route. Deux jours plus tard, une troupe afghane a trouvé une trace de sang de plusieurs kilomètres de long sur l'asphalte, à quelques heures de route plus au nord. Il arrive que les talibans torturent leurs prisonniers en les traînant derrière une charrette. Et aux abords d'un village encore un peu plus au nord se trouvait une tête plantée sur un piquet à côté de la route. L'asphalte avait arraché le visage, mais l'analyse d'ADN de Paris a montré que c'était le sergent Waage, dites donc.

— Hmm. » Harry joua avec sa tasse. « Vous pensez ça de Bohr parce que vous auriez fait la même chose à sa place, Glenne ? »

L'officier de police militaire haussa encore les épaules. « Je ne me fais aucune illusion. On est humains, on choisit la voie de la moindre résistance, mais ce n'était pas moi.

— Alors ?

— Alors je juge les autres aussi durement que je me jugerais moi-même. Et peut-être que Bohr l'a fait aussi. C'est dur pour un chef de perdre quelqu'un de son équipe. En tout cas, il n'a plus été le même ensuite.

— Donc vous pensez qu'il a violé et tué son interprète, mais que ce qui l'a brisé, c'est que son sergent se fasse prendre par les talibans ? »

Haussement d'épaules. « Comme je le disais, je n'ai pas pu enquêter, donc je n'ai rien d'autre que des hypothèses.

— Et la meilleure, c'est quoi ?

— Que cette histoire de viol n'était qu'une couverture pour que ça ait l'air d'un crime sexuel. Qui ferait que la police chercherait dans le dossier de ses pervers habituels. Dossier qui est du reste bien maigre à Kaboul.

— Couverture de quoi ?

— De ce qui était le réel projet de Bohr. Tuer quelqu'un.

— Quelqu'un ?

— Comme vous l'avez compris, Bohr avait du mal avec l'idée de tuer. Quand on est au FSK, c'est un gros problème.

— Ah ? Je ne pensais pas qu'ils étaient sanguinaires à ce point ?

— Non, non, mais… comment vous expliquer ? » Glenne secoua la tête. « Les gens du FSK ancien style, ceux qui venaient de l'école de paras, étaient sélectionnés dans l'optique de se livrer à la fastidieuse activité de renseignement derrière les lignes ennemies, où ce qui comptait le plus, c'était la patience et l'endurance. Ils étaient les coureurs de longue distance de la Défense nationale, d'accord ? Là, vous avez Bohr. Aujourd'hui, on met l'accent sur les opérations antiterrorisme en zone urbaine. Et vous savez quoi ? Les nouveaux gars du FSK ont l'air de joueurs de hockey. Vous comprenez ? Dans ce nouveau milieu, il commençait à se répandre une rumeur que Bohr était... » Glenne grimaça comme s'il n'aimait pas le goût du mot qu'il avait sur le bout de la langue.

« Lâche ? proposa Harry.

— Impuissant. Imaginez la honte. Vous êtes le chef, mais vous êtes puceau quand même. Puceau non pas parce que vous n'avez pas eu l'occasion, après tout, il y a des soldats du FSK qui ne se sont jamais retrouvés dans une situation où il était nécessaire de tuer, mais parce que vous n'avez jamais réussi à la dresser quand il fallait. Vous comprenez ? »

Harry acquiesça.

« N'étant pas nouveau dans la partie, Bohr sait que c'est le premier meurtre qui est le plus difficile, poursuivit Glenne. Après le baptême du sang, ça devient plus facile. Bien plus facile. Alors il a choisi une première victime simple. Une femme qui ne pourrait pas faire de résistance, qui avait confiance en lui et qui ne se doutait de rien. Une Hazara haïe, une chiite dans un pays sunnite, où un tas de gens auraient donc un mobile pour la tuer. Ensuite, il y a pris goût. Tuer, c'est une expérience tout à fait particulière. C'est mieux que le sexe.

— Ah bon ?

— C'est ce qu'on dit. Demandez aux gens du FSK. En leur disant d'être honnêtes. »

Harry et Glenne soutinrent un instant le regard l'un de l'autre, puis Glenne déporta le sien sur Kaja.

« Jusqu'ici, c'étaient des pensées que je gardais pour moi, mais s'il se trouve que Bohr a avoué à sa femme qu'il avait tué Hela…

— Hala.

— … alors vous pouvez compter sur mon aide. » Glenne finit son café. « Connolly ne se repose pas, lui, il faut que j'aille m'entraîner. »

« Alors ? fit Kaja quand elle et Harry sortirent dans la rue. Qu'est-ce que tu penses de Glenne ?

— Je crois qu'il tape trop loin parce qu'il ne lit pas le spin.

— Drôle.

— Métaphorique. Il tire de grandes conclusions à partir de la trajectoire de la balle, mais sans avoir analysé ce que l'adversaire venait de faire avec sa raquette.

— Ce jargon est-il censé me dire que tu t'y connais en ping-pong ? »

Harry haussa les épaules. « Le sous-sol d'Øystein quand on avait dix ans. Lui, moi et Les Sabots. Et King Crimson. À seize ans, on s'y connaissait mieux en balles spinnées et en prog rock qu'en filles, pour exprimer les choses ainsi. On… » Harry se tut soudainement, fit la moue.

« Qu'est-ce qu'il y a ?

— Je jacasse, je… » Il ferma les yeux. « Je jacasse pour ne pas me réveiller.

— Réveiller ? »

Harry reprit son souffle. « Je dors. Tant que je dors, tant que j'arrive à demeurer dans le rêve, je peux continuer de le chercher, mais parfois, comme maintenant, c'est exactement comme si ça dérapait. Il faut que je me concentre pour dormir, parce que si je me réveille…

— Oui ?

— LÀ, je saurai que c'est vrai, et je mourrai. »

Harry tendit l'oreille. Le crépitement des pneus cloutés sur l'asphalte. Le murmure d'une petite chute d'eau de l'Akerselva.

« On dirait ce que mon psychologue appelle du rêve lucide, entendit-il dire Kaja. Un rêve où on peut tout contrôler. C'est pourquoi nous faisons tout ce qui est en notre pouvoir pour ne pas le quitter. »

Harry secoua la tête. « Je ne contrôle rien du tout. Je veux juste trouver celui qui a tué Rakel. Ensuite je veux me réveiller. Et mourir.

— Et si tu dormais pour de vrai ? » Sa voix était douce. « Je crois que ça te ferait du bien de te reposer un peu, Harry. »

Il rouvrit les yeux. Kaja avait levé la main, probablement pour la poser sur son épaule, mais elle chassa à la place une mèche de son propre visage en voyant son regard.

Il toussota : « Tu disais que tu avais trouvé une information intéressante dans le cadastre ? »

Kaja cligna des yeux une ou deux fois.

« Oui. Un chalet au nom de Roar Bohr. À Eggedal. À une heure quarante-cinq d'ici d'après Google Maps.

— Bien. Je vais demander à Bjørn s'il peut m'y conduire.

— Tu es sûr que tu ne veux pas aller voir Katrine pour lancer un avis de recherche ?

— Pourquoi donc ? Parce que sa femme n'a pas constaté de ses propres yeux qu'il dormait dans la chambre de sa fille cette nuit-là ?

— Si elle trouve que nous n'avons pas assez, pourquoi est-ce que toi, tu trouverais ça suffisant ? »

Harry referma sa veste et sortit son téléphone. « Parce que j'ai un flair qui a fait tomber plus de tueurs que le flair de n'importe qui d'autre dans ce pays. »

Harry sentit le regard estomaqué de Kaja sur lui alors qu'il téléphonait à Bjørn.

« Je peux conduire, dit Bjørn après un bref temps de réflexion.

— Merci.

— Autre chose. Cette carte mémoire…

— Oui ?

— J'ai fait suivre l'enveloppe en ton nom à Freund, le spécialiste 3D externe. Je ne lui ai pas parlé, mais je t'ai envoyé ses coordonnées par mail, pour que tu puisses lui parler toi-même.

— Hmm. Je comprends. Tu préférerais que ton nom ne soit pas mêlé à ça.

— C'est le seul métier que je sache faire, Harry.

— Je te l'ai dit, je comprends.

— Si je me fais virer maintenant, avec un gosse et tout…

— Arrête ton char, Bjørn, ce n'est pas à toi de t'excuser. C'est moi qui t'entraîne dans ce merdier. »

Pause. Malgré ce qu'il venait de lui dire, Harry avait l'impression de sentir la mauvaise conscience de son interlocuteur à travers le téléphone.

« Bon, je passerai te prendre, alors », conclut Bjørn.

L'inspecteur Felah était assis avec le ventilateur dans le dos, ce qui n'empêchait pas sa chemise de coller à son corps. Il détestait la chaleur, Kaboul, les étrangers, son bureau à l'épreuve des bombes mais, plus que tout, il détestait les mensonges qu'il devait écouter du matin au soir. Comme ce pathétique cultivateur d'opium analphabète, cet Hazara qui était en face de lui.

« On vous a amené à moi parce que vous avez prétendu lors d'un interrogatoire pouvoir nous donner le nom d'un meurtrier, dit Felah. Un étranger.

— Seulement si vous m'épargnez. »

Felah observa l'homme qui se ratatinait sur lui-même. Le couvre-chef fatigué qu'il serrait dans ses mains n'était pas un *pakol*, mais il avait au moins couvert ses cheveux sales. Cet ignorant de bandit chiite qui le suppliait croyait manifestement qu'échapper à la peine de mort en écopant à la place d'une longue peine de prison était une grâce. C'était une condamnation aux tortures d'une mort lente, oui, et en ce qui le concernait, il aurait choisi la conclusion rapide de la pendaison sans une once d'hésitation.

Felah s'épongea le front. « Ça dépend de ce que vous avez pour moi. Crachez le morceau.

— Il a tué…, articula le Hazara d'une voix chevrotante. Il croyait que personne ne le voyait, mais moi, je l'ai vu. De mes propres yeux, je le jure, Allah m'en est témoin.

— Vous avez dit que c'était un militaire étranger.

— Oui, sir, mais ce n'était pas au combat, c'était un meurtre. Tout simplement un meurtre.

— D'accord. Qui était ce militaire étranger ?

— Le chef des Norvégiens. Je le sais parce que je l'ai reconnu. Il est venu dans notre village, il disait qu'ils étaient là pour nous aider, que nous allions avoir la démocratie et… enfin, les trucs habituels. »

Felah ressentit l'excitation tant attendue.

« Vous voulez dire le commandant Jonassen ?

— Non, il ne s'appelle pas comme ça. Lieutenant-colonel Bo.

— Bohr ?

— Oui, oui, sir.

— Et vous l'avez vu tuer un homme afghan ?

— Non, pas ça.

— Quoi, alors ? »

Felah écouta alors qu'il sentait son excitation et son intérêt pour l'affaire disparaître. Premièrement, Roar Bohr était rentré chez lui et les chances de le faire extrader étaient infimes. Deuxièmement, un dirigeant qui n'était plus dans le coup n'était pas un pion de grande valeur dans le jeu politique de Kaboul, jeu que Felah détestait au demeurant plus que tout le reste réuni. Troisièmement, cette victime ne justifiait pas l'emploi des ressources qui seraient nécessaires pour enquêter sur ce qui n'était que l'affirmation d'un cultivateur d'opium. Et puis il y avait ce quatrièmement. Bien sûr que c'était un mensonge. Tout le monde veut sauver sa peau. Et plus l'homme en face de lui donnait de détails sur le meurtre – et Felah pouvait constater que cela correspondait au peu de choses que la police savait déjà – plus il était convaincu que l'homme décrivait un meurtre qu'il avait lui-même commis. Une idée démente, et Felah ne voulait pas non plus employer le peu de ressources dont il disposait à poursuivre cette piste. Culture d'opium ou meurtre, de toute façon, un homme ne pouvait être pendu qu'une seule fois.

27

« Elle ne va vraiment pas plus vite que ça ? » Harry regarda l'obscurité derrière la pluie mêlée de neige et les essuie-glaces qui travaillaient dur.

« Si, mais je préfère éviter les sorties de route quand j'ai autant de capacité intellectuelle irremplaçable dans l'habitacle. » Comme toujours, Bjørn conduisait avec son dossier si rabattu qu'il était plus couché qu'assis. « Surtout dans une voiture avec des ceintures à l'ancienne et pas d'airbags. »

En face, un camion déboucha du virage et passa si près que la Volvo Amazon modèle 1970 de Bjørn en fut secouée.

« Même moi, j'ai des airbags », dit Harry, et son regard alla au-delà de Bjørn pour se poser sur la glissière de sécurité basse et la rivière toujours gelée qui longeait la départementale 287 depuis dix kilomètres. Haglebuelva, d'après le GPS du téléphone sur ses genoux. En se tournant dans l'autre sens, il vit des coteaux escarpés couverts de neige et de la forêt sombre de conifères. Devant eux, une petite route goudronnée qui buvait la lumière des phares et sinuait en lacets prévisibles vers la montagne, et encore de la forêt et de la nature sauvage. Il y avait des ours bruns dans ce coin, avait-il lu. Et alors que les coteaux se massaient au-dessus d'eux, l'annonce de la radio – Vous êtes sur P10

Country, écoutez-nous dans tout le pays – perdit toute crédibilité : soit on entendait de la friture, soit on ne l'entendait plus du tout.

Harry l'éteignit.

Bjørn la ralluma. En enlevant la fonction de recherche automatique de fréquence. Bruissement, un sentiment de vide intersidéral et de post-apocalypse.

« DAB killed the radiostar, commenta Harry.

— Mais non, répondit Bjørn. Il y a une radio locale ici. » Et soudain, une steel guitar tranchante fendit le bruissement. « Là ! s'exclama-t-il dans un grand sourire. Radio Hallingdal. La meilleure radio de country de Norvège.

— Tu n'arrives toujours pas à rouler sans country, si je comprends bien ?

— Allons, la voiture et la country, c'est comme le gin et le tonic. En plus, il y a un radio bingo le samedi. Tu vas voir ! »

Il y eut un fondu sonore de la steel guitar et une voix annonça effectivement que le moment était venu de sortir ses bulletins de bingo, surtout à Flå qui, pour la première fois de l'histoire, avait eu les cinq gagnants quinze jours plus tôt. Puis il y eut de nouveau de la steel guitar à fond.

« On peut baisser ? demanda Harry en voyant l'écran de son téléphone s'allumer.

— Tu supportes bien un peu de country, Harry. Je t'ai offert le disque des Ramones parce que c'est de la country déguisée. Promets-moi d'écouter “I Wanted Everything” et “Don't Come Close”.

— Kaja m'appelle. »

Bjørn coupa la musique et Harry plaqua le téléphone contre son oreille.

« Salut, Kaja.

— Salut ! Vous êtes où ?

— À Eggedal.

— Où à Eggedal ? »

Harry jeta un œil dehors. « Assez près du fond.

— Tu n'en as pas la moindre idée ?

— Non.

— OK. Je n'ai rien trouvé qui concerne directement Roar Bohr. Il n'a pas de casier et aucun de ceux à qui j'ai parlé ne m'a laissé entendre qu'il pourrait être un agresseur ou un tueur en puissance. Au contraire, tout le monde le décrit comme un homme très attentionné. Presque trop protecteur quand il s'agit de ses enfants et de ses soldats. J'ai parlé avec une employée du NHRI qui m'a dit la même chose.

— Attends. Comment les as-tu fait parler ?

— Je leur dis que je travaille sur un gentil petit article sur l'époque où Roar Bohr était commandant en Afghanistan. Pour la revue de la Croix-Rouge.

— Donc tu mens sans vergogne ?

— Absolument pas. Peut-être que je travaille sur cet article. C'est peut-être juste que je n'ai pas encore demandé à la Croix-Rouge si ça les intéresse.

— Malin. Continue.

— Quand j'ai demandé comment Bohr avait pris le meurtre de Rakel, elle m'a dit qu'il avait paru triste et fatigué, qu'il avait été beaucoup absent ces derniers jours et qu'il était en congé maladie depuis aujourd'hui. Je lui ai demandé quelles relations entretenaient Bohr et Rakel, et elle m'a dit qu'il la couvait des yeux.

— Comment ça ? Elle voulait dire qu'il avait le béguin pour elle ?

— Je ne sais pas, mais c'est comme ça qu'elle l'a formulé.

— Hmm. Tu as dit que tu n'avais rien qui soit directement sur Bohr. Est-ce que ça signifie que tu as de l'indirect ?

— Oui. Comme je le disais, Roar Bohr n'a pas de casier, mais en cherchant son nom dans les archives, j'ai trouvé une vieille affaire. Il apparaît qu'en 1988 une certaine Margaret Bohr s'est adressée à la police parce que sa fille de dix-sept ans, Bianca, s'était fait violer. La mère affirmait que sa fille présentait un comportement typique d'une victime de viol et qu'elle avait aussi des coupures sur le ventre et les mains. La police a entendu Bianca, mais elle a nié le viol et dit qu'elle s'était tailladée elle-même. D'après le rapport, il y avait un soupçon d'inceste et parmi les suspects possibles étaient mentionnés le père de Bianca et son grand frère, Roar Bohr, qui avait une vingtaine d'années. Plus tard le père et la fille ont tous deux été brièvement internés en hôpital psychiatrique, mais on n'a jamais su ce qui s'était passé, si tant est qu'il se soit passé quelque chose. Quand j'ai poursuivi mes recherches, sur le nom de Bianca Bohr, cette fois, je suis tombée sur un rapport du lensmann de Sigdal cinq ans plus tard. On avait trouvé Bianca Bohr morte, brisée contre les rochers au-dessous de Norafossen, cascade qui fait vingt mètres de haut. Le chalet de la famille Bohr se trouve quatre kilomètres en amont.

— Sigdal. C'est le chalet vers lequel nous nous dirigeons ?

— Je suppose. D'après l'autopsie, Bianca est morte noyée. La police a conclu que cela pouvait être une chute accidentelle dans le torrent, mais l'hypothèse la plus vraisemblable était celle du suicide.

— Pourquoi ?

— Un témoin avait vu Bianca courir pieds nus dans la neige sur le sentier entre le chalet et la rivière, vêtue d'une simple robe bleue. Le chalet est à plusieurs centaines de mètres de la rivière. Elle était nue quand on l'a trouvée. Son psychiatre a confirmé qu'elle avait eu des périodes où elle était suicidaire. J'ai du reste trouvé son numéro de téléphone et laissé un message sur son répondeur.

— OK.

— Toujours Eggedal ?
— Probablement. »

Bjørn ralluma la radio et une voix qui annonçait d'un ton monocorde des nombres, pour ensuite les répéter chiffre par chiffre, se mêla au roulement régulier des pneus cloutés sur l'asphalte. Forêt et obscurité semblaient se densifier, les coteaux devenir de plus en plus raides.

Roar Bohr cala son fusil contre la grosse branche la plus basse et regarda par le viseur télescopique. Il vit le point rouge danser sur le mur en bois avant de trouver la fenêtre. Il faisait noir à l'intérieur, mais l'homme était en route. L'homme qu'il fallait arrêter avant qu'il ne détruise tout allait venir, Roar Bohr le savait. C'était une question de temps, rien d'autre. Et le temps, c'était tout ce qui lui restait.

« C'est juste en haut, là. » Harry regarda son écran de téléphone où une goutte rouge marquait les coordonnées que Kaja lui avait indiquées. Ils étaient arrêtés sur l'accotement, Bjørn avait coupé le contact et éteint ses phares. Harry se pencha en avant et regarda par le pare-brise où s'était déposée une pluie légère. Aucune lumière visible sur le coteau noir. « Ça n'a pas l'air très, très peuplé.

— On n'a qu'à apporter des perles de couleur aux indigènes, fit Bjørn en sortant sa lampe de poche et son pistolet de service de la boîte à gants.

— Je pensais faire un tour tout seul, en fait.

— Et me laisser ici, moi qui ai si peur du noir ?

— Tu as entendu ce que je te disais sur la visée laser ? » Harry pointa l'index sur son front. « Je suis encore marqué au fer rouge après le bassin de Smestad. Ceci est mon projet, et toi, tu es en congé paternité.

— Tu as déjà vu ces discussions dans les films, où la femme insiste pour que le héros la laisse participer à un truc dangereux ?

— Oui…

— En général, je passe en marche accélérée, parce que je sais qui l'emporte à la fin. On y va ? »

28

« Tu es sûr que c'est bien ce chalet ? demanda Bjørn.

— D'après le GPS, oui. » Harry tenait sa veste par-dessus son téléphone. Pour le protéger de la pluie qui avait succédé aux averses de neige et pour ne pas être trahi par cette source de lumière si jamais Bohr montait la garde. Car s'il était dans son chalet, l'obscurité à l'intérieur portait à croire que c'était précisément ce qu'il faisait. Harry plissa les yeux. Ils avaient trouvé un sentier où la neige avait en partie fondu et les traces marron dans les zones enneigées suggéraient un passage récent. Ils avaient mis à peine un quart d'heure pour trouver l'endroit. La neige sur le sol reflétait la lumière, mais il faisait si sombre qu'il était impossible de déterminer la couleur de la façade. Harry gageait qu'elle était rouge. Le bruit de la pluie avait camouflé leur arrivée, mais maintenant il couvrait aussi les éventuels bruits à l'intérieur.

« J'entre, toi, tu attends ici, dit Harry.

— J'ai besoin d'un peu plus d'instructions, ça fait trop longtemps que je suis policier scientifique.

— Tire si tu vois tirer quelqu'un qui n'est pas moi. » Harry se redressa de sous les branches basses ruisselantes et fila vers le chalet.

Il y avait des règles sur la façon d'entrer dans une maison où on s'attendait à trouver une résistance armée. Harry en connaissait un certain nombre. Roar Bohr les connaissait probablement toutes. Il n'y avait donc aucune raison de beaucoup tergiverser. Harry alla à la porte et tira sur la poignée. Verrouillée. Il s'écarta et frappa deux fois.

« Police ! »

Il plaqua son dos contre la façade et tendit l'oreille. Rien d'autre que le ruissellement persistant de la pluie. Une branche qui craquait quelque part. Il scruta l'obscurité, mais celle-ci n'était qu'un mur noir statique. Après avoir compté jusqu'à cinq, il abattit la crosse de son pistolet dans la fenêtre à côté de la porte. La vitre se brisa. Harry passa la main à l'intérieur et défit les crochets. Le bois avait gonflé et il dut secouer le châssis à pleines mains pour le décoincer. Puis il entra par cette fenêtre. Il respira l'odeur épicée de bûches de bouleau frais et de cendre. Il alluma sa lampe de poche en la tenant loin de son corps, pour le cas où quelqu'un voudrait la prendre comme cible. Il balaya la pièce du faisceau lumineux jusqu'à ce qu'il tombe sur un interrupteur à côté de la porte. Harry appuya et se posta vite dos au mur entre les fenêtres quand le plafonnier s'alluma. Son regard erra dans la pièce, de gauche à droite, comme sur une scène de crime. Il était dans le salon, où deux portes s'ouvraient sur des chambres à coucher avec des lits superposés. Pas de toilettes. Au bout de la pièce, un plan de travail de cuisine avec un lavabo et une radio. Une cheminée. Des meubles en pin typiques d'un chalet, un coffre orné de peinture à la rose, ainsi qu'un pistolet-mitrailleur et une carabine automatique appuyés contre le mur. Une table basse avec nappe crochetée et chandelier, où se trouvaient un magazine de sport, un pistolet High Standard HD 22 avec silencieux, deux couteaux de chasse étincelants et un jeu de yams. Partout dans la pièce, des photos A4 sorties d'une imprimante étaient punaisées aux murs. Harry cessa de respirer en voyant Rakel à côté de la cheminée. Elle était debout derrière une fenêtre à barreaux. La fenêtre de la cuisine de Holmenkollveien. Elle avait dû être prise juste devant la caméra de chasse.

Harry se força à continuer.

Au-dessus de la table à manger, des portraits de plusieurs femmes, avec parfois des coupures de presse au-dessous. Quand Harry se tourna, il en vit d'autres. D'hommes. Environ une douzaine, en colonnes, numérotés comme pour un classement. Il reconnut aussitôt trois d'entre eux. Le premier était Anton Blix, condamné pour plusieurs viols et un double meurtre dix ans plus tôt. Le numéro deux était Svein Finne. Plus bas, en numéro six, il y avait Valentin Gjertsen. Maintenant, Harry en reconnaissait deux ou trois autres. Des violeurs célèbres, l'un d'eux mort et les deux autres toujours en prison, à sa connaissance. Plissant les yeux vers les coupures de presse à l'autre bout de la pièce, il parvint à distinguer un titre. « Violée dans un parc ». Les autres étaient écrits trop petit.

Approcher ferait de lui une cible pour quelqu'un se trouvant à l'extérieur, mais il pouvait bien sûr éclairer les photos avec sa torche. Son regard chercha l'interrupteur, mais retrouva Rakel.

Il ne voyait pas son visage, mais c'était son attitude. Comme un chevreuil qui levait la tête et pointait ses oreilles. Elle flairait le danger. C'était peut-être pour ça qu'elle avait l'air si seule. Alors qu'elle m'attend, songea Harry. Comme moi, je l'ai attendue, elle. Nous étions deux attendants.

Harry s'aperçut qu'il avait avancé dans la pièce, dans la lumière, qu'il était visible de tout et de tous. Qu'est-ce qu'il foutait, bordel ? Il ferma les yeux.

Et attendit.

Le dos dans la pièce éclairée était dans le réticule de Roar Bohr. Il avait éteint la visée laser qui l'avait trahi quand Pia et Hole étaient assis sur le banc. Au-dessus de lui, les gouttes de pluie bruissaient dans les arbres, gouttaient de la visière de sa casquette militaire. Il attendit.

Rien ne se passa.

Harry ouvrit les yeux. Il se remit à respirer.

Et il entreprit de lire les coupures de presse.

Certaines étaient jaunies, d'autres ne dataient que de quelques années. Des reportages sur des viols. Pas de noms, juste l'âge, les lieux du crime, le déroulement approximatif des événements. Oslo et sa région. Un à Stavanger. Dieu sait comment Bohr avait mis la main sur ces photos, mais Harry ne doutait pas qu'il s'agisse des victimes. Et ces hommes ? Une sorte de palmarès des pires – ou meilleurs – violeurs de Norvège ? Une source d'inspiration pour Roar Bohr, une référence à laquelle se mesurer ?

Harry tourna le verrou et ouvrit la porte. « Bjørn ! La voie est libre ! »

Il regarda une photo punaisée sur le côté de la porte. Soleil piquant dans des yeux verts plissés, une main qui écarte des cheveux châtains courts dans le vent, un gilet blanc avec une croix rouge, paysage désertique, Kaja qui sourit avec ses dents pointues.

Harry baissa les yeux. Il vit les mêmes bottes militaires que dans l'entrée des Bohr. Le tas de pierres. Les talibans qui attendaient que le deuxième sorte de la voiture blindée.

« Non, Bjørn ! Non ! »

« Kaja Solness », répéta la voix presque exagérément grave sur le plan de travail en pierre noire à côté de la cuisinière.

« Inspectrice de la police d'Oslo », déclara Kaja bien fort alors qu'elle scannait les étagères du réfrigérateur dans une vaine quête de nourriture.

« En quoi puis-je vous aider, inspectrice Solness ?

— Nous enquêtons sur un agresseur en série. » Elle se servit un verre de jus de pomme dans l'espoir de remonter un peu sa glycémie. Elle consulta sa montre. Depuis son dernier séjour en Norvège, un nouveau restaurant de quartier sans prétention avait ouvert Vibes gate. « Je suis bien sûr consciente que, en tant que psychiatre, vous êtes soumis au secret professionnel concernant des patients en vie, mais il s'agit d'une personne morte...

— Mêmes règles.

— ... que nous soupçonnons d'avoir été violée par quelqu'un que nous voudrions empêcher de commettre d'autres viols. »

Il y eut un silence au bout du fil.

« Prévenez-moi quand votre temps de réflexion sera terminé, London. » Sans qu'elle sache pourquoi, ce nom de famille, le nom d'une des plus grandes villes du monde, lui évoquait la solitude. Elle éteignit la fonction haut-parleur et retourna dans le salon avec le téléphone et son verre de jus de pomme.

« Posez-moi toujours vos questions et on verra.

— Merci. Vous souvenez-vous de Bianca Bohr, qui était une de vos patientes ?

— Oui. »

Il l'avait dit avec une insistance telle que Kaja comprit qu'il se rappelait aussi comment ça s'était terminé.

« Quand elle était votre patiente, pensez-vous qu'elle avait été victime d'un viol ?

— Je ne sais pas.

— OK. Présentait-elle des comportements suggérant que...

— Le comportement d'une personne psychotique peut suggérer beaucoup de choses. Je n'exclus pas le viol. Ou l'agression. Ou d'autres traumatismes. Mais ce ne sont que des conjectures.

— Son père aussi a été hospitalisé pour des problèmes psychologiques. L'avait-elle mentionné ?

— Dans des entretiens avec un psychiatre, on aborde généralement sa relation avec ses parents, oui, mais je n'ai pas souvenir d'avoir relevé quoi que ce soit de particulier à cet égard.

— Bon. » Sur son bureau, Kaja appuya sur une touche de son clavier pour rallumer l'écran. L'image figée montrait la silhouette de quelqu'un qui sortait de chez Rakel. « Et son grand frère, Roar ? »

Nouvelle pause prolongée. Kaja but une gorgée de jus de pomme et regarda dans le jardin.

« C'est pour prendre un agresseur en série qui est en liberté ?

— Oui, confirma Kaja.

— Quand Bianca était hospitalisée chez nous, j'ai reçu une note d'une infirmière me disant que Bianca avait en plusieurs occasions crié un nom dans son sommeil. C'était ce nom-là.

— Croyez-vous que Bianca ait pu être violée, non pas par son père, mais par son grand frère ?

— Je vous l'ai dit, Solness, je ne peux pas exclure…

— Mais cette idée vous a traversé l'esprit, non ? »

Kaja voulait l'écouter respirer, essayer d'interpréter son souffle, mais elle n'entendait rien d'autre que la pluie dehors.

« Bianca m'avait raconté une histoire, mais je souligne qu'elle était psychotique et que, en psychose, un patient dit tout et n'importe quoi.

— Mais elle a donc dit que… ?

— Que son frère avait procédé à son avortement dans leur chalet familial. »

Kaja frissonna.

« Bien sûr, ça ne veut pas forcément dire que ça s'est produit, mais je me souviens d'un dessin qu'elle avait accroché au-dessus de son lit dans sa chambre. Un grand aigle planant au-dessus d'un petit garçon. Les lettres R, O, A, R sortaient de son bec.

— Comme "rugir" en anglais ?

— C'était l'interprétation que j'avais choisie à l'époque, oui.

— Mais a posteriori… ? »

Kaja l'entendit pousser un gros soupir quelque part au pays des téléphones. « C'est ce qui se passe typiquement quand un patient se supprime de façon inattendue, on se dit qu'on a tout mal interprété, que tout ce qu'on a fait et pensé était faux. Quand Bianca est morte, nous pensions qu'elle était en voie de guérison. J'ai sorti mes vieilles notes pour voir où j'avais fait une erreur de compréhension, où j'avais failli. Je me suis rendu compte qu'en deux occasions – que j'avais rejetées comme du babil psychotique – elle m'avait dit qu'ils avaient tué son grand frère.

— Qui ça, ils ?

— Elle-même et son grand frère.

— Qu'est-ce que ça signifie ? Que Roar avait participé à se tuer lui-même ? »

Roar Bohr baissa la crosse de sa carabine en gardant le canon sur la branche. La personne qu'il avait eue dans son viseur télescopique avait quitté la fenêtre éclairée. Il s'imprégna des bruits de l'obscurité.

La pluie. Le crépitement des pneus sur l'asphalte mouillé tout près. Il pariait que c'était une Volvo. Lyder Sagens gate, on aimait bien les Volvo. Et les Volkswagen. Les breaks. Les modèles chers. À Smestad, on faisait plutôt dans l'Audi et la BMW. Les jardins n'étaient pas aussi soigneusement entretenus que dans son quartier à lui, mais ce look plus relax n'avait pas nécessairement coûté moins de jardinage et de réflexion. L'exception était le jardin en friche de Kaja, où l'anarchie régnait. À sa décharge, il fallait dire qu'elle n'avait pas passé tellement de temps chez elle ces dernières années. Il ne s'en plaignait pas, les buissons et arbres non taillés lui offraient un meilleur camouflage qu'à Kaboul. Où il devait se cacher derrière une épave calcinée sur le toit d'un garage ; il était bien trop exposé, mais c'était le seul endroit d'où il avait pleine vue sur le logement communautaire des filles. Il avait passé suffisamment d'heures à observer Kaja Solness dans un viseur télescopique pour savoir qu'elle ne laissait pas un jardin partir en friche sans avoir de tâches plus importantes à accomplir. Ce qui était bel et bien le cas. Les gens font beaucoup de choses étranges quand ils pensent qu'on ne les voit pas, et Roar Bohr savait sur Kaja Solness des choses que les autres ne suspectaient pas le moins du monde. Ce qu'elle aimait regarder sur Internet, par exemple. Avec sa lunette de visée Swarovski, il lui était facile de lire l'écran d'ordinateur sur le bureau quand Kaja ne bloquait pas sa vue. Là, elle venait d'appuyer sur une touche pour rallumer l'écran. Une photo. Prise la nuit, une maison avec une fenêtre éclairée.

Il fallut quelques secondes à Bohr pour comprendre que c'était la maison de Rakel. Il régla la mise au point, l'écran devint parfaitement net. Ce n'était pas une photo, mais un film. Pris sans doute de l'endroit où il se tenait habituellement. Qu'est-ce que c'était que ce bordel ? La porte de la maison de Rakel s'ouvrait et une silhouette se tenait dans l'embrasure. Bohr retint son souffle pour garder une visée parfaitement stable et pouvoir lire l'heure et la date au bas de l'image. Ça datait de la nuit du meurtre.

Roar Bohr relâcha lentement son souffle et mit sa carabine contre le tronc.

L'image était-elle suffisamment bonne pour qu'on puisse identifier la personne ?

Il passa la main sur sa hanche. Sur son couteau karambit.

Réfléchir. Réfléchir et puis éventuellement agir.

Son doigt glissa sur les crocs d'acier. Dans un sens puis dans l'autre. Dans un sens puis dans l'autre.

« Fais attention, là, fit Harry sur un ton de mise en garde.

— Qu'est-ce qu'il y a encore ? »

Harry ne savait pas si cet « encore » de Bjørn faisait référence au cri d'avertissement qu'il avait poussé près du chalet et qui s'était révélé sans fondement.

« Pluie verglaçante.

— J'ai vu. »

Bjørn freina prudemment avant de tourner sur le pont devant eux. Il ne pleuvait plus, mais une pellicule de glace scintillait sur le goudron. Après le pont, la route redevint droite et Bjørn accéléra. Un panneau. Oslo quatre-vingt-cinq kilomètres. Ça roulait bien et s'ils retrouvaient de l'asphalte sec sous leurs pneus, ils pourraient être en ville dans un peu moins d'une heure.

« Sûr, sûr que tu ne veux pas faire lancer un avis de recherche ? s'enquit Bjørn.

— Hmm. »

Harry ferma les yeux. Roar Bohr était allé à son chalet récemment, le journal dans le panier à bois datait de six jours. Mais il n'y était plus. Aucune trace dans la neige devant la porte. Pas de nourriture. Des moisissures sur le fond de café dans la tasse sur la table du salon. Les bottes militaires à la porte étaient sèches, il devait en avoir plusieurs paires. « J'ai appelé l'expert en imagerie 3D, Freund. Prénommé Sigurd, du reste. »

Bjørn eut un petit rire. « Katrine avait proposé qu'on baptise le petit comme le chanteur de Suede. Brett. Brett Bratt. Qu'a dit Freund ?

— Qu'il allait regarder la carte mémoire et que je pouvais compter sur une réponse après le week-end. Je lui ai expliqué ce qu'il y avait sur le film, et il m'a dit qu'il ne pouvait pas faire grand-chose pour compenser le manque de lumière, mais qu'en mesurant la hauteur de la porte et la profondeur des marches du perron de Holmenkollveien, il pensait pouvoir me donner la taille de la personne au centimètre près. Si je préviens qu'il faut enquêter sur Bohr sur la foi de ce que nous avons trouvé dans son chalet, où nous sommes entrés par effraction et sans mandat de perquisition, toi aussi tu auras des problèmes, Bjørn. Donc mieux vaut que j'utilise le fait que la taille du gars à la porte correspond à celle de Bohr, parce que ces images, en revanche, personne ne peut te relier à elles. J'appelle Kripos, je leur explique que j'ai des images montrant que Bohr pourrait avoir été sur les lieux du crime et je suggère qu'ils fouillent son chalet. Ils trouvent un carreau cassé, mais ça, ça pourrait être l'œuvre de n'importe qui. »

Devant, Harry distingua un gyrophare bleu au bout de la ligne droite. Ils passèrent devant un triangle de signalisation. Bjørn leva le pied.

De leur côté de la route, il y avait un camion sur le bas-côté. En face, une épave était enfoncée dans la glissière de sécurité, vers la rivière. Ce qui avait été une voiture évoquait à Harry une boîte de conserve compressée. Un policier leur fit signe de passer.

« Attends, fit Harry en baissant sa vitre. La voiture est immatriculée à Oslo. »

Bjørn arrêta son Amazon à la hauteur d'un policier au visage de bouledogue, avec un cou de taureau et des bras qui pointaient de son torse trop musclé et paraissaient trop courts. « Qu'est-ce qui s'est passé ? » demanda Harry en levant son insigne.

Le policier regarda l'insigne et fit un signe de tête. « Le chauffeur du camion est en audition, donc on va voir. La chaussée, c'est glissant, donc ça pourrait avoir été un accident.

— La route est peut-être un petit peu trop droite pour ça, non ?

— Oui. » Le policier prit un air sombre professionnel. « Au pire, on en a un par mois. On appelle ce tronçon la Ligne verte. Vous savez, les derniers mètres que font les condamnés à mort en Amérique quand ils vont sur la chaise.

— Hmm. Nous cherchons un type domicilié à Oslo, donc ce serait intéressant pour nous de savoir qui conduisait cette voiture. »

Le policier respira profondément. « Pour dire les choses comme ça, quand une voiture d'à peine treize cents kilos roule à quatre-vingts, quatre-vingt-dix, droit dans un camion de près de cinquante tonnes, la ceinture de sécurité et les airbags ne servent à rien du tout. Je n'aurais pas été capable de vous le dire si c'était mon propre frère qui était dans cette voiture. Ou ma sœur. Mais la voiture est immatriculée au nom d'un certain Stein Hansen, donc pour l'instant, on part du principe que c'est lui.

— Merci », fit Harry avant de remonter sa vitre.

Ils reprirent la route en silence.

« Tu as l'air soulagé, dit Bjørn au bout d'un moment.

— Ah bon ? s'étonna Harry.

— Tu trouves que ç'aurait été trop facile que Bohr s'en tire comme ça, hein ?

— En mourant dans une voiture ?

— Je veux dire, en te laissant dans ce monde où tu dois souffrir seul. C'est injuste, non ? Tu veux qu'il souffre de la même façon. »

Harry regarda par la vitre. Des rayons de lune tombés par un accroc dans les nuages coloraient la rivière d'argent.

Bjørn alluma la radio.

The Highwaymen.

Harry écouta un moment, puis il prit son téléphone et appela Kaja.

Pas de réponse.

Curieux.

Il appela encore.

Il attendit de tomber sur le répondeur. Sa voix. Elle lui rappelait celle de Rakel. Le bip. Harry toussota. « C'est moi. Rappelle. »

Elle devait encore écouter de la musique fort avec son casque sur les oreilles.

Les essuie-glaces dégageaient les vitres. Jour après jour. Un nouveau départ, des pages blanches à chaque seconde. L'éternelle rémission des péchés.

À la radio, on entendait du yodel à deux voix accompagné de banjo.

29

Deux ans et demi plus tôt.

Roar Bohr essuya la sueur de son front et leva les yeux vers le ciel au-dessus du désert. Le soleil avait fondu, c'était pour ça qu'il ne le voyait pas. Il s'était liquéfié, déposé comme une couche de cuivre jaune sur le bleu brumeux. Au-dessous, un vautour moine qui, avec ses trois mètres d'envergure, dessinait une croix noire sur ce jaune cuivré.

Roar Bohr regarda de nouveau autour de lui. Il n'y avait qu'eux deux ici. Eux deux et un désert de pierres, ouvert, vide. Des collines et des monceaux de pierres. C'était bien sûr une infraction aux consignes de sécurité en opération de partir sur le terrain en étant si peu protégés, seulement deux hommes dans une voiture. Mais il écrirait dans son rapport qu'il le voyait comme un geste vis-à-vis du village de Hala, un appel aux cœurs afghans. Le patron de Hala transportait personnellement son corps, et ce sans bénéficier de davantage de protection qu'elle n'en avait eu elle-même. Encore un mois et il allait repartir d'ici, de sa troisième et dernière mission en Afghanistan. Il avait le mal du pays, il avait toujours le mal du pays, mais il n'avait pas hâte. Car il savait qu'une fois de retour deux semaines s'écouleraient, puis trois, et il commencerait à regretter l'Afghanistan.

Il n'y aurait pas toutefois d'autres missions, il avait postulé au poste de directeur du NHRI à Oslo, un nouvel institut national pour les droits de l'homme, et on lui avait offert le poste. Le NHRI était placé sous l'autorité du Storting, mais opérait comme une organisation indépendante. Il était chargé d'examiner des questions concernant les droits de l'homme, d'informer et de conseiller l'assemblée nationale. Pour le reste, sa mission restait un peu floue, ce qui signifiait simplement que, avec les dix-huit autres personnes qui y travaillaient, il pouvait participer à le définir. À bien des égards, cela s'inscrivait dans le prolongement de son travail en Afghanistan, sans les armes. Donc il allait accepter le poste. De toute façon, il ne deviendrait pas général. C'était le genre de choses qu'on se faisait signifier à un moment ou un autre, avec tact et discrétion. On n'était pas l'un des rares élus. Ce n'était toutefois pas la raison pour laquelle il devait partir d'Afghanistan.

Il revoyait Hala gisant sur le goudron. D'habitude, elle s'habillait à l'occidentale, avec un hijab discret, mais cette nuit-là, elle avait porté un *salwar kameez*. La tunique était remontée jusqu'à la taille, Bohr se souvenait de ses hanches et de son ventre dénudés, de la peau dont l'éclat allait lentement s'éteindre. Comme la vie s'était éteinte dans ses beaux yeux, ses si beaux yeux. Même morte, Hala ressemblait à Bianca. Il l'avait remarqué dès la première fois qu'elle s'était présentée comme son interprète, c'était Bianca qui regardait par ses yeux, qui était revenue d'entre les morts, de la rivière, pour être de nouveau avec lui. Hala ne pouvait pas le savoir, il n'aurait pas su lui expliquer. Et voilà qu'elle aussi avait disparu. Il en avait trouvé une autre qui ressemblait à Bianca. La directrice de la sécurité de la Croix-Rouge. Kaja Solness. C'était peut-être là, en elle, que Bianca vivait maintenant ? Ou chez d'autres. Il faudrait qu'il reste aux aguets.

« Ne faites pas ça », implora l'homme agenouillé sur la route derrière la Land Rover qui était garée sur l'accotement. Les trois chevrons au milieu de la poitrine de son uniforme de camouflage indiquaient qu'il était sergent et il avait sur le bras gauche l'insigne de bataillon du commando spécial de la défense : un poignard ailé. Ses mains étaient jointes, mais c'était peut-être simplement parce que ses poignets étaient ligotés avec les liens blancs minces qu'ils utilisaient pour les prisonniers de guerre. Une chaîne de cinq mètres de long les reliait à un crochet de fixation sur le coffre de la Land Rover.

« Libérez-moi, Bohr. J'ai de l'argent. Un héritage. Je peux garder le silence si vous le faites aussi. Personne n'aura besoin de savoir ce qui s'est passé, jamais.

— Et qu'est-ce qui s'est passé ? » demanda Bohr sans enlever le canon de son Colt Canada C8 du front du sergent.

Celui-ci déglutit. « Une femme afghane. Hazara. Tout le monde sait qu'elle et vous, vous étiez proches, mais si personne ne parle, ce sera vite oublié.

— Vous n'auriez pas dû raconter ce que vous avez vu, Waage. C'est pour ça que je dois vous tuer. Vous n'allez pas oublier. Je ne vais pas oublier.

— Deux millions. Deux millions de couronnes, Bohr. Non, deux et demi. En liquide, quand on arrivera en Norvège. »

Roar Bohr commença à marcher vers la Land Rover.

« Non, non ! cria son soldat. Vous n'êtes pas un meurtrier, Bohr ! »

Roar Bohr s'installa au volant, démarra et roula. Il regarda dans son rétroviseur, où la route s'étirait vers l'horizon comme une ligne droite vibrante. Il ne sentit aucune résistance quand, d'un coup sec, la chaîne obligea le sergent à se relever et à courir derrière la voiture. Roar ralentit. Il accéléra légèrement quand la chaîne se relâcha. Il observait le sergent, dans une espèce de jogging erratique, les mains tendues en avant, comme en prière. Quarante degrés à l'ombre. Même en marchant, le sergent allait assez vite se déshydrater, ne plus tenir sur ses jambes, s'écrouler. Un paysan sur une charrette tirée par un cheval arrivait en face d'eux. Quand il les croisa, le sergent lui cria quelques paroles, lui demanda de l'aide, mais le paysan ne fit que baisser sa tête enturbannée en se concentrant sur ses rênes. Les étrangers. Les talibans. Leur guerre n'était pas la sienne. Sa guerre à lui, c'était une guerre contre la sécheresse, contre la faim, contre les sempiternelles exigences et tortures du quotidien. Bohr se pencha en avant pour observer le ciel.

Le vautour moine les suivait.

Les prières de personne n'étaient entendues. De personne.

« Sûr que tu ne veux pas que je reste un peu ? insista Bjørn.

— Rentre chez toi, on t'attend. »

Harry lança un coup d'œil par la vitre de la voiture vers la maison de Kaja. Il y avait de la lumière dans le salon.

Il sortit, alluma la cigarette qu'il n'avait pas eu le droit de fumer dans la voiture.

« Nouvelles règles maintenant qu'il y a un enfant, avait expliqué Bjørn. Katrine ne tolère aucune odeur de tabac nulle part.

— Hmm. Dès qu'elles deviennent mères, elles prennent le pouvoir, hein ? »

Bjørn haussa les épaules. « Prennent, prennent… Le pouvoir, elle l'avait sans doute déjà avant, Katrine. »

Harry tira quatre grosses bouffées de sa cigarette, puis il l'éteignit et la remit dans le paquet. Le portail gémit doucement. Des gouttes tombèrent du fer ; ici aussi, il avait plu. Il gravit les marches du perron et sonna à la porte, attendit. Au bout de dix secondes de silence, il appuya sur la poignée. Comme la dernière fois, ce n'était pas verrouillé. Avec un sentiment de déjà-vu, il entra dans la maison, alla dans la cuisine. Il vit un téléphone en charge sur le plan de travail. Cela expliquait pourquoi il n'avait pas eu de réponse. Peut-être. Il ouvrit la porte du salon.

Vide.

Il allait appeler quand son cerveau nota un bruit derrière, le gémissement d'une latte. En une nanoseconde, son cerveau avait conclu que c'était bien sûr Kaja qui arrivait du premier étage ou des toilettes, et il ne donna donc pas l'alerte. Pas avant qu'un bras ne serre le cou de Harry et qu'un chiffon ne soit plaqué contre son nez et sa bouche. Son cerveau perçut le signal de danger et transmit aussitôt sa réponse, qui était de respirer profondément avant que le chiffon ne bloque l'accès à l'air. Quand le processus cognitif plus lent lui indiqua que c'était précisément le but du chiffon, il était trop tard.

30

Harry regarda autour de lui. Il était dans une salle de bal. Un orchestre jouait, une valse lente. Il l'aperçut. À une table, nappe blanche, lustre en cristal. Les deux hommes en smoking de part et d'autre essayaient d'attirer son attention, mais elle avait les yeux rivés sur lui, Harry. Elle l'implorait du regard de se dépêcher. Elle portait sa robe noire, l'une des robes noires qu'il appelait *sa* robe noire. En baissant les yeux, Harry vit qu'il avait son costume noir, le seul, celui qu'il mettait aux baptêmes, mariages et enterrements. Il posait un pied devant l'autre, se glissait entre les tables, mais c'était lent, parce que la pièce était inondée. Et il devait y avoir de grosses vagues à la surface, parce qu'il était entraîné par le ressac, et les lustres en forme de S dansaient au rythme de la valse. Alors qu'il arrivait près d'elle, alors qu'il allait lui parler, il lâchait la table à laquelle il s'était cramponné, ses pieds étaient soulevés du sol et il se mettait à monter. Elle lui tendait la main, mais il était déjà hors de portée, et elle avait beau se lever de sa chaise et s'étirer vers lui, elle restait alors que lui montait et montait encore. Ensuite il s'apercevait que l'eau se teintait de rouge, elle devenait si rouge que Rakel disparaissait, l'eau était rouge et chaude, et la pression augmentait dans sa tête. Il avait compris à présent qu'il ne pouvait pas respirer, bien sûr qu'il ne pouvait pas, et il commençait à s'agiter, il fallait qu'il remonte vite à la surface.

« Bonsoir, Harry. »

Harry ouvrit les yeux. La lumière le poignarda comme un couteau et il les referma.

« Trichlorométhane. Plus connu sous le nom de chloroforme. Un peu vieille école, bien sûr, mais c'est efficace, à l'E14 on s'en servait quand on avait besoin de kidnapper quelqu'un. »

Harry entrouvrit les yeux. Une lampe était braquée sur son visage.

« Vous avez sûrement beaucoup de questions. » La voix venait de l'obscurité derrière la lampe. « Comme "qu'est-ce qui s'est passé ?", "où suis-je ?", "qui est-il ?". »

Ils n'avaient échangé que quelques mots à l'enterrement, mais Harry reconnut néanmoins sa voix et ses « R » à peine gutturaux. « Mais permettez-moi de répondre à ce qui vous occupe le plus, Harry : "Que me veut-il ?"

— Bohr, fit Harry d'une voix rauque. Où est Kaja ?

— Ne vous inquiétez pas pour ça, Harry. »

L'acoustique semblait indiquer que la pièce était vaste. Avec sans doute des murs en bois. Pas un sous-sol, donc. Il faisait froid et humide comme si elle n'était pas utilisée. Une odeur neutre, comme dans une salle des fêtes ou un open space. C'en était peut-être un. Ses bras étaient scotchés à des accoudoirs et ses pieds au piétement à roulettes d'une chaise de bureau. Pas d'odeur de peinture ou de travaux, et pourtant il voyait la lumière se refléter dans du plastique transparent sur le parquet sous la chaise et devant.

« Vous avez tué Kaja aussi, Bohr ?

— Aussi ?

— Comme Rakel, et les autres filles que vous avez en photo dans votre chalet. »

Harry entendit les pas de son interlocuteur derrière la lampe.

« J'ai un aveu à vous faire, Harry. J'ai tué. Je ne pensais pas en être capable, mais je me trompais. » Les pas s'arrêtèrent. « Et on dit qu'une fois qu'on a commencé… »

Harry renversa la tête en arrière. Un panneau avait été enlevé du plafond et une foule de câbles coupés en sortaient. Des trucs d'ordinateur, probablement.

« J'avais entendu dire que Waage, un de mes garçons du FSK, savait quelque chose au sujet du meurtre de Hala, mon interprète. Quand j'ai vérifié et découvert ce qu'il savait, j'ai su qu'il fallait que je le tue. »

Harry toussa. « Il était sur votre piste. Alors vous l'avez tué et maintenant vous avez l'intention de me tuer moi. Je n'ai pas la force d'être votre putain de confessionnal, alors passez à l'exécution, Bohr, qu'on en termine.

— Vous m'avez mal compris, Harry.

— Quand on est mal compris de tous, il faut se demander si on n'est pas fou, Bohr. Allez, espèce de pauvre type, je suis prêt.

— C'est incroyable, cette hâte !

— Ce sera peut-être mieux qu'ici. Meilleure compagnie aussi, peut-être.

— Vous m'avez mal compris, Harry. Laissez-moi vous expliquer.

— Non ! » Harry sauta sur sa chaise, mais le ruban adhésif le retenait.

« Écoutez. S'il vous plaît. Je n'ai pas tué Rakel.

— Je sais que vous avez tué Rakel, Bohr. Je ne veux pas en entendre parler et je ne veux pas de vos pathétiques excu… » Harry se tut quand le visage de Bohr s'éclaira soudain par en dessous, comme dans un film d'horreur. Il lui fallut une seconde pour se rendre compte que la lumière provenait d'un téléphone, qui venait de se mettre à sonner sur la table entre eux.

Bohr le regarda. « Votre téléphone, Harry. C'est Kaja Solness. »

Bohr appuya sur l'écran, prit l'appareil et le plaqua contre l'oreille de Harry.

« Harry ? » C'était en effet la voix de Kaja.

Harry toussota. « Où... où es-tu ?

— Je viens de rentrer. Je vois que tu as appelé, mais j'avais faim et j'ai fait un saut au nouveau restaurant d'à côté, j'avais laissé mon téléphone en charge à la maison. Dis-moi, est-ce que tu es passé ?

— Passé ?

— Mon ordinateur a été déplacé de mon bureau à la table basse. Dis-moi que c'est toi, sinon je vais prendre peur, là. »

Harry regarda droit dans la lumière de la lampe.

« Harry ? Où es-tu ? Tu parais si...

— C'était bien moi. Aucune raison de t'inquiéter. Dis, je suis un peu occupé, là, je te rappelle plus tard, d'accord ?

— OK », fit-elle d'une voix un peu dubitative.

Bohr appuya sur la touche pour raccrocher et reposa le téléphone sur la table. « Pourquoi n'avez-vous pas donné l'alerte ?

— Si ç'avait été d'un quelconque secours, vous ne m'auriez pas laissé lui parler.

— Je crois que c'est parce que vous me croyez, Harry.

— Je suis ligoté à une chaise. Peu importe ce que je crois. »

Bohr avança de nouveau dans la lumière. Il tenait un grand couteau à lame large. Harry essaya de déglutir, mais il avait la bouche trop sèche. Bohr approcha le couteau de lui. Sous l'accoudoir droit. Il coupa. Répéta la procédure à gauche. Harry leva ses bras libérés et prit le couteau que lui tendait Bohr.

« Je vous ai attaché pour vous empêcher de m'attaquer avant d'avoir tout entendu, expliqua Bohr alors que Harry coupait le ruban adhésif autour de ses pieds. Rakel m'avait parlé des menaces qu'elle et vous aviez subies dans le cadre d'une de vos affaires criminelles. De la part de gens qui étaient en liberté. Alors j'ai veillé sur vous.

— Nous ?

— Avant tout elle. Je montais la garde. Tout comme j'ai veillé sur Kaja après le viol et le meurtre de Hala, à Kaboul, et maintenant à Oslo.

— Vous savez qu'on appelle ça de la paranoïa ?

— Oui.

— Hmm. » Harry se redressa, massa ses avant-bras. Il garda le couteau. « Racontez.

— Par où je commence ?

— Par le sergent.

— Bien reçu. La barre est haute pour entrer au FSK, il n'y a donc pas d'imbécile véritable, mais le sergent Waage était un de ces soldats qui ont plus de testostérone que de cerveau, si je puis dire. Dans les jours qui ont suivi le meurtre de Hala, quand tout le monde parlait d'elle, j'ai entendu dire qu'elle devait aimer la Norvège puisqu'elle avait un mot norvégien tatoué sur le corps. Je me suis renseigné et j'ai appris que c'était le sergent Waage qui avait fait cette remarque au bar. Sauf que Hala était toujours couverte et que ce tatouage, elle l'avait juste au-dessus du cœur. Il était exclu qu'elle ait frayé avec Waage et je sais qu'elle gardait le secret sur ce tatouage. Si l'usage du henné est répandu, de nombreux musulmans considèrent les tatouages permanents comme un péché.

— Hmm, mais ce tatouage n'était pas un secret pour vous ?

— Non, à part le tatoueur, j'étais le seul au courant. Avant de se faire tatouer, Hala m'avait consulté pour s'assurer que l'orthographe était correcte et qu'il n'y avait pas de double sens.

— Et ce mot, c'était ? »

Bohr sourit tristement. « *Venn*, ami, amour. Elle aimait les langues, et elle se demandait si le néonorvégien *ven* était le même mot que *venn* mais avec deux sens, ami et beau.

— Waage avait peut-être entendu parler du tatouage par les gens qui l'ont trouvée ou qui l'ont autopsiée.

— Justement. Deux des coups de couteau… » Bohr s'arrêta, inspira en tremblant. « Deux des seize coups de couteau avaient pénétré le tatouage et rendu le mot illisible.

— Sauf pour le violeur qui avait vu le tatouage avant de la poignarder.

— Oui.

— Ce n'est pas une preuve suffisante, Bohr.

— Non, et avec l'immunité dont bénéficient les forces internationales, Waage aurait été renvoyé en Norvège, où même un avocat médiocre aurait su le tirer d'affaire.

— Donc vous vous êtes autoproclamé juge et partie ? »

Roar Bohr acquiesça. « Hala était mon interprète. Ma responsabilité. Tout comme le sergent Waage. Ma responsabilité. J'ai pris contact avec les parents de Hala et je leur ai dit que j'allais personnellement leur rapporter sa dépouille mortelle. Leur village est à cinq heures de route de Kaboul. Du désert essentiellement. J'ai ordonné à Waage de nous conduire. Au bout de quelques heures, je lui ai demandé de s'arrêter, je lui ai braqué un pistolet sur la tempe et j'ai obtenu ses aveux. Ensuite, je l'ai attaché à la voiture et j'ai démarré. Ce qu'on appelle du *D and Q*.

— *D and Q* ?

— *Drawing and quartering*. Claie d'infamie et équarrissage. Le supplice pour haute trahison en Angleterre de 1283 à 1870. Le condamné à mort était pendu jusqu'à ce qu'il soit presque mort, puis on l'éventrait, on sortait ses viscères et on les brûlait sous ses yeux. Avant de le décapiter. Chose qui avait été précédée par le *drawing* : on l'avait traîné jusqu'à la potence derrière un cheval. Quand la prison était loin de la potence, il avait peut-être la chance de mourir en chemin. Car quand il n'avait plus la force ni de courir ni de marcher derrière le cheval, il était traîné le long des pavés. Les chairs étaient pelées, couche par couche. C'était une mort lente et extrêmement douloureuse. »

Harry songea à la longue traînée de sang qu'on avait trouvée sur le goudron.

« La famille était très reconnaissante qu'on lui ramène Hala, précisa Bohr, et le cadavre de son meurtrier. Ou ce qu'il en restait. Ça a été de belles funérailles.

— Et le corps du sergent ?

— Je ne sais pas ce qu'ils en ont fait. L'écartèlement est peut-être un truc anglais, mais décapiter, c'est manifestement international. En tout cas, sa tête a été retrouvée sur un piquet à l'entrée du village.

— Et puis vous avez signalé la disparition du sergent sur la route du retour.

— Oui.

— Hmm. Pourquoi veillez-vous sur ces femmes ? »

Silence. Bohr s'était assis sur le bord de la table, dans la lumière, et Harry essaya de déchiffrer son visage inexpressif.

« J'avais une sœur. » Il parlait d'une voix blanche. « Bianca. Ma petite sœur. Quand elle avait dix-sept ans, elle s'est fait violer. J'étais censé veiller sur elle ce soir-là, mais je voulais voir *Piège de cristal* au cinéma. C'était interdit aux moins de dix-huit ans. Elle ne m'a raconté que plusieurs années plus tard ce qui lui était arrivé ce soir-là. Pendant que je regardais Bruce Willis.

— Pourquoi ne l'a-t-elle pas dit tout de suite ? »

Bohr reprit son souffle. « Son violeur l'avait menacée de me tuer moi, son grand frère, si elle parlait. Elle ne savait pas du tout comment il connaissait l'existence de son frère.

— À quoi ressemblait-il, le violeur ?

— Elle n'avait pas pu le voir, il faisait si sombre. Ou alors son cerveau l'avait occulté. J'ai vu ça au Soudan. Des soldats qui vivent des choses si terribles qu'ils les oublient carrément. Ils pouvaient se réveiller le lendemain en niant en toute sincérité avoir été sur place, avoir vu la scène. Chez certains, le refoulement fonctionne parfaitement bien. Chez d'autres, les choses refont surface plus tard, sous forme de flash-back. De cauchemars. Chez Bianca, je crois que tout est revenu, et elle n'a pas pu. La peur l'a brisée.

— Et vous considérez que c'est votre faute ?

— Évidemment que c'est ma faute.

— Vous êtes conscient que vous êtes dérangé, Bohr ?

— Bien sûr. Ne l'êtes-vous pas aussi ?

— Que faisiez-vous chez Kaja ?

— J'ai vu qu'elle avait un film sur son PC, un homme sortant de la maison de Rakel la nuit du meurtre. Alors quand elle est partie, je suis entré pour regarder ça de plus près.

— Qu'avez-vous trouvé ?

— Rien. Mauvaise image. Puis j'ai entendu la porte s'ouvrir. Je suis donc allé dans la cuisine.

— Si bien que vous êtes arrivé derrière moi dans l'entrée. Et il se trouve que vous aviez du chloroforme sur vous ?

— J'ai toujours du chloroforme sur moi.

— Parce que ?

— Quiconque tente d'entrer chez une de mes femmes se retrouve sur la chaise sur laquelle vous êtes assis.

— Et ?

— Et en paie le prix.

— Pourquoi me racontez-vous tout cela, Bohr ? »

Bohr joignit les mains. « Je dois reconnaître que j'ai d'abord cru que c'était vous qui aviez tué Rakel, Harry.

— Ah bon ?

— Mari abandonné. C'est classique et c'est la première chose qui vient à l'esprit, non ? Et votre regard à l'enterrement. Un mélange d'innocence et de remords. Le regard de quelqu'un qui a tué sans autre mobile que sa haine, son désir de tuer, et qui a des remords. Tellement de remords qu'il a réussi à refouler. Parce que c'est la seule façon qui puisse lui permettre de survivre, la vérité est intolérable. J'ai vu ce regard chez le sergent Waage.

C'était comme s'il avait réussi à oublier ce qu'il avait fait à Hala et ne s'en était souvenu que quand je l'ai mis face à la vérité. Ensuite, quand j'ai su que vous aviez un alibi, j'ai compris que cette culpabilité que j'avais vue dans votre regard, c'était la même que la mienne. La culpabilité de celui qui n'a pas réussi à empêcher. Donc la raison pour laquelle je vous raconte ça… » Bohr se leva de la table et disparut dans le noir avant de poursuivre. « … c'est que je sais que vous voulez la même chose que moi. Vous voulez les voir punis. Ils nous ont enlevé quelqu'un que nous aimions. Une peine de prison ne suffit pas. La simple mort ne suffit pas. »

Les néons clignotèrent deux fois, puis la pièce baigna dans la lumière. C'étaient effectivement des locaux professionnels. Ou ça l'avait été. Les six ou sept bureaux, où on voyait encore l'ancien emplacement des écrans d'ordinateur et des disques durs, les cartons, les fournitures éparpillées, une imprimante ; tout suggérait un déménagement en catastrophe. Il y avait une photo du roi sur le mur en bois blanc. Des militaires, songea Harry instinctivement.

« On y va ? » demanda Bohr.

Harry se leva. Il avait le vertige et marcha d'un pas mal assuré vers la porte où Bohr l'attendait en lui tendant son téléphone, son pistolet de service et son briquet.

« Où étiez-vous ? » Harry rangea son téléphone et son briquet, mais resta à soupeser son pistolet. « La nuit où Rakel a été tuée ? Parce que vous n'étiez pas chez vous…

— C'était le week-end et j'étais à mon chalet. À Eggedal. Seul, je le crains.

— Qu'est-ce que vous y faisiez ?

— Bonne question… Qu'est-ce que j'y faisais ? Je nettoyais des armes. Je faisais du feu dans la cheminée. Je réfléchissais. J'écoutais la radio.

— Hmm. Radio Hallingdal ?

— Oui, en l'occurrence, c'est la seule que nous captons.

— Il y avait le radio bingo ce soir-là.

— Exact. Vous allez souvent dans la vallée de Hallingdal ?

— Non. Vous vous souvenez de quelque chose de particulier ? »

Bohr haussa un sourcil. « À propos du bingo ?

— Oui. »

Bohr secoua la tête.

« Rien ? » demanda Harry en sentant le poids de son pistolet. Il conclut que les balles n'avaient pas été sorties du magasin.

« Non. Est-ce un interrogatoire ?

— Réfléchissez. »

Bohr plissa le front. « Oui, peut-être une histoire de gagnants venant tous du même endroit. Ål. Ou Flå.

— Bingo, fit doucement Harry en mettant son pistolet dans la poche de sa veste. Vous voilà ainsi radié de ma liste de suspects. »

Roar Bohr observa Harry. « Tout à l'heure, j'aurais pu vous tuer sans que personne le découvre, mais ce qui m'a disculpé, c'est un bingo radiophonique ? »

Harry haussa les épaules. « J'ai besoin d'une clope. »

Ils descendirent un vieil escalier en bois qui craquait et débouchèrent dans la nuit alors qu'un glockenspiel entonnait une ritournelle.

« Eh ben ! » fit Harry en respirant l'air froid. Sur la place un peu plus loin, des gens affairés rejoignaient d'un pas vif les bars et boîtes de nuit du samedi soir ; au-dessus des immeubles dominait l'hôtel de ville. « On est en plein centre-ville. »

Harry avait entendu les cloches de l'hôtel de ville jouer Kraftwerk ou Dolly Parton, et un jour Oleg s'était enthousiasmé en reconnaissant un air du jeu *Minecraft*, mais là, c'était l'un des airs habituels, le *Vektersang* d'Edvard Grieg. Ce qui signifiait qu'il était minuit.

Harry se retourna. Ils sortaient d'une espèce de baraquement en bois, juste après la porte de la forteresse d'Akershus.

« Pas franchement le MI6 ou Langley, commenta Bohr, mais c'était le siège de l'E14.

— L'E14 ? » Harry extirpa son paquet de cigarettes de la poche de son pantalon.

« Une unité de renseignements norvégienne qui n'a pas fait long feu.

— Je m'en souviens vaguement.

— Ça a commencé en 1995, quelques années d'action à la James Bond, puis des luttes de pouvoir, un débat politique autour des méthodes employées et le démantèlement en 2006. Depuis, les locaux sont restés vides.

— Mais vous avez les clefs ?

— J'en ai fait partie pendant les dernières années, et personne ne m'a demandé les clefs.

— Hmm. Ex-espion. Ça explique le chloroforme. »

Bohr eut un petit sourire en coin. « Oh, ce n'était pas ce que nous faisions de plus étrange.

— Je n'en doute pas. » Harry regarda l'horloge de l'hôtel de ville.

« Navré d'avoir ruiné votre soirée, dit Bohr, mais est-ce que je peux vous taxer une cigarette avant que nos chemins se séparent ? »

« J'étais jeune officier quand on m'a recruté », raconta Bohr en soufflant la fumée vers le ciel. Ils s'étaient trouvé un banc sur un rempart derrière les canons pointés sur le fjord d'Oslo. « Mais il n'y avait pas que des gens de la défense à l'E14. Il y avait des diplomates, des serveurs, des charpentiers, des policiers, des mathématiciens. De jolies femmes qui pouvaient servir d'appâts.

— On croirait un film d'espionnage, observa Harry en tétant sa cigarette.

— C'en était un.
— Quelle était votre mission ?
— Renseignement dans des endroits où il était envisageable que la Norvège ait une présence militaire. Balkans, Moyen-Orient, Soudan, Afghanistan. On nous avait donné beaucoup de liberté, nous devions opérer indépendamment des États-Unis et du réseau de renseignement de l'OTAN. Et pendant un temps, on aurait dit que nous allions y arriver. Forte camaraderie, forte loyauté, et peut-être un peu trop de liberté. Ces cercles clos développent leurs propres normes d'acceptabilité. Nous payions des femmes pour qu'elles couchent avec nos contacts. Nous les équipions de pistolets High Standard HD 22 non déclarés. »

Harry hocha la tête. C'était le pistolet qu'il avait vu dans le chalet de Bohr, le pistolet de prédilection des agents de la CIA parce que le silencieux était efficace et facile à monter. Le pistolet que les Soviétiques avaient trouvé sur Francis Gary Powers, le pilote de l'avion d'espionnage U-2 qui avait été abattu sur le territoire soviétique en 1960.

« Sans numéros de série, ils ne pouvaient pas être retracés jusqu'à nous si jamais nous devions nous en servir pour liquider quelqu'un.
— Et tout cela, vous le faisiez ?
— Pas acheter du sexe ni liquider des gens. Le pire que j'aie fait… » Bohr se gratta le menton pensivement. « Ou plutôt ce que j'ai ressenti comme le pire, ç'a été la première fois que j'ai sciemment gagné la confiance de quelqu'un pour ensuite le trahir. L'une des épreuves d'admission était d'aller d'Oslo à Trondheim aussi vite que possible avec seulement dix couronnes en poche. Il fallait prouver qu'on avait les capacités relationnelles et l'inventivité que pouvait réclamer une situation tendue sur le terrain. J'ai proposé les dix couronnes à une femme qui avait l'air gentille dans un café de la gare centrale d'Oslo pour qu'elle

me prête son téléphone. Je lui ai expliqué que ma petite sœur était sur son lit de mort à l'hôpital régional de Trondheim et que je venais de me faire voler mon sac de voyage et mon portefeuille, mon billet de train et mon téléphone. En fait, j'ai appelé un des autres agents et j'ai réussi à pleurer au téléphone. Quand j'ai raccroché, la femme pleurait aussi, et j'allais lui demander de me prêter de l'argent pour prendre le train quand elle m'a offert de me conduire avec sa voiture qui était dans le parking couvert. Nous avons roulé pied au plancher. Les heures passaient et nous avons parlé de tout, de nos secrets les plus intimes, comme on ne le fait qu'avec des inconnus. Les miens étaient des mensonges forgés au cours de mon entraînement d'aspirant espion. Au bout de quatre heures, nous nous sommes arrêtés, à Dovre. Nous avons regardé le soleil descendre sur le plateau. Nous nous sommes embrassés. Nous riions à travers nos larmes et nous nous sommes dit que nous nous aimions. Deux heures plus tard, juste avant minuit, elle m'a lâché devant l'entrée principale de l'hôpital régional. Je lui ai demandé de trouver une place de parking pendant que j'allais demander où était la chambre de ma petite sœur. Je lui ai dit que je l'attendais à la réception. Puis j'ai traversé la réception de l'hôpital, je suis sorti par-derrière et j'ai couru, couru, couru jusqu'à la statue d'Olav Tryggvason, où le chef du recrutement de l'E14 attendait avec un chronomètre. J'étais le premier et cette nuit-là, j'ai été fêté comme un héros.

— Sans arrière-goût ?

— Pas sur le coup. Il est venu plus tard. C'était pareil au FSK. On subit une pression que les gens ordinaires ne connaissent pas. C'est comme ça que, au bout d'un moment, on finit par croire que les règles des gens ordinaires ne s'appliquent pas à soi. À l'E14, ça a commencé par un peu de manipulation. D'exploitation. Quelques infractions isolées. Et ça s'est terminé par des questions de vie et de mort.

— Mais vous, vous pensez donc que les règles s'appliquent aussi aux gens qui ont ce genre de missions ?

— Sur le papier… » Bohr pointa son index sur sa cuisse. « Bien sûr. Là-haut… » Il tapa son doigt sur son front. « Là-haut, on sait qu'on est obligés d'enfreindre quelques règles pour assurer notre mission de garde. Parce que c'est nous qui sommes de garde, tout le temps. Une garde solitaire. Il n'y a personne pour nous, les gardes. Que les autres gardes, c'est tout. Personne ne viendra jamais nous remercier, car la plupart des gens ne sauront jamais qu'on a veillé sur eux.

— L'État de droit…

— … a ses limites. Si l'État de droit avait pu décider, un soldat norvégien ayant violé et tué une femme afghane aurait été renvoyé en Norvège, où il aurait purgé une courte peine dans une prison qu'un Hazara aurait considérée comme un hôtel cinq étoiles. Je lui ai donné ce qu'il méritait, Harry. Ce que Hala et la famille de Hala méritaient. Une sanction afghane pour un crime commis en Afghanistan.

— Et maintenant vous traquez celui qui a tué Rakel ; mais si vous suivez votre principe, un crime commis en Norvège devrait être jugé selon la loi norvégienne, et nous n'avons pas la peine de mort.

— Peut-être pas la Norvège, mais moi, j'ai la peine de mort, Harry. Et vous aussi.

— Ah bon ?

— Je ne doute pas que, à l'instar de la majorité des gens de ce pays, vous croyez sincèrement dans les sanctions humaines et les secondes chances, mais vous êtes aussi un humain, Harry. À qui on a enlevé quelqu'un qu'il aimait. Et que moi j'aimais. »

Harry tira fort sur sa cigarette.

« Non, dit Bohr. Pas comme ça. Rakel était ma petite sœur. Exactement comme Hala. Elles étaient Bianca. Et je les ai toutes perdues.

— Qu'est-ce que vous voulez, Bohr ?

— Je voudrais vous aider, Harry. Quand vous le trouverez, je voudrais vous aider.

— M'aider comment ? »

Bohr leva sa cigarette. « Tuer, c'est comme fumer. On tousse, on rechigne, on pense qu'on ne va jamais y arriver. En mon for intérieur, je n'ai jamais vraiment cru les gars du FSK qui disaient que tuer un ennemi, c'était le pied total. Si le meurtrier de Rakel est tué après son arrestation, vous aurez besoin d'être à l'abri de tout soupçon.

— Je vais prononcer la condamnation à mort, mais vous proposez d'être le bourreau ?

— Oh, la condamnation, nous l'avons déjà prononcée, Harry. La haine nous consume, nous le voyons, mais l'incendie fait rage et il est trop tard pour l'arrêter. » Bohr jeta son mégot par terre. « Je vous reconduis chez vous ?

— Je vais marcher, répondit Harry. J'ai besoin d'aérer le chloroforme. Juste deux questions. Quand on était assis au bord du bassin de Smestad, avec votre femme, vous nous avez visés avec une visée laser. Pourquoi, et comment saviez-vous que nous irions exactement là ? »

Bohr sourit. « Je ne le savais pas. J'ai l'habitude de monter la garde depuis le sous-sol de la maison. Je veille à ce que les visons ne prennent pas d'autres petits du couple de cygnes. Et puis vous avez débarqué.

— Hmm.

— Et la deuxième question ?

— Comment m'avez-vous sorti de la voiture et monté en haut de toutes ces marches ce soir ?

— Comme nous portons tous nos soldats tombés. Comme un sac à dos. C'est le seul moyen.

— Oui, sans doute. »

Bohr se leva. « Harry, vous savez où me joindre. »

Harry dépassa l'hôtel de ville, puis Stortingsgata et s'arrêta devant le Théâtre national. Il nota qu'il était passé sans trop de difficultés devant trois bars ouverts, où l'animation du samedi soir battait son plein. Il prit son téléphone. Un message d'Oleg.

Du nouveau ? Tête hors de l'eau ?

Il décida de l'appeler après avoir eu Kaja. Elle répondit à la première sonnerie.

« Harry ? » De l'inquiétude dans sa voix.

« J'ai parlé à Bohr.

— Je savais qu'il se passait quelque chose !

— Il est innocent.

— Ah bon ? » Il entendit une couette frotter contre le micro du téléphone alors qu'elle se tournait. « Qu'est-ce que ça veut dire ?

— Ça veut dire qu'on est revenus à zéro. Je peux te faire un rapport complet demain matin. OK ?

— Harry ?

— Oui ?

— J'ai eu un peu peur.

— J'avais compris.

— Et maintenant je me sens un peu seule. »

Blanc.

« Harry ?

— Hmm.

— Tu n'es pas obligé.

— Je sais. »

Il raccrocha. Appuya sur O pour Oleg. Il allait appuyer sur le téléphone vert, mais hésita. Il choisit finalement le symbole du message et tapa « Je t'appelle demain ».

31

Harry était allongé sur le dos par-dessus la couette, presque tout habillé. Ses Doc Martens étaient par terre à côté du lit, sa veste sur le fauteuil. Kaja était sous la couette, mais contre lui, avec la tête sur son bras.

« Au toucher, tu es exactement pareil qu'avant, commenta-t-elle en caressant son pull. Toutes ces années et aucun changement. C'est pas juste.

— Mais je commence à sentir la sueur. »

Elle fourra son visage dans son aisselle. « N'importe quoi, tu sens bon, tu sens Harry.

— La gauche, oui, c'est la droite qui schlingue. C'est sans doute les années qui passent. »

Kaja rit doucement. « Tu sais que les recherches montrent que c'est un mythe que les vieux sentent plus mauvais ? D'après une étude japonaise, le non-2-énal est certes une substance odorante qui n'apparaît que chez les gens de quarante ans et plus, mais dans les tests en aveugle, l'odeur de sueur des personnes âgées plaît davantage que celle de nous autres trentenaires.

— Eh ben, fit Harry, tu viens de noyer dans la théorie le fait que je sens le cheval, dis donc. »

Kaja rit. Ce rire doux qu'il avait tant regretté. Son rire à elle.

« Raconte, dit-elle. Toi et Bohr. »

Harry se vit autoriser une cigarette et commença par le début. Le chalet, Roar Bohr qui l'avait maîtrisé dans le salon juste au-dessous d'eux. Son réveil dans les locaux déserts de l'E14 et leur conversation. Il la rapporta plus ou moins en détail, à l'exception de la dernière partie. Celle avec l'offre d'exécution.

Curieusement, Kaja ne semblait pas particulièrement choquée que Bohr ait exécuté l'un de ses propres soldats. Ni qu'il l'ait surveillée à Kaboul comme ici, à Oslo.

« Je pensais que ça te ferait un peu flipper de savoir que tu as été observée à ton insu. »

Elle secoua la tête et lui emprunta sa cigarette. « Je ne l'ai jamais vu, mais il m'arrivait d'avoir le sentiment qu'il était là. Tu comprends, quand Bohr a su que j'avais perdu mon grand frère de la même manière qu'il avait perdu sa petite sœur, il s'est mis à me traiter plus ou moins comme une petite sœur par procuration. C'étaient des broutilles, comme le fait que j'avais juste un peu plus de renforts quand j'allais travailler hors des zones sûres. Je n'y faisais pas attention. La surveillance, on s'y habitue.

— Ah bon ?

— Oui, oui. » Elle remit la cigarette entre les lèvres de Harry. « Quand je travaillais à Bassorah, il y avait essentiellement des Britanniques dans les forces de la coalition qui surveillaient l'hôtel où logeaient les gens de la Croix-Rouge, et ils sont différents, tu comprends. Quand ils cherchent quelqu'un, les Américains ratissent large, ils balaient la rue et c'est la tactique du serpent : ils avancent tout droit et font littéralement sauter les murs qui barrent leur chemin. Ils considèrent que c'est plus rapide et, de surcroît, plus effrayant, ce qu'il ne faut pas sous-estimer. Alors que les Britanniques… » Elle passa le doigt sur sa poitrine. « … se faufilent le long des murs, sont invisibles. Il y avait un couvre-feu après vingt heures, mais il nous arrivait de sortir sur le toit de l'hôtel, devant le bar. On ne les voyait jamais, mais parfois je remarquais deux points rouges sur l'homme avec qui j'étais. Lui voyait la même chose sur moi. Un message discret des Britanniques pour nous signifier qu'ils étaient là, et qu'il fallait rentrer à l'intérieur. Ça me faisait me sentir plus en sécurité.

— Hmm. » Harry tira une bouffée de sa cigarette. « C'était qui ?

— Qui ça ?

— Celui sur qui tu voyais les points rouges. »

Kaja sourit, mais ses yeux devinrent tristes.

« Anton. Il était au CICR. La plupart des gens l'ignorent, mais il existe deux Croix-Rouge. Tu as la FICR, nous autres soldats de la santé ordinaires, qui travaillons sous l'égide des Nations unies. Et puis tu as le CICR, qui est essentiellement constitué de Suisses et dont le siège est en face du palais des Nations unies à Genève. C'est l'équivalent à la Croix-Rouge des marines américains et du FSK. Tu en entends rarement parler, mais ils sont les premiers à entrer et les derniers à sortir. Ils font tout ce que les Nations unies ne font pas à cause de la situation sécuritaire. C'est le CICR qui se promène la nuit et compte les corps, pour dire les choses crûment. Les gens du CICR font profil bas, mais tu les reconnais au fait qu'ils portent des chemises chères et irradient le sentiment de supériorité.

— Et c'est justifié ? »

Kaja respira. « Oui, mais ils meurent tués par des éclats de mines, eux aussi.

— Hmm. Tu l'aimais ?

— Tu es jaloux ?

— Non.

— Moi, j'étais jalouse.

— De Rakel ?

— Je la détestais.

— Elle n'avait pourtant rien fait de mal.

— Ça devait être pour ça, alors. » Kaja rit. « Tu m'as quittée à cause d'elle, une femme n'a pas besoin d'autre raison pour détester, Harry.

— Je ne t'ai pas quittée, Kaja. Toi et moi, on était deux personnes au cœur brisé qui se sont apporté du réconfort pendant un temps. Quand je suis parti d'Oslo, je vous ai quittées toutes les deux.

— Mais tu m'as dit que tu l'aimais, et quand tu es rentré à Oslo la deuxième fois, c'était pour elle, pas pour moi.

— C'était à cause d'Oleg, il s'était retrouvé dans la mouise ; mais, oui, j'ai toujours aimé Rakel.

— Même quand elle ne voulait pas de toi ?

— Surtout quand elle ne voulait pas de moi. Il semblerait que nous soyons ainsi faits, nous autres les humains. Non ? »

Le doigt baladeur de Kaja battit en retraite.

« C'est compliqué, l'amour », déclara-t-elle en se lovant contre lui et en posant la tête sur sa poitrine.

« L'amour est la racine de tout, renchérit Harry. Du bien et du mal. Du bien et du mal. »

Elle leva les yeux vers lui. « À quoi tu penses ?

— Je pense à quelque chose ?

— Oui. »

Harry secoua la tête. « Juste à une histoire de racines.

— Allez. C'est à ton tour de raconter.

— Eh bien. Tu as entendu parler d'Old Tjikko ?

— C'est quoi ?

— Un sapin. Un jour, Rakel, Oleg et moi sommes allés au parc national de Fulufjället en Suède parce que Oleg avait appris à l'école qu'on y trouvait le plus vieil arbre du monde, Old Tjikko, qui allait bientôt avoir dix mille ans. Dans la voiture, Rakel s'est lancée dans des développements sur cet arbre né au temps où l'homme avait inventé l'agriculture et où l'Angleterre faisait toujours partie du continent. Mais quand on est arrivés à la montagne, on a eu la déception de découvrir qu'Old Tjikko n'était qu'un arbre chétif, courbé par le vent, tout petit. Un garde forestier nous a expliqué que l'arbre lui-même n'avait que quelques centaines d'années, que c'en était un parmi d'autres, et que ce qui avait dix mille ans, c'était le système racinaire de ces arbres. Oleg était tout déconfit, il s'était réjoui à l'idée de raconter à sa classe qu'il avait vu le plus vieil arbre du monde et les racines de ce sapin minable, on ne les voyait même pas. Donc je lui ai dit que, à la place, il pouvait lever la main pour expliquer que les racines ne sont pas tout l'arbre, et que le plus vieil arbre connu se trouvait dans les White Mountains de Californie et avait cinq mille ans. Le visage d'Oleg s'est éclairé et il a couru devant pendant toute la descente parce qu'il était impatient de rentrer et de triompher avec ses connaissances supérieures. Quand nous nous sommes couchés ce soir-là, Rakel s'est collée contre moi et m'a dit qu'elle m'aimait, et que notre amour était comme ce système racinaire. Les arbres pouvaient pourrir, la foudre pouvait s'abattre sur eux, nous pouvions nous disputer, je pouvais me remettre à boire, mais ce qui était sous la terre, ni nous ni quiconque ne pouvait y toucher, ce serait toujours là et il y aurait toujours un nouvel arbre qui pousserait. »

Ils restèrent sans rien dire dans le noir.

« Je n'entends presque pas ton cœur battre, dit Kaja.

— Sa moitié à elle. Qui s'arrêtera apparemment de battre quand l'autre moitié ne sera plus là. »

Kaja se coucha soudain sur lui.

« Je veux sentir ton aisselle droite. »

Il la laissa faire. Elle resta avec sa joue collée contre la sienne et il perçut sa chaleur à travers le pyjama délavé et ses vêtements à lui.

« Tu devrais peut-être enlever ton pull pour que je puisse sentir, chuchota-t-elle, ses lèvres contre son oreille.

— Kaja…

— Non, Harry. Tu en as besoin. J'en ai besoin. Comme tu disais : du réconfort. » Elle se décala pour glisser sa main.

Il l'empoigna. « C'est trop tôt, Kaja.

— Pense à elle en le faisant. Vraiment, Harry. Fais ça. Pense à Rakel. »

Harry déglutit.

Il relâcha la main de Kaja, ferma les yeux.

C'était comme de se glisser dans un bain chaud en costume et avec son téléphone dans sa poche : hyper con, hyper bon.

Elle l'embrassa. Il rouvrit les yeux, regarda droit dans les siens. L'espace d'une seconde, ce fut comme s'ils se jaugeaient, comme deux animaux tombés l'un sur l'autre dans la forêt cherchant à déterminer si l'autre était ami ou ennemi. Puis il lui rendit son baiser. Elle le déshabilla et se déshabilla elle, s'assit sur lui. Elle saisit son membre. Elle ne bougea pas sa main, se contenta de tenir, fermement. Peut-être fascinée de sentir le sang battre dans son érection comme il le sentait lui-même. Puis, sans plus de chichis, elle le guida en elle.

Ils trouvèrent le rythme l'un de l'autre, ils s'en souvenaient. Lent, lourd. Harry la vit tanguer à la maigre lueur rouge du radio-réveil. Il passa la main sur ce qu'il avait cru être un pendentif avec la forme d'un symbole ou d'un signe, mais qui était un tatouage, une sorte de S surmontant deux points, qui lui évoquait Fred Flintstone dans sa voiture. Les gémissements de Kaja s'accentuèrent, elle voulait accélérer la cadence, Harry ne la laissa pas faire, il la maintint en bas. Elle grogna, mais le laissa mener la danse. Il ferma les yeux et chercha Rakel. Il trouva Alexandra. Il trouva Katrine, mais pas Rakel. Pas avant que Kaja se fige, que ses gémissements cessent, et qu'il ouvre les yeux et voie la lueur rouge couler comme du sang sur son visage, son buste. Elle avait le regard braqué sur le mur, la bouche ouverte comme dans un cri muet, ses dents pointues humides scintillaient.

Et sa moitié de cœur à lui battit.

32

« Bien dormi ? » Kaja tendit à Harry une tasse de café fumant et se remit au lit à côté de lui. Un soleil pâle filtrait entre les rideaux qui flottaient devant la fenêtre ouverte. L'air du matin restait légèrement mordant et Kaja frissonna d'aise en glissant ses pieds glacés entre les jambes de Harry. Il réfléchit à sa question. Oui, putain, il avait bien dormi. Pas de cauchemar dont il se souvienne. Pas de symptômes de manque impossible à refouler. Aucune vision soudaine, pas de crise d'angoisse en vue.

« On dirait, oui. » Il se hissa en position assise pour boire une gorgée de café. « Et toi ?

— Comme une pierre. Le concept toi ici marche bien pour moi, mais ce n'est pas nouveau, c'était le cas la dernière fois aussi. »

Harry regarda dans le vide, fit un signe de tête. « Qu'est-ce que tu en dis, on essaie encore ? On prend une feuille blanche et on repart de zéro. » Se tournant, il vit à son visage médusé qu'elle se méprenait.

« Nous n'avons donc aucun suspect dans notre calepin, s'empressa-t-il d'ajouter. Alors par où on commence ? »

Le visage de Kaja se crispa. Un « tu n'aurais pas pu laisser Rakel pendant cinq minutes après qu'on s'était réveillés ensemble ? » non prononcé.

Il la vit se reprendre, puis elle toussota. « Rakel avait donc parlé à Bohr des menaces qui pesaient sur elle à cause de ton travail, mais nous savons aussi que dans neuf cas sur dix de meurtre au domicile de la victime, le tueur est issu du cercle de connaissances. Donc c'est quelqu'un qu'elle connaît. Ou qui te connaît toi.

— La première liste est longue, la seconde courte.

— Quels hommes connaissait-elle à part Bohr et d'éventuels autres collègues de travail ?

— Elle connaissait mes collègues de travail. Et… non.

— Oui ?

— Elle nous aidait quand j'étais propriétaire du Jealousy Bar. Ringdal, celui qui a repris, voulait qu'elle continue. Elle a refusé, mais ce n'est pas un mobile.

— Est-il pensable que ce soit une femme ?

— Quinze pour cent de chances.

— Statistiquement, oui, mais réfléchis. Jalousie ? »

Harry secoua la tête.

Ils entendirent un téléphone vibrer dans la pièce. Kaja se pencha de son côté du lit, attrapa le mobile dans la poche de Harry, regarda l'écran, appuya sur « Répondre ». « Il est un peu occupé dans le lit de Kaja, là, alors merci de faire court. »

Elle tendit le téléphone à un Harry exaspéré.

Il regarda l'écran.

« Oui ?

— Non que ce soit mon problème, mais qui est Kaja ? » La voix d'Alexandra était glaciale.

« Il m'arrive de me le demander moi-même, dit Harry en regardant Kaja qui se glissait hors du lit, hors de son pyjama et hors de la chambre pour aller dans la salle de bains. De quoi s'agit-il ?

— De quoi s'agit-il ? imita Alexandra. J'avais en fait l'intention de t'informer du dernier rapport d'ADN que nous avons envoyé au groupe d'enquête.

— Oui ?

— Mais maintenant, je ne suis plus trop sûre.

— Parce que je suis dans le lit de Kaja ?

— Tu l'avoues ! s'écria Alexandra.

— Avouer n'est pas le bon terme, mais oui. Je suis navré si tu trouves ça pas cool, mais pour toi, je ne suis qu'un plan cul et tu te remettras très vite.

— Plus de plan cul de ma part, *pretty boy*.

— OK, je vais essayer de vivre avec.

— Tu pourrais au moins essayer d'avoir l'air un peu triste.

— Écoute, Alexandra, je n'ai rien été d'autre que triste depuis plusieurs mois, et en ce moment, je n'ai pas la force de jouer à ces petits jeux. Tu me parles du rapport, oui ou non ? »

Pause. Harry entendait le bruissement de la douche dans la salle de bains.

Alexandra poussa un soupir. « Nous avons maintenant analysé tout ce qu'on pouvait imaginer contenir des traces d'ADN sur les lieux du crime et il y a bien sûr beaucoup de correspondances avec les policiers qui sont déjà dans notre registre. Toi, Oleg, le groupe de scène du crime.

— Ils ont réussi à polluer les lieux du crime, vraiment ?

— Ne sois pas si sévère, c'était une recherche de traces poussée, Harry, dans toute la maison, même la cave. Nous avons reçu tellement de choses que le groupe de scène du crime a dû nous faire une liste de priorités. C'est pour ça que ce truc n'apparaît que maintenant. Les verres et couverts non lavés du lave-vaisselle étaient assez bas sur la liste.

— Quel truc ?

— L'ADN d'une personne inconnue dans de la salive séchée sur un verre.

— Un homme ?

— Oui.

— Ils ont dit qu'il y avait aussi des empreintes digitales sur le verre.

— Des empreintes digitales ? Alors ils les ont en photo. »

Harry posa les pieds par terre.

« Alexandra, tu es une bonne copine, merci !

— Copine, souffla-t-elle. Qui voudrait être une copine ?

— Tu m'appelles quand tu as autre chose ?

— Je t'appelle quand j'ai un homme bien monté dans mon lit, oui. »

Elle raccrocha. Harry s'habilla, prit son café, enfila sa veste et ses chaussures, alla dans le salon, ouvrit l'ordinateur portable de Kaja et entra sur la page d'investigation de la police d'Oslo. Il trouva une photo du verre dans le dernier rapport joint, ainsi qu'une autre, du contenu du lave-vaisselle. Deux assiettes et quatre verres. Ce qui signifiait que le verre avait probablement été utilisé peu avant le meurtre. Rakel ne laissait jamais deux jours s'écouler sans faire tourner le lave-vaisselle et si celui-ci n'était qu'à moitié plein, il lui arrivait de ressortir les tasses et les assiettes pour les laver à la main.

Le verre avec les empreintes digitales était l'un de ceux que Rakel avait achetés dans une petite verrerie de Nittedal, dirigée par une famille de Syriens venus demander l'asile en Norvège. Aimant ces verres bleutés et voulant aider la famille, Rakel avait proposé que le Jealousy Bar en achète un stock, elle estimait que ça donnerait encore plus de cachet au lieu. Harry n'avait toutefois pas eu le temps de se positionner sur la question. Il était sorti de la maison de Holmenkollen et avait cédé son titre de propriété du bar avant d'avoir pu le faire. Rakel gardait ses verres dans un placard de la partie salon. Pas le premier endroit où un tueur cherche un verre s'il a soif après le meurtre. Le rapport indiquait qu'il y avait aussi les empreintes de Rakel. Elle avait donc servi à boire à cette personne, lui avait tendu le verre. De l'eau, probablement ; d'après le rapport, c'était la seule boisson dont il y ait trace. Rakel n'avait elle-même rien bu, il n'y avait qu'un seul verre bleuté dans le lave-vaisselle. Harry se passa la main sur le visage.

Donc quelqu'un était venu, qu'elle connaissait suffisamment bien pour le laisser entrer, mais pas assez pour prendre simplement un verre IKEA dans le placard au-dessus de l'évier de la cuisine quand il lui avait demandé de l'eau. Elle s'était donné un peu plus de mal. Un amant ? De récente date dans ce cas, elle avait fait l'effort d'aller jusqu'à ce placard. Un homme qui n'était jamais venu. Quand Harry avait regardé les autres enregistrements du piège photographique, il n'avait aperçu que Rakel, elle n'avait pas eu la moindre visite. Pas avant la nuit du meurtre. Ce devait être lui. Harry pensa à la personne que Rakel avait eu l'air surprise de voir, mais avait cependant fait entrer au bout de deux secondes. Le rapport indiquait qu'on n'avait pas trouvé d'empreintes digitales correspondantes dans le fichier. Donc pas un policier en activité, et en tout cas personne qui travaillait sur les lieux du crime, et pas un criminel connu. Quelqu'un qui n'avait pas été beaucoup dans la maison, puisque c'était la seule empreinte qu'il ait laissée.

Les policiers qui avaient prélevé les empreintes du verre avaient eu recours à la vieille méthode : de la poudre colorée appliquée régulièrement à l'aide d'une brosse ou d'un aimant. Harry voyait les empreintes des cinq doigts. Quatre empreintes rassemblées au milieu du verre, avec une forme qui montrait que les doigts, avec l'auriculaire tout en bas, avaient pointé vers la gauche. En bas du verre, la marque d'un seul pouce. Rakel, qui lui avait tendu le verre de sa main droite. Le regard de Harry descendit dans le rapport et trouva la confirmation de ce qu'il savait déjà : les empreintes étaient celles de la main droite de Rakel et de la main gauche de l'inconnu. Le cerveau de Harry sonna l'alarme quand il perçut le même craquement du plancher que le soir précédent.

« Tu as sursauté ! » fit Kaja en riant alors qu'elle avançait dans le salon vêtue d'un peignoir en éponge bleu, élimé et bien trop grand. Celui de son père. Ou de son grand frère. « Je n'ai de petit déjeuner que pour une personne, mais on peut sorti... »

— C'est bon, dit Harry en refermant l'ordinateur dans un claquement. Il faut que je rentre me changer. » Il se leva et lui embrassa le front. « Joli tatouage, au fait.

— Tu trouves ? Je croyais me souvenir que tu n'aimais pas les tatouages ?

— Vraiment ? »

Elle sourit. « Tu disais que les humains étaient par définition des benêts ignorants et que nous ne devrions donc écrire ni sur la pierre ni sur la peau, mais utiliser au contraire des couleurs solubles dans l'eau. Que nous avions besoin de la possibilité d'effacer le passé, d'oublier qui nous avions été.

— Voyez-vous ça ! J'ai dit ça, moi ?

— Page blanche, tu disais. La liberté de devenir nouveau, meilleur. Le tatouage définissait, obligeait à se cramponner à d'anciennes convictions. Tu donnais comme exemple que si on se tatouait "Jésus" sur la poitrine, c'était en soi une incitation à maintenir coûte que coûte une vieille superstition, parce que le tatouage aurait l'air bête sur un athée.

— Pas mal, et impressionnant que tu t'en souviennes.

— Tu étais un homme réfléchi avec beaucoup de drôles d'idées, Harry.

— J'en ai moins maintenant, j'aurais peut-être dû me les faire tatouer sur le corps. »

Harry se frotta la nuque. La sirène refusait de s'arrêter, comme une vieille alarme de voiture qui faisait ses trilles sous les fenêtres de la chambre à coucher et attendait que quelqu'un vienne l'éteindre. Avait-elle été déclenchée par autre chose que le grincement d'une latte mal fixée ?

Kaja le suivit dans le couloir où il laça ses chaussures.

« Tu sais quoi ? dit-elle alors qu'il était à la porte, prêt à partir. Tu as l'air de quelqu'un qui a l'intention de survivre.

— Pardon ?

— Quand je t'ai vu à l'église. Tu avais l'air d'attendre la première occasion de mourir. »

Katrine vit sur l'écran de son téléphone qui l'appelait. Elle hésita, regarda la pile de rapports sur son bureau et poussa un soupir.

« Bonjour, Mona. Alors vous travaillez un dimanche ?

— Dm, fit Mona Daa.

— Pardon ?

— De même. Abréviation de SMS.

— Oui, je travaille. Sans ses poids lourds, la Norvège s'arrête.

— Pardon ?

— Un vieux slogan. Sans les femmes… Oubliez ça. En quoi puis-je aider *VG* ?

— En faisant le point sur l'affaire Rakel.

— Il y a des conférences de presse pour ça.

— Et ça fait un certain temps que nous n'en avons pas eu. Et puis Anders a l'air…

— Que votre compagnon soit enquêteur de police ne vous donne pas de passe-droit, Mona.

— Non, c'est tout l'inverse. Parce que vous êtes terrifiés à l'idée que j'aie l'air de bénéficier d'un traitement de faveur. Ce que j'allais dire, c'est qu'Anders ne me raconte rien bien sûr, mais il a l'air taciturne. Chose que j'interprète comme un enlisement de l'affaire.

— Les affaires ne s'enlisent jamais », déclara Katrine en se massant le front de sa main libre. Bon sang, ce qu'elle était fatiguée. « Et avec Kripos, nous travaillons de façon méthodique et sans relâche. Toute piste qui n'a pas mené au but nous a rapprochés du but.

— Classe, mais je crois que je vous ai déjà citée prononçant précisément cette phrase, Bratt. Vous n'avez rien de plus sexy ?

— Sexy ? » Katrine sentit une rupture, un barrage qui voulait céder depuis longtemps. « OK, voilà du sexy. Rakel Fauke était une personne formidable. C'est plus que je ne peux dire de vous et de vos méthodes de travail. Si vous ne pouvez pas respecter le repos du dimanche, essayez au moins de respecter le souvenir de Rakel Fauke et le peu d'intégrité que vous avez, espèce de chienne. Voilà, c'est assez sexy pour vous ? »

Pendant les secondes qui suivirent, Katrine fut aussi médusée par ses propres paroles que Mona Daa.

« Vous voulez que je vous cite ? » demanda Mona.

Katrine se renversa sur sa chaise de bureau en jurant intérieurement. « Eh bien… qu'est-ce que vous en pensez ?

— Compte tenu de nos futures collaborations, répondit Mona, ce que j'en pense, c'est que cet entretien téléphonique n'a jamais eu lieu.

— Merci. »

Elles raccrochèrent et Katrine posa le front sur son bureau. C'était trop. La responsabilité. Les titres. L'impatience des étages supérieurs. Le petit. Bjørn. L'incertitude. La certitude. Savoir tant de choses, savoir qu'elle était ici un dimanche parce qu'elle ne voulait pas être à la maison, avec eux. Et c'était trop peu. Elle pouvait lire tous les rapports qu'elle voulait, les siens, ceux de Winter et de Kripos, ça ne changeait rien. Car Mona Daa avait raison : ils étaient enlisés.

Harry s'arrêta net au milieu du Stenspark. Il avait fait un petit détour pour réfléchir, en oubliant qu'on était dimanche. De furieux aboiements de chiens le disputaient aux cris de gamins frénétiques et aux ordres éructés par les propriétaires des chiens et des gamins en question. Et cependant, cela n'avait pas assourdi la sirène. Qui soudain se tut. Parce qu'il se souvenait. Il se souvenait d'où il avait vu une main gauche autour d'un verre d'eau.

« On peut aller en prison parce qu'on a commandé des poupées gonflables en forme d'enfant, qu'est-ce que vous en pensez ? demanda Øystein Eikeland en tournant les pages du journal qui était sur le comptoir du Jealousy Bar. Je veux dire, si répugnant que ce soit, la pensée ne devrait-elle pas être libre ?

— Il y a des limites à l'indécence, répondit Ringdal avant d'humecter son doigt et de continuer de compter les billets de la caisse enregistreuse. On a fait un bon soir hier, Eikeland.

— Ici, ils disent que les experts ne sont pas d'accord sur la question de savoir si jouer avec des poupées gonflables en forme d'enfant augmente ou non le risque d'agresser des enfants.

— Mais ça manque un peu de petites pépées, par ici. On devrait peut-être baisser le prix des boissons pour les femmes de moins de trente-cinq ans.

— Si c'est le cas, pourquoi n'y a-t-il pas de peine de prison pour les parents qui achètent des pistolets-mitrailleurs en plastique et laissent leurs enfants jouer au massacre à l'école ? »

Ringdal plaça un verre sous le robinet. « Vous êtes pédophile, Eikeland ? »

Øystein Eikeland regarda dans le vide. « Je me suis bien sûr posé la question. Par simple curiosité, hein ? Mais, non, ça ne me titille nulle part. Et vous ? »

Ringdal remplit son verre. « Je peux vous assurer que je suis un homme très normal, Eikeland.

— Ça veut dire quoi ?

— Quoi donc ?

— Très normal. Ça me semble flippant.

— Très normal, ça veut dire que j'aime les minettes qui ont

passé la majorité sexuelle. Tout comme les hommes qui sont nos clients. » Ringdal leva son verre. « Et c'est pourquoi j'ai embauché quelqu'un de nouveau. »

Øystein Eikeland resta bouche bée.

« Elle sera là en plus de vous et moi, précisa Ringdal. Comme ça, on pourra avoir un peu plus de temps libre. Faire tourner l'équipe, hein. À la Mourinho. » Il but.

« Premièrement, c'est sir Alex qui a introduit le principe de rotation. Deuxièmement, José *Moronho* est un con qui se prend au sérieux et qui, certes, a remporté des titres avec les joueurs les plus chers du monde, mais, comme la plupart des gens, il s'est laissé convaincre par les soi-disant experts-commentateurs que ces succès étaient dus à ses qualités à lui. Même si toutes les études montrent que c'est un mythe que l'entraîneur joue un rôle dans les résultats d'une équipe. L'équipe qui gagne, c'est celle qui a les joueurs les mieux payés, point final. Donc si vous voulez que le Jealousy gagne la ligue des bars de Grünerløkka, il suffit de me payer mieux, Ringdal. Point final.

— Vous êtes divertissant, il faut le reconnaître, Eikeland. C'est sans doute pour ça que les clients semblent vous apprécier, mais je ne pense pas que ça fasse de mal de mélanger un peu. »

Øystein exhiba ses chicots bruns dans un rictus. « Mélanger des mauvaises dents et des gros seins ? Parce qu'elle a des gros seins, hein ?

— Voui...

— Vous êtes un imbécile, Ringdal.

— Attention, là, Eikeland, votre place dans l'équipe n'est pas si garantie que ça.

— Il faut décider quel genre de bar vous voulez. Un endroit qui se respecte, avec de l'intégrité, ou un Hooters ?

— Si j'ai le choix entre les deux, je prends...

— Avant de répondre, attendez d'avoir pris en compte dans vos considérations stratégiques la chose suivante, Moronho.

D'après les statistiques du site pornographique Pornhub, les clients de l'avenir – ceux qui ont entre dix-huit et vingt-quatre ans – sont presque vingt pour cent moins enclins à rechercher le nichon que tous les autres groupes. Alors que ceux qui vont bientôt clamser, ceux qui ont entre cinquante-cinq et soixante-quatre ans, sont les plus portés là-dessus. Le nichon est sur le déclin, Ringdal.

— Et les mauvaises dents ? » demanda Harry.

Ils se tournèrent vers le nouvel arrivant.

« Vous pourriez peut-être me servir à boire, Ringdal ? »

Ringdal secoua la tête. « Il n'est pas encore treize heures.

— Je ne veux pas d'alcool fort, donnez-moi…

— On ne sert pas de bière ni de vin avant midi le dimanche, Hole. On aimerait bien garder notre licence.

— … un verre d'eau, compléta Harry.

— Ha ha, fit Ringdal en posant un verre propre sous le robinet, qu'il ouvrit.

— Vous disiez avoir demandé à Rakel si elle voulait continuer de travailler pour le Jealousy, mais vous ne figurez ni dans ses mails ni dans la liste de ses contacts téléphoniques ces derniers mois.

— Ah bon ? fit Ringdal en tendant le verre à Harry.

— Alors je me demandais où, quand et comment vous aviez été en contact avec elle.

— Vous vous demandiez ? Ou la police se demandait ?

— Est-ce que ça change votre réponse ? »

Ringdal sortit sa lèvre inférieure et pencha la tête sur le côté. « Non. Parce que je ne m'en souviens pas.

— Vous ne vous souvenez pas si vous l'avez rencontrée en personne ou si vous lui avez envoyé un mail ?

— Non, en l'occurrence, non.

— Ni si c'était récemment ou il y a longtemps ?

— Je suis sûr que vous pouvez comprendre qu'on ait parfois des trous de mémoire.

— Vous ne buvez pas, rappela Harry en portant le verre d'eau à ses lèvres.

— Mais j'ai des journées chargées où je vois beaucoup de monde et où il se passe beaucoup de choses, Harry. À propos…

— Vous êtes pressé maintenant ? » Harry regarda autour de lui dans le bar vide.

« C'est avant, Harry, qu'on doit être pressé. Tout est dans la préparation. Ça permet d'éviter d'improviser. Un bon plan n'a que des avantages. Vous en avez un ?

— Quoi donc ? Un plan ?

— Songez-y, Harry. Ça vaut le coup. Si vous voulez bien nous excuser… »

Quand ils virent la porte se refermer derrière Harry, le regard d'Øystein le rangeur partit dans une quête automatique, mais vaine, de son verre vide.

« Il doit être désespéré, commenta Ringdal en désignant du menton le journal devant Øystein. Ils disent que la police n'a rien de neuf, et on sait ce qui se passe dans ces cas-là.

— Qu'est-ce qui se passe dans ces cas-là ? demanda Øystein en abandonnant sa quête.

— Les policiers reviennent sur les vieux trucs. Les pistes et les soupçons qu'ils ont eus, mais rejetés. »

Il fallut quelque temps à Øystein pour comprendre de quoi Ringdal parlait. Harry n'était pas désespéré parce que la police n'avait rien. Il était désespéré parce que la police allait se pencher plus attentivement sur les vieilles pistes. Comme son alibi.

C'était le désert dominical dans les locaux de la Police scientifique et technique à Bryn.

Mais deux hommes étaient penchés sur l'écran d'ordinateur du laboratoire des empreintes digitales.

« On a correspondance, affirma Bjørn Holm en se redressant. C'est la même empreinte que sur le verre bleu de Rakel.

— Ringdal est allé chez elle, observa Harry en examinant les traces grasses sur le verre à bière du Jealousy.

— On dirait bien.

— À part la nuit du meurtre, personne d'autre que Rakel n'est entré ou sorti de la maison depuis des semaines. Personne.

— D'accord. Ça pourrait être ce Ringdal qui entre dans la maison en premier. Celui qui est arrivé plus tôt dans la soirée et qui est reparti. »

Harry acquiesça. « Bien sûr. Il pourrait lui avoir rendu une visite surprise et elle lui aurait servi un verre d'eau pendant qu'il lui demandait si elle voulait travailler au Jealousy. Elle a décliné et il est reparti. Tout cela cadre avec l'enregistrement. Ce qui ne cadre pas, en revanche, c'est que Ringdal dit ne pas s'en souvenir. Évidemment que tu te souviens d'être allé quelque part quand deux jours plus tard, tu lis dans le journal que ça a été le théâtre d'un meurtre quelques heures après ton passage.

— Peut-être qu'il ment parce qu'il ne veut pas être soupçonné. S'il s'est trouvé seul avec Rakel la nuit du meurtre, il a un tas de trucs à expliquer. Et il a beau savoir qu'il est innocent, il sait peut-être aussi qu'il ne peut pas le prouver, et risque une garde à vue et une médiatisation indésirables. Mets-le face aux preuves et vois s'il se souvient mieux.

— Hmm. À moins que nous ne cachions un peu plus notre jeu jusqu'à ce que nous ayons plus d'éléments.

— Pas nous, Harry. C'est ton truc à toi. Comme Ringdal, je mise sur une stratégie de non-implication.

— Tu sembles le croire innocent.

— Je te laisse t'occuper de ça, Harry. Moi, je suis en congé paternité et j'aimerais bien avoir toujours un boulot après. »

Harry hocha la tête. « Tu as raison, je suis un égoïste qui

attend des gens qu'ils risquent leur maison, leur jardin et leurs points de retraite pour m'aider. »

Une plainte étouffée s'échappa de la poussette. Bjørn jeta un œil sur sa montre, remonta son pull et en sortit un biberon. Il avait expliqué à Harry qu'il calait le biberon entre deux bourrelets sous un pull serré pour le maintenir à peu près à la température du corps.

« Ah, maintenant je sais à quel chanteur Ringdal me fait penser, observa Harry en regardant le petit avec ses trois boucles blondes comiques qui tétait son biberon. Paul Simon.

— Paul Frederic Simon ? s'exclama Bjørn. Ça t'est venu juste à l'instant ?

— C'est à cause de ton petit. Il ressemble à Garfunkel. »

Harry s'attendait à ce que Bjørn lève les yeux au ciel et parle d'outrage, mais il resta la tête penchée à se concentrer sur le biberon. Il méditait peut-être sur la place d'Art Garfunkel sur son baromètre musical.

« Bon, ben, je vais y aller.

— Quand tu disais que je ne te devais rien, observa Bjørn sans lever les yeux. Ce n'est pas vrai.

— Je ne vois pas ce que ça pourrait être.

— Sans toi, je n'aurais pas rencontré Katrine.

— Bien sûr que si.

— C'est toi qui l'as poussée dans mes bras. Elle a vu ce qui se passait dans tes relations amoureuses et tu incarnais donc tout ce qu'elle ne voulait pas chez un homme. J'étais ce qu'elle a pu trouver de plus éloigné de toi. Donc, dans un sens, tu as été le témoin de notre union, Harry. » Bjørn le regarda avec un grand sourire et des yeux brillants.

« Oh, merde ! Est-ce que c'est la fameuse émotivité du papa qui parle ?

— Probablement. » Bjørn rit en s'essuyant les yeux du revers de la main. « Qu'est-ce que tu vas faire maintenant ? Pour Ringdal, je veux dire.

— Je croyais que tu ne voulais pas être mêlé à ça.

— Exact. Je ne veux pas y être mêlé.

— Alors je file avant qu'il y en ait deux qui pleurent. » Harry consulta sa montre. « Vous deux, je veux dire. »

Harry appela Kaja alors qu'il se dirigeait vers sa voiture.

« Peter Ringdal. Regarde ce que tu trouves. »

À sept heures du soir, il faisait déjà nuit et le crachin invisible qui tombait sans bruit se déposa comme une toile d'araignée glacée sur le visage de Harry, qui remontait le sentier de graviers vers la maison de Kaja.

« Nous avons un fil conducteur, dit-il au téléphone. Je ne parlerais même pas de piste.

— Qui ça "nous" ? demanda Oleg.

— Je ne t'ai pas dit ? »

Oleg ne répondit pas.

« Kaja Solness. Une ancienne collègue.

— Est-ce que vous êtes…

— Non. Pas ça. Rien…

— Rien que j'aie besoin de savoir ? compléta Oleg.

— À mon avis, non.

— OK. »

Pause.

« Tu crois que vous allez l'attraper ?

— Je ne sais pas, Oleg.

— Mais tu sais ce que j'ai besoin d'entendre.

— Hmm. On va bien l'attraper.

— OK. » Oleg poussa un gros soupir. « On s'appelle. »

Harry trouva Kaja sur le canapé du salon, où elle était assise avec son ordinateur sur les genoux et son téléphone sur la table ; ses résultats étaient les suivants :

Peter Ringdal, quarante-six ans, divorcé deux fois, pas d'enfants, la question de savoir s'il avait une petite amie restait sans réponse, mais il habitait seul dans une villa de Kjelsås. Carrière en dents de scie. Il avait un diplôme d'économiste de BI et avait autrefois lancé un nouveau concept de transport.

« J'ai trouvé deux interviews de lui, toutes deux dans *Finansavisen*, expliqua Kaja. Dans la première, de 2004, il cherche des investisseurs pour ce qu'il affirme être une révolution dans notre façon de penser le transport de personnes. C'est titré "Le bourreau de l'automobilisme". »

Elle pianota sur son clavier. « Voilà. Citation de Ringdal : "Aujourd'hui, nous transportons une ou deux personnes dans un véhicule d'une tonne sur des routes qui requièrent d'énormes surfaces et un entretien important pour supporter la circulation à laquelle elles sont soumises. La quantité d'énergie nécessaire pour faire rouler ces machines pesantes à pneus larges sur de l'asphalte irrégulier est proprement ridicule quand on pense aux solutions alternatives qui sont à notre disposition. À cela s'ajoutent les ressources totalement disproportionnées qui sont affectées à la construction de ces véhicules, mais le tribut le plus important, ce n'est pas ça. C'est le temps. Le temps perdu quand, tous les jours, un contributeur potentiel de la société doit passer quatre heures accaparé à diriger sa propre machine dans la circulation de Los Angeles. Non seulement c'est une utilisation absurde d'un quart de la vie éveillée des gens, mais cela signifie aussi une énorme perte de PNB. Rien que dans cette ville, les sommes perdues suffiraient à financer une nouvelle expédition sur la Lune, tous les ans !"

— Hmm. » Harry passa son index sur le vernis écaillé de la bergère dans laquelle il était assis. « Et la solution alternative ?

— D'après Ringdal, des pylônes et des cabines pour une ou deux personnes, non sans ressemblance avec des remontées mécaniques. Les cabines sont stationnées à des plateformes à chaque coin de rue, un peu comme des vélos en libre-service. Tu montes dedans et tu n'as qu'à taper ton code personnel et ta destination. Une petite taxe kilométrique est débitée sur ta carte de crédit et un logiciel actionne la cabine avec une accélération progressive jusqu'à deux cents kilomètres par heure, même en plein centre de Los Angeles. Toi, tu continues de travailler, de faire tes devoirs, de regarder la télé, en sentant à peine les virages. Ou le virage. Dans la plupart des cas, un seul suffira. Aucun feu rouge, aucun effet d'accordéon, les cabines sont comme les électrons d'un système informatique qui fusent sans jamais entrer en collision. Au-dessous des cabines, toutes les rues de la ville sont libérées pour les piétons, les cyclistes, les skateboarders.

— Et le fret ?

— Ce qui est trop lourd pour les pylônes est acheminé par des camions, qui peuvent entrer dans les villes en roulant à vitesse d'escargot, dans des créneaux horaires nocturnes ou très matinaux.

— Ça paraît cher de devoir construire et des pylônes et des routes.

— D'après Ringdal, de nouveaux pylônes et rails coûteraient entre cinq et dix pour cent du prix d'une nouvelle route. Pareil pour l'entretien. En l'occurrence, le passage au système de pylônes et rails permettrait des économies sous dix ans rien qu'avec la réduction des frais d'entretien des routes. À quoi s'ajoute la réduction des coûts humains et financiers qui va avec la diminution des accidents de la route. Le but est de n'avoir aucune, pas une seule, victime de la circulation.

— Hmm. Ça paraît raisonnable dans les villes, mais dans les campagnes peu peupl…

— On pourrait construire des pylônes jusqu'aux chalets, ce serait un cinquième du prix d'une route en gravier. »

Harry eut un petit sourire. « Tu m'as l'air de bien aimer l'idée. »

Kaja rit. « Oui, moi, si j'avais eu l'argent en 2004, j'aurais investi.

— Et ?

— Et je l'aurais perdu. La deuxième interview date de 2009, elle est intitulée "Ceinture noire de banqueroute". Les investisseurs ont tout perdu et sont furieux contre Ringdal. Qui considère que la victime, c'est lui, et estime que, avec leur pleutrerie et leur absence totale d'imagination, ce sont les investisseurs qui ont tout flanqué par terre en fermant les robinets. Tu savais qu'il était champion de Norvège de judo ?

— Hmm.

— Il disait un truc rigolo… » Kaja descendit sur l'écran et lut d'une voix rieuse. « La soi-disant élite financière est une bande de parasites qui s'imaginent que cela requiert de l'intelligence de devenir riche dans un pays qui a connu cinquante années consécutives de croissance. Alors que tout ce qu'il faut, c'est avoir un complexe d'infériorité, être prêt à prendre des risques aux dépens des autres et être né après 1960. Notre prétendue élite financière est une bande de poules aveugles dans un silo à blé et la Norvège est le paradis de la médiocrité.

— Puissant.

— Ça ne s'arrête pas là, il a aussi une théorie du complot. »

Harry constata que la tasse sur la table fumait encore un tout petit peu. Ce qui voulait dire qu'il y avait du café frais dans la cuisine. « Balance.

— Cette évolution est inévitable et qui a le plus à perdre ?

— Tu me poses la question à moi ?

— Je lis l'interview !

— Alors prends ta voix drôle. »

Kaja lui lança un regard de mise en garde.

« Les constructeurs automobiles ? fit Harry en soupirant. Les entreprises de la route ? Les compagnies pétrolières ? »

Kaja toussota et braqua de nouveau son regard sur l'écran.

« Comme les grands fabricants d'armes, les constructeurs automobiles sont des forces politiques et l'automobilisme privé est pour eux une question de vie ou de mort. C'est pourquoi ils se battent désespérément contre l'évolution tout en prétendant en être les moteurs. Mais quand ils essaient de convaincre les gens que les voitures sans chauffeurs sont la solution, ce n'est pas parce qu'ils désirent de meilleures solutions de transports, bien sûr, c'est parce qu'ils veulent ralentir aussi longtemps que possible le cours de l'histoire et continuer de produire des monstres de dix quintaux même s'ils savent que ça ne sert pas la planète, mais en consomme au contraire les ressources finies. Et ils essaient d'étouffer toutes les autres initiatives par tous les moyens à leur disposition. Ils cherchent à me faire la peau depuis le premier jour. Moi, ils n'ont pas réussi à me faire peur, mais mes investisseurs si, apparemment. » Elle leva les yeux.

« Et après ça ? demanda Harry.

— Le silence. Un bref papier en 2016, dans *Finansavisen* cette fois encore, sur Peter Ringdal, l'aspirant Elon Musk norvégien, qui dirige aujourd'hui un petit bureau de tabac à Hellerud, mais gouvernait autrefois un château en Espagne qui s'est effondré, bien que les experts de l'Institut d'économie des transports l'aient alors vanté comme ce qu'on avait pu penser de plus sensé sur l'avenir du transport de personnes, surtout dans les villes.

— Hmm. Casier judiciaire ?

— Une plainte pour coups et blessures pendant ses études, quand il travaillait comme videur et a cassé la figure d'un type, et une plainte pour conduite dangereuse, pendant ses études aussi. Il n'a été jugé coupable dans aucune des affaires, mais j'ai trouvé autre chose. Une affaire classée de disparition.

— Ah bon ?

— Sa dernière ex-femme, Andrea Klitschkova, a été portée disparue l'an dernier. L'affaire étant classée, les documents sont effacés, mais j'ai trouvé une copie d'un mail de la copine norvégienne d'Andrea qui a déclaré sa disparition. Andrea lui aurait dit que, avant qu'elle le quitte, Ringdal l'avait plusieurs fois menacée avec un couteau quand elle critiquait sa faillite. J'ai trouvé le numéro de la copine en question et je lui ai parlé. Elle dit que la police a interrogé Ringdal, mais ensuite, elle a reçu un mail de Russie, d'Andrea, qui s'excusait de ne l'avoir pas prévenue de son retour soudain en Russie. Andrea étant une citoyenne russe, l'affaire a été laissée à la police russe.

— Et ?

— Andrea a probablement été retrouvée, en tout cas, il n'y a rien d'autre sur l'affaire sur le réseau de la police. »

Harry se leva et se dirigea vers la cuisine. « Comment as-tu accès au réseau de la police, au juste ? Le service informatique a oublié de t'effacer comme usagère ?

— Non, mais j'ai toujours ma calculette OTP et puis tu m'as donné le BID et le mot de passe de ton collègue.

— J'ai fait ça ?

— BH100 et HW1953. Tu as oublié ? »

Volatilisé, songea Harry en sortant une tasse du placard avant d'y verser du café de la cafetière. Ståle Aune lui avait parlé du syndrome de Wernicke-Korsakoff, où, lentement mais sûrement, l'alcool dévorait la capacité du buveur à se souvenir. Bon, il se souvenait en tout cas des noms Wernicke et Korsakoff. Il lui arrivait rarement d'oublier des choses qu'il avait faites quand il était sobre. Rarement aussi de connaître un black-out si total, sur une durée si longue, que la nuit du meurtre. Mot de passe.

Il regarda les photos au mur entre les placards et le plan de travail.

Une image aux couleurs passées d'un garçon et d'une fillette à l'arrière d'une voiture. Les dents pointues de Kaja découvertes en un sourire pour le photographe, le garçon qui avait son bras autour d'elle devait être son grand frère, Even. Kaja avec une femme aux cheveux sombres qui mesurait une tête de moins qu'elle. Kaja en tee-shirt et pantalon kaki, l'autre femme en vêtements occidentaux avec un hijab, le paysage désertique en toile de fond, l'ombre d'un trépied sur le sol devant elles. Il n'y avait pas de photographe. La photo avait été prise au déclencheur automatique. En voyant la façon dont elles se tenaient si serrées, Harry ressentit la même impression que celle qu'il avait eue devant la photo des enfants sur la banquette arrière. Une impression d'intimité.

Il porta son regard sur une photo d'un homme grand et blond, vêtu d'une veste de lin et assis à une table de restaurant, un verre de whisky devant lui et une cigarette à la main. Regard joueur, assuré, pas droit dans l'objectif, mais un peu au-dessus. Harry pensa au Suisse, celui de la Croix-Rouge version hard-core.

Il était sur la quatrième photo avec Rakel et Oleg. Celle que Harry avait dans son propre appartement, mais il ne savait pas comment Kaja avait mis la main dessus. Celle-ci était moins nette que la sienne, les parties sombres étaient plus sombres et il y avait un reflet sur le côté, comme si c'était une photo de photo. Il se pouvait bien sûr qu'elle l'ait photographiée en catimini pendant la brève période où ils avaient été ensemble, si on pouvait appeler ça être « ensemble ». Deux personnes réfugiées l'une contre l'autre pour emprunter un peu de chaleur corporelle dans la nuit d'hiver, s'abriter de la tempête. Quand la tempête s'était apaisée, il s'était levé et était parti dans des contrées plus chaudes.

Pourquoi accrochait-on des photos de sa vie sur le mur de la cuisine ? Parce qu'on ne voulait pas oublier quand l'alcool ou le cours du temps auraient gommé les couleurs et les contours des souvenirs ? Les photos enregistraient mieux, étaient plus vraies. Était-ce pourquoi lui-même n'en avait pas, à part celle-là, justement ? Parce qu'il préférait oublier ?

Harry but une gorgée de café.

Non, les photos n'étaient pas vraies. Celles qu'on punaisait au mur étaient des phrases sorties de leur contexte, des images de la vie telle qu'on aurait voulu qu'elle soit. Les photos révélaient plus sur la personne qui les avait accrochées que sur ce qu'on y voyait. Si on les lisait comme il fallait, elles pouvaient en dire plus long que n'importe quel interrogatoire. Les coupures de presse sur le mur dans le chalet de Bohr. Les armes. La photo du garçon avec la guitare Rickenbacker dans la chambre de Borggata. Les baskets. L'unique penderie du père.

Il fallait qu'il aille chez Peter Ringdal. Qu'il lise ses murs. Qu'il lise celui qui enrageait contre les investisseurs qui se retiraient. Celui qui menaçait sa femme avec un couteau parce qu'elle le critiquait.

« Catégorie trois », cria-t-il en examinant Rakel, Oleg et lui-même. Ils avaient été heureux. C'était vrai, non ?

« Catégorie trois ? cria Kaja en retour.

— Les catégories de tueurs.

— C'était laquelle déjà, la trois ? »

Harry prit sa tasse et avança jusqu'au seuil du salon, il s'appuya contre le chambranle. « Les lésés. Ceux qui prennent le rôle de victime, qui ne supportent pas la critique et dirigent la violence contre ceux à qui ils en veulent. » Elle était assise les jambes repliées sous elle, souple comme une chatte, la tasse dans une main, l'autre écartant ses cheveux clairs de son visage. De nouveau, il fut frappé par sa beauté.

« À quoi tu penses ? » demanda-t-elle.

À Rakel, pensa-t-il.

« Effraction », répondit-il.

Øystein Eikeland avait une vie simple. Il se levait. Ou restait au lit. S'il se levait, il descendait de son appartement de Tøyen et allait au bureau de presse d'Ali Stian. Si c'était fermé, ça voulait dire qu'on était dimanche, et il vérifiait alors automatiquement la seule chose qui se fixait dans sa mémoire à long terme : les dates des matchs de Vålerenga Fotball, puisque son contrat indiquait qu'il ne travaillait pas au Jealousy les dimanches de match à domicile. Si Vålerenga ne jouait pas au nouveau stade de Valle Hovin ce jour-là, il rentrait se recoucher pour se lever une demi-heure avant l'ouverture du Jealousy. Si c'était un jour de semaine, en revanche, il se faisait servir un café par Ali Stian, qui était de père pakistanais et de mère norvégienne, et qui – à l'image de son nom – avait un pied solidement planté dans chaque culture. Une année où le 17 mai était tombé un vendredi, il avait été observé sur son tapis de prière à la mosquée locale vêtu de son costume traditionnel de la vallée du Gudbrandsdalen.

Après avoir feuilleté les journaux d'Ali Stian, discuté avec lui des nouvelles principales et remis les journaux sur le portant, Øystein allait dans un bar à expresso, où il retrouvait Eli, une femme d'un certain âge, en surpoids, qui lui offrait volontiers un petit déjeuner en échange de sa conversation. Ou plutôt de son monologue, elle n'avait pas grand-chose à dire et se contentait de sourire et de hocher la tête quelles que soient les conneries qu'il débite. Øystein n'avait nullement mauvaise conscience, sa compagnie avait pour elle de la valeur, valeur qui s'élevait donc à un petit pain et un verre de lait. Ensuite, Øystein marchait de Tøyen au Jealousy Bar à Grünerløkka, ce qui constituait son exercice physique du jour. Le trajet avait beau être liquidé en vingt minutes, il considérait parfois que cela justifiait un verre de bière. Pas une pinte, juste un demi, il était strict sur ce point, et c'était tant mieux car il n'en était pas toujours allé ainsi, mais avoir un travail fixe lui faisait du bien. Et s'il n'appréciait pas Ringdal, son nouveau boss, il aimait en revanche son travail et souhaitait le garder. Tout comme il souhaitait garder une vie simple. C'est pourquoi la conversation qu'il était en train d'avoir avec Harry lui déplaisait fortement.

« Non, Harry. » Il était dans l'arrière-salle du Jealousy avec le téléphone contre une oreille et l'index dans l'autre pour en exclure Peter Gabriel qui chantait « Carpet Crawlers » dans la salle où Ringdal et la nouvelle fille servaient la clientèle de début de soirée. « Je ne peux pas voler les clefs de Ringdal.

— Pas voler, rectifia Harry. Emprunter.

— Emprunter, oui. C'est ce que tu as dit quand on avait dix-sept ans et qu'on a chouré cette voiture à Oppsal.

— C'est toi qui l'avais dit, Øystein, et c'était la voiture du père des Sabots, et tout s'est bien terminé, tu t'en souviens ?

— Bien ? On ne s'est pas fait arrêter, mais Les Sabots a été privé de sorties pendant deux mois.

— Bien, donc.

— Foutaises.

— Il les a dans la poche de son blouson, on les entend cliqueter quand il l'accroche. »

Øystein regarda fixement le vieux blouson sur la patère juste devant lui. C'était un modèle court, en coton, hors de prix, qui, dans les années quatre-vingt, avait été l'uniforme des bourges d'Oslo. Ailleurs dans le monde, c'était plutôt celui des graffeurs. Pour Øystein, c'était surtout à une photo de Paul Newman que cela faisait penser. Au fait que certaines personnes pouvaient donner au vêtement le plus insignifiant l'air si cool qu'on devait impérativement s'en procurer un. Même si on pressentait déjà la déception quand on se verrait dans la glace.

« Mais qu'est-ce que tu vas faire avec ces clefs ?

— Juste jeter un œil chez lui, répondit Harry.

— Tu crois qu'il a tué Rakel ?

— Ne pense pas à ça.

— Comme si c'était facile, gémit Øystein. Et si j'étais assez con pour dire oui, *what's in it for me* ?

— Le sentiment d'avoir rendu service à ton seul et meilleur ami.

— Et le chômage quand le propriétaire du Jealousy finira en prison.

— Bon, très bien, alors. Dis que tu sors la poubelle et retrouve-moi dans la cour à vingt et une heures. C'est dans… six minutes.

— Tu saisis que c'est une très mauvaise idée, Harry ?

— Laisse-moi réfléchir. J'ai réfléchi. Tu as raison. Très mauvaise idée. »

Quand Øystein eut raccroché, il annonça à Ringdal qu'il allait fumer, sortit par la porte de service et se posta entre les voitures et les poubelles, il alluma une cigarette et médita sur les mêmes deux vieux mystères : comment il se pouvait que plus le club achetait de joueurs chers, plus il semblait se battre contre la relégation plutôt que pour les trophées. Comment il se pouvait que plus les trucs que Harry lui demandait étaient hallucinants, plus il y avait de chances qu'il accepte. Øystein Eikeland fit cliqueter le trousseau de clefs qu'il avait pris dans le blouson et mis dans sa poche, tout en se répétant l'argument décisif de Harry. « Très mauvaise idée, mais c'est la seule que j'aie. »

33

De Grünerløkka, Harry mit à peine dix minutes pour rejoindre Kjelsås en passant par Storo. Il gara son Escort dans une ruelle adjacente à Grefsenveien et nommée d'après une planète, puis se rendit dans la rue nommée d'après une autre planète. La bruine s'était mue en pluie régulière et les rues obscures étaient désertes. Un chien se mit à aboyer sur un balcon quand Harry approcha de l'adresse de Peter Ringdal, que Kaja avait trouvée dans le fichier de l'état civil. Il releva son col, franchit le portail et remonta l'allée goudronnée vers la maison bleue, constituée d'une aile traditionnelle rectangulaire et d'une partie en forme d'igloo. Harry ne savait pas si le quartier s'était mis d'accord sur une thématique espace, mais il y avait dans le jardin une sculpture ressemblant à un satellite en orbite, supposait Harry, autour de l'aile semi-sphérique bleue. La Terre. Maison. L'impression était renforcée par un hublot en demi-lune dans la porte d'entrée. Aucun autocollant n'annonçait la présence d'une alarme. Harry sonna. Si quelqu'un ouvrait, il expliquerait qu'il s'était perdu et demanderait son chemin pour rejoindre la rue où il était garé. Personne n'ouvrit. Il glissa la clef dans la serrure, la tourna, ouvrit et pénétra dans l'obscurité du vestibule.

La première chose qui le frappa fut l'odeur. Ou plutôt le manque d'odeur. Tous les foyers dans lesquels Harry était allé en avaient une : vêtements, sueur, peinture, cuisine, savon, n'importe quoi. Mais entrer dans cette maison en quittant les effluves de printemps, c'était comme sortir de la plupart des autres maisons : les odeurs cessaient.

La porte ne se verrouillait pas toute seule quand on la refermait, il fallait tourner le verrou. Harry alluma la torche de son téléphone, promena la lumière le long des murs du couloir qui formait un axe à travers toute la maison. Ils étaient ornés de photos d'art et de peintures, achetées, pour autant qu'il puisse en juger, par quelqu'un qui avait du goût. C'était comme pour la nourriture, il ne savait pas cuisiner, il n'était même pas capable de commander un menu de trois plats composé à peu près correctement quand il se retrouvait avec une carte un peu trop élaborée entre les mains, mais il était capable de reconnaître une bonne commande quand il entendait Rakel expliquer ce qu'elle voulait à voix basse et en souriant, et il la copiait sans vergogne.

Une commode juste après la porte. Harry ouvrit le tiroir du dessus. Des gants et des écharpes. Celui du dessous. Des clefs. Des piles. Une lampe de poche. Un magazine de judo. Une boîte de cartouches. Harry la prit. 9 mm. Ringdal avait un pistolet quelque part. Il reposa la boîte et s'apprêtait à refermer le tiroir quand il remarqua quelque chose. Une odeur soudaine, un parfum presque imperceptible s'élevait du tiroir. Un parfum de forêt chauffée par le soleil.

Il déplaça le magazine de judo.

Il y avait un foulard en soie rouge. Il resta cloué sur place. Puis il prit le foulard, le plaqua contre son visage, le respira. Pas l'ombre d'un doute. C'était le sien, le foulard de Rakel.

Harry resta quelques secondes paralysé avant de se ressaisir. Il réfléchit un instant, reposa le foulard sous le magazine, ferma le tiroir et continua d'avancer dans le couloir. Plutôt que d'aller dans ce qu'il supposait être le salon, il monta l'escalier. Nouveau couloir. Il ouvrit une porte. La salle de bains. Comme il n'y avait pas de fenêtre et que la lumière ne pouvait donc pas être vue de l'extérieur, il appuya sur l'interrupteur. Il songea soudain que si Ringdal avait fait installer un compteur électrique et que le technicien de Hafslund avait dit la vérité, on pourrait savoir que quelqu'un était entré dans la maison en voyant qu'il y avait eu un infime pic de consommation électrique peu après vingt et une heures trente. Harry regarda sur la tablette du miroir et dans le placard. Juste le nécessaire. Pas de cachets intéressants ni autres remèdes. Pareil dans la chambre à coucher. Lit fait, rangé, propre. Pas de squelettes dans les placards. La torche de son téléphone consommait manifestement beaucoup d'électricité, le niveau de la batterie avait déjà dangereusement baissé. Harry accéléra la cadence. Un bureau. Peu utilisé, l'air presque abandonné.

Il descendit dans le salon. La cuisine. Cette maison était muette, elle ne racontait rien. Il trouva une porte qui menait à la cave. Son téléphone s'éteignit alors qu'il allait descendre l'escalier étroit en bois. N'ayant pas vu de fenêtres de sous-sol de l'extérieur, en tout cas du côté rue, il appuya sur l'interrupteur et descendit. Ici non plus, rien ne lui parlait. Un congélateur, deux paires de skis, des seaux de peinture avec des coulures, des larmes de bleu et de blanc sur le bord, des chaussures de montagne éculées, un panneau d'outillage sous un soupirail rectangulaire du même genre que chez Rakel et donnant sur l'arrière. Quatre cagibis. Ç'avait dû être une maison séparée en deux habitations, une dans l'igloo, l'autre dans la partie plus conventionnelle, mais pourquoi les cagibis étaient-ils fermés par des cadenas si le logement n'était occupé que par une seule personne ? Harry jeta un coup d'œil par le grillage en haut d'une porte. Vide. Pareil pour les deux suivantes. L'ouverture du dernier cagibi, au fond, était occultée par un panneau d'aggloméré.

C'était là.

Les trois cagibis étaient verrouillés et rendus ostensiblement vides pour faire croire à un éventuel intrus que le quatrième l'était aussi.

Harry réfléchit. Ce n'était pas de l'hésitation, il prenait tout simplement le temps d'évaluer les conséquences, de mettre les bénéfices de trouvailles potentielles en regard des pertes si l'effraction était découverte et que les trouvailles ne pouvaient pas être utilisées comme preuves. Il y avait un pied-de-biche sur le panneau d'outillage. Harry parvint à une conclusion, se dirigea vers le panneau, prit un tournevis, alla à la porte. Trois minutes plus tard, les vis des charnières étaient dévissées. Il souleva la porte et la posa sur le côté. La lampe à l'intérieur devait être reliée à l'interrupteur en haut de l'escalier de la cave, car la pièce était inondée de lumière. Une pièce de travail. Harry promena son regard sur le bureau avec l'ordinateur, les rayonnages de classeurs et de livres. Il s'arrêta sur une photo fixée par un bout de ruban adhésif rouge au mur gris et nu. C'était une photo en noir et blanc. Prise au flash, ce qui était sans doute la raison pour laquelle les contrastes entre l'éclat blanc de la peau et le noir des ombres et du sang étaient si marqués, comme un dessin au feutre. Mais ce dessin avait son visage ovale, ses cheveux sombres, son regard éteint, son corps molesté, mort. Harry ferma les yeux, les serra fort. Et là, dans le rouge de ses paupières, il revint. Ce flash. Le visage de Rakel, le sang sur le sol. Il eut la sensation d'un couteau plongé dans sa poitrine, et ce avec une telle force qu'il dut faire un pas en arrière.

« Qu'est-ce que vous dites ? » cria Øystein Eikeland par-dessus David Bowie en dévisageant son patron.

« Je dis que vous vous en sortirez bien tous les deux ! » Ringdal passa la main de l'autre côté de la porte de l'arrière-salle et enfila son blouson.

« M-mais..., bredouilla Øystein. Elle vient de commencer !

— Et là, elle nous a prouvé qu'elle a déjà travaillé dans un bar, dit Ringdal en désignant de la tête la fille qui remplissait deux verres de bière en même temps tout en échangeant quelques mots avec le client.

— Vous allez où ?

— Je rentre chez moi. Pourquoi ?

— Si tôt ? » gémit Øystein avec désespoir.

Ringdal rit. « C'était un peu le but de la manœuvre quand j'ai embauché une personne de plus, Eikeland. »

Il remonta la fermeture éclair de son blouson et tira des clefs de voiture de sa poche de pantalon. « On se voit demain.

— Attendez ! »

Ringdal haussa un sourcil. « Oui ? »

Øystein resta planté là, à se gratter frénétiquement la main, il essayait de penser vite, ce qui à vrai dire n'était pas son point fort. « Je... je me demandais si je pourrais prendre ma soirée ce soir à la place. Juste aujourd'hui.

— Pourquoi ?

— Parce que... mon clan répète de nouvelles chansons ce soir.

— Les supporters de Vålerenga ?

— Euh, oui.

— Ils s'en sortiront bien sans vous.

— S'en sortiront ? On risque d'être relégués !

— Après le deuxième match de la saison ? J'en doute. Redemandez-moi en octobre. » Ringdal traversa l'arrière-salle en riant. Il était parti.

Øystein sortit son téléphone, s'adossa contre le comptoir et appela Harry.

On répondit à la deuxième sonnerie. Une voix de femme.

« Votre correspondant n'est pas disponible...

— Non ! » s'exclama Øystein avant de raccrocher et d'essayer encore. Trois sonneries, cette fois. Mais la même voix de femme et la même réponse. Øystein fit une dernière tentative et il lui sembla percevoir une once d'agacement dans la voix de femme.

Il tapa un message.

« Øyvind ! » Voix de femme. Indéniablement agacée. La nouvelle barmaid mélangeait un cocktail, elle lui montra d'un signe de tête la file de gens qui avaient soif et qui s'impatientaient derrière lui.

« Øystein », dit-il doucement avant de se retourner en fusillant du regard une jeune femme qui, dans un soupir de mépris exaspéré, commanda une bière. Øystein avait les mains qui tremblaient au point qu'il renversa de la bière et de la mousse, il essuya le verre et le posa sur le comptoir en consultant sa montre. Kjelsås ? Dans dix minutes, ça allait être la bérézina. La taule pour Harry et le chômage pour lui. Merde à cette espèce de flic dégénéré ! La jeune femme avait manifestement cherché à communiquer avec lui, car elle se penchait maintenant en avant pour lui crier à l'oreille : « J'ai dit un demi, pauvre tache, pas une pinte ! »

Les haut-parleurs crachaient « Suffragette City » !

Harry se tenait juste devant la photo au-dessus du bureau. Il s'imprégnait des détails. La femme était dans le coffre d'une voiture. Maintenant qu'il était plus près, il voyait deux choses. Un, ce n'était pas Rakel, mais une femme plus jeune, avec les couleurs et les traits de Rakel. Deux, ce qui lui avait fait penser que c'était un dessin et non une photo était la présence de plusieurs erreurs dans le corps. Des creux et des élévations là où il n'était pas censé y en avoir, comme si le dessinateur ne connaissait pas vraiment l'anatomie. Ce corps n'était pas seulement battu à mort, il était brisé, avec une rage et une puissance telles qu'on l'aurait dit jeté d'une falaise. Rien ne révélait où elle avait été prise, ni qui l'avait prise. Harry la tourna sans la détacher du ruban adhésif. Papier photo brillant. Rien au verso.

Il s'assit au bureau, qui était jonché de dessins de petites cabines biplaces suspendues à des rails courant entre des pylônes. On y voyait quelqu'un pianoter sur un ordinateur, un autre dormir sur un siège au dossier complètement rabattu, un couple d'un certain âge s'embrasser. Au sol, il y avait tous les cent mètres des rampes d'embarquement avec des cabines libres. Un autre dessin montrait un carrefour en vue aérienne, avec les rails formant une étoile à quatre branches. Sur une grande feuille, une carte d'Oslo était quadrillée par ce que Harry supposait être un réseau de rails.

Il ouvrit les tiroirs, en sortit des esquisses futuristes de cabines aérodynamiques accrochées à des câbles ou des rails, le tout en couleurs vives, lignes extravagantes, gens souriants et parés d'une foi en l'avenir qui évoquait à Harry les réclames des années soixante. Certains dessins étaient légendés en japonais et en anglais. Il ne s'agissait manifestement pas de l'idée de Ringdal, mais de concepts proches. Il n'y avait toutefois aucune autre photo de corps, juste celle qui était au mur devant lui. Qu'est-ce que cela signifiait ? Que lui racontaient les murs, cette fois ?

Il enfonça son doigt sur le clavier de l'ordinateur et l'écran s'alluma. Pas de code. Il cliqua sur l'icône de la messagerie, tapa l'adresse mail de Rakel dans la barre de recherche, sans résultat. Rien d'étonnant à cela, puisqu'il apparut que toutes les boîtes étaient vides. Ou bien elles ne servaient pas ou bien il les vidait au fur et à mesure, ce qui pouvait expliquer pourquoi il ne se donnait pas la peine d'avoir un code d'accès à son ordinateur. L'un des experts en informatique de la police serait peut-être en mesure de reconstruire sa correspondance électronique, mais Harry savait aussi que l'exercice n'était pas devenu plus facile ces dernières années, il s'était corsé.

Il chercha dans la liste de documents, en ouvrit quelques-uns. Des notes sur l'économie des transports. Une demande d'extension des horaires d'ouverture du Jealousy Bar. Un bilan comptable semestriel qui montrait que le bar avait fait une bonne marge. Rien d'intéressant. Rien non plus dans les rayonnages, où les classeurs contenaient de la théorie des transports, des études sur le développement urbain, les accidents de la route, la théorie du jeu, mais aussi un livre relié usé jusqu'à la corde. L'*Ainsi parlait Zarathoustra* de Friedrich Nietzsche. Dans sa jeunesse, Harry avait feuilleté par pure curiosité ce livre mythique sans y trouver quoi que ce soit sur le Surhomme ni sur la pensée prétendument nazie, juste un récit sur un vieux bonhomme à la montagne qui – à part que Dieu était mort – ne disait que des trucs imbitables.

Harry consulta sa montre. Il était là depuis une demi-heure. N'ayant plus de batterie dans son téléphone, il ne pouvait pas prendre de photos de la fille morte afin de chercher qui elle était. Il n'y avait toutefois aucune raison que la photo et le foulard de Rakel aient disparu quand la police reviendrait avec un mandat de perquisition. Il sortit du cagibi, revissa les charnières, remit le tournevis sur le panneau, monta l'escalier au trot, éteignit la lumière, alla dans le couloir. Il entendit le chien des voisins aboyer dehors. Sur le chemin de la sortie, il ouvrit la seule pièce où il n'était pas allé. Des toilettes combinées avec une laverie. Il allait refermer la porte quand il aperçut un pull blanc balancé devant la machine à laver avec des sous-vêtements et un tee-shirt. Il y avait une croix bleue sur la poitrine du pull, et des taches qui ressemblaient à du sang. Plus exactement, des éclaboussures de sang. Harry cligna des yeux. La croix avait déclenché un souvenir. Il se voyait entrant au Jealousy Bar, Ringdal derrière le comptoir. C'était le pull qu'il portait ce soir-là, la nuit où Rakel était morte. Apparemment, Harry l'avait donc frappé. Ils avaient tous deux saigné, mais autant ? Si le pull était lavé avant la perquisition, ils ne le sauraient jamais.

Harry hésita un instant. Le chien avait cessé de japper. Il se pencha, enroula délicatement le pull, l'enfonça dans la poche de sa veste. Il regagna l'entrée, et s'arrêta net.

Des pas sur le gravier.

Harry recula, dans l'obscurité du couloir.

Par la vitre en demi-lune, il vit quelqu'un entrer dans la lumière du perron.

Merde.

Le hublot était trop bas pour lui permettre de voir un visage, mais il vit une main fouiller dans la poche d'un blouson bleu, et entendit un juron à voix basse. La poignée de porte s'enfonça. Harry essaya de se souvenir : avait-il tourné le verrou ?

Dehors, l'homme tira sur la porte. Il jura tout haut, cette fois.

Harry expira sans bruit. Il avait verrouillé, et de nouveau, il eut comme un déclic. Le verrou de Rakel. Il vérifia, la porte était verrouillée.

Dehors, une lueur s'alluma. Un écran de téléphone. Un visage pâle se colla contre la vitre en demi-lune, nez et joues s'écrasèrent, éclairés par le téléphone plaqué contre l'oreille. Ringdal était presque méconnaissable, son visage était celui d'un braqueur de banque sous son bas nylon, démoniaque, mais c'était bien son regard qui transperçait l'obscurité du vestibule.

Harry resta immobile, retenant son souffle. Cinq mètres au maximum les séparaient. Se pouvait-il vraiment qu'il ne le voie pas ? En réponse, la voix de Ringdal se fit entendre contre le hublot, dans une résonance singulière, étroite, basse, calme.

« Ah, vous voilà. »

Merde, merde, merde.

« Je ne trouve pas les clefs de chez moi. » L'humidité de la bouche de Ringdal se déposa sous forme de buée sur la vitre.

« Allô, Eikeland à l'appareil, avait répondu Øystein d'un ton un peu figé quand, après un temps de réflexion paniquée, il s'était rendu dans l'arrière-salle pour décrocher.

— Ah, vous voilà, avait dit Ringdal. Je ne trouve pas les clefs de chez moi. »

Øystein ferma la porte de la salle pour mieux entendre.

« Ah bon ? » Øystein avait de la peine à garder un ton calme. Où était Harry, bordel, et pourquoi avait-il éteint son putain de téléphone ?

« Vous pouvez regarder si elles sont par terre sous la patère où j'accroche mon blouson ?

— OK, une seconde. » Øystein éloigna le téléphone de sa bouche. Il haleta comme s'il avait retenu son souffle, ce qu'il avait d'ailleurs dû faire. Réfléchir, réfléchir.

« Eikeland ? Vous êtes là, Eikeland ? » La voix de Ringdal paraissait plus petite et moins menaçante quand Øystein tenait son téléphone à une certaine distance. Il le remit à contrecœur contre son oreille. « Oui. Non, je ne vois pas de clefs. Où êtes-vous ?

— Je suis devant chez moi. »

Harry est à l'intérieur, songea Øystein. S'il a entendu Ringdal venir, il a besoin de temps pour sortir, une fenêtre à l'arrière, une porte de service.

« Les clefs sont peut-être sur le comptoir. Ou aux toilettes. Donnez-moi quelques minutes, je vais vérifier.

— Je ne dépose jamais mes clefs, Eikeland. » C'était dit avec une assurance telle qu'Øystein comprit qu'il était inutile de semer le doute sur ce point.

« Bon ben, il ne me reste plus qu'à casser la vitre.

— Mais…

— Je ferai venir un vitrier demain, ce n'est pas un gros boulot. »

Harry regardait droit dans les yeux de Ringdal de l'autre côté du hublot, et c'était pour lui un mystère que celui-ci ne le voie pas. Il envisagea de reculer sur la pointe des pieds et de redescendre à la cave pour se glisser dehors par un soupirail, mais il savait que le moindre mouvement maintenant le trahirait. Le visage de Ringdal s'éloigna de la vitre. Harry vit Ringdal glisser sa main dans son blouson, sous un pull noir. Il en sortit un objet, noir, lui aussi. Un pistolet avec ce que Bjørn appelait un « nez en trompette », soit un canon extrêmement court, peut-être un Sig Sauer P320. Facile à cacher, facile à utiliser, détente rapide, efficace à courte portée.

Harry déglutit.

Il lui semblait entendre l'avocat de Ringdal. Croyant qu'un cambrioleur se dirigeait vers lui dans l'obscurité du vestibule, le prévenu avait tiré en légitime défense. L'avocat de Katrine Bratt à la barre des témoins : « Sur l'ordre de qui Hole se trouvait-il dans la maison ? »

Il vit le pistolet se lever, la main partir vers l'arrière.

« Je les vois ! » cria Øystein dans le téléphone.

Silence au bout du fil.

« C'était moins une, fit enfin la voix de Ringdal. Où...

— Par terre. Sous la patère, comme vous disiez. Elles sont derrière la poubelle.

— La poubelle ? Il n'y a pas de...

— C'est moi qui l'ai mise là, quand elle était derrière le bar, je n'arrêtais pas de shooter dedans. » Øystein se pencha par l'ouverture de la porte et constata qu'il y avait déjà une certaine accumulation de gens qui attendaient d'être servis. Il attrapa la poubelle et la mit sous la patère.

« OK, préparez les clefs, j'arrive tout de suite. »

La communication fut coupée.

Øystein appela Harry. Toujours cette voix de femme qui répétait son mantra sur le téléphone éteint. Il épongea sa sueur. Relégation. La saison avait à peine commencé, mais c'était décidé depuis longtemps, c'était la loi de la gravité, un fait qui ne pouvait qu'être différé dans le meilleur des cas, mais pas évité.

« Øyvind ! Vous êtes où, Øyvind ?

— Øy-STEIN ! rugit Øystein par-dessus le vacarme qui s'élevait comme un mur de l'autre côté. Je suis ØY, une île, et je voudrais être STEIN, stone, OK ? »

Harry vit la silhouette s'écarter. Il entendit des pas descendre rapidement le perron. Le chien qui se remettait à aboyer.

« Préparez les clefs, j'arrive tout de suite. »

Øystein avait dû convaincre Ringdal qu'il avait ses clefs.

Il entendit une voiture démarrer. Disparaître.

La sienne était garée sur une autre planète. Il n'avait donc aucune chance d'arriver au Jealousy Bar avant Ringdal, et avec sa batterie morte, il ne pouvait pas communiquer avec Øystein. Harry essaya de réfléchir, mais on aurait dit que son cerveau avait perdu les commandes. Qu'il se concentrait sur la photo de la fille morte, et sur une chose que Bjørn lui avait expliquée à propos du développement des photos de scènes de crime, à l'époque où il y avait encore une chambre noire à la Police scientifique et technique. Les nouveaux policiers scientifiques avaient une propension à mettre trop de contraste et on perdait des détails à la fois dans le noir et dans le blanc. Ce n'était pas à cause du flash que la photo du cagibi était si exagérément contrastée, c'était parce que la photo avait été prise et développée par un amateur. C'était Peter Ringdal lui-même qui avait pris la photo. D'une fille qu'il avait tuée.

34

Du coin de l'œil, Øystein vit la porte s'ouvrir. C'était lui, Ringdal. Il entra, mais étant relativement petit, ne tarda pas à disparaître dans la foule. On pouvait néanmoins le voir approcher aux clients qui se déplaçaient, comme les arbres de la jungle qui ondulaient au-dessus du Tyrannosaurus rex dans *Jurassic Park*. Øystein continua de tirer sa bière. Il vit le liquide brun remplir le verre, la mousse gonfler au sommet. Le robinet toussa une unique fois. Bulle d'air isolée ou était-il déjà temps de changer le fût ? Il ne savait pas. Il ne savait pas si c'était la putain de fin ou si c'était passager, un cahot sur la route. On ne pouvait qu'attendre de voir. Attendre de voir si tout partait à vau-l'eau. Barrez « si ». Tout partait toujours à vau-l'eau, ce n'était qu'une question de temps. En tout cas quand on avait un meilleur pote qui s'appelait Harry Hole.

« C'est le fût, dit-il à la gamine. Je vais le changer, dites à Ringdal que je reviens dans une seconde. »

Øystein alla dans l'arrière-salle, il s'enferma dans les toilettes du personnel, qui faisaient office d'entrepôt pour toutes sortes de choses, des verres aux serviettes en passant par le café et les filtres à café. Il sortit son téléphone et fit une dernière tentative d'appeler Harry. Avec le même résultat accablant.

« Eikeland ? »

Ringdal était entré dans l'arrière-salle. « Eikeland !

— Ici, marmonna Øystein.

— Je croyais que vous étiez en train de changer un fût ?

— Finalement, il n'était pas vide. Je suis aux chiottes.

— J'attends.

— Chiottes comme dans chier. » Øystein souligna sa déclaration en contractant ses abdominaux et en poussant l'air de ses poumons en deux gémissements longs et forts.

« Aidez au bar, j'arrive.

— Glissez les clefs sous la porte. Allez, Eikeland, je veux rentrer chez moi !

— Là, j'ai un formidable étron à moitié sorti, patron, nous parlons peut-être d'un record du monde, donc je ne voudrais surtout pas le couper en deux.

— Votre humour scato, vous pouvez le garder pour ceux qui aiment, Eikeland. Tout de suite.

— OK, OK, donnez-moi soixante secondes. »

Le silence se fit.

Øystein se demandait combien de temps il pourrait surseoir. Tout était dans le sursis, non, dans la vie ?

Après avoir lentement compté jusqu'à vingt sans trouver de meilleur prétexte que les dix excuses minables qu'il avait déjà inventées, il tira la chasse, ouvrit la porte et alla au bar.

Ringdal tendit un verre de vin à un client, prit sa carte de crédit et se tourna vers Øystein qui avait enfoncé ses mains dans ses poches et revêtu une mine qu'il espérait traduire désespoir et perplexité. Ce qui après tout n'était pas très loin de ce qu'il ressentait.

« Je les avais là ! cria Øystein par-dessus la musique et la rumeur des conversations. J'ai dû les poser quelque part. »

Øystein vit Ringdal incliner la tête et le scruter comme une œuvre d'art abstraite et intéressante.

« Qu'est-ce qui se passe, Eikeland ? » Plus abstraite qu'intéressante.

« Se passe ? »

Les yeux de Ringdal s'amenuisèrent. « Se pas-se », articula-t-il. D'une voix basse, presque chuchotante, qui pourtant tranchait comme un couteau.

Øystein déglutit péniblement. Il décida d'abandonner la partie. Il n'avait jamais compris les gens qui d'abord se laissaient torturer pour ensuite raconter la vérité. Perdant, perdant. Du moins c'était comme ça qu'il voyait les choses. « OK, patron. Il se trouve que…

— Øystein ! »

Ce n'était pas la gamine qui avait enfin appris son nom. L'exclamation venait de la porte, et cette fois, l'individu ne passa pas sous les frondaisons d'humains, mais une tête au-dessus, comme s'il nageait dedans.

« Øystein, mon Øystein ! » répéta Harry en souriant furieusement.

Et pour Øystein qui n'avait jamais vu Harry afficher ce genre de large sourire toutes dents exhibées, le spectacle était plutôt effrayant.

« Bon anniversaire, mon vieux pote ! »

Les autres clients se tournèrent vers Harry, certains lancèrent un regard vers Øystein. Harry arriva au bar, l'étreignit, l'attira à lui avec une main entre les omoplates et l'autre en bas des reins. Elle glissait même vers le bas, dangereusement près de ses meules.

Harry le relâcha et se redressa. Quelqu'un se mit à chanter. On – la gamine, sans doute – éteignit la musique. D'autres se joignirent au chœur.

« *Happy birthday to you…* »

Non, se dit Øystein, pas ça, plutôt le banc de torture à l'ancienne et un peu d'arrachage d'ongles, mais il était trop tard.

Ringdal lui-même poussait la chansonnette, non sans quelque réticence, il fallait sans doute qu'il se montre sous un bon jour, maintenant que tout le monde le regardait. Øystein découvrit ses dents brunes en un sourire figé, mais la gêne qui embrasait ses joues et ses oreilles ne fit que les faire rire et chanter plus fort.

La chanson s'arrêta et ils levèrent tous leur verre vers Øystein. Harry lui donna une forte tape sur les fesses. Et alors seulement, il sentit un objet pointu s'enfoncer dans ses chairs et comprit le pourquoi de la première étreinte.

La musique redémarra et Ringdal se tourna vers Øystein en lui tendant la main. « Bon anniversaire, Eikeland. Pourquoi vous ne m'avez pas dit que c'était votre anniversaire quand vous m'avez demandé votre soirée ?

— Eh ben… Je ne voulais pas… » Øystein haussa les épaules. « Je suis un peu pudique, quoi.

— Ah bon ? » Ringdal avait l'air franchement stupéfait.

« Mais, au fait. Je viens de me souvenir où j'avais mis vos clefs. » Øystein glissa la main d'un geste qu'il espérait ne pas être trop appuyé dans sa poche arrière. « Tenez. »

Il brandit les clefs. Ringdal fixa le trousseau un instant, lança un regard furtif sur Harry. Puis il attrapa vivement les clefs.

« Passez une bonne soirée, les garçons. »

Ringdal se dirigea d'un pas pressé vers la sortie.

« Putain, Harry ! feula Øystein en le suivant du regard. Putain !

— Désolé, répondit Harry. Une petite question. La nuit du meurtre, après que Bjørn était venu me chercher, qu'a fait Ringdal ?

— Fait ? » Øystein réfléchit. Il se glissa un doigt dans l'oreille, comme si la réponse s'y trouvait. « Ah, si ! Il est tout de suite rentré chez lui. Il disait que son nez ne voulait pas s'arrêter de saigner. » Sentant un contact velouté contre sa joue, il se retourna vers la gamine qui se tenait là, toujours avec la bouche en cul-de-poule.

« Bon anniversaire. Je n'aurais jamais deviné que vous étiez Bélier, Øyvind.

— Vous savez ce qu'on dit, fit Harry en souriant, la main posée sur l'épaule d'Øystein. Il se lève lion et se couche bélier.

— Qu'est-ce qu'il voulait dire ? demanda la gamine en regardant Harry qui se hâtait vers la sortie dans le sillage de Ringdal.

— Allez savoir, c'est un type mystérieux, murmura Øystein en espérant que Ringdal ne regarderait pas de trop près son numéro national d'identité la prochaine fois qu'il lui paierait son salaire. Mettons donc les Stones pour que ça décoiffe un peu ici, OK ? »

Le téléphone se réveilla d'entre les morts après quelques minutes de charge dans la voiture. Harry choisit un nom, appela et eut une réponse au moment où il freinait au feu rouge de Sannergata. « Non, Harry, je ne veux pas coucher avec toi ! »

L'acoustique suggérait qu'Alexandra était dans son bureau, à l'Institut de médecine légale.

« D'accord, répondit Harry, mais j'ai un pull plein de sang qui…

— Non ! »

Harry reprit son souffle. « S'il y a l'ADN de Rakel dans ce sang, ça placera le propriétaire du pull sur les lieux du crime la nuit où Rakel est morte. S'il te plaît, Alexandra. »

Le silence se fit au bout du fil. Sur le passage piéton, un homme ivre s'arrêta en braillant devant la voiture de Harry, le dévisagea le regard trouble, abattit son poing sur le capot et regagna l'obscurité du soir en chancelant.

« Tu sais quoi ? fit-elle. J'ai horreur des coureurs comme toi.

— OK, mais tu adores résoudre des affaires de meurtre. »

Nouvelle pause.

« Parfois je me demande si tu me trouves ne serait-ce que sympa, Harry.

— Bien sûr que oui. Je suis un homme désespéré, mais pas dans le choix de mes partenaires de lit.

— Partenaires de lit, c'est tout ce que nous sommes ?

— Non, ça ne va pas ! Nous sommes des collègues qui capturons des criminels qui, sinon, projetteraient notre société dans le chaos et l'anarchie.

— Ha ha, gémit-elle d'une voix éteinte.

— Je suis évidemment prêt à mentir pour obtenir que tu le fasses, mais je te trouve sympa, OK ?

— Tu veux coucher avec moi ?

— Eh bien. Non. Oui, mais non. Si tu vois ce que je veux dire. »

Une radio semblait allumée dans son bureau. Elle était seule. Elle poussa un gros soupir. « Si je le fais, sache que ce n'est pas pour toi, Harry. Et de toute façon, je ne pourrai pas faire d'analyse d'ADN complète avant un certain temps, la queue est longue et tout est en priorité haute. Kripos et le groupe d'enquête de Bratt me téléphonent sans relâche.

— Je vois, mais un profil partiel pour exclure des correspondances avec des profils donnés, c'est moins long, non ? »

Harry entendit Alexandra hésiter. « Et lesquelles veux-tu exclure ?

— Celui du propriétaire du pull, le mien et celui de Rakel.

— Le tien ?

— Un petit combat de boxe avec le propriétaire du pull. Il a saigné du nez et moi de la main, donc il n'est pas impossible que le sang de son pull provienne de là.

— D'accord. Rakel et toi êtes dans le fichier d'ADN, donc vous, ça va, mais pour exclure le sang du propriétaire du pull, il me faut un objet avec son empreinte génétique.

— J'y ai pensé. J'ai un pantalon avec du sang dans ma corbeille de linge sale et il y en a trop pour que tout puisse venir de mes mains, donc il y en a forcément qui vient de son nez. Tu m'as l'air d'être à la Médecine légale, non ?

— Oui, je suppose que j'y suis.

— Je serai là dans vingt minutes. »

Quand il se gara devant l'entrée du Rikshospital, Alexandra l'attendait les bras croisés, frigorifiée. Elle portait des chaussures à talons hauts, un pantalon serré, beaucoup de maquillage. Seule au travail, mais l'air d'aller à une soirée. Il ne l'avait jamais vue autrement. Alexandra Sturdzas avait décrété que la vie était trop courte pour ne pas être à son avantage en permanence.

Harry baissa sa vitre. Elle se pencha. « Hello, mister, fit-elle en souriant. C'est cinq cents la branlette, sept cents la... »

Harry secoua la tête et lui tendit deux sacs en plastique : l'un contenant le pull de Ringdal, l'autre son propre jean. « Tu sais qu'en Norvège on ne travaille pas à cette heure de la journée ?

— Ah, c'est pour ça que je suis toute seule ici ? Vous, les Norvégiens, vous avez vraiment quelque chose à apprendre au monde, là.

— À travailler moins ?

— À placer la barre plus bas. Pourquoi aller sur la Lune quand on a un chalet à la montagne.

— Hmm. J'apprécie ce que tu fais, Alexandra.

— Dans ce cas, tu aurais dû choisir une des propositions de ma liste, répondit-elle sans sourire. C'est cette Kaja qui te tente ? Je voudrais la tuer.

— Elle ? » Harry se pencha en la regardant plus attentivement. « Je croyais que c'étaient les gens comme moi que tu détestais.

— Je te déteste toi, mais c'est elle que je veux tuer. Tu comprends ? »

Harry hocha lentement la tête. Tuer. Il allait lui demander si c'était une expression roumaine, une blague qui paraissait plus brutale traduite en norvégien, mais il se ravisa. Alexandra recula et le regarda alors que sa vitre remontait sans bruit. En partant, Harry jeta un œil dans son rétroviseur. Elle était toujours là, les bras le long du corps, sous le réverbère, et elle rapetissait de plus en plus.

En passant sous le Ring 3, il appela Kaja. Il lui parla du pull. Du foulard dans le tiroir. De Ringdal qui avait fait irruption. Du pistolet. Il lui demanda de vérifier aussi vite qu'elle pouvait s'il avait un permis de port d'arme.

« Encore une chose, commença Harry.

— Cela signifie-t-il que tu n'es pas en train de venir chez moi ? l'interrompit-elle.

— Quoi ?

— Tu es à cinq minutes de chez moi et tu dis "encore une chose", comme si nous n'allions pas nous parler avant un certain temps.

— J'ai besoin de réfléchir et je réfléchis mieux seul.

— Bien sûr, je ne voulais pas te harceler.

— Tu ne me harcèles pas.

— Mais non, je... » Elle soupira. « C'était quoi, le dernier truc ?

— Ringdal a une photo du corps molesté d'une femme sur le mur juste au-dessus de son PC. Pour qu'il puisse la voir tout le temps, tu vois. Comme un diplôme ou un truc comme ça.

— Juste ciel. Qu'est-ce que ça signifie ?

— Je ne sais pas, mais tu crois que tu pourrais trouver une photo de son ex-femme, la Russe qui a disparu ?

— Ça ne devrait pas être trop dur. Si elle n'est pas sur Google, j'appellerai sa copine. Je te l'envoie par MMS.

— Hmm. Merci. » Harry redescendait lentement Sognsveien, dans le calme des villas de la cité-jardin à l'anglaise. Il vit deux phares isolés arriver en face. « Kaja ?

— Oui ? »

C'était un bus, éclairé. Il le croisa. Des visages pâles fantomatiques le regardèrent. Parmi eux, celui de Rakel. Elles étaient plus rapprochées maintenant, les images dont il se souvenait, comme des pierres détachées avant un éboulement.

« Rien, fit Harry. Bonne nuit. »

Assis sur son canapé, Harry écoutait les Ramones.

Non par réel désir d'écouter les Ramones, mais parce que c'était le disque qui était sur la platine depuis qu'il avait déballé le cadeau de Bjørn. Il se rendit compte qu'il avait évité la musique depuis l'enterrement, il n'avait pas allumé la radio une seule fois, ni chez lui ni dans l'Escort, il avait préféré le silence. Le silence pour réfléchir. Le silence pour essayer d'entendre ce qu'elle disait, la voix qui était là, dehors, de l'autre côté de l'obscurité, derrière un hublot en demi-lune, derrière la vitre du bus fantôme, et qui disait des paroles qu'il percevait presque, mais presque seulement. Là, il fallait l'étouffer. Parce qu'elle était trop puissante et qu'il n'avait pas la force de l'entendre. Il monta le son, ferma les yeux et appuya sa tête contre les vinyles de la bibliothèque derrière le canapé. Les Ramones. *Road to Ruin*. Les messages concis de Joey. Enfin, quand même. Ça sonnait plus pop que punk. C'était en règle générale ce qui se passait. Le succès, la belle vie, l'âge, ça rendait plus conciliants même les plus énervés. Comme Harry. Ça l'avait rendu plus doux, plus gentil. Presque facile à vivre. Apprivoisé et heureux de l'être, vivant avec une femme qu'il aimait dans un mariage qui fonctionnait. Pas parfait. Si, merde, aussi parfait qu'on pouvait le supporter. Jusqu'à ce qu'un jour, comme un coup de tonnerre dans un ciel serein, elle remue le passé, un faux pas. Elle lui avait exposé ses soupçons. Il avait avoué. Non, pas avoué. Il disait toujours à Rakel ce qu'elle voulait savoir, il suffisait qu'elle lui demande. Et elle avait toujours eu le bon sens de ne pas demander davantage que ce qu'elle estimait avoir besoin de savoir. Elle avait donc dû penser qu'elle avait besoin de savoir ça. Une nuit avec Katrine. Katrine s'était occupée de lui un soir où il était tellement bourré qu'il était incapable de s'occuper de lui-même. Avaient-ils couché ensemble ? Harry ne s'en souvenait pas, il était complètement parti, probablement au point qu'il n'aurait pas pu même s'il avait essayé, mais il avait répondu à Rakel la vérité : il ne pouvait exclure totalement cette hypothèse. Elle avait répondu que peu importait, de toute façon il l'avait trahie, elle ne voulait plus jamais le revoir, et elle lui avait demandé de faire ses bagages.

Le simple fait d'y penser maintenant lui faisait mal à en suffoquer.

Il avait pris un sac de vêtements, sa trousse de toilette et ses vinyles, les CD, il les avait laissés. Harry n'avait pas bu une goutte d'alcool depuis la nuit où Katrine était venue le chercher, mais le jour où Rakel l'avait jeté dehors, il était allé directement au Vinmonopol. Le vendeur avait même dû l'empêcher d'ouvrir une des bouteilles avant d'avoir franchi la porte de sortie.

Alexandra était pendant ce temps en train de travailler sur le pull.

Harry composa le tableau dans sa tête.

Si c'était le sang de Rakel, l'affaire était claire. La nuit du meurtre, Peter Ringdal avait quitté le Jealousy Bar vers vingt-deux heures trente pour rendre une visite surprise à Rakel, peut-être sous prétexte d'essayer de la convaincre d'endosser le rôle de présidente du conseil d'administration. Elle l'avait fait entrer, lui avait servi un verre d'eau. Elle avait réitéré son refus. Ou alors elle avait finalement accepté. C'était peut-être pour ça qu'il était resté plus longtemps, parce qu'il y avait des questions à discuter. La conversation avait peut-être glissé vers des sujets plus personnels. Ringdal lui avait sûrement raconté les exactions de Harry au Jealousy deux heures plus tôt, et Rakel lui avait parlé de ses problèmes – et c'était la première fois que cette idée venait à Harry –, du piège photographique qu'il avait installé, persuadé qu'elle ne s'en était pas aperçue. Rakel avait même expliqué à Ringdal où se trouvait la caméra. Ils avaient partagé leurs chagrins, et peut-être leurs bonheurs. À un moment donné, Ringdal avait jugé le moment opportun pour une approche physique. Cette fois, en revanche, ç'avait été un rejet sans détour. Dans la fureur qui avait fait suite à l'humiliation, Ringdal avait pris le couteau dans le bloc sur le plan de travail et l'avait poignardée. Plusieurs fois. Parce que sa fureur n'avait pas décru ou parce qu'il avait compris qu'il était trop tard, que le dommage était fait, qu'il devait finir le travail, la tuer et nettoyer ensuite les traces. Il avait réussi à garder la tête froide. À faire tout ce qu'il fallait. En quittant les lieux du crime, il avait emporté un trophée, comme le certificat qu'il s'était procuré en photographiant l'autre femme qu'il avait tuée. Le foulard rouge qui était pendu à côté du manteau de Rakel sous l'étagère à chapeaux. Après être monté en voiture, il s'était souvenu in extremis du piège photographique dont elle lui avait parlé, il était sorti et l'avait décroché. Il s'était débarrassé de la carte mémoire à la station-service. Il avait ensuite balancé son pull avec le sang de Rakel par terre, dans le linge sale, peut-être n'avait-il pas remarqué le sang, sans quoi il l'aurait sans doute lavé tout de suite. C'était sans doute ça qui s'était passé. Peut-être. Peut-être pas.

Vingt-cinq ans d'enquêtes criminelles avaient enseigné à Harry que le déroulement des événements était presque toujours plus complexe et plus incompréhensible qu'on ne le supposait d'abord.

Mais le mobile était presque invariablement aussi simple et évident qu'il le paraissait à première vue.

Peter Ringdal avait été très amoureux de Rakel. Harry n'avait-il pas vu le désir dans son regard dès la première fois qu'il était venu au Jealousy pour inspecter le bar ? N'avait-il pas inspecté Rakel aussi, peut-être ? Amour et meurtre. La combinaison classique. Quand Rakel avait rejeté Ringdal dans sa maison en rondins, elle lui avait peut-être expliqué qu'elle s'apprêtait à retourner auprès de Harry. Tout le monde était notoirement une chose ou une autre. Notoirement coureur, notoirement voleur, notoirement soiffard, notoirement tueur. On répétait ses péchés en espérant le pardon, celui de Dieu, celui des autres ou au moins le nôtre. Alors Peter Ringdal avait tué Rakel Fauke comme il avait tué son ex-femme, Andrea Klitschkova.

Harry avait envisagé une autre option. Que ce soit la personne arrivée plus tôt dans la soirée, que le meurtre ait eu lieu à ce moment-là, et puis l'intéressé, qui savait que Rakel allait être seule, était revenu plus tard pour nettoyer. Sur les images de la caméra de chasse, ils avaient vu Rakel ouvrir la porte la première fois, mais pas la deuxième. Était-ce parce qu'elle était déjà morte, se pouvait-il que le meurtrier ait pris les clefs après l'avoir tuée et ait ensuite ouvert la porte, rangé et laissé les clefs en partant ? Ou le tueur avait-il envoyé quelqu'un ranger derrière lui ? Harry sentait vaguement que les silhouettes des deux visites ne pouvaient pas être celles d'une seule et même personne. Enfin, c'était une idée qu'il avait écartée parce que, même dans son rapport écrit, la Médecine légale affirmait très catégoriquement que, sur la base des températures du corps et de la pièce, le meurtre s'était produit après la première visite, à savoir donc quand le dernier visiteur était dans la maison.

Harry entendit le saphir heurter doucement l'étiquette, comme pour attirer discrètement son attention sur le fait que le trente-trois tours aurait bien voulu être retourné. Son cerveau proposa encore du rock anesthésiant, mais il déclina, comme il déclinait systématiquement les propositions de ce même cerveau diabolique de boire un verre, une gorgée, une goutte. Il était temps d'aller au lit. Ce serait un bonus s'il arrivait aussi à dormir. Il ôta le disque de la platine sans toucher les sillons, sans laisser d'empreintes. Ringdal avait oublié de nettoyer le verre dans le lave-vaisselle. Curieux, en fait. Harry fit glisser le disque dans sa sous-pochette, puis dans sa pochette. Il passa le doigt sur le dos des albums. Classés par ordre alphabétique d'après le nom du groupe, puis par ordre chronologique d'après la date d'achat. Il glissa sa main entre les albums éponymes des Rainmakers et des Ramones et les écarta pour faire de la place à cette nouvelle acquisition. Un objet était coincé entre les disques. Il les écarta davantage pour mieux voir. Il cligna des yeux. Son rythme cardiaque s'emballa, comme si son cœur avait compris une chose que le cerveau n'avait pas encore réussi à intégrer.

Le téléphone sonna.

Harry décrocha.

« C'est Alexandra. J'ai fait un premier examen et je vois déjà une discordance de profils génétiques qui me permet d'exclure que le sang sur le pull de ce Ringdal soit celui de Rakel.

— Hmm.

— Il ne vient pas non plus de toi, et le sang sur ton pantalon n'est effectivement pas le tien. »

Silence.

« Harry ?

— Oui.

— Il y a un problème ?

— Je ne sais pas. Le sang sur le pull et sur mon pantalon doit être celui du nez de Ringdal alors. On a toujours les empreintes digitales pour le relier au lieu du crime. Et le foulard de Rakel dans son tiroir, il a son odeur, il y a sûrement son ADN dessus. Un cheveu, de la transpiration, de la peau.

— D'accord, mais les empreintes génétiques du sang du pull et du sang de ton pantalon ne concordent pas non plus.

— Est-ce que tu es en train de dire que le sang sur le pull n'est ni celui de Rakel, ni le mien, ni non plus celui de Ringdal lui-même ?

— C'est une possibilité. »

Harry comprit qu'elle lui laissait du temps pour faire lui-même le raisonnement qui ouvrirait aux autres possibilités. À l'autre possibilité. C'était de la simple logique.

« Le sang sur mon pantalon n'est pas celui de Ringdal. Tu as commencé par me dire que ce n'était pas mon sang. Alors celui de qui est-ce ?

— Je ne sais pas, dit Alexandra, mais…

— Mais ? » Harry regarda fixement entre les disques. Il savait ce qu'elle allait répondre. Parce que ce n'étaient plus quelques pierres annonçant un éboulement. C'était fait. La falaise entière s'était écroulée.

« Jusqu'ici, le sang sur ton pantalon n'a montré aucune différence par rapport à l'ADN de Rakel, dit Alexandra. Il reste bien sûr beaucoup de travail pour obtenir les quatre-vingt-dix-neuf virgule neuf cent quatre-vingt-dix-neuf pour cent de probabilité que nous considérons comme une correspondance totale, mais nous sommes déjà à quatre-vingt-deux pour cent. »

Quatre-vingt-deux pour cent. Quatre sur cinq.

« Bien sûr, répondit Harry. Je portais ce pantalon quand je suis allé sur les lieux du crime quand on a découvert Rakel. Je me suis agenouillé auprès de son corps. Il y avait une flaque de sang.

— Alors ça explique l'affaire, si c'est vraiment le sang de Rakel sur ton pantalon. Tu veux que je continue l'analyse, maintenant qu'il est exclu que le sang sur le pull soit celui de Rakel ?

— Non, ce n'est pas la peine. Je te remercie, Alexandra. Je te le revaudrai.

— OK. Sûr que tout va bien ? Tu as l'air tellement…

— Oui, coupa Harry. Merci et bonne nuit. »

Il raccrocha.

Il y avait eu une flaque de sang. Il s'était agenouillé. Mais ce n'était pas ce qui avait déclenché le cri dans la tête de Harry, l'éboulement qui était sur le point de l'ensevelir. Car il ne portait pas ce pantalon-là quand il était allé chez Rakel avec l'équipe de scène de crime, il l'avait mis dans la corbeille de linge sale le matin suivant son meurtre. Ça, il s'en souvenait. Jusqu'à présent, sa mémoire concernant ce soir-là avait été aussi lisse qu'une boule de verre, du moment où il était entré au Jealousy Bar vers dix-neuf heures jusqu'à ce qu'il soit réveillé par la collecte de la Croix-Rouge le lendemain, mais les images étaient en train de venir, de se connecter les unes aux autres, de se transformer en un film. Dont il tenait le rôle principal. Ce qui criait dans sa tête, avec des cordes vocales tremblantes qui se rompaient ensuite, c'était sa propre voix, une piste sonore en provenance du salon de Rakel. Il était allé chez elle la nuit du meurtre.

Coincé entre les Rainmakers et les Ramones se trouvait le couteau préféré de Rakel. Un Tojiro de style santoku avec un manche en chêne et une mitre en corne de buffle. La lame était barbouillée de ce qui ne pouvait être que du sang.

35

Ståle Aune rêvait. Il partait en tout cas de ce principe. Les sirènes qui avaient fendu les airs se taisaient brusquement et il entendait maintenant le lointain tonnerre d'un bombardier alors qu'il courait dans la rue déserte vers l'abri antibombe. Il était en retard, tout le monde était à l'intérieur depuis longtemps, et il voyait un homme en uniforme qui fermait la porte métallique au bout de la rue. Ståle avait le souffle court, il aurait dû faire plus de sport. D'un autre côté, ce n'était qu'un rêve, tout le monde savait que la Norvège n'était pas en guerre, mais peut-être avions-nous soudain été attaqués ? Ståle essayait d'entrer dans l'abri, mais il n'y arrivait pas, il ne parvenait à passer qu'un pied et une épaule. « Entrez ou partez, je dois fermer maintenant ! » Ståle appuyait sur la porte. Il se retrouvait bloqué, à ne pouvoir ni entrer ni ressortir. La sirène antiaérienne se déclenchait. Mince, alors. Il fallait se consoler en se disant que, selon toute apparence, ceci était un rêve, rien d'autre qu'un rêve.

« Ståle… »

Il ouvrit les yeux et sentit la main d'Ingrid, sa femme, lui secouer l'épaule. Voyez-vous ça, une fois de plus, le professeur avait eu raison.

La chambre était dans le noir et il était couché sur le côté, avec le réveil devant les yeux. Les chiffres lumineux indiquaient trois heures treize.

« On sonne à la porte, Ståle. »

Et elle revint. La sirène.

Ståle extirpa son corps en surpoids du lit et l'inséra dans sa robe de chambre en soie avant de glisser ses pieds dans une paire de chaussons assortis.

Il était arrivé en bas de l'escalier et se dirigeait vers le vestibule quand une idée le frappa : ce qui l'attendait derrière la porte n'était pas forcément sympathique. Ce pouvait être un patient schizophrène paranoïaque avec des voix lui disant de tuer son psychologue, par exemple. D'un autre côté, ce rêve d'abri antibombe était peut-être un rêve dans un rêve, ceci était peut-être le rêve proprement dit. Alors il ouvrit.

Et encore une fois, le professeur avait raison. Ce n'était rien de sympathique. C'était Harry Hole. Plus précisément, le Harry Hole qu'on ne voulait pas rencontrer. Celui avec les yeux particulièrement injectés de sang, et avec sur le visage cette expression traquée, désespérée, qui signifiait problème.

« Hypnose », lâcha Harry. Il était essoufflé, son visage luisait de sueur.

« Bonsoir à toi aussi, Harry. Veux-tu entrer ? Enfin, si l'ouverture de la porte n'est pas trop étroite.

— Trop étroite ?

— J'ai rêvé que je n'arrivais pas à passer la porte d'un abri antibombe », expliqua Aune avant de suivre sa panse vers la cuisine. Quand elle était petite, sa fille Aurora disait toujours que papa avait l'air de marcher vers le haut.

« Et l'interprétation freudienne est ? s'enquit Harry.

— Qu'il faut que je mincisse. » Aune ouvrit le réfrigérateur. « Salami à la truffe et gruyère vieilli en grotte ?

— Hypnose ? fit Harry.

— Oui, c'est ce que tu disais tout à l'heure.

— Le mari de Tøyen, celui dont on croyait qu'il avait tué sa femme. Tu prétendais qu'il avait refoulé ses souvenirs des événements, mais que tu pouvais les faire revenir par l'hypnose.

— Si la personne en question était réceptive à l'hypnose, oui.

— On voit si moi je le suis ?

— Toi ? » Ståle se tourna vers Harry.

« Je commence à me souvenir de choses de la nuit où Rakel est morte.

— De choses ? » Ståle ferma la porte du réfrigérateur.

« Des images. Un truc par-ci, un truc par-là.

— Des fragments.

— Si j'arrive à les relier ou à en faire venir d'autres, je crois que je sais peut-être quelque chose. Que je sais quelque chose que je ne sais pas, si tu vois ce que je veux dire.

— Les assembler en un film ? Je peux bien sûr essayer, mais c'est sans garantie aucune. À vrai dire, j'échoue plus souvent que je ne réussis, mais c'est l'hypnose comme méthode qui a ses limites, pas moi, bien sûr.

— Bien sûr.

— Quand tu dis que tu crois savoir quelque chose, de quel genre de savoir parlons-nous ?

— Je ne sais pas.

— Mais c'est urgent, manifestement.

— Oui.

— Bien. Tu te souviens d'éléments concrets de tes fragments ?

— Le lustre en cristal du salon de Rakel. Je suis couché juste au-dessous, je lève les yeux et je vois que les cristaux sont en forme de S.

— C'est bien. Alors on a un endroit et une situation et on peut essayer de faire venir les souvenirs par association. Je vais juste aller chercher ma montre gousset.

— Tu veux dire pour la balancer devant moi ? »

Ståle Aune haussa un sourcil. « Tu as des objections ?

— Non, absolument pas, c'est juste que ça paraît très... vieille école.

— Si tu veux te faire hypnotiser d'une manière plus moderne, je peux te recommander un certain nombre de psychologues respectés, mais moins salués, bien sûr, qui...

— Va chercher ta montre. »

« Concentre ton regard sur le cadran. » Ståle avait installé Harry dans le fauteuil à dossier haut du salon et lui-même était sur le pouf en face. La vieille montre balançait au bout de sa chaîne, allait, venait, à vingt centimètres du visage pâle, ravagé, du policier. Ståle n'avait pas souvenir d'avoir vu son ami si agité. Il se sentit coupable de n'être pas allé lui rendre visite après l'enterrement. Harry n'était pas de ceux qui demandaient facilement de l'aide et s'il le faisait maintenant, c'était que la situation était critique.

« Tu te sens bien et détendu, serinait doucement Ståle Aune. Bien et détendu. »

Harry l'avait-il jamais été ? Oui. Avec Rakel, il semblait enfin être en harmonie avec lui-même et son entourage. Il avait – si cliché que cela puisse paraître – trouvé la femme de sa vie. Et les fois où Harry l'avait invité à donner un cours magistral à l'école de police, Ståle avait eu la nette impression qu'il aimait sincèrement son travail et ses étudiants. Que s'était-il passé, au juste ? Rakel l'avait-elle jeté dehors, quitté, uniquement parce qu'il avait bu ? Quand on choisissait d'épouser un homme qui avait été si alcoolisé pendant si longtemps, qui avait craqué si souvent, on savait qu'il y avait de grandes chances que cela se reproduise. Rakel Fauke était une femme intelligente et réaliste, aurait-elle mis à la casse une voiture en état de rouler à cause d'une petite bosse sur la carrosserie après une sortie de route ? L'idée l'avait bien sûr traversé que Rakel avait rencontré quelqu'un d'autre, qu'elle s'était servie de la rechute de Harry comme d'un prétexte pour le quitter. Son plan était peut-être d'attendre que les choses se tassent, que Harry se soit un peu remis de la rupture, avant de se montrer en public avec cet homme.

« Je compte à rebours à partir de dix. À chaque nombre, tu sombres de plus en plus profondément en hypnose. »

Ingrid avait déjeuné avec Rakel une fois après la rupture, mais celle-ci n'avait pas parlé de nouvel homme dans sa vie. Au contraire, Ingrid avait dit en rentrant qu'elle l'avait trouvée triste et seule. Elles n'étaient pas assez proches pour qu'il lui soit naturel de l'interroger sur la question, mais selon Ingrid si autre homme il y avait eu, Rakel l'avait laissé tomber et elle essayait de trouver un moyen de se remettre avec Harry. Rien de ce que Rakel avait dit n'étayait de telles conjectures, mais le professeur de psychologie était conscient aussi que, pour ce qui était de lire les gens, Ingrid lui était résolument supérieure.

« Sept, six, cinq, quatre... »

Les paupières de Harry étaient à moitié closes, et au-dessous, son iris apparaissait comme une demi-lune bleu pâle. Le degré d'hypnose qu'on pouvait atteindre variait d'un individu à l'autre. Seuls dix pour cent des gens étaient considérés comme très réceptifs, et certains ne réagissaient absolument pas à cette manipulation de l'esprit. Ståle savait d'expérience que, dans l'ensemble, ceux qui se laissaient le plus facilement hypnotiser étaient les gens qui avaient de l'imagination, qui étaient ouverts aux nouvelles expériences, souvent des gens avec des métiers créatifs. Les plus ardus étaient ceux qui avaient des titres d'ingénieur. Tout portait à croire que l'enquêteur criminel Harry Hole, pas précisément un rêveur buveur de thé, allait lui donner du fil à retordre ; mais, s'il ne lui avait jamais fait faire ces tests de personnalité qui avaient le vent en poupe, il soupçonnait que l'enquêteur aurait eu un score exceptionnellement élevé sur un point : l'imagination.

La respiration de Harry était régulière, comme s'il dormait.
Ståle compta à rebours encore une fois.

Cela ne faisait pas de doute, Harry était en hypnose.

« Tu es couché sur un sol, articula Ståle lentement et d'un ton calme. C'est le sol de votre salon à Rakel et toi. Au-dessus de toi, tu vois un lustre dont les pendeloques forment un S. Que vois-tu d'autre ? »

Les lèvres de Harry remuèrent. Ses paupières tressaillirent. L'index et le majeur de sa main droite jaillirent comme dans un spasme involontaire. Ses lèvres remuèrent encore, mais pas un son n'en sortit. Il se mit à tourner la tête de gauche à droite et de droite à gauche en l'appuyant contre le dossier du fauteuil, avec une expression de douleur sur le visage. Puis, comme chez un spasmophile, le long corps de Harry fut traversé de deux soubresauts et il resta les yeux écarquillés à regarder fixement droit devant lui.

« Harry ?

— Je suis là. » La voix de Harry était rauque, pâteuse. « Ça n'a pas marché.

— Comment te sens-tu ?

— Fatigué. » Harry se leva. Il chancela. Il cligna fortement des yeux, regarda dans le vide. « Il faut que je rentre chez moi.

— Tu devrais peut-être rester un peu assis. Quand l'hypnose n'est pas conclue comme il faut, on peut avoir des vertiges et se sentir désorienté.

— Merci, Ståle, mais je dois y aller, là. Bonne nuit.

— Dans le pire des cas, ça peut provoquer de l'anxiété, de la dépression et d'autres cochonneries de ce genre. Alors passons un peu de temps à te faire atterrir sur tes pieds, Harry. »

Mais Harry se dirigeait déjà vers la sortie. Ståle se leva, lui emboîta le pas et le suivit dans le vestibule, mais ne put que voir la porte se refermer.

Harry eut le temps d'aller jusqu'à sa voiture et de se recroqueviller sur lui-même avant que la nausée ne monte. Il vomit, et vomit encore. Ce ne fut qu'après avoir rendu tout son petit déjeuner semi-digéré, la seule chose qu'il ait mangée ce jour-là, qu'il se redressa, s'essuya la bouche du revers de la main, chassa ses larmes en battant des cils et ouvrit sa voiture. Il s'installa au volant et regarda par le pare-brise.

Il sortit son téléphone, appela le numéro que Bjørn lui avait donné.

Au bout de quelques secondes, il entendit un homme groggy énoncer son nom d'une voix inarticulée, comme si cela lui échappait, comme une habitude de l'âge de pierre de la téléphonie.

« Désolé de vous réveiller, Freund. C'est encore l'inspecteur principal Harry Hole. Un nouvel élément fait que l'affaire est urgente, donc je me demandais si vous pouviez me donner vos résultats préliminaires. »

Bruit d'un long bâillement. « Je n'ai pas terminé.

— C'est pour ça que je dis *préliminaires*, Freund. Tout peut servir. »

Harry entendit le spécialiste de l'analyse 3D de photos s'adresser en chuchotant à quelqu'un d'autre avant de revenir à lui.

« C'est difficile de déterminer la hauteur et la largeur de la personne qui entre dans la maison dans la mesure où cette personne est courbée, expliqua Freund, mais si tant est qu'elle se tient bien dressée de toute sa hauteur et ne porte pas de chaussures à semelles compensées ou autre, il pourrait sembler – et je dis bien *pourrait sembler* – que la personne qui ressort mesure entre un mètre quatre-vingt-dix et un mètre quatre-vingt-seize. Sur la base de sa forme et de la distance entre les feux de stop et les feux de recul, il pourrait aussi sembler que la voiture soit une Ford Escort. »

Harry inspira un grand coup. « Merci, Freund, c'était ce que j'avais besoin de savoir. Prenez le temps qu'il vous faut pour le reste, ce n'est plus urgent. Enfin d'ailleurs, vous pouvez vous en tenir là. Envoyez la carte mémoire et la facture à l'adresse d'expéditeur qui était au dos de l'enveloppe.

— Je vous l'envoie à vous personnellement ?

— C'est plus pratique comme ça. Nous vous contacterons si nous avons besoin d'un signalement plus sûr.

— Comme vous voulez, Hole. »

Harry raccrocha.

La conclusion de l'expert ne faisait que confirmer ce qu'il savait déjà. Il avait tout vu quand il était dans le fauteuil de Ståle Aune. Il se souvenait de tout maintenant.

36

La Ford Escort blanche était garée à Berg, où les nuages se précipitaient comme pour fuir, mais la nuit ne montrait encore aucun signe de retraite.

Harry colla son front contre le pare-brise humide et glacial. Il avait envie d'allumer la radio, StoneHardFM, du hard rock, à fond les ballons, se vider la tête pendant quelques secondes, mais il ne pouvait pas, il devait réfléchir.

C'était presque insaisissable. Pas le fait qu'il se soit soudain souvenu, mais qu'il ait réussi à ne pas se souvenir, à tenir le souvenir à l'écart. On aurait dit que les paroles autoritaires de Ståle sur le salon, la forme de S et le son du nom de Rakel avaient forcé ses yeux à s'ouvrir. Au même instant, tout avait été là.

Il faisait nuit et il s'était réveillé. Il avait ouvert les yeux sur le lustre en cristal. Il avait compris qu'il était de retour, dans le salon de Holmenkollveien. Ce qu'il ne comprenait pas, en revanche, c'était comment il y avait atterri. La lumière était tamisée, comme Rakel et lui l'aimaient quand ils n'étaient que tous les deux. Sentant une substance mouillée et poisseuse, il avait levé sa main. Du sang ? Puis il s'était tourné. Il s'était tourné et avait regardé droit dans son visage. Elle n'avait pas l'air de dormir. Elle avait l'air de le fixer d'un regard vide. Ou d'avoir perdu connaissance. Elle avait l'air d'être morte. Elle gisait dans une mare de sang.

Harry avait fait ce qui généralement était une métaphore : il s'était pincé le bras. Il avait enfoncé ses ongles aussi fort qu'il pouvait dans l'espoir que la douleur chasse cette vision, qu'il se réveille, qu'il souffle de soulagement et remercie le dieu auquel il ne croyait pas que ce n'ait été qu'un cauchemar.

Il n'avait pas cherché à la ranimer, il avait vu trop de morts pour savoir que c'était terminé. On l'avait apparemment poignardée dans le ventre, son gilet islandais était imbibé de sang, dont la couleur était plus foncée autour des entailles, mais c'était le coup de couteau dans la nuque qui l'avait tuée. Un coup efficace exécuté par quelqu'un qui savait que le coup était mortel. Comme lui.

Avait-il tué Rakel ?

Il avait promené son regard dans la pièce en quête d'un signe lui indiquant le contraire.

Il n'y en avait pas. Juste elle et lui. Le sang. À moins que ?

Il s'était dressé sur ses jambes, avait titubé jusqu'à la porte d'entrée.

Verrouillée. Si quelqu'un était venu et reparti ensuite, ce quelqu'un avait dû fermer de l'extérieur avec une clef. Harry avait essuyé sa main sanglante sur son pantalon, ouvert le tiroir de la commode. Les deux trousseaux y étaient. Celui de Rakel et le sien. Les clefs qu'il lui avait rendues un après-midi au Restaurant Schrøder, quand il l'avait suppliée de le reprendre alors qu'il s'était juré de ne pas le faire.

Le seul autre jeu de clefs se trouvait légèrement au sud du pôle Nord, à Lakselv, chez Oleg. Harry avait regardé autour de lui. Il y avait trop à absorber, à comprendre, à expliquer. Avait-il tué celle qu'il aimait ? Avait-il détruit ce qui lui tenait le plus à cœur ? Quand il le formulait comme dans la première question, quand il chuchotait le nom de Rakel, cela paraissait impossible, mais vu sous l'angle de la deuxième question, quand il se demandait s'il avait détruit tout ce qu'il avait, cela ne paraissait pas impossible du tout. D'expérience, il savait que les faits battent l'intuition. L'intuition n'est qu'une somme d'indices sur lesquels un simple fait incontestable peut l'emporter. Voici les faits : il était un mari rejeté qui se trouvait dans une pièce verrouillée de l'intérieur avec son épouse assassinée.

Harry savait ce qu'il faisait. En se mettant en mode enquêteur, il essayait de se protéger d'une douleur intenable. Il ne la ressentait pas encore, mais c'était un train de marchandises impossible à arrêter. En mode enquêteur, il ne voyait plus la mort de Rakel qui gisait là, sur le plancher, mais une affaire criminelle, quelque chose qu'il était capable de gérer. Avant de commencer à boire seul, il avait eu la même relation à l'alcool : il se précipitait dans le bar le plus proche chaque fois que ses talents de buveur étaient requis pour contrer son mal de vivre. Il apparaissait ainsi sur une scène qu'un temps, il avait eu le sentiment de maîtriser. Et pourquoi pas ? Quand on voit sa vie, sa seule raison de vivre, brisée devant soi, pourquoi ne pas partir du principe que la partie du cerveau gouvernée par l'instinct fait le seul choix logique, nécessaire, en optant pour la fuite ? L'alcool. Le mode enquêteur.

Parce qu'il restait encore une chose qui pouvait, devait être sauvée.

Harry ne craignait pas la sanction personnelle, au contraire, toute sanction, surtout la mort, serait une libération, comme de trouver une fenêtre au centième étage d'un gratte-ciel embrasé alors qu'on est encerclé par les flammes. Si inconscient, fou ou simplement malchanceux qu'il ait pu être au moment des faits, il savait qu'il méritait d'être puni.

Mais pas Oleg.

Oleg ne méritait pas, en même temps qu'il perdait sa mère, de perdre son père, son véritable père non biologique. De perdre le beau récit de sa vie, celui qui parlait d'avoir grandi auprès de deux personnes qui s'aimaient tant, ce récit qui en soi était la preuve que l'amour existait, pouvait exister. Oleg lui-même se trouvait aux commencements d'une vie commune, Oleg allait peut-être fonder sa propre famille. Il avait certes vu Rakel et Harry se quitter quelques fois, mais il avait aussi été le témoin le plus proche de deux personnes qui s'aimaient, qui voulaient toujours le bien l'une de l'autre. C'était pour cela qu'ils s'étaient toujours retrouvés. Lui dérober cette histoire, non, cette vérité, ça détruirait Oleg, merde. Parce que ce n'était pas vrai qu'il avait tué Rakel. Indubitablement, elle gisait sur le plancher et c'était lui qui avait causé sa mort, mais toutes les associations, toutes les conclusions qui venaient automatiquement quand on révélait qu'un mari rejeté avait tué sa femme n'étaient que mensonges. Ce n'était pas pour ça.

Le déroulement des événements était toujours plus complexe qu'on ne le supposait a priori, mais les mobiles, eux, étaient simples et clairs. Il n'en avait pas, il n'avait pas eu de désir de tuer Rakel, jamais ! C'est pourquoi il fallait protéger Oleg de ce mensonge.

Harry avait nettoyé du mieux qu'il pouvait en évitant de regarder le corps de Rakel, pour ne pas flancher, il avait vu ce qu'il avait besoin de voir : elle n'était pas là, tout ce qui restait, c'était un corps inhabité. Harry ne pouvait pas rendre compte en détail de ce en quoi ce rangement avait consisté, il avait le vertige, il avait vainement essayé de se souvenir du moment des faits, essayé de pénétrer dans l'obscurité totale qui drapait les heures entre le moment où il avait atteint une certaine ébriété au Jealousy Bar et son réveil ici. Combien une personne en sait-elle sur elle-même, au juste ? Était-il allé la voir et, quand elle s'était retrouvée dans la cuisine avec cet homme ivre mort et fou, avait-elle compris qu'elle ne pourrait finalement pas faire ce qu'elle avait laissé entendre à Oleg : reprendre Harry ? Était-ce ce qui l'avait fait basculer ? Le rejet, la certitude que jamais, jamais il ne pourrait la retrouver ? L'amour était-il brusquement devenu haine incontrôlée ? Il ne savait pas, il ne se souvenait pas.

Il se souvenait seulement qu'après s'être réveillé, pendant qu'il rangeait, une idée avait commencé à germer. Au départ, il serait le suspect principal de la police, c'était évident. Donc pour détourner leurs soupçons, pour sauver Oleg du mensonge sur le classique crime de haine, pour sauver sa jeune foi immaculée en l'amour, pour lui épargner le constat qu'il avait eu pour modèle et éducateur un assassin, il avait besoin d'un autre. Un paratonnerre. Un coupable alternatif, quelqu'un qui pouvait et devrait être crucifié. Pas un Jésus, mais un pécheur pire que lui.

Harry regarda fixement par le pare-brise, où la buée de son souffle diluait les lumières de la ville en contrebas.

Était-ce le raisonnement qu'il avait fait ? Ou tel l'illusionniste manipulateur qu'il était, son cerveau avait-il juste inventé cette histoire d'Oleg et trouvé un prétexte pour ne pas s'avouer la raison plus simple : filer. Échapper à la sanction. Se cacher et refouler le tout, puisque c'était un souvenir, une connaissance, avec lesquels il lui était impossible de vivre, et que, en dernière analyse, la seule réelle fonction du corps et du cerveau était la survie.

C'était en tout cas ce qu'il avait fait. Il avait refoulé. Refoulé qu'il était sorti de la maison, en veillant à partir sans verrouiller la porte, afin qu'on ne puisse pas conclure que le tueur avait dû avoir les clefs. Il était monté dans sa voiture, mais s'était souvenu du piège photographique, qui pourrait le trahir si la police le trouvait. Il l'avait arraché de l'arbre et en avait extrait la carte mémoire pour la jeter ensuite dans une poubelle du Ready. Par la suite, un fragment avait tourbillonné de la vase du refoulement et était remonté à la surface quand, dans un instant de profonde concentration, il avait reconstruit le chemin de retraite probable du tueur et l'endroit où il pouvait s'être débarrassé de la carte mémoire. Comment avait-il pu s'imaginer être revenu là avec Kaja fortuitement quand il existait un million d'autres possibilités ? Même Kaya avait été stupéfaite de sa certitude à toute épreuve.

Mais ensuite, son refoulement s'était retourné contre lui-même, avait failli signer sa chute. Il avait donné sans hésitation la carte mémoire à Bjørn et son enquête minutieuse, dont le but était de trouver un autre coupable méritant – un violeur comme Finne, un tueur comme Bohr, un ennemi comme Ringdal –, l'avait encerclé lui-même.

Ses pensées furent interrompues par la sonnerie du téléphone.

C'était Alexandra.

En allant chez Ståle, il avait fait un crochet pour lui apporter un coton-tige avec du sang dessus. Il ne lui avait pas dit que c'était du sang de l'arme probable du crime, le couteau qu'il avait trouvé entre ses disques. En roulant, il avait compris pourquoi il avait glissé le couteau entre les Rainmakers et les Ramones. Simple. Rakel.

« Des résultats ? demanda Harry.

— C'est le même groupe sanguin que Rakel, répondit-elle. A. »

Le plus répandu, songea Harry. Quarante-huit pour cent de la population norvégienne. Une correspondance de groupe sanguin A, c'était un jeu à pile ou face, ça ne voulait rien dire. À cet instant précis pourtant, cela signifiait assez. Car il avait décidé d'avance – comme Finne avec son dé – de laisser ce pile ou face décider.

« Pas besoin d'analyse d'ADN, précisa Harry. Merci et bonne journée. »

Il ne restait qu'un dernier détail à régler, une autre possibilité, un élément qui pouvait le sauver : briser un alibi apparemment sûr.

Il était dix heures du matin quand Peter Ringdal se réveilla dans son lit.

Ce n'était pas son réveil, qui était réglé sur onze heures. Ce n'était pas le chien d'à côté ni les voitures des voisins qui partaient travailler, les gamins qui allaient à l'école, le camion poubelle, tous ces bruits, son cerveau en sommeil avait appris à les ignorer. C'était autre chose. Il y avait eu un grand bruit, comme un cri, et on aurait dit que ça venait de l'étage du dessous.

Ringdal se leva, enfila son pantalon et une chemise et saisit le pistolet qu'il avait sur sa table de nuit. Il sentit un courant d'air froid sur ses pieds nus quand il se faufila dans l'escalier et comprit pourquoi en arrivant dans le couloir. Il y avait des bris de verre sur le sol. On avait cassé le hublot de la porte d'entrée. Celle de la cave était entrouverte, mais la lumière restait éteinte. Ils étaient finalement là. L'heure était venue. Le cri, ou ce bruit, était venu du salon. Il se glissa dans la pièce avec le pistolet devant lui.

Il comprit tout de suite que ce n'était pas un humain qui avait crié, que le bruit qui l'avait réveillé était un raclement du parquet. L'un des fauteuils lourds avait été déplacé et tourné vers la baie vitrée et le jardin avec la sculpture de satellite. Peter Ringdal ne voyait que le dossier et un chapeau qui dépassait. Il partait du principe que l'homme assis n'avait pas pu l'entendre, mais, bien entendu, il pouvait avoir positionné le fauteuil de façon à voir si quelqu'un entrait dans la pièce dans le reflet de la vitre. Il visa le dossier. Deux balles dans les reins, deux autres un peu plus haut. Les voisins entendraient les tirs. Ce serait difficile de se débarrasser du corps sans être vu. Plus encore d'expliquer pourquoi il l'avait fait. Il pourrait dire à la police que c'était de la légitime défense, qu'il avait vu la vitre brisée, qu'il avait subi des menaces de mort.

Il augmenta la pression sur la queue de détente.

Pourquoi était-ce si difficile ? Il ne voyait pourtant même pas le visage de la personne dans le fauteuil, si ça se trouvait, il n'y avait personne, ce n'était qu'un chapeau.

« Ça, c'est juste un chapeau, chuchota une voix rauque à son oreille. Par contre, ce que vous sentez à l'arrière de votre tête, c'est un pistolet tout ce qu'il y a de plus vrai. Alors lâchez le vôtre et ne bougez pas d'un pouce, sinon je tire une balle très véritable à travers votre cerveau que je vous conseille maintenant d'employer utilement. »

Sans se retourner, Peter Ringdal laissa tomber son pistolet, qui heurta le parquet dans un choc sourd.

« Qu'est-ce que vous voulez, Hole ?

— Savoir pourquoi il y a vos empreintes sur un verre dans le lave-vaisselle de Rakel. Pourquoi vous avez son foulard dans votre commode. Qui est cette femme. »

Peter Ringdal vit la photo en noir et blanc que l'homme plaçait devant son visage. La photo de son bureau du sous-sol. La photo de la femme qu'il avait, lui, Peter Ringdal, brutalisée et tuée. Avant de la mettre dans un coffre de voiture glacial et de l'y photographier.

37

Peter Ringdal regardait furieusement par le pare-brise, à travers la neige qui tombait. Il ne voyait pas grand-chose, mais accéléra malgré tout.

Il était parti de Trondheim deux heures plus tôt et avait compris en entendant la météo à la radio que sa voiture devait être l'une des dernières à avoir pu passer avant que l'E6, qui traversait le massif du Dovrefjell, ne ferme à cause des intempéries. Il avait une chambre d'hôtel à Trondheim, mais la simple idée du banquet lui était intolérable. Pourquoi ? Parce qu'il était mauvais perdant et venait de perdre la finale poids mi-légers du championnat de Norvège de judo. Si encore ç'avait été face à un adversaire supérieur, mais il avait provoqué sa propre chute. À quelques secondes de la fin du combat, il menait avec deux yukos contre un koka et n'avait qu'à assurer la victoire. Et il assurait ! Mais il s'était alors mis à penser à l'interview après le combat, à une réflexion drôle qu'il allait faire, il s'était déconcentré pendant un dixième de seconde et, tout à coup, il était parti en vol plané. Il avait tout juste réussi à éviter d'atterrir sur le dos, mais son adversaire s'était vu reconnaître un waza-ari et par conséquent la victoire.

Peter cogna fort dans son volant.

Dans les vestiaires ensuite, il avait ouvert la bouteille de champagne qu'il s'était achetée sur ses propres deniers. On lui avait fait une réflexion et il avait répondu que si, pour une fois, la finale senior était un samedi après-midi plutôt qu'un dimanche matin, ce devait bien être pour qu'ils fassent la fête, alors quoi, merde ? Il était parvenu à en descendre la moitié quand son entraîneur était arrivé et lui avait enlevé la bouteille en disant qu'il était las que, victoire ou défaite, Peter se saoule après chaque combat. Peter avait rétorqué que lui était las d'avoir un entraîneur incapable de l'aider à battre des gens si clairement inférieurs. L'entraîneur avait commencé à débiter ses conneries de philosophie du judo et rappelé que *ju-do* signifiait « voie de la souplesse », que Peter devait apprendre à céder du terrain, laisser son adversaire venir à lui, être humble et modeste, que ça ne faisait après tout que deux ans qu'il avait quitté la classe junior, et l'orgueil précédait la chute. Fausse modestie, oui ! avait répondu Peter. Le judo, c'était tromper son adversaire en prétendant être faible et s'incliner pour mieux l'attirer dans le piège et frapper sans pitié, comme une jolie plante carnivore, une putain qui racontait des boniments. C'était un sport ignoble et faux. Sur quoi Peter s'était précipité hors des vestiaires en criant qu'il raccrochait les gants. Combien de fois ne l'avait-il pas déjà fait ?

Peter s'engagea dans un virage alors que ses phares balayaient les congères laissées par les chasse-neige, elles mesuraient encore un mètre cinquante de haut, bien que ce soit la fin du mois de mars, et elles étaient si près de la chaussée qu'on avait l'impression de rouler dans un tunnel bien trop étroit.

Il arriva sur une ligne droite, accéléra. Plus par colère que par hâte. Car il avait eu le projet de draguer Tina au banquet. Cette blonde le regardait d'un bon œil aussi, il le savait, mais là, elle avait remporté la médaille d'or en poids léger, et une championne de Norvège ne baise pas un perdant, surtout s'il mesure une demi-tête de moins qu'elle et qu'elle suspecte désormais qu'elle pourrait peut-être le mettre au tapis. C'était en tout cas le principe de l'évolution.

Comme par magie, la neige cessa de tomber et la route – qui s'étirait entre les murs de neige comme un long trait de crayon sur une page blanche – baigna dans le clair de lune. Était-ce censé être l'œil du cyclone ? Non, merde, ce n'était pas un cyclone tropical, mais une simple tempête norvégienne, sans œil, juste avec des crocs.

Peter regarda le compteur. La longue route la veille jusqu'à Trondheim, après ses cours à BI, les combats d'aujourd'hui, le champagne, il sentait monter la fatigue. Bordel ! Il avait trouvé des répliques hyper marrantes pour l'interview de la victoire, il allait dire…

Et là, Tina. Juste devant lui, dans la lumière de ses phares, avec ses longs cheveux blonds, une étoile rouge clignotant au-dessus de la tête, agitant les bras comme pour lui souhaiter la bienvenue. Elle voulait de lui quand même ! Peter sourit. Il sourit avant que son cerveau ne comprenne que ce n'était pas un mirage et ordonne à son pied d'appuyer sur la pédale de frein. Ce n'était pas Tina, se dit-il, ça ne pouvait pas être Tina, elle était au banquet et à cet instant précis, elle dansait avec l'un des vainqueurs, probablement un mi-moyen, son pied enfonça la pédale, car ce n'était pas le fruit de son imagination, cette fille au milieu de la chaussée, au milieu du Dovrefjell, au milieu de la nuit, avec une étoile rouge au-dessus de la tête, c'était une vraie fille aux cheveux blonds, bien vivante. Puis la voiture la percuta.

Il y eut deux brefs chocs sourds, l'un provenant du toit, et elle ne fut plus là.

Peter relâcha la pédale de frein, la pression de la ceinture de sécurité s'atténua et il continua de rouler lentement. Il ne regarda pas dans son rétroviseur. Il ne voulait pas. Peut-être était-ce une chimère quand même ? Mais évidemment, il y avait cette grande étoile blanche qui ornait désormais le pare-brise, là où il avait percuté Tina. Tina ou une autre.

N'importe comment, il était maintenant dans un virage et ne pouvait pas voir s'il y avait quelqu'un sur la chaussée derrière lui. Il garda le regard droit devant et pila. La route était barrée par une voiture, qui avait manifestement dérapé sur la chaussée glissante ou perdu le contrôle à cause du vent, et dont l'avant était encastré dans le mur de neige.

Peter resta assis sans bouger jusqu'à ce qu'il retrouve son souffle, puis il passa la marche arrière. Il accéléra, entendit la plainte du moteur, mais ne songea pas à faire demi-tour, après tout il allait à Oslo. Il s'arrêta en voyant quelque chose sur la chaussée, un objet qui scintillait à la lumière des feux arrière. Il sortit. C'était l'étoile rouge. Enfin, il s'agissait en fait d'un triangle de signalisation. La fille était sur l'asphalte dégagé par le vent, juste derrière. Une masse inerte, informe, comme un sac de petit bois auquel on aurait attaché une tête aux cheveux clairs. Son pantalon et sa veste étaient en partie arrachés. Il tomba à genoux. Au-dessus des murs de neige éclairés par la lune, le vent sifflait un air menaçant qui passait des graves aux aigus. Elle était morte. Détruite. Brisée en morceaux.

Peter Ringdal se sentait sobre à présent. Il ne s'était jamais senti si sobre au cours de ses vingt-deux années de vie. Vie qui était déjà terminée. Le compteur était monté à cent quarante avant qu'il ne commence à freiner, soixante kilomètres au-dessus de la limite autorisée, si ça se trouvait, on pouvait déterminer la vitesse de la voiture à partir des lésions de la fille. Ou de la longueur des traces de sang, la distance entre l'endroit où son corps avait d'abord heurté l'asphalte et celui où il avait fini. Le cerveau de Peter se mit par réflexe à identifier les variables d'un tel calcul, comme s'il pouvait ainsi fuir des réalités plus pressantes. Car le pire n'était pas la vitesse. Ni qu'il n'ait pas réagi assez vite. Il pouvait dire que c'était le temps, qu'il n'y avait pas de visibilité. Ce qu'il ne pouvait nier, en revanche, c'était son alcoolémie. Il avait conduit en état d'ébriété. Il avait fait un choix et ce choix avait tué quelqu'un. Non, lui, Peter Ringdal, avait tué quelqu'un. Il se le répéta, il ne savait pas pourquoi : J'ai tué quelqu'un. Il y aurait un alcootest, c'était systématique dans les accidents de voiture avec dommages corporels. Son cerveau se remit à calculer, c'était un réflexe.

Quand son cerveau eut fini de calculer, Peter Ringdal se releva et regarda le plateau désert, battu par les vents. Il fut frappé de voir combien le paysage paraissait étranger, si totalement différent de quand il était arrivé en sens inverse, la veille. Maintenant, ç'aurait aussi bien pu être un désert dans un pays étranger, sans présence humaine apparente, mais où les ennemis pouvaient rôder dans le moindre creux du terrain.

Il recula sa voiture à la hauteur de la fille, sortit son kimono de son sac, le déplia sur la banquette arrière. Puis il tenta de la soulever. Il avait beau être ex-champion de Norvège de judo, elle glissait de ses bras. Il finit par la porter comme un sac à dos et parvint à la haler sur la banquette arrière. Il mit le chauffage à fond et roula jusqu'à sa voiture à elle. Il sortit une corde de remorquage et la tira hors de la neige. La clef était dans le contact et il gara la Mazda dans la ligne droite, où les autres voitures pourraient la voir à temps pour freiner. Puis il monta dans son propre véhicule, fit demi-tour et partit en direction de Trondheim. Au bout de deux kilomètres, il arriva à une sortie, qui menait probablement à un des chalets qu'on voyait quand il faisait moins mauvais. Il gara sa voiture dix mètres plus loin, n'osant pas avancer davantage de peur de s'enliser. Commençant à transpirer dans le foehn du chauffage, il ôta sa veste et son pull. Il consulta sa montre. Trois heures s'étaient écoulées depuis qu'il avait bu presque toute la bouteille de champagne à douze degrés. Il fit le calcul auquel il s'était si souvent exercé ces dernières années. Grammes d'alcool divisés par son propre poids mi-léger fois 0,7. Moins 0,15 fois le nombre d'heures écoulées. Il arriva à la conclusion qu'il allait lui falloir encore trois heures pour être sûr.

La neige se remit à tomber. Drue, dense, comme une muraille entourant sa voiture. Une heure passa. Sur la route principale, une voiture avançait au ralenti. On n'aurait su dire d'où elle venait, d'après les communiqués l'E6 était toujours fermée.

Peter trouva le numéro d'urgence, celui qu'il allait appeler le moment venu, quand l'alcool serait éliminé. Il lança un regard dans le rétroviseur. Les gens morts n'étaient-ils pas censés se vider ? Mais ça ne sentait rien. Elle était peut-être allée aux toilettes juste avant de monter au Dovrefjell. Tant mieux pour elle, tant mieux pour lui. Il bâilla, s'endormit. Quand il se réveilla, le temps n'avait pas changé, l'obscurité était la même.

Il consulta sa montre. Il avait dormi pendant une heure et demie. Il composa le numéro.

« Je m'appelle Peter Ringdal, je voudrais signaler un accident de voiture au Dovrefjell. »

On lui répondit que les secours arriveraient aussi vite que possible.

Peter attendit encore un peu. Même s'ils venaient par Dombås, ils allaient mettre au moins une heure. Il transféra le corps dans le coffre et repartit sur la route principale. Il se gara et attendit. L'heure s'écoula. Il ouvrit son sac et prit son appareil photo, ce Nikon qu'il avait gagné à un tournoi au Japon, sortit dans la tempête et ouvrit le coffre. Qui était largement assez grand pour contenir ce petit corps. Il fit en sorte d'appuyer sur le déclencheur aux moments où le vent s'apaisait un peu, quand il y avait un petit intermède dans la tourmente. Il veilla à avoir dans son champ la montre, qui, curieusement, était intacte. Puis il claqua le capot.

Pourquoi avait-il fait des photos ?

Pour prouver qu'elle était restée longtemps dans le coffre et pas dans l'habitacle ? Ou y avait-il une autre raison, une idée qu'il n'avait pas encore réussi à déchiffrer, un pressentiment auquel il n'avait pas encore accès ?

Quand il aperçut le gyrophare, comme un sémaphore sur le toit du chasse-neige, il coupa le chauffage. Et espéra que ses calculs étaient bons, tant en ce qui la concernait elle qu'en ce qui le concernait lui.

Juste derrière le chasse-neige suivaient une voiture de police et une ambulance. Les ambulanciers constatèrent aussitôt que la fille dans le coffre était morte.

« Sentez, dit Peter en mettant la main sur le front de la fille. Elle est encore chaude. » Il remarqua que la policière le regardait.

On lui fit une prise de sang dans l'ambulance, puis on lui demanda de s'asseoir sur la banquette arrière de la voiture de police.

Il expliqua que la fille avait débouché dans le rideau de neige opaque et percuté sa voiture.

« Ce serait sans doute plutôt vous qui l'avez percutée elle », observa la policière sans lever le nez de la feuille sur laquelle elle écrivait.

Peter parla du triangle de signalisation, de la voiture qui était coincée en travers du virage, du fait qu'il l'avait bougée pour éviter un autre accident.

Le policier plus âgé fit un signe de tête appréciateur. « C'est bien d'avoir réussi à penser aux autres dans une situation pareille, mon garçon. »

Peter sentit quelque chose dans sa gorge. Il toussa pour l'expulser avant de comprendre que c'étaient des pleurs. À la place, il déglutit.

« Ça fait six heures que l'E6 est fermée, nota la policière. Si vous nous avez appelés dès que vous avez percuté la fille, ça veut dire que vous avez mis un bon bout de temps pour aller du péage jusqu'ici.

— J'ai dû m'arrêter plusieurs fois à cause de la mauvaise visibilité, répondit Peter.

— Oui, c'est un sacré printemps qu'on a là», grommela le policier.

Peter regarda par la vitre. Le vent s'était calmé et la neige se déposait maintenant sur la chaussée. Ils n'allaient pas trouver les impacts de chute de la fille. Ils n'allaient pas trouver d'autres traces de pneus qui croisaient ses traces sanglantes sur l'asphalte et qui auraient pu les faire rechercher des voitures ayant franchi le Dovrefjell dans la période de temps concernée. Ils n'allaient pas avoir le témoignage de quelqu'un disant qu'il avait vu une voiture garée dans la ligne droite, et que c'était la même marque que celle de la fille, mais c'était plusieurs heures avant l'heure de l'accident indiquée par Peter Ringdal.

«Vous êtes passé entre les mailles», conclut Harry.

Il avait installé Peter Ringdal sur le canapé et s'était assis en face de lui, dans le fauteuil à dossier haut. La main droite de Harry reposait sur ses genoux, mais elle tenait toujours le pistolet.

Ringdal acquiesça. «Ils ont trouvé des traces d'alcool dans mon sang, mais pas assez. Les parents de la fille ont porté plainte contre moi, mais j'ai été mis entièrement hors de cause.»

Harry fit un signe de tête. Il se souvenait de ce que Kaja avait dit sur le casier judiciaire de Ringdal, sur la plainte pour conduite dangereuse quand il était étudiant.

«Quelle chance», commenta Harry d'un ton laconique.

Ringdal secoua la tête. «C'est ce que je croyais, moi aussi, mais je me trompais.

— Ah?

— Pendant trois ans, je n'ai pas dormi, et j'entends par là que je n'ai pas dormi une seule heure, une seule minute, une seule seconde. L'heure et demie que j'ai dormie là-haut, à la montagne, a été mon dernier sommeil. Rien n'aidait, les cachets me rendaient dingue et agité, l'alcool déprimé et en colère. Je croyais que c'était parce que j'avais peur de me faire prendre, que le chauffeur de la voiture qui était passée allait se faire connaître. Je n'arrivais à rien jusqu'à ce que je comprenne que ce n'était pas ça le problème. Ayant des pensées suicidaires, je suis allé voir une psychologue, j'ai raconté une autre histoire, inventée, mais avec le même contenu, j'avais provoqué la mort de quelqu'un. La psy m'a dit que mon problème était que je n'avais pas purgé de peine. Qu'il fallait purger sa peine. Alors j'ai purgé ma peine. J'ai arrêté les cachets, j'ai arrêté l'alcool. Je me suis remis à dormir. Je me suis rétabli.

— Et comment avez-vous purgé ?

— De la même manière que vous, Harry. En essayant de sauver assez de vies innocentes pour compenser les morts dont on est responsable. »

Harry observa le petit homme aux cheveux noirs dans le canapé.

« J'ai consacré ma vie à un projet, expliqua Ringdal en regardant la sculpture du satellite que les rayons de soleil avaient atteinte et qui projetaient maintenant une lueur tranchante dans le salon. Un avenir où les vies ne seraient pas détruites dans des accidents de la circulation insensés et inutiles. Et là, je ne pense pas uniquement à la vie de la fille, mais aussi à la mienne.

— Les voitures autoguidées.

— Les cabines, corrigea Ringdal. Elles ne sont pas autoguidées, elles sont dirigées centralement, comme les impulsions électroniques d'un ordinateur. Elles ne peuvent pas entrer en collision, elles maximisent la vitesse et le choix de parcours à partir des autres cabines dès le moment où elles partent, tout obéit à la logique des matrices et aux lois de la physique et élimine la funeste faillibilité du chauffeur humain.

— Et la photo de la fille morte ?

— … je la garde punaisée sous les yeux depuis le début pour ne jamais oublier pourquoi je fais ça. Pourquoi j'ai supporté que les médias me ridiculisent, que les investisseurs m'insultent, pour me souvenir des faillites, des menaces des constructeurs automobiles. Pourquoi je continue de rester debout la nuit pour travailler, quand je ne suis pas en train de servir dans un bar dont j'espère que le rendement va être suffisant pour financer ce projet, embaucher des ingénieurs, des architectes, et le remettre à l'ordre du jour.

— Quel genre de menaces ? »

Ringdal haussa les épaules. « J'ai reçu des lettres d'intimidation. On est venu sonner à ma porte une ou deux fois. Pas de quoi entraîner une arrestation, mais de quoi me faire acheter ça. » Il désigna du menton le pistolet qui était toujours par terre.

« Hmm. Ça fait beaucoup de choses à avaler, là, Ringdal. Pourquoi devrais-je vous croire ?

— Parce que c'est vrai.

— Depuis quand est-ce une bonne raison ? »

Ringdal eut un petit rire. « Vous ne me croirez peut-être pas cette fois non plus, mais quand vous étiez derrière moi avec le bras tendu et le pistolet contre ma tête, vous aviez le placement parfait pour un seoi-nage. Si j'avais voulu, vous vous seriez retrouvé plaqué au sol, désarmé, le souffle coupé, avant d'avoir pu comprendre ce qui vous arrivait.

— Alors pourquoi ne l'avez-vous pas fait ? »

Ringdal haussa les épaules. « Vous m'avez montré la photo.

— Et ?

— Il était temps.

— Il était temps ?

— De raconter. De dire la vérité. Toute la vérité.

— Bien. Alors vous voulez peut-être continuer ?

— Quoi ?

— Vous avez déjà avoué un homicide. Si vous avouiez le second ?

— Comment ça ?

— Le meurtre de Rakel. »

Ringdal eut un mouvement de recul, un soubresaut du cou, comme une autruche. « Vous pensez que j'ai tué Rakel ?

— Expliquez-moi vite et sans réfléchir pourquoi il y a vos empreintes digitales sur un verre bleu dans le lave-vaisselle de Rakel, lave-vaisselle où rien ne reste deux jours sans être lavé, pourquoi vous n'avez pas dit à la police que vous étiez allé chez elle, et pourquoi vous avez ça dans votre tiroir de commode. »

Harry tira le foulard rouge de Rakel de la poche de sa veste, il le leva.

« C'est simple, dit Ringdal. Tout cela a une seule et même explication.

— Qui est ?

— Qu'elle est venue ici le matin, la veille de sa mort.

— Ici ? Pourquoi ?

— Parce que je l'avais invitée. Je voulais la convaincre de rester présidente du conseil d'administration du Jealousy. Vous vous souvenez ?

— Je me souviens que vous l'avez dit, oui, mais je sais aussi que ça ne l'aurait jamais intéressée, qu'elle ne nous aidait avec le bar qu'à cause de moi.

— Oui, et c'est aussi ce qu'elle m'a dit quand elle est venue.

— Alors pourquoi est-elle venue ?

— Parce qu'elle avait son propre dessein. Elle voulait me convaincre d'acheter ces verres qui, si j'ai bien compris, sont fabriqués par une famille syrienne qui tient une petite verrerie juste à côté d'Oslo. Rakel en avait apporté un pour me convaincre que c'était le verre à cocktail idéal. Je l'ai trouvé un peu trop lourd. »

Harry imaginait Peter Ringdal tenant le verre, le soupesant. Le rendant à Rakel. Qui l'avait rapporté chez elle et placé dans le lave-vaisselle. Non utilisé, mais pas propre non plus. « Et le foulard ? demanda-t-il en se doutant déjà de la réponse.

— Elle l'a oublié sur l'étagère à chapeaux en partant.

— Pourquoi l'avez-vous mis dans la commode ?

— Le foulard sentait le parfum de Rakel et mon amie a l'odorat fin et est plutôt jalouse. Elle devait venir ce soir-là et c'est plus sympa pour nous deux quand elle ne me soupçonne pas de courir le jupon. »

Harry tambourina de sa main gauche sur l'accoudoir. « Pouvez-vous prouver que Rakel est venue ici ?

— Voui... » Ringdal se gratta la tempe. « Si vous n'avez pas trop frotté les accoudoirs du fauteuil dans lequel vous êtes assis, on devrait encore pouvoir y trouver ses empreintes, je pense. Ou sur la table de la cuisine. Non, attendez ! Mon lave-vaisselle, je ne le fais jamais tourner avant qu'il soit plein.

— D'accord.

— Et puis je suis passé à la verrerie de Nittedal. Jolis verres. Ils ont proposé de les faire un peu plus légers. Avec le logo du Jealousy Bar. J'en ai commandé deux cents.

— Dernière question, dit Harry, qui connaissait la réponse à celle-ci aussi. Pourquoi n'avez-vous pas signalé à la police que Rakel était venue chez vous un jour et demi avant d'être tuée ?

— J'ai pesé le pour et le contre, je me suis demandé si cette information pouvait être d'une quelconque utilité à la police et j'ai fait valoir les désagréments que je subirais en étant impliqué dans une affaire d'homicide. J'ai été suspecté par la police par le passé, quand mon ex-femme est soudain partie en Russie sans prévenir personne et a été déclarée disparue ici, à Oslo. Elle a refait surface, mais je peux vous assurer qu'être dans la ligne de mire de la police n'était pas une expérience très agréable. Alors je suis arrivé à la conclusion que si l'emploi du temps de Rakel un jour et demi avant le meurtre avait de l'importance, les enquêteurs traceraient son téléphone, verraient qu'elle était venue dans ce quartier et feraient le rapprochement. Bref, ça ne dépendait pas de moi, mais de la police. Donc j'ai fait un choix égoïste, mais je me rends compte que j'aurais dû le signaler. »

Harry acquiesça d'un signe de tête. Dans le silence qui se fit entre eux, il entendit le tic-tac d'une horloge dans la maison et s'étonna de ne l'avoir pas remarqué la dernière fois qu'il était venu. Comme un compte à rebours. Il songea que c'était peut-être précisément ce que c'était, une horloge dans sa tête qui décomptait les dernières heures, minutes, secondes.

Il eut l'impression d'employer toutes ses forces pour se mettre sur ses jambes. Il sortit son portefeuille, l'ouvrit, jeta un coup d'œil dedans, en tira l'unique billet qui s'y trouvait. Un billet de cinq cents, qu'il posa sur la table.

« Qu'est-ce que c'est ?

— Pour la vitre cassée de la porte, expliqua Harry.

— Merci. »

Harry se tourna pour partir, s'arrêta, se retourna et regarda pensivement le portrait de Sigrid Undset. « Hmm. Vous avez la monnaie ? »

Ringdal rit. « Ça coûte sûrement plus de cinq cents couronnes de…

— Vous avez raison, fit Harry en reprenant le billet. Alors je vous rembourserai plus tard. Bonne chance avec le Jealousy Bar. Adieu. »

Les grognements du chien se calmèrent, mais le tic-tac se renforça alors que Harry redescendait la rue.

38

Assis dans sa voiture, Harry écoutait.

Ce tic-tac, c'était son cœur qui battait. La moitié de Rakel. Emballée.

Emballée depuis l'instant où il avait vu le couteau sanglant dans sa bibliothèque. Cela faisait dix heures maintenant, dix heures pendant lesquelles son cerveau avait fébrilement cherché des réponses, ou des issues, des alternatives à la seule explication qu'il trouvait, il avait filé, tel un rat sous le pont d'un navire faisant naufrage, mais il n'avait rencontré que des portes fermées et des culs-de-sac alors que l'eau montait et montait encore vers le plafond. Et ce demi-cœur battait de plus en plus vite, comme s'il savait ce qui approchait. Comme s'il devait se dépêcher s'il voulait avoir le temps d'aller au bout des deux milliards de battements que contient une vie humaine moyenne. Car Harry était réveillé maintenant. Il était réveillé, et il allait mourir.

Le matin – après l'hypnose, mais avant d'aller chez Ringdal –, il avait sonné à l'appartement du dessous, au rez-de-chaussée. Gule, qui travaillait en service du soir aux transports en commun d'Oslo, avait ouvert la porte en slip, mais s'il trouvait qu'il était tôt, il n'en avait pas donné l'impression. À l'époque où Harry avait son propre appartement au deuxième étage, Gule n'habitait pas dans l'immeuble et Harry ne le connaissait pas. Sur son nez reposait une paire de lunettes rondes à monture en acier qui avait dû survivre aux années soixante-dix, quatre-vingt et quatre-vingt-dix pour obtenir finalement le statut de rétro. De longues mèches qui ne savaient pas trop où se mettre lui permettaient d'échapper à la dénomination « chauve ». Il avait une diction rapide, saccadée et monocorde, comme la voix d'un GPS. Gule avait confirmé ce qu'il avait dit à la police et qui était écrit dans le rapport. Il était rentré du boulot à vingt-deux heures quarante-cinq et avait alors croisé Bjørn Holm, qui redescendait après avoir mis Harry au lit. Jusqu'à son coucher à trois heures du matin, Gule n'avait pas entendu le moindre bruit chez Harry.

« Qu'est-ce que vous avez fait, cette nuit-là ? avait demandé Harry.

— J'ai regardé *Broadchurch.* » Et comme, de toute évidence, Harry n'allait aucunement réagir, Gule avait précisé : « C'est une série télé britannique. Une série policière.

— Hmm. Vous regardez souvent des séries la nuit ?

— Oui, pas mal. J'ai un tout autre rythme que la plupart des gens. Je travaille tard et je suis toujours un peu électrique quand je rentre du boulot.

— Ça vous électrise de conduire le tramway ?

— Oui, mais trois heures, c'est mon heure de coucher fixe. Je me lève à onze heures. Il faut éviter le décalage complet avec le reste de la société.

— Si c'est aussi sonore que vous le dites, ici, et que vous regardez des séries la nuit, comment se fait-il que moi qui habite juste au-dessus de chez vous et qui monte parfois l'escalier tard le soir, je n'aie jamais rien entendu venir de votre appartement ?

— C'est parce que je fais attention et je mets un casque. » Quelques secondes s'étaient écoulées avant que Gule ne demande : « Il n'y a pas de mal à ça, si ?

— Dites-moi. Si vous aviez votre casque sur les oreilles, comment pouvez-vous être si certain que vous m'auriez entendu si j'étais sorti ?

— C'était *Broadchurch.* » Et d'ajouter en se souvenant que son voisin n'avait pas vu la série : « Ce n'est pas une série très bruyante, si je puis dire. »

Harry était parvenu à convaincre Gule de mettre son casque sur ses oreilles, de regarder *Broadchurch*, qu'il disait disponible en streaming sur le site de NRK, et d'écouter s'il entendait du bruit chez Harry ou dans l'escalier. Quand il avait sonné de nouveau à sa porte, Gule lui avait demandé s'il n'allait pas bientôt commencer le test.

« J'ai un empêchement, on fera ça une autre fois », avait répondu Harry, sans lui dire qu'il venait de sortir de son lit, de descendre l'escalier, de franchir la porte de l'immeuble et rebelote en sens inverse.

Harry n'en savait pas long sur les crises d'angoisse, mais si ce qu'il avait entendu dire était exact, il se pouvait qu'il soit en train d'en avoir une. Son cœur, la sueur, l'impression de ne pas tenir en place, les pensées qui refusaient de se fixer et tourbillonnaient inlassablement au rythme de son cœur emballé, le rythme de « Do You Wanna Dance? », les Ramones en moins de deux minutes, un sprint vers le mur. La volonté quotidienne de vivre, pas éternellement, mais un jour de plus, et donc éternellement, comme un hamster qui court de plus en plus vite pour ne pas être rattrapé par la roue et qui meurt d'un infarctus avant de se rendre compte que ce n'était que ça, une roue, une absurde course contre la montre, où le temps attendait déjà sur la ligne d'arrivée, compte à rebours, tic-tac, tic-tac. Harry cogna son front contre le volant.

Il était sorti de son sommeil et maintenant, c'était vrai.

Il était coupable.

C'était arrivé dans la nuit noire, dans les hautes montagnes battues par les vents, dans les tempêtes de l'alcool et de dieu sait quoi – car il ne se souvenait de rien, rien, rien ! Il était rentré chez lui, s'était fait mettre au lit. Il s'était relevé juste après le départ de Bjørn. Il avait roulé jusque chez Rakel, y était arrivé à vingt-trois heures vingt et une, d'après le piège photographique, ça cadrait. Toujours si bourré qu'il marchait voûté, il était entré directement par la porte non verrouillée. Il avait supplié Rakel à genoux et elle lui avait répondu que même si elle avait envisagé cette possibilité, elle avait pris sa décision, et ne voulait pas qu'il revienne. Ou avait-il, dans la folie noire de son ivresse, décidé avant même d'entrer qu'il allait la tuer, d'abord elle, puis lui-même, qu'il ne voulait pas vivre sans elle ? Et il l'avait poignardée avant qu'elle ait eu le temps de lui dire ce qu'il ne savait pas alors, qu'elle avait parlé avec Oleg et décidé de lui donner une autre chance. Cette pensée était insupportable. Il cogna sa tête contre le volant encore une fois, sentit la peau de son front s'ouvrir.

Se tuer. Y avait-il déjà pensé alors ?

Les heures avant son réveil sur le plancher de Rakel avaient beau être encore impénétrables, il avait compris – et ensuite refoulé – qu'il était coupable. Il s'était aussitôt engagé à chercher un bouc émissaire. Pas pour lui-même, mais pour Oleg. Mais maintenant, maintenant qu'il s'était révélé impossible de trouver un bouc émissaire, en tout cas un bouc émissaire qui mérite une erreur judiciaire, Harry était arrivé au bout de son rôle. Il pouvait quitter la scène. Quitter tout.

Se tuer. Ce n'était pas la première fois que l'idée lui venait.

En tant qu'enquêteur, il avait eu à déterminer si une personne avait attenté à ses jours ou si la mort lui avait été infligée par un autre. Il avait rarement eu des doutes. Même dans les cas où l'on avait opté pour des méthodes brutales et où les lieux étaient en désordre et sanglants, la plupart des suicides avaient une dimension de simplicité et de solitude : une décision, un acte, pas d'interaction, peu de facteurs matériels venant compliquer la situation. Et les lieux étaient silencieux. Ce n'était pas qu'ils ne parlaient pas, non, mais plutôt que dans les cas de suicide on n'avait pas le même brouhaha de voix et de conflits. Juste un monologue intérieur auquel il pouvait participer – dans les très bons ou très mauvais jours –, et qui lui avait toujours fait envisager le suicide comme une possibilité. Une sortie de scène. La fuite du rat de navire.

Dans le cadre de certaines enquêtes, Ståle Aune avait donné à Harry quelques indications sur les mobiles de suicide les plus fréquents. Mobile infantile – vengeance contre le monde, vous-pouvez-regretter-maintenant –, mépris de soi, honte, douleur, culpabilité, perte, et « petit » mobile des gens pour qui le suicide était une pensée rassurante. Qui aimaient savoir que cette issue de secours existait, tout comme, souvent, les gens aiment vivre dans les grandes villes parce qu'il y a tellement de choses à y faire, l'opéra, les clubs de strip-tease, même s'ils n'ont jamais l'intention d'en profiter. Pour atténuer le sentiment de claustrophobie qu'on a à être en vie, être dans la vie. Puis, un moment de déséquilibre, causé par l'alcool, les cachets, la déroute financière ou amoureuse, et la décision est prise, aussi peu réfléchie que celle de boire un autre verre ou de frapper le barman, parce que la pensée rassurante devient l'unique pensée.

Oui, Harry avait songé au suicide, mais jusqu'à maintenant, ça n'avait jamais été l'unique pensée. Il était peut-être angoissé, mais il n'avait pas bu. Cette solution-là ne présentait pas seulement l'avantage de la fin de la douleur, mais aussi celui de tenir compte des autres, ceux qui allaient continuer à vivre. Harry avait pesé le pour et le contre. Une enquête criminelle devait servir plusieurs objectifs. Apporter des certitudes et la paix à l'entourage n'en était qu'un parmi d'autres. Certains objectifs – comme débarrasser les rues de personnes dangereuses, maintenir l'ordre en montrant que le crime était sanctionné, ou répondre à ce besoin de la société dont on ne parlait pas assez et qui était le besoin de vengeance – disparaissaient avec la mort du coupable. Autrement dit, la société affectait moins de ressources à une enquête où, dans le meilleur des cas, on n'aurait qu'un coupable posthume qu'à une enquête où le coupable risquait de continuer à se promener librement dans les rues. Si Harry disparaissait maintenant, il y avait donc de fortes chances que l'enquête se concentre sur tout autre chose qu'un homme mort auquel Gule avait fourni un alibi. Le seul élément qui pouvait émerger – et qui pointerait à peu près dans la direction de Harry – était un expert en imagerie 3D prétendant que le coupable pouvait mesurer plus d'un mètre quatre-vingt-dix et que la voiture pouvait être une Ford Escort. Mais si ça se trouvait, cette information ne sortirait pas de chez Bjørn Holm, dont la loyauté à son égard était inébranlable et qui, au fil des ans, avait à plusieurs reprises franchi les limites de l'éthique professionnelle. Si Harry mourait maintenant, il n'y aurait ni procès, ni médiatisation autour d'Oleg, pas de sceau marquant le garçon pour le restant de ses jours, marquant Sœurette, marquant Kaja, Katrine, Bjørn, Ståle, Øystein ou quiconque représenté par une seule lettre dans son répertoire. C'était à eux que s'adressait la lettre de trois phrases qu'il avait mis une heure à rédiger. Non qu'il crût que les mots en soi changeraient grand-chose pour eux, mais un suicide pouvait bien sûr éveiller le soupçon de sa culpabilité et donner à d'autres – la police – la réponse dont ils avaient besoin pour classer l'affaire.

> Je regrette la douleur que cela pourrait vous infliger, mais la perte de Rakel et une vie sans elle m'étaient insupportables. Merci pour tout. Je vous aimais. Harry.

Il avait relu la lettre trois fois. Puis il avait sorti son paquet de cigarettes et son briquet, avait allumé la cigarette, puis la lettre, avant de la jeter aux toilettes et de tirer la chasse. Il y avait une meilleure solution. Mourir dans un accident. Il s'était donc installé dans sa voiture et était monté chez Peter Ringdal pour démêler le dernier écheveau, éteindre le dernier espoir.

À présent, cet espoir était éteint. Ce qui, dans un sens, était un soulagement.

Harry réfléchit. Il fit un dernier point pour vérifier qu'il se souvenait de tout. Cette nuit, dans sa voiture, comme maintenant, il avait regardé la ville en contrebas. Des points lumineux dans le noir, assez nombreux pour laisser deviner le dessin qui les reliait. Là, il voyait carrément tout le tableau, la ville sous un haut ciel bleu, baignant dans la lumière crue du printemps.

Son cœur ne battait plus si vite. À moins que ce ne soit une impression que le compte à rebours ralentissait quand on approchait du zéro.

Harry débraya, tourna la clef dans le contact et enclencha la vitesse.

39

Route départementale 287.

Harry roulait vers le nord.

La réverbération des coteaux enneigés était si forte qu'il avait sorti ses lunettes de soleil de la boîte à gants. Son cœur avait retrouvé un rythme normal quand il était sorti d'Oslo et avait emprunté des routes de moins en moins fréquentées à mesure qu'il s'éloignait de la capitale. Son calme pouvait venir de ce qu'il avait pris sa décision ; d'une certaine façon, il était déjà mort, il ne restait plus qu'à accomplir cet acte relativement simple. Ou alors, ce pouvait être le Jim Beam. Il s'était arrêté deux fois. La première au Vinmonopol de Thereses gate, où il avait troqué le billet à l'effigie de Sigrid Undset contre une demi-bouteille et de la monnaie. La seconde à la station Shell de Marienlyst, où il avait utilisé la monnaie pour mettre de l'essence dans le réservoir presque vide. Non qu'il eût besoin de beaucoup d'essence, mais il n'allait pas avoir besoin de la monnaie non plus. À présent la bouteille, sur le siège passager à côté de son revolver de service et de son téléphone, était aux trois quarts vide. Il avait essayé d'appeler Kaja, mais n'avait pas obtenu de réponse et s'était dit que c'était aussi bien.

Il lui avait fallu boire près de la moitié du bourbon pour ressentir le moindre effet, mais maintenant il avait juste assez de distance par rapport à ce qui allait se passer, sans pour autant risquer d'écraser quelqu'un qui ne devait pas l'être.

La Ligne verte.

Le policier sur les lieux de l'accident deux jours plus tôt ne leur avait pas indiqué le segment exact de la route 287, mais peu importait. N'importe quelle longue ligne droite ferait l'affaire.

Il y avait un camion devant lui.

En sortant du virage suivant, Harry accéléra, déboîta, dépassa le véhicule, constata que c'était un semi-remorque, se rabattit. Il jeta un œil dans le rétroviseur. Cabine de conducteur haute.

Il accéléra encore, il se maintenait à cent vingt kilomètres par heure malgré la limite à quatre-vingts. Après quelques kilomètres, il arriva à une nouvelle ligne droite. Au bout, sur la gauche, il y avait une aire de repos. Il mit son clignotant, traversa la route, entra sur l'aire vide, passa devant des toilettes et deux poubelles, et fit demi-tour, dirigeant la voiture vers le sud. Il avança jusqu'au bord de la chaussée et laissa le moteur tourner à vide alors qu'il observait la route, à l'affût. Il voyait l'air vibrer au-dessus de l'asphalte, comme si c'était un désert qu'il traversait, et non une vallée norvégienne au mois de mars, avec une rivière prisonnière des glaces derrière la glissière de sécurité sur la droite. C'était peut-être l'alcool qui lui jouait un tour. Harry regarda la bouteille de Jim Beam. Le soleil parait le contenu doré d'un éclat mat. Certains disaient que se suicider, c'était lâche.

Peut-être, mais ça requérait aussi du courage.

Et le courage qu'on n'avait pas, on pouvait l'acheter pour deux cent neuf couronnes quatre-vingt-dix au Vinmonopol. Harry dévissa le bouchon, vida le reste de bourbon, revissa le bouchon. Voilà. Assez distancié. Du courage.

Mais plus important : l'autopsie allait montrer que ce buveur notoire avait un tel taux d'alcool au moment de la collision qu'on ne pouvait exclure qu'il ait tout simplement perdu le contrôle de son véhicule. Il n'y avait d'ailleurs pas de lettre d'adieu ni de quelconque message indiquant que Harry Hole aurait voulu se suicider. Pas de suicide, pas de soupçons, l'assassin de sa femme ne projetterait pas de boue sur ceux qui ne le méritaient pas.

Il le distinguait maintenant, au sud. Le semi-remorque. À un kilomètre de distance.

Harry regarda dans son rétroviseur gauche. Ils avaient la route pour eux. Il passa la première et embraya, s'engagea sur la route. Il regarda le compteur. Pas trop vite, ça renforcerait les soupçons de suicide. Ce n'était d'ailleurs pas nécessaire, comme l'avait dit le policier des lieux de l'accident, quand une voiture à quatre-vingts, quatre-vingt-dix kilomètres par heure rentrait dans l'avant d'un camion, la ceinture de sécurité et les airbags n'étaient plus d'aucune utilité. Le volant traversait la banquette arrière.

L'aiguille du compteur atteignit quatre-vingt-dix.

Cent mètres en quatre secondes, un kilomètre en quarante. Si le camion maintenait sa vitesse, ils allaient se percuter dans moins de vingt secondes.

Cinq cents mètres. Dix… neuf…

Harry ne pensait à rien, à part sa mission : heurter le camion en pleine calandre. On pouvait s'estimer heureux de vivre à une époque où on pouvait encore diriger sa voiture vers sa propre mort et celle d'autrui, mais cet enterrement-ci allait être exclusivement le sien à lui. Il allait infliger une bosse au camion et une cicatrice à vie au chauffeur, un cauchemar qui le réveillerait à intervalles réguliers, mais qui, avec un peu d'espoir, se raréfierait de plus en plus au fil des ans. Car les fantômes finissaient par pâlir.

Quatre cents mètres. Il alla dans la voie d'en face. En essayant de donner l'impression qu'il zigzaguait pour que le camionneur puisse expliquer à la police que le chauffeur de la voiture semblait avoir tout simplement perdu le contrôle de son véhicule ou s'était endormi au volant. Harry entendit le hurlement du klaxon du camion monter en volume et en hauteur. Effet Doppler. Un poignard de dissonance plongé dans son oreille, le bruit de la mort qui approchait. Pour couvrir le cri, pour ne pas mourir sur cette musique, Harry tendit la main droite et alluma la radio, à fond. Deux cents mètres. Les haut-parleurs crachaient.

« Farther along we'll know more about it... »

Harry avait déjà entendu cette version lente du chant de gospel. Les violons... « Farther along we'll understand why. »

L'avant du camion se rapprochait. Trois... deux...

« Cheer up, my brother, live in the sunshine. »

Si totalement juste. Si totalement... faux. Harry donna un grand coup de volant vers la droite.

La Ford Escort fila dans sa propre voie, évitant de justesse le bord gauche de l'avant du camion. Harry se dirigeait vers la glissière de sécurité, il freina et braqua violemment à gauche. Il sentit les pneus perdre leur adhérence, l'arrière partir vers la droite, la force centrifuge lui plaquer le dos sur son siège alors que la voiture pivotait sur elle-même, il savait qu'en aucun cas ça ne pouvait bien se terminer. Il eut le temps de voir le camion disparaître devant lui, déjà loin, quand l'arrière de sa voiture percuta la glissière et qu'il entra en apesanteur. Ciel bleu, lumière. Un instant, il se crut mort, c'était bien ce qu'on disait : on sortait de son corps et s'élevait vers le paradis. Sauf que le paradis vers lequel il montait tournait, tout comme les collines vêtues de sapins, la route et la rivière, alors que le soleil se levait et se couchait comme dans une saison filmée en accéléré, avec l'accompagnement de la voix qui, dans cet étrange et soudain silence, eut le temps de chanter « We'll understand it all... », avant d'être interrompue par un nouveau fracas. Harry fut plaqué contre son siège. Au-dessus de lui, le ciel avait cessé de tourner et s'étalait diffusément, se recouvrait d'une pellicule verte avant qu'un rideau clair, légèrement translucide, ne soit tiré devant lui. La lumière s'obscurcit, il coulait, en bas, sous la terre. Il ne fallait sans doute pas s'étonner, eut-il le temps de penser, que ce soit l'enfer à la place. Puis il entendit un grondement sourd, comme une porte d'abri antibombe qui se refermait. La voiture fit un vol plané, pivota lentement sur elle-même, et il comprit ce qui s'était passé. Le véhicule avait plongé dans la rivière, l'arrière en premier, il avait traversé la surface et se trouvait maintenant sous la glace. C'était comme d'atterrir sur une planète étrangère, dans un singulier paysage vert, éclairé par des rayons de soleil filtrant à travers la glace et l'eau, où tout ce qui n'était pas pierre et vestiges d'arbres en putréfaction flottait rêveusement comme dans une danse au son de la musique.

Le courant de la rivière charriait lentement la voiture, qui, tel un engin volant, remontait vers la surface. Le toit heurta la glace dans un raclement. L'eau s'infiltra par les portières, si froide que Harry en eut les pieds paralysés. Il se dégagea de sa ceinture de sécurité et essaya d'ouvrir sa portière, mais à un mètre de profondeur déjà, la pression de l'eau rendait la tâche impossible. Il fallait sortir par la vitre. La radio et les phares marchaient, l'eau n'avait donc pas encore court-circuité toute l'électronique. Il appuya sur le bouton pour baisser la vitre, mais rien ne se produisit. Un court-circuit ou la pression. L'eau lui arrivait maintenant aux rotules. Le toit ne raclait plus la glace, la poussée faiblissait, il était en suspens dans la rivière. Il fallait casser le pare-brise avec les pieds. Harry s'enfonça dans le dossier, mais l'espace était trop exigu, ses jambes trop longues, et il sentait que son ébriété ralentissait ses gestes, son cerveau, rendait sa coordination maladroite. Sa main passa sous le siège et trouva la manette pour reculer, et au-dessus, une autre, qui lui permit de coucher le dossier. Une vague réminiscence. La dernière fois qu'il avait ajusté le dossier. Il pouvait maintenant ramener ses jambes sous lui. L'eau atteignait presque sa poitrine à présent, le froid comme une griffe autour de ses poumons et de son cœur. Au moment où il allait frapper de ses deux pieds dans le pare-brise, la voiture percuta un obstacle, il perdit l'équilibre, fut projeté contre le siège passager et le coup partit dans le volant à la place. Merde, merde, merde ! Harry vit passer le rocher qu'il avait heurté alors que la voiture valsait lentement puis continuait à reculons, avant de percuter un autre rocher et de se remettre droite. La chanson se tut au milieu d'un nouveau « We'll understand it all... ». Harry reprit son souffle sous le toit et replongea, il se mit en position pour taper de nouveau. Cette fois, il atteignit le pare-brise mais, désormais environné d'eau, il sentit que ses pieds touchaient le pare-brise avec légèreté et sans vigueur, comme des bottes d'astronaute sur la lune.

Il se hissa tant bien que mal, il devait maintenant coller sa tête contre le toit pour avoir de l'air. Il en aspira deux ou trois profondes goulées. La voiture s'arrêta. Harry replongea et vit par le pare-brise que l'Escort était coincée dans les branches d'un arbre pourri. Une robe bleue à pois blancs en lambeaux remuait comme si elle lui faisait signe. La panique s'empara de lui. Il frappa la vitre latérale avec sa main, essaya de donner un coup de tête. En vain. Soudain, deux branches cassèrent, la voiture bascula sur le flanc et se libéra. La lumière des phares qui, étonnamment, fonctionnaient toujours, balaya le fond du torrent, vers la rive, où il parvint à voir briller ce qui pouvait être une bouteille de bière, en tout cas un objet en verre, avant que la course ne reprenne, plus rapide cette fois. Il avait de nouveau besoin d'air, mais l'habitacle était maintenant si inondé que Harry dut fermer la bouche et respirer par le nez en se collant au toit de la voiture. Les phares s'éteignirent. Quelque chose vola dans son champ de vision, remonta à la surface. La bouteille de Jim Beam, vide, avec le bouchon dessus. Comme pour lui rappeler un tour qui l'avait sauvé il y avait bien, bien longtemps de cela, mais qui n'aurait pas d'intérêt maintenant, l'air de la bouteille ne lui accorderait que quelques secondes de plus, un espoir douloureux quand la résignation lui aurait apporté la paix.

Harry ferma les yeux. Comme dans le cliché, il vit défiler sa vie passée.

Le Romsdal, la fois où il s'était perdu dans la forêt, à quelques encablures de la ferme de son grand-père, il courait, terrifié. Sa première petite amie, dans le lit des parents de l'amie, avec la maison pour eux tout seuls, la porte ouverte sur le balcon, les rideaux qui remuaient et laissaient entrer le soleil, alors qu'elle lui chuchotait qu'il fallait qu'il veille sur elle. Et lui qui avait chuchoté « oui » pour lire sa lettre de suicide six mois plus tard. L'affaire de meurtre à Sydney, le soleil qui était au nord et qui faisait qu'il s'était perdu là-bas aussi. La fillette à un bras qui plongeait dans la piscine à Bangkok, son corps qui fendait l'eau comme un couteau, l'asymétrie et la singulière beauté de la destruction. Une grande promenade dans la Nordmarka, juste Oleg, Rakel et lui. Le soleil d'automne sur le visage de Rakel, qui souriait à l'appareil photo pendant qu'ils attendaient le déclenchement automatique, se tournait vers lui, son sourire qui s'élargissait, atteignait son regard, jusqu'à ce que la lumière soit compensée, jusqu'à ce que ce soit elle qui brille sur le soleil, et ils n'arrivaient pas à se quitter des yeux et il avait ensuite fallu reprendre la photo. Compenser.

Harry rouvrit les yeux.

L'eau n'était pas montée plus haut.

La pression était enfin compensée. Les calculs simples et complexes de la physique avaient jusqu'à nouvel ordre autorisé une couche d'air entre l'eau et le toit.

Et il y avait, littéralement, de la lumière au bout du tunnel.

Par le pare-brise arrière, il n'avait plus aucune visibilité dans ce vert de plus en plus sombre, mais devant, la scène devenait plus lumineuse. Ce qui devait signifier que, là-bas, la rivière n'était plus gelée ou, au moins, elle n'était pas si profonde. Les deux, peut-être. Si la pression était compensée, il allait pouvoir ouvrir sa portière. Harry allait plonger pour essayer quand il se souvint qu'il avait encore de la glace au-dessus de lui. Que ce serait une façon stupide de se noyer, dans la voiture il avait assez d'air pour tenir jusqu'à ce qu'il espérait être un tronçon sans glace et peu profond. Ça n'allait plus être long, il semblait filer de plus en plus vite et la lumière était de plus en plus forte. Qui est destiné à être pendu ne se noie pas.

Il ne savait pas pourquoi ce dicton avait soudain surgi dans sa tête.

Ni pourquoi il pensait à la robe bleue.

Ou à Roar Bohr.

Un bruit approchait.

Roar Bohr. Robe bleue. Petite sœur. La cascade de Nora. Vingt mètres. Brisée contre les pierres. Et le voilà qui était à la lumière, l'eau se transforma en un mur blanc de bulles et la rumeur s'éleva en roulement mugissant. Harry ouvrit les mains, saisit le dossier du siège, respira un grand coup, se tira sous l'eau alors que la voiture culbutait en avant. Il regarda fixement l'eau, par le pare-brise avant, et ses yeux plongèrent droit dans quelque chose de noir où les cascades se fragmentaient en néant blanc.

TROISIÈME PARTIE

40

Dagny Jensen contemplait la cour d'école de fin de journée, le carré de soleil qui avait commencé à la loge du gardien ce matin et qui maintenant était juste au-dessous de la salle des profs. Une bergeronnette sautillait sur le goudron. Le grand chêne était en bourgeons. Comment se faisait-il qu'elle remarque soudain des bourgeons partout ? Elle reporta son regard sur la salle de classe où les élèves planchaient sur leur devoir d'anglais et où le silence n'était rompu que par le bruit régulier des mines de crayon et des pointes de stylo. Ç'aurait dû être un devoir à la maison, mais ses douleurs au ventre étaient si déchirantes que Dagny n'avait pas eu la force de faire ce qu'elle avait attendu avec impatience, une analyse du *Jane Eyre* de Charlotte Brontë. Sur Charlotte qui travaillait comme institutrice et avait préféré une vie indépendante à un mariage de convenance avec un homme qu'elle ne respectait pas intellectuellement, idée quasiment inouïe dans l'Angleterre victorienne. Sur l'orpheline Jane Eyre qui tombait amoureuse du seigneur du domaine où elle travaillait comme gouvernante, ce Mr Rochester apparemment brusque et misanthrope. Sur la façon dont ils se déclaraient leur amour, mais quand ils allaient se marier, elle découvrait qu'il était toujours uni à sa femme. Jane s'en allait, rencontrait un autre homme qui tombait amoureux d'elle, mais qui n'était pour elle rien d'autre qu'un succédané de Mr Rochester. La fin tragique, heureuse, qui voyait Mrs Rochester tuée, si bien que Jane et Mr Rochester pouvaient enfin être réunis. Le célèbre échange où, défiguré par l'incendie du domaine, Mr Rochester demandait : « Am I hideous, Jane ? » et elle de répondre : « Very, Sir. You always were, you know. »

Et tout à la fin, ce chapitre à tirer des larmes, où Jane donnait naissance à leur enfant.

Un nouvel élancement fit perler la sueur sur le front de Dagny. Ses douleurs étaient récurrentes depuis deux jours et les antiacides n'étaient d'aucun secours. Elle avait appelé son médecin référent, mais n'avait obtenu de rendez-vous que la semaine suivante et la perspective de souffrir encore plusieurs jours était tout sauf réjouissante.

« Je m'absente quelques minutes », annonça-t-elle.

Deux ou trois regards et signes de tête, et les visages se concentrèrent de nouveau sur les copies. C'étaient des élèves assidus, qui travaillaient bien. Quelques-uns étaient particulièrement doués. Dagny se prenait parfois à rêver qu'un jour, oui, quand elle serait elle-même à la retraite, l'un d'entre eux – un seul suffisait – l'appellerait pour la remercier. De leur avoir montré un monde qui ne traitait pas que de listes de vocabulaire, de grammaire et de l'utilité la plus immédiate de la langue. Un ancien élève qui aurait été inspiré, qui aurait trouvé quelque chose dans ses cours d'anglais. Quelque chose qui l'aurait mis, cet unique élève, sur la trace de sa propre création.

Quand Dagny était sortie dans le couloir, un policier s'était levé de sa chaise pour la suivre. Il avait pris le relais de Kari Beal et se prénommait Ralf.

« Toilettes », l'informa Dagny.

Katrine Bratt lui avait assuré qu'elle aurait un garde du corps sur les talons aussi longtemps que la police considérerait Svein Finne comme un danger pour elle, mais elles n'avaient pas évoqué la vraie question, qui n'était pas de savoir combien de temps Finne allait rester en liberté ou en vie, mais combien de temps allait s'écouler avant que le budget de Bratt ou la patience de Dagny ne s'épuise.

Pendant les heures de cours, les corridors de l'école étaient plongés dans un curieux silence, comme s'ils se reposaient des explosions de vie frénétique à chaque sonnerie. Comme les nuées de criquets autour du lac Michigan, qui apparaissaient selon un cycle précis de sept ans. Elle avait une invitation pour la prochaine, d'un oncle qui vivait là-bas et qui lui avait dit qu'il fallait voir ce phénomène, l'intense musique de milliards d'insectes et le goût qu'ils avaient. Les criquets étaient apparemment de la famille des crevettes et autres crustacés, et lors d'un dîner en Norvège, il lui avait montré comment on pouvait manger les criquets de la même manière. Pincer la carapace dure, ôter les pattes et la tête et extraire d'une torsion les chairs molles, riches en protéines. Elle n'était toutefois pas très tentée et, de toute façon, elle ne prenait pas les invitations d'Américains au pied de la lettre, surtout quand c'était – si ses calculs étaient bons – pour 2024.

« J'attends ici. » Le policier se posta devant la porte.

Elle entra. Vide. Huit cabines, elle avança jusqu'à celle du fond.

Elle baissa son pantalon et sa culotte, s'assit sur la lunette, se pencha en avant pour verrouiller la porte, et s'aperçut alors qu'elle ne pouvait pas la refermer complètement. Elle leva les yeux.

Une main était coincée entre le vantail et le chambranle, quatre grands doigts glissés à l'intérieur, l'un d'eux avec une bague en forme d'aigle. Elle vit le cal qui entourait un trou traversant la main de part en part.

Dagny eut à peine le temps de respirer que la porte s'ouvrit à toute volée, la main de Finne jaillit et se referma autour de son cou. Il tenait son couteau serpent devant son visage et sa voix résonna tout contre son oreille.

« Alors, Dagny ? Des nausées le matin ? Maux de ventre ? Envies d'uriner fréquentes ? Seins douloureux ? »

Dagny cligna des yeux.

« On va vite le découvrir. » Finne s'agenouilla devant elle, enfonça son couteau dans un fourreau à l'intérieur de son blouson sans desserrer la main autour de son cou, sortit un objet qui ressemblait à un stylo et le glissa entre ses cuisses.

Dagny attendait l'attouchement, la pénétration, mais rien ne vint.

« Sois une gentille petite fille et fais pipi pour papa, veux-tu ? »

Dagny déglutit.

« Qu'est-ce qui ne va pas ? C'est pour ça que tu es venue ici, non ? »

Dagny voulait obéir, mais on aurait dit que toutes ses fonctions corporelles étaient bloquées, elle ne savait même pas si elle réussirait à crier s'il desserrait sa main.

« Je compte jusqu'à trois, si tu n'as pas fait pipi, je plonge mon couteau d'abord en toi puis dans cet imbécile qui est dans le couloir. » Son chuchotement faisait que chaque mot, chaque syllabe semblait être une obscénité.

Elle essaya. Essaya vraiment.

« Un, chuchota Finne. Deux. Trois… là, voilà ! Gentille fille… »

Elle entendit le friselis du jet, qui atteignit la porcelaine, puis l'eau.

Finne retira le bâtonnet, le posa par terre. Il s'essuya la main sur le rouleau de papier toilette au mur.

« Dans deux minutes, nous saurons si nous attendons un enfant, déclara-t-il. N'est-ce pas fabuleux, ma chérie ? Ce bâtonnet, ces choses-là n'existaient pas la dernière fois que j'étais en liberté, on n'en avait même pas envisagé la possibilité. Songe seulement aux temps formidables que l'avenir nous réserve. Est-ce étonnant que nous voulions mettre des enfants au monde ? »

Dagny ferma les yeux. Deux minutes. Et puis quoi ?

Elle entendit des voix dans le couloir. Une brève conversation avant que la porte ne s'ouvre, des pas précipités, une fille excusée par son prof s'assit dans la cabine la plus proche de la sortie, fit ce qu'elle avait à faire, se lava les mains, repartit en courant.

Finne poussa un gros soupir en fixant le bâtonnet. « Je cherche un plus, là, Dagny, mais j'ai bien peur que ce soit un moins. Ce qui signifie… »

Il se leva devant elle, entreprit de déboutonner son pantalon avec sa main libre. Reculant brusquement la tête, Dagny se libéra de sa main.

« J'ai mes règles. »

Finne la regarda. Son visage était dans l'ombre. Il en projetait aussi. Toute sa personne projetait de l'ombre, comme un oiseau de proie qui tournoie devant le soleil. Il ressortit le couteau de son étui. Elle entendit la porte grincer, puis la voix du policier :

« Tout va bien, Dagny ? »

Finne pointa son couteau sur elle comme si c'était une baguette magique qui la forçait à faire ce qu'il voulait.

« J'arrive tout de suite », répondit-elle sans quitter Finne du regard.

Elle se leva, se rhabilla, elle était si près de lui qu'elle sentit la puanteur de sa sueur et de quelque chose d'autre, quelque chose d'âpre et de nauséabond. La maladie. Le pus.

« Je reviendrai », prévint-il en lui tenant la porte.

Dagny ne courut pas, mais dépassa d'un pas rapide les cabines et les lavabos et sortit dans le couloir. Elle laissa la porte se refermer derrière elle. « Il est là.

— Quoi ?

— Svein Finne. Il a un couteau. »

Le policier la dévisagea un instant avant de tirer un pistolet de son holster de hanche. De sa main libre, il mit son oreillette et détacha la radio qui était fixée à sa poitrine.

« 01. J'ai besoin d'assistance.

— Il va s'échapper, dit Dagny. Il faut que vous le preniez. »

Le policier la regarda. Il ouvrit la bouche comme pour lui expliquer que sa mission principale était de protéger, pas d'arrêter.

« Sans quoi il reviendra », précisa Dagny.

Était-ce une inflexion de sa voix, l'expression de son visage ? Toujours est-il qu'il se tut. Il fit un pas en avant, plaqua son oreille contre la porte et écouta quelques secondes avec les deux mains autour du pistolet pointé vers le sol. Puis il poussa la porte d'un coup d'épaule. « Police ! Les mains en l'air ! » Il disparut à l'intérieur.

Dagny attendit.

Elle entendit les portes des cabines claquer.

Les huit portes.

Le policier ressortit.

Dagny respira en tremblant. « L'oiseau s'est envolé ?

— Dieu sait comment... » Le policier prit sa radio. « Il a dû escalader le mur et sortir par la lucarne sous le plafond.

— S'envoler, dit doucement Dagny alors que le policier rappelait la salle de commandement, le 01.

— Quoi ?

— Pas escalader. S'envoler. »

41

« Vous avez dit vingt mètres ? »

L'enquêteur de Kripos Sung-min Larsen leva les yeux vers le sommet de Norafossen, d'où les masses d'eau se précipitaient. Il passa la main sur son visage mouillé par le voile que les rafales de l'ouest envoyaient vers la rive. La rumeur de la cascade couvrait le bruit de la circulation sur la départementale en haut de la pente raide qu'ils avaient empruntée pour descendre à la rivière.

« Vingt mètres, confirma le policier à gueule de bouledogue qui s'était présenté comme Jan, du bureau du lensmann de Sigdal. Ça ne prend que deux secondes, mais quand on arrive en bas, on est déjà à soixante-dix kilomètres par heure. On n'a aucune chance. »

Il pointa l'un de ses bras courts, légèrement écartés de son corps, vers l'épave compressée d'une Ford Escort blanche, plantée à la verticale sur la grande dalle de pierre noire érodée où l'eau se brisait de toutes parts. Une installation artistique, songea Sung-min Larsen. Un plagiat des dix Cadillac à moitié ensevelies de Lord, Marquez et Michel, dans le désert d'Amarillo au Texas, où Sung-min était allé quand il avait quatorze ans. Avec son père pilote, qui voulait lui montrer ce pays formidable où il avait fait des études et appris à piloter un Starfighter. D'après lui, cet avion de chasse était plus dangereux pour le pilote que pour l'ennemi, et pendant ce voyage, il avait répété cette blague sans arrêt, entre deux quintes de toux. Cancer du poumon.

« Donc là, il n'y a pas de question à se poser, conclut Jan de Sigdal en repoussant sa casquette de policier sur sa tête. Le chauffeur a été projeté hors de la voiture en même temps que le pare-brise, brisé contre la pierre, tué sur le coup. Le corps a été entraîné plus bas dans la rivière, et en ce moment, le débit est suffisamment fort pour qu'il n'ait pu se coincer nulle part avant le lac de Solevatn. Où les glaces ne sont toujours pas rompues, donc ce gars-là, nous n'allons probablement pas le voir avant un certain temps…

— Qu'a dit le chauffeur du camion ? demanda Sung-min Larsen.

— Que l'Escort était venue dans sa voie en zigzaguant, que le chauffeur avait dû chercher un truc dans sa boîte à gants ou une histoire comme ça, s'apercevoir soudain de ce qui allait se produire et donner un coup de volant pour revenir dans la bonne voie à la dernière minute. Après, le chauffeur dit que tout est allé tellement vite qu'il n'a pas pu voir ce qui se passait, quand il a regardé dans son rétroviseur, la voiture n'était plus là. Comme c'est une ligne droite, il aurait dû la voir. Donc il s'est arrêté pour nous appeler. Il y a de la gomme sur l'asphalte, de la peinture blanche sur la glissière de sécurité et un trou dans la glace là où l'Escort a traversé.

— Qu'en dites-vous ? » Il y eut une nouvelle rafale et Larsen mit machinalement la main sur sa cravate malgré la pince Pan Am qui la retenait. « Conduite maladroite ou tentative de suicide ?

— Tentative ? Mais il est mort, je vous dis.

— Mais pensez-vous qu'il ait pu avoir l'intention de rentrer dans le camion et en perdre le courage au dernier instant ? »

Le policier piétina la neige sale mêlée de vase avec ses grandes bottes. Il regarda les chaussures Loake bien astiquées de Sung-min Larsen. « En général, ils ne perdent pas le courage.

— Ils ?

— Les gens qui viennent à la Ligne verte. Ils sont décidés. Ils sont… » Il reprit son souffle. « … motivés. »

Entendant des branches craquer derrière eux, Sung-min Larsen se retourna et vit Katrine Bratt, la directrice de la Brigade criminelle, qui crapahutait dans la pente et descendait par étapes en prenant appui sur les arbres. Quand elle arriva en bas, elle s'essuya les mains sur son jean noir. Sung-min examina son visage alors qu'elle se présentait au policier local en lui tendant la main.

Pâle. Fraîchement maquillée. Cela signifiait-il qu'elle avait pleuré sur la route d'Oslo et s'était remaquillée avant de sortir de sa voiture ? Elle connaissait bien Harry Hole, évidemment.

« Trouvé le corps ? » demanda-t-elle, en faisant un signe de tête quand Jan de Sigdal secoua la sienne. Sung-min pariait qu'elle allait ensuite demander si cela signifiait qu'il y avait une chance que Hole soit en vie. « Donc nous ne savons pas s'il est mort ? »

Jan poussa un gros soupir, et recomposa son masque de tragédie. « Quand une voiture fait une chute de vingt mètres, atteint une vitesse de soixante-dix kilomètres par heu…

— Ils sont sûrs qu'il est mort, coupa Sung-min.

— Et vous, vous devez être là parce que vous pensez qu'il y a un lien avec le meurtre de Rakel Fauke », conclut Bratt sans regarder Sung-min, se concentrant à la place sur cette grotesque sculpture d'épave de voiture.

Pourquoi, pas vous ? allait demander Sung-min, mais il se rendit compte que ce n'était peut-être pas si surprenant qu'une directrice de brigade vienne voir l'endroit où était mort l'un de ses collaborateurs. Enfin. Presque deux heures de route, fraîchement maquillée. C'était peut-être plus qu'un collègue.

« On va dans ma voiture ? proposa-t-il. J'ai du café. »

Katrine acquiesça d'un signe de tête et Sung-min indiqua du regard à Jan qu'il n'était pas invité.

Sung-min et Katrine s'installèrent à l'avant de sa BMW Gran Coupé. Malgré l'indemnité kilométrique qu'il percevait, c'était un projet à perte de conduire sa propre voiture plutôt qu'un véhicule de Kripos, mais comme l'avait dit son père : la vie est trop courte pour ne pas rouler dans une bonne voiture.

« Salut, toi, fit Bratt en glissant sa main entre les sièges pour caresser le chien couché sur la banquette arrière, la tête sur ses pattes avant, qui les regardait d'un air triste.

— Kasparov est un chien policier retraité, expliqua Sung-min en versant du café dans deux gobelets en carton, mais il a survécu à son maître, alors je l'ai pris.

— Vous aimez les chiens ?

— Pas spécialement, mais il n'avait personne. » Sung-min lui tendit l'un des gobelets. « Enfin, revenons à notre affaire. J'étais sur le point d'arrêter Harry Hole. »

Katrine Bratt renversa du café alors qu'elle allait boire sa première gorgée. Sung-min savait que ce n'était pas parce qu'il était trop chaud.

« L'arrêter ? fit-elle en prenant le mouchoir qu'il lui tendait. Sur la base de quoi ?

— Nous avons reçu un coup de fil. D'un certain Freund. Sigurd Freund, en l'occurrence. Spécialiste de l'interprétation 3D des films et des photos. Nous avons parfois fait appel à lui, vous aussi. Il avait une question de procédure à propos d'un travail accompli pour l'inspecteur principal Harry Hole.

— Pourquoi vous a-t-il appelés vous ? Hole travaille chez nous.

— C'est peut-être justement la raison. Freund a dit que Harry Hole lui avait demandé d'envoyer la facture à son adresse personnelle, ce qui est extrêmement inhabituel. Il voulait simplement s'assurer que tout était en règle. Ensuite, il s'était aussi aperçu que Harry Hole mesurait entre un mètre quatre-vingt-onze et un mètre quatre-vingt-quinze, comme l'homme sur les images concernées. Il s'était ensuite renseigné à l'hôtel de police et avait appris que Hole conduisait une Ford Escort, la voiture des images. Nous lui avons demandé de nous les envoyer. Elles avaient été prises avec ce qu'on appelle un piège photographique, qui était dans le jardin de Rakel Fauke. L'horaire correspond avec l'heure du meurtre supposée. Le piège photographique a été enlevé, sans doute par la seule personne qui était au courant de son existence.

— La seule ?

— En général, quand les gens installent ce genre de caméra en agglomération, c'est pour espionner. Une épouse, par exemple. Alors nous avons envoyé une photo de Hole aux gens qui vendent des pièges photographiques à Oslo et Harry Hole a été reconnu par un homme âgé, l'ancien propriétaire de Simensen Chasse & Pêche.

— Pourquoi Har… Hole aurait-il demandé une analyse d'images s'il savait que ça le trahirait ?

— Pourquoi aurait-il demandé une analyse sans que quiconque dans la police soit au courant ?

— Harry Hole est suspendu. S'il voulait enquêter sur le meurtre de sa femme, il fallait que ça se passe en secret.

— Dans ce cas, le brillant Harry Hole vient de se livrer à son plus grand exploit en démasquant le brillant Harry Hole. »

Katrine Bratt ne répondit pas. Elle cacha sa bouche derrière le gobelet en carton qu'elle faisait tourner lentement dans sa main en contemplant la lumière du jour qui déclinait.

« Mais je crois plutôt que c'est l'inverse, précisa Sung-min. Il voulait vérifier auprès d'un expert si, techniquement, on pouvait révéler que c'était lui qui entrait et sortait de chez Rakel Fauke en plein pendant les heures où on supposait que le meurtre avait eu lieu. S'il avait été impossible à Sigurd Freund de le démasquer, Hole nous aurait confié en toute sécurité les images, puisqu'elles établissent qu'il y avait quelqu'un chez Rakel Fauke dans la période pour laquelle il a apparemment un alibi. L'alibi aurait été renforcé, parce que les images confirment la conclusion des médecins légistes que Rakel Fauke a été tuée entre vingt-deux heures et deux heures du matin, plus précisément après vingt-trois heures vingt et une, qui est l'heure à laquelle la personne sur l'image est arrivée.

— Mais en l'occurrence, il a vraiment un alibi ! »

Sung-min allait dire une évidence, que cet alibi ne reposait que sur une seule personne, et qu'ils savaient d'expérience que les déclarations de témoins n'étaient pas fiables. Non que les témoins soient par nature peu fiables, mais la mémoire joue des tours et les sens sont plus fragiles qu'on le croit. Mais il avait entendu le désespoir dans sa voix, il avait vu la douleur nue dans son regard. « L'un de nos enquêteurs est chez Gule, le voisin de Hole, en ce moment même, dit-il. Ils sont en train de faire une reconstitution pour vérifier l'alibi de Hole.

— Bjørn dit que Harry était ivre mort quand il l'a laissé dans son appartement, qu'il n'aurait jamais réussi à…

— Apparemment ivre mort, rectifia Sung-min. Je suppose qu'être alcoolique donne un bon avantage pour jouer l'ivresse, mais il a peut-être un peu surjoué.

— Ah bon ?

— D'après Peter Ringdal, le propriétaire de…

— Je sais qui c'est.

— Ringdal dit qu'il a déjà vu Hole saoul, mais jamais au point de devoir se faire traîner dehors. Il tient l'alcool mieux que la moyenne et Ringdal pense qu'il n'avait pas bu tellement plus que les fois précédentes. Il a peut-être voulu apparaître comme plus éméché qu'il ne l'était réellement.

— Je n'ai jamais entendu dire qu'il avait fait une chose pareille par le passé.

— Vu qu'on supposait que Hole avait un alibi, personne n'a dû se pencher tellement dessus, mais ce matin, après avoir parlé à Freund, je suis allé voir Peter Ringdal. Il se trouve qu'il venait d'avoir la visite de Harry Hole, et d'après ce qu'il m'a expliqué, j'ai l'impression que Hole avait compris que le filet se resserrait autour de lui et qu'il cherchait désespérément un bouc émissaire. Il a dû perdre espoir en comprenant que Ringdal ne pouvait pas être employé comme tel et il… » Sung-min fit un geste vers la route devant eux afin que Katrine Bratt puisse formuler la suite à sa guise.

Celle-ci leva le menton, comme le font les hommes d'un certain âge, pour tirer la peau du cou au-dessus d'un col de chemise serré, mais là, le geste évoquait à Sung-min une sportive prête à se relever et oublier le point perdu afin de se jeter dans la bataille pour le suivant. « Quelles autres pistes suit Kripos ? »

Sung-min la regarda. S'était-il mal exprimé ? Ne comprenait-elle pas que ceci n'était pas une piste, mais une quatre-voies éclairée sur laquelle même un Ole Winter ne pouvait pas se perdre ? Que, bien qu'ils n'aient pas la dépouille du coupable, ils étaient déjà arrivés à leur destination ?

« Il n'y a plus d'autre piste », répondit-il.

Katrine Bratt hocha la tête encore et encore, tantôt clignant des yeux, tantôt regardant dans le vide, comme si assimiler cette simple information requérait un gros effort intellectuel. « Mais si Harry est mort, ce n'est pas urgent de rendre public qu'il est le suspect principal de Kripos. »

Sung-min hocha la tête, lui aussi. Pas comme s'il faisait une promesse, mais pour signifier qu'il comprenait pourquoi elle le lui demandait.

« La police locale a envoyé un communiqué de presse dans le

goût de "Disparition d'un homme suite à la chute de son véhicule dans la rivière, au bord de la route départementale 287", dit Sung-min en prétendant ignorer que c'était une citation littérale, puisqu'il savait d'expérience qu'on stressait les gens et qu'on les rendait moins bavards quand on exhibait une mémoire un peu trop robuste, une capacité à lire les autres un peu trop développée et un esprit de déduction un peu trop puissant. Je ne vois pas en quoi Kripos aurait besoin d'informer le public plus avant, mais c'est une décision qui appartient à mes patrons.

— Winter, vous voulez dire ? »

Sung-min regarda Katrine Bratt, il se demandait pourquoi elle avait jugé nécessaire de citer le nom de son supérieur hiérarchique. Son visage ne trahissait aucune arrière-pensée, et il n'y avait aucune raison non plus qu'elle sache le fort désagrément qu'on éveillait chez lui chaque fois qu'on lui rappelait qu'Ole Winter était encore son patron. Il n'avait en effet jamais dit à âme qui vive qu'il le considérait comme un enquêteur médiocre et un chef carrément faible. Pas faible dans le sens d'accommodant, au contraire, dans le sens de têtu et autoritaire à l'ancienne. Winter n'avait pas l'assurance nécessaire pour reconnaître ses erreurs et il aurait dû déléguer davantage aux forces juvéniles qui avaient des idées plus neuves, et, à vrai dire, des cerveaux d'enquêteurs plus pointus. Il l'avait donc gardé pour lui, puisqu'il supposait être le seul à en être persuadé dans les rangs de Kripos.

« Je peux parler à Winter, dit Katrine Bratt, et au bureau du lensmann de Sigdal. De toute façon, ils n'indiqueront pas le nom du disparu avant que les proches aient été informés, et si je me charge d'informer la famille, c'est moi qui contrôlerai quand le bureau du lensmann pourra rendre public le nom de Harry Hole.

— Bien pensé, mais tôt ou tard, son nom sortira, et ni vous

ni moi ne pourrons empêcher le public et les médias de faire le rapprochement quand ils sauront que le mort…

— Le disparu.

— … est l'époux de la femme qui vient d'être tuée. »

Il vit un tremblement parcourir Katrine Bratt. Allait-elle se remettre à pleurer ? Non, mais quand elle serait seule dans sa voiture, sûrement.

« Merci pour le café. » Katrine tâtonna pour ouvrir la portière. « On reste en contact. »

Au lac de Solevatn, Katrine Bratt alla se garer sur une aire de pique-nique déserte. Elle regarda la grande étendue d'eau couverte de glace en se concentrant pour respirer. Quand son pouls eut ralenti, elle prit son téléphone : elle avait un message de Kari Beal, la garde du corps de Dagny Jensen, mais elle s'occuperait de ça plus tard. Elle appela Oleg. Elle lui expliqua la voiture, la rivière, l'accident.

Il y eut un silence au bout du fil. Un long silence. Quand Oleg parla, ce fut d'une voix étonnamment calme, comme s'il n'était pas aussi choqué que Katrine s'y attendait. « Ce n'est pas un accident. Il s'est suicidé. »

Katrine allait lui répondre qu'elle ne savait pas, mais elle comprit que ce n'était pas une question.

« On va sans doute mettre du temps pour le retrouver, dit-elle. Il y a toujours de la glace sur le lac.

— Je viens, déclara Oleg. J'ai mon certificat de plongée. J'avais peur de l'eau, mais… » Le silence se fit et elle crut un instant que la ligne était coupée. Puis elle entendit une longue respiration haletante et quand il reprit, sa voix bataillait contre les larmes. « … il m'a appris à nager. »

Elle attendit. Quand la voix revint, elle était de nouveau calme. « Je vais prendre contact avec le bureau du lensmann de

Sigdal pour demander si je peux plonger avec l'équipe de recherche, et puis j'appellerai Sœurette. »

Katrine lui demanda de la prévenir si elle pouvait faire quoi que ce soit, elle lui donna le numéro de sa ligne directe à l'hôtel de police et raccrocha. Voilà. C'était fait. Aucune raison de lutter plus longtemps, elle était dans sa voiture.

Elle se cala contre l'appui-tête et pleura.

42

Il était seize heures trente. Erland Madsen avait récemment eu une discussion avec un psychiatre sur la frontière conceptuelle entre client et patient. Se situait-elle entre leurs propres titres professionnels, psychologue et psychiatre, ou entre le patient sous médicaments et le client qui n'en prend pas. En tant que psychologue, on ressentait parfois comme une entrave de ne pas pouvoir prescrire quand on savait exactement de quoi le client avait besoin et qu'on était malgré tout obligé de l'adresser à un psychiatre qui en savait bien moins sur le stress post-traumatique, par exemple.

Erland Madsen joignit les mains. Il avait l'habitude de le faire quand le client et lui en avaient terminé avec les phrases de politesse et que le moment était venu de commencer ce pour quoi ils étaient là. C'était un geste machinal, mais quand il s'était rendu compte de ce rituel, il avait fait quelques recherches et découvert que les historiens de la religion pensaient qu'il venait de l'époque où on ligotait les prisonniers avec des tiges ou des cordes, si bien que les mains jointes étaient peu à peu devenues un symbole de soumission. Dans l'Empire romain, un soldat vaincu pouvait se rendre et demander grâce en exhibant ses mains jointes. Le kyrie, prière d'imploration de la grâce d'un dieu tout-puissant, n'était sans doute que l'autre face d'une même médaille. Donc quand Erland Madsen joignait les mains, cela signifiait-il qu'il se soumettait à son client ? Guère. C'était sans doute plutôt le psychologue qui, au nom du client et de lui-même, se soumettait à l'autorité douteuse de la psychologie et à ses dogmes changeants, tout comme les prêtres, ces girouettes de la théologie, demandent à leur paroisse de rejeter les vérités éternelles de la veille pour adopter celles du jour. Mais là où les prêtres joignaient les mains et commençaient par un « prions », l'introduction fixe de Madsen était : « Reprenons là où nous nous sommes arrêtés la dernière fois. »

Il attendit un signe de tête de Roar Bohr avant de continuer.

« Parlons de quand vous avez tué. Vous avez dit que vous étiez… » Madsen consulta ses notes. « … un être malformé. Pourquoi ça ? »

Bohr toussota et Madsen vit que lui aussi avait les mains jointes à présent. Imitation inconsciente, rien que de très fréquent. « J'ai compris tôt que j'étais un être malformé, répondit Bohr, parce que j'aurais tant voulu tuer… »

Erland Madsen s'efforça de garder un visage neutre, de ne pas révéler sa hâte d'entendre la suite, mais de montrer simplement qu'il était réceptif, ouvert, rassurant, qu'il ne jugeait pas. Pas curieux, pas à l'affût des scandales, pas en quête d'une histoire divertissante, mais ne devait-il pas tout de même reconnaître qu'il avait particulièrement attendu ce rendez-vous, cette conversation, ce sujet ? Si. D'un autre côté, qui disait qu'il ne pouvait pas y avoir de concordance entre l'expérience clef du client et ce qui était divertissant pour le thérapeute ? Après mûre réflexion, Madsen était arrivé à la conclusion que ce qui était utile au client devait systématiquement déclencher la curiosité de tout psychologue sérieux, soucieux de son bien. Que sa curiosité reposait sur l'importance de ces questions pour son client. Et maintenant que le psychologue consciencieux qu'il était avait pu remettre cause et effet dans le bon ordre, il ne joignait pas seulement les doigts, mais plaquait ses paumes l'une contre l'autre.

« Je voulais tant tuer, répéta Roar Bohr, mais je ne pouvais pas. J'étais donc un être malformé, un monstre. »

Il se tut. Madsen dut compter dans sa tête pour ne pas intervenir trop vite. Quatre, cinq, six. « Vous ne pouviez pas ?

— Non. Je croyais pouvoir, mais je me trompais. Dans la défense, il y a des psychologues chargés d'apprendre aux soldats à tuer, mais dans les unités spéciales comme le FSK, on ne fait pas appel à eux. L'expérience montre que ceux qui postulent dans ce genre d'unités sont déjà hyper motivés pour tuer et que c'est du gâchis de dépenser du temps et de l'argent en psychologues. Je me sentais motivé. Pendant l'entraînement, rien de ce que je pensais ou ressentais ne suggérait que je serais réticent. Bien au contraire.

— Quand vous êtes-vous aperçu que vous n'étiez pas en mesure de tuer ? »

Bohr respira. « À Bassorah, en Irak, pendant un raid avec une force spéciale américaine. Nous avions employé la tactique du serpent, fait sauter l'entrée de la maison d'où notre sentinelle avait dit que les tirs provenaient. À l'intérieur, il y avait une gamine de quatorze, quinze ans. Elle portait une robe bleue, avait le visage gris de poussière et tenait une kalachnikov aussi grosse qu'elle. Braquée sur moi. J'ai essayé de l'abattre, mais je me suis figé sur place. J'ordonnais au doigt sur la queue de détente de tirer, mais je n'y arrivais pas. On aurait dit que le problème n'était pas mental, mais musculaire. La fille a ouvert le feu, mais elle était sans doute encore aveuglée par la poussière de l'explosion et les balles ont atteint le mur derrière moi. Je me souviens d'avoir senti des éclats d'enduit dans mon dos. Je suis resté planté là. L'un des Américains l'a abattue. Son petit corps a roulé en arrière vers un canapé chargé de couvertures colorées et un guéridon avec deux photos dessus, ça avait l'air d'être ses grands-parents. »

Pause.

« Qu'est-ce que cela vous a fait ressentir ?

— Rien, répondit Bohr. Les années suivantes, je n'ai rien ressenti. À part une panique folle à l'idée de me retrouver dans la même situation et d'échouer encore une fois. Comme je le disais, le problème, ce n'était pas ma motivation. C'était juste un mécanisme mental qui ne fonctionnait pas. Ou trop bien, peut-être. Alors j'ai choisi la direction plutôt que l'exécution, je me suis dit que j'étais plus fait pour ça. Et c'était le cas.

— Mais vous ne ressentiez rien ?

— Non. À part ces crises de panique. Comme l'alternative, c'était ça ou l'absence de sentiments, cela me paraissait bien de ne rien ressentir.

— *Comfortably numb*.

— Pardon ?

— Désolé. Continuez.

— La première fois qu'on a attiré mon attention sur le fait que je présentais des symptômes de SSPT – insomnie, irritabilité, palpitations, toutes ces petites choses – cela ne m'a pas particulièrement troublé. Au FSK, tout le monde savait ce que c'était que le SSPT, mais même si officiellement nous prenons cela très au sérieux, ce n'était pas une chose dont nous parlions en interne. Personne ne disait tout haut que le SSPT, c'était pour les mauviettes, mais les soldats du FSK se connaissent, nous savons bien que nous avons un taux élevé de NPY et tout ça. »

Madsen acquiesça. Des études laissaient penser que le mode de sélection des soldats comme ceux du FSK écartait les candidats ayant un taux moyen ou bas de neuropeptide Y ou NPY, un neurotransmetteur qui abaissait le niveau de stress. Un certain nombre de gens du FSK croyaient dur comme fer que, associée à l'entraînement et au fort esprit de corps du FSK, cette prédisposition génétique les immunisait contre le SSPT.

« Ça allait d'admettre qu'on avait fait un ou deux cauchemars, poursuivit Bohr. Ça montrait au moins qu'on n'était pas un pur sociopathe. Pour le reste, je crois que nous percevions le SSPT un peu comme nos parents percevaient le tabagisme : tant que tout le monde était plus ou moins concerné, ça ne pouvait pas être si dangereux que ça. Mais ensuite, ça a empiré…

— Oui, fit Madsen en revenant en arrière dans ses notes, ça nous en avons parlé, mais vous avez aussi dit qu'à un moment donné, ça s'était arrangé.

— Oui. Ça s'est arrangé quand j'ai enfin réussi à tuer. »

Erland Madsen leva les yeux. Il ôta ses lunettes, sans que ce soit un geste sciemment théâtral.

« Tuer qui ? » Il s'en serait mordu la langue. Quel genre de question était-ce de la part d'un thérapeute professionnel ? Et désirait-il vraiment connaître la réponse ?

« Un violeur. Peu importe qui il était, mais il a violé et tué une femme qui s'appelait Hala et qui était mon interprète en Afghanistan. »

Pause.

« Pourquoi dites-vous violeur ?

— Pardon ?

— Vous dites qu'il a tué votre interprète. N'est-ce pas pire que violer ? N'aurait-ce pas été plus naturel de dire que vous aviez tué un assassin ? »

Bohr dévisagea Madsen comme si le psychologue avait dit une chose à laquelle il n'avait jamais pensé. Il s'humecta les lèvres comme pour parler. Il les humecta encore.

« Je cherche. Je cherche celui qui a violé Bianca.

— Votre petite sœur ?

— Il doit payer. Nous devons tous payer.

— Vous aussi ?

— Moi, je dois payer parce que je n'ai pas réussi à la protéger. Comme elle me protégeait moi.

— Comment votre petite sœur vous protégeait-elle ?

— En gardant mon secret. » Bohr respira, le souffle tremblant. « Quand elle m'a finalement raconté qu'elle s'était fait violer à dix-sept ans, Bianca était malade, mais je savais que c'était vrai, tout collait. Elle me l'a dit parce qu'elle était persuadée d'être enceinte même si ça remontait à plusieurs années. Elle disait qu'elle le sentait, que ça grandissait très lentement, que c'était comme une tumeur ou une pierre, que ça allait la tuer avant de sortir. Nous étions à notre chalet et je lui ai dit que j'allais l'aider à se débarrasser du fœtus, mais elle m'a répondu que si je faisais ça, il – le violeur – allait venir me tuer comme il l'avait juré. Alors je lui ai donné un somnifère et le lendemain matin, je lui ai dit que c'était une pilule abortive, qu'elle n'était plus enceinte. Elle est devenue hystérique. Par la suite, quand elle a été réhospitalisée et que je suis allé la voir, le psychiatre m'a montré une feuille sur laquelle elle avait dessiné un aigle qui criait mon nom, et il m'a expliqué qu'elle avait parlé d'un avortement et disait qu'elle et moi m'avions tué, moi. J'ai choisi de garder notre secret. Je ne sais pas si ça aurait changé quelque chose. Quoi qu'il en soit, Bianca a préféré mourir plutôt que me voir mourir, moi, son grand frère.

— Et ça, vous n'avez pas réussi à l'empêcher. Donc vous deviez payer ?

— Oui, et je ne pouvais le faire qu'en la vengeant. En stoppant les gens qui violent. C'est pour ça que je suis entré dans l'armée, que j'ai postulé au FSK. Je voulais me qualifier. Ensuite, Hala s'est fait violer aussi…

— Et vous avez tué l'homme qui avait fait à Hala ce qu'on avait fait à votre sœur ?

— Oui.

— Comment vous êtes-vous senti ?

— Je vous l'ai dit. Mieux. Tuer m'a fait me sentir mieux. Je ne suis plus un être malformé. »

Madsen baissa les yeux sur la page vierge de son calepin. Il avait cessé d'écrire. Il toussota. « Donc vous avez remboursé votre dette, maintenant ?

— Non.

— Non ?

— Je n'ai pas trouvé celui qui a pris Bianca, et il y en a d'autres.

— Vous voulez dire d'autres violeurs qu'il faut empêcher d'agir ?

— Oui.

— Et vous aimeriez les empêcher d'agir ?

— Oui.

— Les tuer ?

— Ça marche. Ça me fait me sentir mieux. »

Erland Madsen hésita. C'était là une situation délicate, qu'il fallait aborder de façon appropriée, d'un point de vue thérapeutique, autant que juridique.

« Ces meurtres, c'est surtout un sujet auquel vous aimez penser ou est-ce une chose que vous avez l'intention de chercher à commettre ?

— Je ne sais pas trop.

— Voudriez-vous que quelqu'un vous empêche d'agir ?

— Non.

— Que voudriez-vous, alors ?

— Je voudrais que vous me disiez si vous pensez que ça me fera du bien la prochaine fois.

— De tuer ?

— Oui. »

Erland Madsen regarda Roar Bohr, mais il savait d'expérience qu'on ne trouvait pas de réponse sur les visages, les mimiques, le langage corporel, l'acquis y avait imprimé sa marque. C'était dans les mots qu'on trouvait les réponses. Là, on lui avait posé une question à laquelle il ne pouvait pas répondre. Pas sincèrement. Pas honnêtement. Madsen consulta sa montre.

« C'est l'heure. On se voit jeudi. »

« J'y vais », annonça une voix de femme à la porte.

Erland Madsen leva les yeux du dossier qu'il avait trouvé dans les archives et qui était maintenant sur son bureau. C'était Torill, la réceptionniste que partageaient les six psychologues du cabinet. Elle avait mis son manteau et regardait Erland avec des yeux qui lui disaient qu'il fallait qu'il se souvienne de quelque chose, mais qu'elle avait trop de tact pour le lui rappeler directement.

Il consulta sa montre. Dix-huit heures. Il se souvint. Il devait coucher les enfants ce soir, sa femme allait aider sa mère à ranger son grenier.

Enfin d'abord, il devait démêler cette histoire.

Deux clients. Il y avait plusieurs points de convergence. Tous deux avaient travaillé à Kaboul, en partie à la même époque. Tous deux étaient venus parce qu'ils présentaient des symptômes de SSPT. Il le trouvait maintenant dans ses notes : tous deux avaient eu une relation proche avec Hala. Il se pouvait bien sûr que ce nom féminin soit répandu en Afghanistan, mais il doutait qu'il y ait plus d'une Hala interprète des forces norvégiennes à Kaboul.

Avec Bohr, l'attachement aux femmes qui étaient ses subordonnées ou qui étaient plus jeunes que lui était le truc habituel : il éprouvait une lourde responsabilité, comme ç'avait été le cas avec sa petite sœur, une responsabilité qui frisait l'obsession, une forme de paranoïa.

Dans l'autre cas, la relation avec Hala avait été encore plus proche. C'était une histoire d'amour. Erland Madsen avait pris des notes détaillées et il vit que les deux protagonistes de cette histoire s'étaient fait faire le même tatouage. Pas leurs noms, car ç'aurait pu être dangereux si les talibans ou d'autres fondamentalistes l'avaient découvert. Non, c'était le mot *venn*, « ami », « amour », qui avait été tatoué sur leur corps, un lien pour le restant de leurs jours.

Mais rien de tout cela n'était le point de convergence crucial.

Erland Madsen glissa son doigt sur la page, trouva ce qu'il cherchait exactement comme il lui semblait s'en souvenir : ses deux clients avaient déclaré s'être sentis mieux en tuant. Au bas de la page, il avait noté pour son propre compte : « NB ! Approfondir au prochain rendez-vous. Que signifie "mieux après avoir tué" ? » Il regarda sa montre. Il n'aurait qu'à rapporter ses notes chez lui et lire le reste quand les enfants seraient couchés. Il referma le dossier qu'il entoura d'un élastique rouge. L'élastique barrait le nom écrit sur le dossier :

« Kaja Solness ».

43

Trois mois plus tôt.

Erland Madsen lança un regard furtif sur sa montre. Le rendez-vous était presque terminé. C'était bien regrettable, car ç'avait beau n'être que sa deuxième séance, cette cliente, Kaja Solness, était indubitablement un cas intéressant. Elle était responsable de la sécurité à la Croix-Rouge, poste qui a priori n'exposait pas nécessairement aux traumatismes qui déclenchaient des SSPT chez les combattants. Mais elle lui avait expliqué qu'elle avait vécu de près des actes de guerre et des horreurs quotidiennes subies seulement par des soldats au combat, et qui tôt ou tard finissaient presque toujours par leur causer des lésions psychologiques. Il était intéressant – mais pas inhabituel – qu'elle ne semble pas se rendre compte qu'elle ne se retrouvait pas dans ces situations dangereuses par hasard, mais les recherchait plus ou moins consciemment. Intéressant aussi qu'elle n'ait pas montré de signes de SSPT au débriefing de Tallinn, mais ait elle-même pris l'initiative d'une thérapie. La plupart des soldats qui consultaient lui avaient été adressés, la psychothérapie leur était presque imposée. Le plus souvent, ils ne voulaient pas parler, certains disaient très clairement que la thérapie, c'était pour les mauviettes, et devenaient irritables quand ils comprenaient que Madsen n'était pas en mesure de leur prescrire les somnifères pour lesquels ils étaient venus. « Je veux juste dormir ! » s'écriaient-ils, ne comprenant pas eux-mêmes à quel point ils étaient malades, pas avant de se retrouver seuls avec la bouche autour d'un canon de fusil, les joues ruisselantes de larmes. Ceux qui refusaient la thérapie obtenaient bien sûr leurs cachets, des antidépresseurs et des somnifères, mais d'après son expérience, la thérapie cognitive concentrée sur le traumatisme aidait. Il ne s'agissait pas de ces thérapies de crise, qui avaient été très plébiscitées jusqu'à ce que des études montrent leur totale inefficacité, mais d'une thérapie à long terme, qui permettait au client d'examiner le traumatisme et d'apprendre peu à peu à connaître ses réactions physiques et à vivre avec. Car croire qu'il existait des solutions rapides, qu'on pouvait soigner les plaies du jour ou lendemain, était naïf et, dans le pire des cas, dangereux.

Mais on aurait dit que c'était ce pour quoi Kaja était venue. Elle voulait en parler. Vite et beaucoup. Si vite et tant qu'il avait dû essayer de la freiner, mais elle semblait ne pas avoir le temps, vouloir des réponses tout de suite.

« Anton était suisse, dit Kaja Solness. Médecin. Il travaillait pour le CICR. J'étais très amoureuse de lui, et lui de moi. Croyais-je.

— Vous pensez que vous vous trompiez ? demanda Erland Madsen en notant.

— Non. Je ne sais pas. Il m'a quittée. Enfin, quitter n'est peut-être pas le bon mot. Quand on travaille ensemble dans une zone de guerre, c'est physiquement difficile de quitter quelqu'un, nous vivons et travaillons trop près les uns des autres, mais il m'a dit qu'il avait rencontré quelqu'un. » Elle eut un rire bref. « Enfin, rencontré n'est pas le bon mot non plus. Sonia était infirmière à la Croix-Rouge. Nous mangions, dormions et travaillions ensemble. Littéralement. Elle était suisse, elle aussi.

Anton aime les belles femmes, donc il va de soi qu'elle était belle. Intelligente. Bonnes manières. De bonne famille. La Suisse est un pays où ces choses-là comptent encore. Mais le pire, c'était qu'elle était sympa. Quelqu'un qui avait une vraie empathie, qui mettait dans son travail toute l'énergie, tout le courage, tout l'amour qu'elle pouvait trouver en elle. Les jours difficiles avec de nombreux morts et blessés graves, je l'entendais s'endormir en pleurant. Elle était gentille avec moi. Tout en me donnant l'impression que c'était moi qui étais gentille avec elle. "Merci *vilmal!*", disait-elle. Je ne sais pas si c'était de l'allemand, du français ou les deux, mais elle le disait en tout cas sans arrêt. Merci, merci, merci. À ma connaissance, elle n'a jamais su qu'Anton et moi avions une liaison au moment où elle est entrée en scène, il était marié, donc c'était resté secret. Et c'était maintenant au tour de Sonia de garder leur relation secrète. Paradoxalement, j'étais la seule à qui elle se confiait. Elle était frustrée, elle disait qu'il avait promis de quitter sa femme, mais qu'il ne cessait de différer. Je l'écoutais, je la consolais et je la détestais de plus en plus. Pas parce que c'était une mauvaise personne, mais parce que c'en était une bonne. Ça vous paraît bizarre, Madsen ? »

Erland Madsen fut un peu surpris qu'elle emploie son nom.

« Et vous, ça vous paraît bizarre ?

— Non, répondit Kaja Solness après avoir réfléchi un peu. C'était Sonia – et pas la femme d'Anton, chroniquement malade et fortunée – qui se trouvait entre lui et moi. Non ?

— Ça me semble logique. Continuez.

— C'était en dehors de Bassorah. Vous êtes déjà allé à Bassorah ?

— Non.

— La ville la plus chaude de la planète, c'est boire ou mourir, comme disaient les journalistes au bar du Sultan Palace. La nuit, des ratels carnivores géants arrivaient du désert, chassaient dans les rues et mangeaient tout ce qui se présentait. Les gens étaient terrifiés et les paysans aux abords de la ville disaient que les ratels avaient commencé à manger leurs vaches, mais les dattes sont délicieuses à Bassorah.

— C'est déjà ça.

— Quoi qu'il en soit, nous avons été appelés dans une ferme où du bétail avait écrasé la clôture mal entretenue d'une zone minée. Le fermier et son fils leur avaient couru après pour les faire sortir. Après coup, nous avons appris qu'ils croyaient qu'il n'y avait que des mines antipersonnel. Ça ressemble à des pots de fleurs avec des germes qui dépassent et elles sont faciles à voir et à éviter, mais il y avait aussi des PROM-1, qui sont nettement plus difficiles à voir. En plus, ce sont des Bouncing Betty. »

Madsen fit un signe de tête. La plupart des mines terrestres emportaient les jambes et l'entrejambe de leurs victimes, mais celles-ci bondissaient quand on marchait dessus et explosaient à hauteur de poitrine.

« Je ne sais pas si c'était la chance ou l'instinct, mais presque toutes les bêtes étaient ressorties du champ intactes. Le père était lui aussi presque sorti quand il a marché sur une PROM-1 juste au niveau de la clôture. Elle a sauté et il s'est pris une grêle de fragments. Comme les mines bondissent, les fragments blessent souvent des gens qui sont loin. Son fils avait couru trente ou quarante mètres plus loin pour sauver la dernière vache, mais il a lui aussi été touché par un fragment. Nous avons sorti le père et nous étions en train d'essayer de le sauver pendant que le garçon hurlait dans le champ miné. Ses cris étaient intolérables, mais le soleil déclinait et on ne pouvait pas entrer dans un champ avec des PROM-1 sans détecteur de métaux, il fallait attendre les renforts. Puis une voiture du CICR est arrivée. Sonia en est sortie. Elle a entendu les cris, s'est précipitée vers moi et m'a demandé ce qu'il y avait comme mines. Elle avait mis sa main sur mon bras comme à son habitude et j'ai vu qu'elle avait un anneau qu'elle n'avait pas avant. Une bague de fiançailles. J'ai compris qu'il l'avait fait, Anton avait enfin quitté sa femme. Nous étions un peu à l'écart des autres et je lui ai répondu qu'il y avait des mines antipersonnel. Quand j'ai repris mon souffle pour dire qu'il y avait aussi des PROM-1, elle passait déjà la clôture. Je l'ai appelée, mais pas assez fort, manifestement, c'était sans doute couvert par les cris du gamin. » Kaja leva la tasse de thé qu'Erland lui avait servie. Elle le regarda et il la vit réaliser qu'il attendait la conclusion.

« Sonia est morte, le père aussi, mais le garçon a survécu. »

Erland traça trois traits verticaux dans son calepin, et un trait oblique par-dessus deux d'entre eux. « Ressentez-vous de la culpabilité ?

— Évidemment. » Le visage de Kaja exprimait la stupéfaction. Y avait-il un soupçon d'agacement dans sa voix ?

« Pourquoi est-ce évident, Kaja ?

— Parce que je l'ai tuée. J'ai tué une personne qui n'avait pas une once de méchanceté en elle.

— Vous ne trouvez pas que vous êtes un peu dure envers vous-même, là ? Vous dites pourtant que vous avez essayé de la mettre en garde.

— Vous trouvez que vous ne prenez pas assez cher pour avoir besoin d'écouter, Madsen ? »

Erland nota l'agressivité de sa voix, mais il remarqua aussi qu'elle était indécelable dans l'expression douce de son visage.

« Que pensez-vous que je n'aie pas écouté, Kaja ?

— Respirer et crier PROM-1 ne prend pas si longtemps qu'on n'ait pas le temps de le faire avant que quelqu'un se soit détourné de vous, ait sauté par-dessus une clôture et posé le pied sur une de ces saloperies. On n'est pas couvert par le bruit d'un garçon au sol à un demi-terrain de foot de distance, Madsen. »

Pendant quelques secondes, le silence régna dans le bureau.

« Avez-vous parlé de cela à quelqu'un d'autre ?

— Non. Comme je vous le disais, Sonia et moi étions à l'écart. J'ai dit aux autres que je l'avais mise en garde contre les deux types de mines. Ils n'étaient pas très surpris, tout le monde connaissait le sens du sacrifice de Sonia. Pendant la cérémonie de commémoration au camp, Anton m'a dit qu'il pensait que les efforts de Sonia pour être acceptée, pour être aimée, avaient signé son arrêt de mort. J'y ai réfléchi par la suite, combien ça peut être dangereux pour nous, ce désir d'être aimé. Il n'y a que moi qui sache ce qui s'est réellement passé. Et puis vous, maintenant. »

Kaja sourit. Avec de petites dents pointues. Comme s'ils étaient deux adolescents qui partageaient un secret, songea Erland.

« Ce qui s'est passé avec Sonia, quelles conséquences cela a-t-il eu pour vous ?

— J'ai récupéré Anton.

— Vous avez récupéré Anton. C'est tout ?

— Oui.

— Pourquoi vouliez-vous récupérer quelqu'un qui vous avait trahie de cette façon, à votre avis ?

— Je voulais l'avoir près de moi pour pouvoir le voir souffrir. Voir son deuil, voir le chagrin le dévorer comme il m'avait dévorée moi. Je l'ai gardé un certain temps et puis je lui ai dit que je ne l'aimais plus, et je l'ai quitté.

— Vous aviez obtenu votre vengeance ?

— Oui. J'avais aussi compris pourquoi je l'avais voulu au départ.

— Et c'était ?

— Parce qu'il était marié et inaccessible, et grand et blond. Il me rappelait quelqu'un que j'avais aimé autrefois. »

Erland pressentait que ça aussi, c'était important, mais il y reviendrait éventuellement plus tard, dans une étape ultérieure de la thérapie.

« Revenons au traumatisme, Kaja. Vous avez dit ressentir de la culpabilité, mais permettez-moi de vous poser ce qui peut sembler être la même question, mais ne l'est pas. Avez-vous eu des remords ? »

Kaja mit l'index sous son menton, comme pour lui montrer qu'elle réfléchissait.

« Oui, dit-elle, mais en même temps, ça a été une singulière libération. Je me suis sentie mieux.

— Vous vous êtes sentie mieux après la mort de Sonia ?

— Je me suis sentie mieux après avoir tué Sonia. »

Erland Madsen nota. Mieux après avoir tué. « Pourriez-vous décrire ce que vous entendez par "mieux" ?

— Libre. Je me sentais libre. Tuer, c'était comme traverser une frontière. On s'imagine que c'est une barrière, une espèce de mur, mais quand on la franchit, on comprend que c'est juste un trait que des gens ont tracé sur une carte. Sonia et moi, nous avions toutes deux franchi une frontière. Elle était morte et moi, j'étais libre, mais avant tout, je me sentais mieux parce que celui qui m'avait trahie souffrait.

— Vous parlez d'Anton ?

— Oui. Il souffrait, si bien que moi j'échappais à la souffrance. Anton était mon Jésus. Mon Jésus personnel.

— Comment ça ?

— Je l'ai crucifié pour qu'il puisse endosser ma souffrance, comme nous l'avons fait avec Jésus. Car Jésus ne s'est pas crucifié lui-même, il n'a pas souffert de son plein gré, c'est nous qui l'avons crucifié, c'est ça tout le truc. Nous avons obtenu le salut et la vie éternelle en tuant Jésus. Dieu n'y pouvait pas grand-chose. Dieu n'a pas sacrifié son fils. Si c'est vrai qu'il a donné le libre arbitre à l'homme, nous avons tué Jésus contre la volonté de Dieu. Et le jour où nous le comprenons, le jour où nous comprenons que nous pouvons braver la volonté de Dieu, c'est le jour où nous nous affranchissons, où nous devenons libres, Madsen, et là, tout peut arriver. »

Kaja Solness rit et Erland Madsen essaya en vain de formuler une question. À la place, il resta à contempler l'étrange éclat de son regard.

« Ma question, poursuivit-elle, c'est vu que ça a été libérateur une fois, devrais-je essayer encore ? Devrais-je crucifier le vrai Jésus ? Ou suis-je simplement folle ? »

Erland Madsen s'humecta les lèvres. « Qui est le vrai Jésus ?

— Vous n'avez pas répondu à ma question. Avez-vous une réponse à me donner, docteur ?

— Ça dépend de ce que vous me demandez réellement. »

Kaja sourit et poussa un gros soupir. « Oups, fit-elle en regardant sa montre sur son poignet fin. On dirait bien que c'est la fin de la séance. »

Après son départ, Erland resta à relire ses notes. Au bas de la page, il ajouta : « NB ! Approfondir au prochain rendez-vous. Que signifie "mieux après avoir tué" ? »

Deux jours plus tard, Torill l'informa qu'elle avait reçu un coup de fil à la réception. Une certaine Kaja Solness lui avait dit qu'elle pouvait barrer le prochain rendez-vous, elle ne voulait pas revenir, elle avait trouvé la solution à son problème.

44

Alexandra Sturdzas était à une table près de la fenêtre dans une cantine déserte du Rikshospital. Elle avait devant elle une tasse de café noir et encore une longue journée de travail. Après avoir travaillé jusqu'à minuit, elle n'avait dormi que cinq heures et avait besoin de tous les stimuli qu'elle pouvait trouver. Le soleil se levait. Cette ville était comme ces femmes qui peuvent être d'une beauté éblouissante sous la bonne lumière et, l'instant suivant, être si communes qu'elles en disparaissent presque, quand elles ne deviennent pas carrément laides. Mais là, à cette heure matinale avant l'arrivée au boulot du Norvégien moyen, Oslo lui appartenait, comme une maîtresse secrète avec qui elle passait une heure dérobée. C'était un rendez-vous avec quelqu'un d'encore relativement inconnu et intéressant.

Les collines étaient dans le noir à l'est, dans une lumière faible à l'ouest. Au bord du fjord, les bâtiments du centre-ville se dessinaient comme des silhouettes noires derrière des silhouettes noires, comme un cimetière au lever du soleil, derrière quelques tours en verre qui chatoyaient comme un hameçon argenté sous l'eau sombre. La mer scintillait entre les îles et îlots qui n'allaient pas tarder à verdir. Comme Alexandra se languissait du printemps ! On disait que mars était le premier mois de printemps, mais tout le monde savait que, dans cette ville, c'était encore l'hiver. Un mois pâle, frileux, avec quelques accès subits de passion brûlante. Dans le meilleur des cas, avril était un flirt traître. Mai était le premier mois sur lequel on pouvait compter. Mai. Alexandra voulait un mai. Elle savait que les fois où elle avait eu un tel homme, un homme chaleureux, doux, qui lui donnait tout ce qu'elle voulait, en doses appropriées qui plus est, elle était devenue trop gâtée et capricieuse et l'avait trompé avec juin, voire, pire encore, juillet, sur qui on ne pouvait certainement pas compter. Et si elle optait pour un homme bien mûr comme août la prochaine fois, quelqu'un avec des cheveux grisonnants, qui aurait mis famille et mariage derrière lui ? Oui, elle l'accueillerait avec plaisir, cet homme. Alors comment avait-elle réussi à s'enticher de novembre ? Un homme sombre, obscur, pluvieux, augurant plus d'obscurité encore, qui ne disait rien, silence complet, pas un oiseau qui chante, ou arrachait le toit de la maison avec ses tempêtes d'automne erratiques, délirantes. Certes il vous récompensait avec des jours d'automne d'une chaleur inattendue qu'on appréciait d'autant plus et qui révélaient la singulière beauté d'un paysage en ruines, ravagé, où certains bâtiments tenaient encore debout. Ceux qui avaient supporté le passage du temps et les intempéries. Tenaces, inébranlables, comme le socle cristallin lui-même, on savait qu'ils seraient toujours là le dernier jour du mois, et, faute de mieux, Alexandra y avait parfois cherché refuge, mais là, il allait bientôt falloir que quelque chose de mieux se présente. Elle s'étira et essaya de chasser la fatigue de son corps en bâillant. Il fallait que le printemps arrive. Il fallait que mai arrive.

« Mademoiselle Sturdzas ? »

Surprise, elle se retourna. Il n'y avait pas que l'heure qui ne soit pas très norvégienne, l'adresse ne l'était pas non plus. Et en effet, l'homme qui se tenait là n'était pas norvégien. Enfin, il n'avait pas l'air norvégien. Non seulement il avait des traits asiatiques, mais encore sa mise – costume, chemise blanche impeccable et cravate retenue par une pince – n'était résolument pas la tenue de travail d'un Norvégien. À moins que le Norvégien en question ne soit un de ces pauvres frimeurs qui travaillaient dans la finance, ce qui était une des premières choses qu'ils disaient quand on les rencontrait dans un bar ou une boîte et qu'ils essayaient de donner l'impression d'arriver droit du bureau parce qu'ils travaillaient comme des chiens. Du moins était-ce le signal qu'ils cherchaient à donner. Quand ils « révélaient » leur titre de financier, après avoir discrètement manœuvré la conversation vers un point où ça ne paraissait pas carrément ridicule de le dire, c'était avec une gêne affectée, comme si Alexandra venait de démasquer un *fucking* prince héritier incognito. En général, les transactions s'arrêtaient là.

« Sung-min Larsen, se présenta l'homme. Enquêteur de Kripos. Puis-je m'asseoir ? »

Voyez-vous ça. Alexandra le scruta. Grand. Il faisait du sport. Pas trop, de façon équilibrée, l'aspect esthétique n'était pas absent de ses pensées, mais il aimait l'exercice en soi. Comme elle. Des yeux marron, bien sûr. Un peu plus de trente ans ? Pas d'alliance. Kripos. Oui, elle avait entendu une ou deux filles mentionner ce nom, cette singulière combinaison d'asiatique et de norvégien. Curieux qu'elle ne l'ait jamais vu. Au même instant, le soleil atteignit la fenêtre de la cantine du Rikshospital, il éclaira Sung-min Larsen et réchauffa avec une intensité surprenante l'une des joues d'Alexandra, Mlle Sturdzas. Le printemps était peut-être arrivé tôt cette année ? Sans reposer son café, elle poussa une chaise avec son pied.

« Je vous en prie.

— Merci. »

Alors qu'il se penchait en avant pour s'asseoir, il mit machinalement sa main devant sa cravate, bien qu'elle soit retenue par une pince. Laquelle lui était familière, lui rappelait son enfance.

Elle comprit ce que c'était. Le logo en forme d'oiseau de Tarom, la compagnie aérienne roumaine.

« Vous êtes pilote, Larsen ?

— Mon père.

— Mon oncle aussi, dit-elle. Sur chasseur IAR-93.

— Vraiment ? De production roumaine.

— Vous connaissez cet avion ?

— Non, non, je crois juste me souvenir que c'était le seul avion communiste qui n'était pas fabriqué en Union soviétique dans les années soixante-dix.

— Avion communiste ? »

Larsen eut un petit sourire en coin. « Les avions que mon père devait abattre s'ils approchaient trop près.

— La guerre froide. Vous rêviez donc d'être pilote vous-même ? »

Il eut l'air surpris. Elle soupçonnait que ça n'arrivait pas souvent. « Ce n'est pas fréquent de connaître les IAR-93 et de porter une pince à cravate Tarom, précisa-t-elle.

— J'ai essayé d'entrer à l'École de l'air, admit-il.

— Mais vous n'avez pas été pris.

— J'aurais été pris, dit-il avec une évidence si naturelle qu'elle le crut, mais j'ai le dos trop long. Je n'entrais pas dans le cockpit d'un avion de chasse.

— Mais vous auriez pu piloter autre chose. Des avions de ligne, des hélicoptères.

— Sûrement. »

Ton père, se dit-elle. Il était pilote de chasse. Tu ne pouvais évidemment pas te contenter d'être une version moindre de lui, située moins haut dans la hiérarchie élémentaire des pilotes. Alors autant faire autre chose. C'était un mâle dominant. Qui n'était peut-être pas arrivé là où il voulait, mais qui s'y dirigeait. Comme elle.

« J'enquête sur un meurtre... », dit-il et elle comprit à son bref coup d'œil que cette introduction était un avertissement. Un avertissement que c'était grave, que cela requérait sa coopération.

« J'ai quelques questions sur un certain Harry Hole. »

Dehors, on aurait dit que le soleil passait de nouveau derrière un nuage, que le cœur d'Alexandra s'arrêtait de battre.

« Dans le journal de ses appels, je vois que vous vous êtes téléphoné plusieurs fois ces derniers jours et semaines.

— Hole ? fit-elle comme si elle devait chercher son nom, et elle vit au regard de Larsen combien ça sonnait faux. Oui, nous avons dû nous parler. Il est enquêteur.

— Vous avez peut-être fait plus que parler ?

— Plus ? » Elle tenta de hausser un sourcil, mais elle n'était pas sûre d'y être arrivée, la motricité de son visage était totalement hors de contrôle. « Qu'est-ce qui vous fait penser ça ?

— Deux choses. Que vous prétendiez instinctivement ne pas vous souvenir de son nom alors que vous avez eu six conversations téléphoniques et que vous avez appelé son numéro douze fois ces trois dernières semaines, dont deux le soir où Rakel Fauke a été tuée. Et que, au cours de ces trois mêmes semaines, son téléphone se soit trouvé dans les stations de base dont le point de chevauchement est votre adresse privée. »

Il l'avait dit sans agressivité, suspicion ni quoi que ce soit qui lui donne une impression de manipulation ou de jeu. C'est-à-dire qu'il le disait comme si la partie était déjà terminée, comme un croupier qui lisait le numéro sortant avant de ratisser les jetons.

« Nous sommes… nous étions amants. » Elle comprit en s'entendant le dire que c'était exactement le cas. Ils avaient été amants, ni plus ni moins, et c'était fini. L'autre implication ne lui apparut pas avant que Sung-min Larsen ne réponde.

« Avant de continuer, je vous conseille de bien réfléchir : avez-vous besoin d'un avocat ? » Elle dut avoir l'air de tomber des nues, car il s'empressa d'ajouter : « Vous n'êtes pas une suspecte, ceci n'est pas un interrogatoire formel et mon objet primaire est de chercher des informations sur Harry Hole, pas sur vous.

— Alors qu'est-ce que je ferais d'un avocat ?

— Vous obtiendriez le conseil de ne pas me parler puisque votre proximité avec Harry Hole pourrait potentiellement vous relier à une affaire de meurtre.

— Vous pensez que je pourrais avoir tué sa femme ?

— Non.

— Ah ha ! Vous pensez que je l'ai tuée par jalousie.

— Je vous l'ai dit, non.

— Je vous ai pourtant dit que nous n'étions plus ensemble.

— Je ne pense pas que vous ayez tué qui que ce soit. Je vous avertis, puisque les réponses que vous donnerez pourraient vous faire soupçonner de l'avoir aidé à se soustraire aux poursuites après qu'il avait tué sa femme. »

Alexandra s'aperçut qu'elle avait fait le plus classique de tous les gestes de drama queen en mettant sa main sur le collier de perles qu'elle avait bel et bien autour du cou.

« Donc, fit Sung-min Larsen en baissant la voix alors que le premier Norvégien matinal entrait dans la cantine. Est-ce qu'on continue cette conversation, vous et moi ? »

Il avait attiré son attention sur l'avocat, bien que cela risque de lui compliquer la tâche. Il avait eu des égards pour elle en baissant la voix, bien qu'ils ne soient sûrement pas à portée de voix de l'homme, matinal, qui venait d'arriver dans la pièce. C'était peut-être quelqu'un sur qui on pouvait compter. Alexandra regarda ses yeux marron chaleureux. Mai. Elle laissa sa main retomber. Elle se redressa, avança, peut-être inconsciemment, sa poitrine en avant.

« Je n'ai rien à cacher », déclara-t-elle.

Encore ce demi-sourire qu'il avait. Elle sentit qu'elle aspirait déjà à en voir le reste.

Sung-min consulta sa montre. Seize heures. Il avait rendez-vous chez le vétérinaire avec Kasparov, et cette convocation dans le bureau de Winter tombait doublement mal.

Enfin, il avait fini l'enquête. Certes il n'avait pas tout, mais il avait tout ce qu'il lui fallait.

Premièrement, il avait prouvé que l'alibi de Hole, donné par son voisin Gule, n'avait aucune valeur. La reconstitution avait montré qu'en aucun cas il n'aurait pu entendre si Hole était dans son appartement, s'il en était sorti ou y était rentré. Hole y avait manifestement pensé aussi, puisque Gule lui avait dit qu'il venait de passer lui poser les mêmes questions. Deuxièmement, les conclusions de Freund étaient claires. On ne pouvait pas tirer grand-chose de la silhouette recroquevillée qui avait titubé chez Rakel à vingt-trois heures trente la nuit du meurtre. Elle paraissait deux fois plus épaisse que Harry Hole, mais le spécialiste de la 3D disait que c'était probablement parce qu'il était tellement penché que sa veste pendait sous lui. Ce qui rendait impossible aussi de déterminer sa taille. En revanche, quand il ressortait trois heures plus tard, à deux heures et demie du matin, il avait clairement dessaoulé un peu, et il se tenait droit dans l'ouverture de la porte en montrant sa véritable silhouette svelte, il mesurait la même taille que Harry Hole, environ un mètre quatre-vingt-treize. Il était monté dans sa Ford Escort, puis s'était souvenu de son piège photographique et était allé le chercher avant de quitter les lieux.

Troisièmement, il avait obtenu la dernière preuve décisive d'Alexandra Sturdzas. Quand il lui avait expliqué ce qu'ils avaient contre Harry Hole, son visage dur, mais vivant, avait été gagné par un désespoir silencieux. Suivi peu à peu par la résignation. Finalement, il l'avait vue relâcher l'homme auquel elle prétendait avoir déjà renoncé. Il l'avait ensuite délicatement préparée à des nouvelles pires encore et lui avait annoncé le décès de Hole. Qui avait attenté à ses jours. Eu égard à la situation, c'était peut-être mieux pour tout le monde. Il y avait alors eu des larmes dans ses yeux sombres, et il avait envisagé de mettre sa main sur sa main droite qui reposait inerte, morte, sur la table. Juste un léger effleurement consolateur, puis retirer sa main. Mais il ne l'avait pas fait. Elle avait peut-être senti cette demi-intention, car elle avait ensuite levé sa tasse de café de la main gauche, en laissant la droite sur la table, comme une invitation.

Ensuite, et pour autant qu'il puisse en juger, elle lui avait tout raconté. Cela renforçait la suspicion de Sung-min que Hole avait agi dans l'affect et sous l'effet de la boisson, et qu'il avait oublié une grande partie des événements et passé les derniers jours de sa vie à enquêter sur lui-même, d'où cette histoire avec Gule. Une larme avait roulé sur la joue d'Alexandra et Sung-min lui avait tendu son mouchoir. Il avait vu sa stupéfaction, elle n'avait probablement pas l'habitude que des hommes norvégiens se promènent avec des mouchoirs repassés.

Ils avaient quitté la cantine qui se remplissait, étaient allés dans les locaux de la Médecine légale, où elle lui avait donné le pantalon sanglant que Hole lui avait apporté. Elle lui avait expliqué que l'analyse était presque terminée, qu'il y avait plus de quatre-vingt-dix pour cent de chances pour que le sang soit celui de Rakel Fauke. Elle avait ensuite renvoyé à l'explication que Harry lui avait donnée, le sang était arrivé là quand il s'était agenouillé à côté du corps.

« C'est inexact, avait protesté Sung-min. Il ne portait pas ce pantalon quand il est venu sur la scène de crime.

— Comment le savez-vous ?

— J'y étais. Je lui ai parlé.

— Et vous vous souvenez du pantalon qu'il portait ? »

Réprimant son « évidemment » spontané, Sung-min s'était contenté d'un simple « oui ».

Il avait donc tout ce qu'il lui fallait. Un mobile, une possibilité, des preuves matérielles qui situaient le suspect sur les lieux du crime à l'heure du meurtre. Après avoir envisagé de contacter une autre personne qui figurait à plusieurs reprises dans le journal des appels de Harry Hole, une certaine Kaja Solness, il avait finalement décidé de ne pas mettre la priorité là-dessus puisque leurs contacts n'avaient commencé qu'après le meurtre. Ce qui comptait maintenant, c'était de trouver la seule pièce qui manquait pour compléter le puzzle. Car s'il avait le nécessaire, il n'avait pas cette pièce essentielle. Il n'avait pas l'arme du crime.

Avec tant de preuves concrètes, le substitut du procureur n'avait pas hésité à donner à Larsen un mandat de perquisition de l'appartement de Harry Hole, mais ils n'avaient trouvé ni arme du crime ni quoi que ce soit d'intéressant. Si ce n'est cette absence d'élément intéressant, justement. De deux choses l'une, ou cette absence de trouvailles accablantes indiquait que l'habitant était un robot, ou il savait qu'on allait fouiller son domicile et avait ôté tout ce qui ne supporterait pas d'être vu.

« Intéressant », fit le directeur d'enquête Ole Winter qui était resté adossé à sa chaise à écouter le rapport minutieux de Sung-min Larsen.

Donc pas impressionnant, songea Sung-min. Pas époustouflant, pas brillant ni même du bon travail policier.

Juste intéressant.

« Si intéressant que je suis surpris que vous ne m'ayez rien rapporté de tout cela avant, Larsen. Je n'aurais sûrement pas eu cette information maintenant non plus si je ne vous l'avais pas demandée, moi, le directeur de l'enquête. Quand aviez-vous prévu de nous informer, nous autres qui travaillons aussi sur cette affaire ? »

Sung-min passa la main sur sa cravate et s'humecta les lèvres.

Il avait envie de répondre qu'il servait à Kripos Harry Hole, le plus gros poisson qu'on puisse imaginer, éviscéré et tout. Qu'il avait déjoué tout seul les manœuvres de cet enquêteur légendaire sur son propre terrain : le meurtre. Et tout ce que Winter trouvait à dire, c'était qu'il aurait bien voulu avoir le rapport un peu plus tôt ?

Trois raisons firent que Sung-min n'opta pas pour cette option.

La première était qu'il n'y avait qu'eux deux dans le bureau de Winter, et il ne pouvait donc en appeler au bon sens de personne.

La deuxième était que, en règle générale, on ne gagnait rien à contredire son patron, que ce soit en présence d'un tiers ou non.

La troisième, enfin, et c'était la plus importante, était que Winter avait raison.

Sung-min avait bel et bien repoussé à plus tard de l'informer des développements de l'affaire. Qui ne l'aurait pas fait, en ayant remonté le poisson, en n'ayant plus qu'à le ramener avec l'épuisette, quand on savait que le nom qui allait être accolé à l'affaire criminelle de la décennie, celle qu'on allait à jamais appeler l'affaire Harry Hole, c'était son nom à soi et aucun autre ? Qui ? C'était le substitut du procureur qui en était venu à en parler à Winter, qui l'avait félicité d'avoir pris dans ses filets Harry Hole en personne. Oui, Sung-min convenait que cela flattait son ego, mais s'il n'était pas resté devant des cages vides à chercher un Messi à qui donner le ballon et le but, c'était parce qu'il n'y avait pas de Messi dans cette équipe. S'il y en avait un, c'était lui-même. Sûrement pas Winter, en tout cas, avec son front aux veines saillantes et aux sourcils bas comme des cumulonimbus.

Sung-min Larsen choisit à la place la réponse suivante :

« C'est allé tellement vite, les investigations se sont enchaînées et je n'ai fait que courir derrière pour ne pas arriver trop tard. Je n'ai tout bonnement jamais eu le temps de me poser.

— Mais maintenant oui ? fit Winter, qui, couché sur sa chaise, avait l'air de viser Sung-min avec son long nez.

— Maintenant l'affaire est résolue », déclara Sung-min.

Winter eut un rire bref et dur, comme un kart pilant sur la piste. « Si ça ne vous dérange pas, on va dire que, en tant que directeur d'enquête, c'est moi qui décide quand l'affaire est élucidée. Qu'en dites-vous, Larsen ?

— Bien sûr, Winter. » Sung-min avait voulu exprimer la soumission, mais il vit que cette vieille tête de mule l'avait démasqué et était outrée que ce jeune ait rétorqué à sa façon sarcastique, étirée, de prononcer son nom de famille.

« Mais vu que vous la considérez comme élucidée, Laaarsen, je pars du principe que cela ne vous dérange pas que je vous ôte de l'affaire jusqu'à ce que nous ayons démêlé quelques écheveaux.

— Plaît-il ? »

Sung-min se serait arraché la langue quand il vit comme Winter recevait les consonances arrogantes de ce « plaît-il » bourgeois.

Winter sourit. « Nous avons besoin de cerveaux éveillés comme le vôtre sur une autre affaire de meurtre en ce moment précis. Le meurtre de Lysaker. » C'était un petit sourire méchant, comme si sa bouche n'était pas assez plastique pour faire plus grand.

Le meurtre de Lysaker, songea Sung-min, de toute évidence un règlement de comptes entre camés. De peur d'être privés d'accès de drogue, les gens impliqués allaient parler à la première promesse de réduction de peine. C'était le niveau zéro de l'enquête criminelle, le genre d'affaires qu'on laissait aux nouveaux et aux moins doués. Winter ne pouvait pas sérieusement vouloir l'enlever de l'affaire maintenant, juste avant la ligne d'arrivée, le priver de tous les honneurs, et pourquoi ? Pour avoir caché son jeu un peu trop longtemps ?

« Je veux un rapport écrit avec tous les détails, Larsen. En attendant, les autres vont continuer de travailler sur les pistes que vous avez révélées. Je verrai à quel moment nous annoncerons publiquement nos découvertes. » Les pistes que vous avez révélées ? Il avait élucidé l'affaire, bon sang de bois !

Engueule-moi, pensa Sung-min. Une réprimande. Winter ne pouvait pas décapiter un de ses enquêteurs comme ça. Puis il sut que non seulement Winter le pouvait, mais qu'il le voulait et allait le faire. Sung-min venait de comprendre de quoi il retournait : Winter aussi savait que Sung-min était le seul Messi de l'équipe. Cela le menaçait comme dirigeant, aujourd'hui et à l'avenir. Winter était un mâle dominant face à un concurrent en devenir. Avec sa course en solitaire, Sung-min avait prouvé qu'il était prêt à défier son autorité. Winter avait donc décidé que mieux valait liquider le jeunot tout de suite, avant qu'il ne devienne grand et fort.

45

Johan Krohn et sa femme, Frida, s'étaient rencontrés à la fac de droit d'Oslo. Ce qui l'avait séduite chez lui restait un complet mystère. Il avait dû si bien plaider sa cause qu'elle avait fini par céder. À l'époque, d'ailleurs, pas grand monde n'avait compris pourquoi l'adorable Frida Andresen misait sur ce nerd handicapé social, dont les centres d'intérêt semblaient se limiter au droit et aux échecs. Johan Krohn était le premier à être conscient que, en matière de charme, sa petite amie ne jouait pas dans la même ligue que lui et il l'entourait d'attentions, veillait sur elle, chassait les rivaux potentiels, bref : il s'accrochait à elle bec et ongles. Leur entourage n'en pensait pas moins qu'elle allait trouver mieux, ce n'était qu'une question de temps. Mais brillant étudiant, Johan était devenu brillant avocat. Le plus jeune admis au barreau de la Cour suprême depuis John Christian Elden. On lui proposait des postes et des affaires dont les gens de son âge ne pouvaient que rêver et son assurance en société avait grandi au rythme de son statut social et de ses revenus. De nouvelles portes s'étaient soudain ouvertes, et après quelque hésitation, il en avait franchi la plupart. L'une d'elles ouvrait sur une vie qui lui avait échappé quand il était jeune et qu'on pourrait résumer à la formule « filles, alcool et chanson ». Les filles se montraient plus coopératives quand on se présentait comme associé d'un célèbre cabinet d'avocats. Les whiskys luxueux venus de contrées battues par les vents, comme les Hébrides et les Shetland, qui étaient accompagnés de cigares et, en nombre croissant, de cigarettes. Quant à la chanson, ce ne serait jamais vraiment son truc, mais certains criminels acquittés affirmaient que ses plaidoiries étaient plus belles que n'importe quelle composition sortie du larynx de Frank Sinatra.

Frida s'occupait des enfants, soignait un cercle de relations qui sans elle n'aurait pas existé, et travaillait en outre à mi-temps comme juriste pour deux fondations culturelles. Johan Krohn avait été promu dans la ligue de la séduction et l'avait dépassée, mais cela n'avait pas renversé la balance. Car leur union avait été si déséquilibrée, lui si reconnaissant d'avoir une chance pareille et elle si habituée à ce qu'il lui fasse la cour, que c'était inscrit dans l'ADN de leur couple, c'était la seule façon dont ils savaient se comporter l'un avec l'autre. Ils se témoignaient du respect et de l'amour, et extérieurement, ils se sentaient tous deux plus à l'aise quand c'était Johan qui avait l'air de mener la barque. À la maison, en revanche, aucun d'eux n'avait de doute sur qui portait la culotte, qui décidait où dans la maison Johan Krohn pouvait fumer ses cigarettes, maintenant que – et secrètement, il en était un peu fier – il était devenu accro à la nicotine.

Alors une fois le soir tombé, les enfants couchés et quand les journaux télévisés lui eurent raconté ce qui s'était passé en Norvège et aux États-Unis, il prit son paquet de cigarettes, monta au premier étage et sortit sur le balcon qui donnait sur Ullern et la vallée de Mærradalen.

Il s'appuya contre la balustrade. Ils avaient vue sur les immeubles de bureaux de Hegnar Media et un peu sur le bassin de Smestad, juste derrière. Il pensait à Alise. Comment résoudre cette affaire-là ? Devenue trop intense. Trop pendant trop longtemps. Ils ne pouvaient pas continuer, ils allaient être démasqués. Enfin, démasqués, ils l'étaient depuis longtemps, les sourires espiègles des autres associés du cabinet quand ils étaient en réunion et qu'Alise passait lui apporter un message important étaient sans équivoque. Mais Frida ne savait pas, et quand il disait *démasqués*, il voulait dire *par Frida*, avait-il expliqué à Alise. Qui l'avait pris avec un flegme presque agaçant et lui avait enjoint de ne pas s'inquiéter.

« Ton secret est en sécurité avec moi », avait-elle dit.

C'est justement cette déclaration qui l'inquiétait.

Ton secret, pas notre secret (elle était célibataire), et avec moi, comme si c'était un titre déposé dans son coffre bancaire. Où il était en sécurité, mais seulement tant qu'elle gardait le coffre verrouillé. Il ne prenait pas cela pour une menace, mais ce n'était tout de même pas anodin. Alise disait qu'elle le protégeait et qu'elle attendait peut-être de lui qu'il garde sa main protectrice au-dessus d'elle. Dans ce secteur, la concurrence était rude entre jeunes avocats fraîchement diplômés, les récompenses étaient grosses pour ceux qui montaient, la sortie impitoyable pour ceux qui coulaient. Le petit coup de pouce dans la montée pouvait être décisif.

« Des soucis ? »

Johan Krohn sursauta au point d'en faire tomber sa cigarette dans le noir, vers la pommeraie, dans une trajectoire d'étoile filante. Déjà, entendre une voix quand on se croit seul, vu de personne, c'est stressant. Surtout quand cette voix est celle de quelqu'un qui n'est pas censé être là et que la seule façon dont il ait pu atterrir sur le balcon du premier, c'est d'avoir volé ou de s'être téléporté. Mais quand en plus l'individu en question est un criminel brutal condamné dans plus d'affaires d'agressions que n'importe qui d'autre à Oslo ces trente dernières années, c'est un peu inquiétant.

Krohn se retourna et vit l'homme qui était appuyé contre la façade, dans l'obscurité à côté de la porte du balcon. Entre « Que faites-vous là ? » et « Comment êtes-vous arrivé ici ? », il choisit la première option.

« Je me roule une cigarette. » Svein Finne leva ses mains à sa bouche, une langue grise glissa entre ses lèvres épaisses et effleura la feuille avec le tabac.

« Qu… que voulez-vous ?

— Du feu. »

Finne enfonça la cigarette entre ses lèvres et considéra Krohn d'un air interrogateur. L'avocat hésita avant de tendre la main avec le briquet et d'allumer. La flamme tremblait. Elle fut aspirée dans la cigarette, et il vit les brins de tabac embrasés se recroqueviller.

« Belle maison, observa Finne, et jolie vue. Je papillonnais dans le quartier il y a des années de ça. »

Un instant Krohn crut que son client employait le mot *papillonner* au sens propre et qu'il parlait de voler, littéralement.

Finne dirigea sa cigarette vers le Mærradalen. « Il m'arrivait de dormir dans les bois là-bas, avec les autres sans-abri. Je me souviens particulièrement d'une fille qui était passée par là, elle habitait du côté d'Huseby. Pubère, bien sûr, mais guère plus de quinze, seize ans. Un jour, je lui ai donné un cours intensif en amour. » Finne eut un rire râpeux. « Elle a eu tellement peur que j'ai dû la consoler après, la pauvre. Elle n'arrêtait pas de pleurer et elle m'a dit que son père, qui était évêque, et son grand frère allaient me prendre. Je lui ai répondu que je n'avais peur ni des évêques ni des grands frères, et qu'elle non plus n'avait pas besoin d'avoir peur d'eux, parce qu'elle avait désormais son propre mari, et peut-être un enfant en route. Ensuite, je l'ai laissée partir. Je les laisse partir, vous comprenez. *Catch and release*, ce n'est pas ce que disent les pêcheurs ?

— Je ne pêche pas.

— Je n'ai jamais rien tué d'innocent de toute ma vie. Il faut respecter l'innocence de la nature. L'avortement… » Finne tira si fort sur sa cigarette que Krohn entendit le papier crépiter. « Dites-moi, vous qui connaissez la loi, y a-t-il quoi que ce soit qui contrevienne davantage aux lois de la nature ? Tuer sa propre descendance innocente. Peut-on concevoir pire perversion ?

— Pouvons-nous en venir au fait, Finne ? Ma femme m'attend à l'intérieur.

— Bien sûr qu'elle vous attend. Nous attendons tous quelque chose. L'amour. L'intimité. Le contact humain. J'ai attendu Dagny Jensen hier. Pas d'amour, je le crains. Et maintenant ça va m'être difficile de l'approcher de nouveau. On se sent seul, n'est-ce pas ? Et on a besoin de quelque chose de… » Il regarda sa cigarette. « … chaud.

— Si vous avez besoin de mon aide, je vous propose que nous en parlions à mon bureau demain. » Krohn sentit qu'il n'était pas tout à fait parvenu à trouver le ton d'autorité qu'il visait. « Je… euh… libère du temps pour vous quand vous voulez.

— Vous libérez du temps ? » Finne eut un petit rire. « Après tout ce que j'ai fait pour vous, avec le trophée que j'ai ajouté à votre collection, c'est tout ce que vous avez à m'offrir ? Votre temps ?

— Qu'est-ce que vous souhaitez, Finne ? »

Son client fit un pas en avant et la lumière de la fenêtre éclaira la moitié de son visage. Il caressa la balustrade de sa main droite. Krohn frissonna en voyant la peinture rouge à travers.

« Votre femme. Frida. Je la veux. »

Krohn sentit sa gorge se nouer.

Finne exhiba sa dentition pourrie dans un grand sourire. « Détendez-vous, Krohn. Même si je dois admettre que j'ai pas mal pensé à Frida ces derniers jours, je ne la toucherai pas. Parce que je ne prends pas les femmes des autres, je veux les miennes à moi. Donc tant qu'elle sera à vous, elle sera en sécurité, Krohn. Enfin, c'est clair que vous ne garderez sûrement pas une femme fière, indépendante financièrement, comme Frida, si elle entend parler de l'assistante très classe que vous avez emmenée à l'interrogatoire. Alise. C'est ça ? »

Le regard de Johan Krohn se figea. Alise ? Est-ce que lui était au courant pour Alise ? Il toussota. Des essuie-glaces sur du verre sec. « Je n'ai pas la moindre idée de quoi vous parlez. »

Finne pointa l'index sur son œil. « Un regard d'aigle. Je vous ai vus. Vous voir baiser, c'est voir des babouins s'envoyer en l'air. Rapide, efficace et sans particulièrement de sentiment. Ça ne va pas durer, mais vous ne voudriez pas vous en passer, si ? Nous avons besoin de la chaleur. »

Où ? se demanda Krohn. Au bureau ? Dans la chambre d'hôtel qu'il leur prenait parfois ? À Barcelone en octobre ? C'était impossible, quand ils faisaient l'amour, c'était toujours haut dans les étages, où il n'y avait pas de vis-à-vis.

« Ce qui va durer, en revanche, à moins que quelqu'un parle d'Alise à Frida, c'est ça. » Finne pointa le pouce par-dessus son épaule vers la maison. « La famille. Ça reste et ça demeure le principal, n'est-ce pas, Krohn ?

— Je ne vois ni de quoi vous parlez ni ce que vous voulez. » Krohn avait posé les deux coudes sur la balustrade derrière lui. Il essayait de paraître indifférent, décontracté, mais il savait qu'il avait sûrement l'air d'un boxeur dans les cordes.

« Je renonce à Frida si je peux avoir Alise. » Finne balança sa cigarette d'une chiquenaude. Elle décrivit une parabole semblable au mégot de Krohn avant de s'éteindre quelque part dans le noir. « La police me recherche. Je ne peux pas évoluer aussi librement que d'habitude, j'ai besoin d'un peu de... » Il sourit de nouveau en découvrant ses dents. « ... d'assistance pour me procurer de la chaleur. Je voudrais que vous fassiez en sorte que j'aie la gamine pour moi tout seul dans un endroit sûr. »

Krohn cligna des yeux avec incrédulité. « Vous voulez que j'essaie de convaincre Alise de vous voir seule à seul ? Pour que vous puissiez... euh, attenter à sa personne ?

— Barrez *essaie* et *attenter*. Vous allez la convaincre, Krohn. Moi, je vais séduire, pas attenter. Je n'ai jamais attenté à la personne de quiconque, c'est un grand malentendu. Que sur le coup, les filles ne comprennent pas toujours leur propre bien et la mission que la nature leur a donnée, soit ; mais elles finissent par se raisonner. Alise se raisonnera aussi. Elle comprendra par exemple que si elle menace cette famille, elle aura affaire à moi. Allons, n'ayez pas l'air si sombre, Krohn, vous en avez deux pour le prix d'un : le silence de la fille et le mien. »

Krohn dévisagea Finne. Les mots résonnaient dans sa tête. Ton secret est en sécurité avec moi.

« Johan ? »

La voix de Frida venait de la maison et il entendit ses pas dans l'escalier.

Puis une voix chuchotante tout contre son oreille vint se mêler à l'odeur de tabac et de quelque chose d'âpre, de bestial. « Il y a une tombe au cimetière Vår Frelser. Valentin Gjertsen. Je compte avoir de vos nouvelles d'ici quarante-huit heures. »

Arrivée au sommet de l'escalier, Frida se dirigeait vers la porte du balcon, mais s'arrêta à l'intérieur, dans la lumière.

« Brrr, il fait froid, dit-elle en croisant les bras sur sa poitrine. J'ai entendu des voix.

— D'après l'expert-psychiatre, c'est mauvais signe », répondit Johan Krohn en souriant, il voulait la rejoindre à l'intérieur, mais ne fut pas assez rapide, elle avait déjà passé sa tête par la porte et regardait à droite et à gauche.

Elle leva les yeux vers lui. « Tu parlais tout seul ? »

Krohn promena son regard sur le balcon. Vide. Parti.

« Je répétais une plaidoirie. » Il relâcha son souffle et rentra, dans la chaleur, dans leur maison, dans les bras de sa femme, et quand il sentit qu'elle le relâchait pour l'observer, il continua de la serrer pour ne pas lui laisser la possibilité de lire sur son visage, de voir qu'il y avait un problème. Car Johan Krohn savait que la plaidoirie à laquelle il pensait ne lui ferait jamais gagner cette affaire, pas cette affaire-là, non. Il connaissait trop bien Frida et ses principes sur l'infidélité, elle le condamnerait à la solitude à vie, il aurait le droit de voir les enfants, mais pas elle. Et le fait que Svein Finne semble lui aussi très bien connaître Frida n'en était que plus inquiétant.

Katrine entendit les pleurs du bébé dès la montée des escaliers. Elle accéléra le pas même si elle savait que le petit était entre de bonnes mains. Celles de Bjørn. Des mains pâles à la peau douce et aux doigts courts et épais qui arrangeaient tout ce qui devait l'être. Ni plus ni moins. Elle ne pouvait pas se plaindre. Donc elle essayait de s'en abstenir. Elle avait vu ce qui arrivait à certaines femmes qui devenaient mères, elles se transformaient en despotes s'imaginant que le soleil et toutes les planètes du ciel tournaient autour d'elles et de leur enfant. Elles traitaient soudain leur mari avec un mépris légèrement exaspéré quand il n'était pas assez réactif et ne faisait pas preuve d'une compréhension – télépathique de préférence – des besoins de la mère et de l'enfant. Ou plus exactement, de ce que la mère, de son point de vue prépondérant, décrétait être le bien de l'enfant.

Non, Katrine ne voulait résolument pas être l'une de ces femmes; mais n'avait-elle pas cela en elle malgré tout? Ne se trouvait-il pas qu'elle avait parfois envie de passer un savon à Bjørn, de le voir se rétracter, se soumettre, être humilié? Pourquoi, elle l'ignorait. Elle ne voyait pas non plus ce qui aurait pu provoquer cela, puisque Bjørn la devançait toujours pour régler ce qui éventuellement aurait pu donner lieu à une critique légitime. Et bien sûr, il n'était rien de plus frustrant que quelqu'un de meilleur que soi, quelqu'un qui tous les jours brandissait ce miroir nous faisant peu à peu nous haïr nous-même.

Non, elle ne se haïssait pas. C'était une exagération. Elle se disait juste parfois que Bjørn était trop bien pour elle. Pas trop bien comme dans *trop séduisant*, mais comme dans *trop gentil*, d'une gentillesse agaçante. Elle se disait qu'ils auraient tous deux pu avoir une vie meilleure s'il avait choisi quelqu'un comme lui, une vachère d'Østre Toten, stable, joyeuse, terre à terre, gentille et un peu ronde.

Les pleurs cessèrent alors qu'elle tournait la clef dans la serrure de leur appartement. Elle ouvrit. Bjørn était dans le vestibule, avec Gert dans les bras. Le petit la regarda avec de grands yeux bleus baignés de larmes sous ses boucles blanches risiblement grandes, qui ressemblaient à des ressorts éparpillés sur sa tête de bébé. Gert portait le prénom du père de Katrine, même ça, ç'avait été une suggestion de Bjørn. Son visage s'illumina en un sourire qui fit tant de bien à Katrine qu'elle en eut mal au cœur et la gorge nouée. Elle laissa tomber son manteau par terre et les rejoignit. Bjørn l'embrassa sur la joue avant de lui tendre l'enfant. Qu'elle serra contre elle en sentant l'odeur de lait, de vomi, de peau d'enfant chaude et de quelque chose de sucré et d'irrésistible qui était son enfant et son enfant seulement. Elle ferma les yeux, elle était à la maison. Complètement à la maison.

Elle se trompait. Ils ne pouvaient pas être mieux. C'étaient eux trois, maintenant et pour toujours, un point c'est tout.

« Tu pleures », remarqua Bjørn.

Katrine crut qu'il le disait à Gert avant de comprendre qu'il parlait d'elle et qu'il avait raison.

« C'est Harry. »

Bjørn la regarda le front plissé alors qu'elle lui laissait du temps. Le temps nécessaire pour que se déploie un airbag qui, avec un peu de chance, amortirait légèrement le choc. Inutilement bien sûr, dans une situation vraiment grave, les airbags ne sauvaient personne, ils étaient détruits et pendaient comme des ballons de baudruche crevés, par le pare-brise d'une Ford Escort plantée à la verticale, qui avait l'air d'avoir cherché à traverser le sol, s'ensevelir, disparaître.

« Non, fit Bjørn, protestant tout aussi inutilement contre ce que lui disait le silence de Katrine. Non », répéta-t-il en chuchotant.

Katrine attendit encore un peu, toujours avec le petit Gert qui lui chatouillait le cou avec ses petites mains de bébé. Puis elle lui parla de la voiture. Le camionneur de la départementale 287, le trou dans la glace, la cascade, la voiture. Pendant qu'elle parlait, il mit une de ses mains pâles aux doigts courts sur sa bouche, ses yeux s'emplirent de larmes qui s'accrochaient à ses cils fins incolores sous ses yeux avant de goutter, une par une, comme des stalactites au soleil de printemps.

Elle n'avait jamais vu Bjørn Holm dans cet état, elle n'avait jamais vu le Totenois solide et stable craquer si totalement. Il pleurait, sanglotait, était agité de secousses d'une puissance telle qu'on aurait dit que quelque chose en lui se battait pour sortir.

Katrine emmena Gert dans le salon. C'était un réflexe, protéger l'enfant du chagrin noir de son père, il avait suffisamment de noirceur dans ses gènes comme ça.

Une heure plus tard, elle avait couché Gert, qui s'était endormi dans leur chambre.

Bjørn s'était installé dans le bureau qui allait à terme devenir une chambre d'enfant. Elle l'entendait toujours sangloter. Elle se mit à la porte, envisagea d'entrer, mais son téléphone sonna.

Katrine alla répondre dans le salon.

C'était Ole Winter.

« Je sais que vous aimeriez bien que nous repoussions le moment d'annoncer que le défunt est Harry Hole, dit-il.

— Le disparu.

— Les plongeurs ont trouvé un téléphone mobile cassé et un pistolet dans la rivière en contrebas de la cascade. Mon équipe vient d'établir qu'ils appartenaient tous deux à Harry Hole.

Nous assemblons les dernières pièces de puzzle pour avoir une affaire sûre à cent pour cent, et là, nous ne pourrons plus attendre, Bratt, je suis navré. Mais ceci étant un souhait personnel…

— Pas personnel, Winter, je pense au corps de police. Nous devons rendre l'information publique en étant préparés au mieux.

— C'est Kripos qui va présenter les résultats du travail de Kripos, pas la police d'Oslo, mais je vois le problème, la presse va bien sûr vous poser un tas de questions indiscrètes puisque vous étiez ses employeurs et je comprends que vous vouliez avoir le temps de discuter en interne des réponses que vous allez donner. Je vais faire un geste et ne pas organiser la conférence de presse demain matin, comme nous le souhaitions initialement, mais demain soir à dix-neuf heures.

— Merci.

— Cela requiert toutefois que vous mainteniez le bureau du lensmann de Sigdal en attente, afin que personne ne révèle le nom du défunt… »

Katrine prit son souffle, mais renonça à faire son commentaire.

« … avant Kripos. »

Tu veux avoir ton nom en une, songea Katrine. Si Sigdal révèle le nom du défunt, le public additionnera deux plus deux et aura le sentiment de résoudre l'affaire lui-même, Kripos aura l'air d'être arrivé à la traîne, si tard que Hole aura eu le temps de prendre un raccourci en sortant de cette vie. Alors que si c'est toi qui assures la mise en scène, Winter, tu donneras l'impression que sa fuite et sa mort ont été entraînées par les capacités de déduction aiguisées de ton équipe, qui doivent surpasser jusqu'à celles du maître enquêteur, Harry Hole lui-même.

Mais cela non plus, elle ne le dit pas.

Elle se contenta d'un bref « D'accord ». Et « J'informe le directeur de la police ».

Ils raccrochèrent.

Katrine se glissa dans la chambre. Elle se pencha au-dessus de ce lit d'enfant bleu qui avait tant servi et qu'ils avaient hérité des parents de Bjørn, une tradition puisque tous les enfants et petits-enfants de la famille avaient dormi dedans quand ils étaient petits.

À travers la mince cloison du bureau, elle entendait que Bjørn pleurait toujours. Moins fort, mais avec le même désespoir douloureux. En contemplant le visage endormi de Gert, elle songea que, d'une étrange manière, le chagrin de Bjørn rendait le sien plus facile. Maintenant, c'était elle qui devait être forte dans leur couple, qui ne pouvait pas se permettre le luxe des conjectures et de la sentimentalité. Car la vie continuait et ils avaient un enfant dont il fallait s'occuper. Lequel ouvrit soudain les yeux.

Il battit des cils, chercha, essaya de fixer son regard.

Elle caressa ses étranges boucles blondes.

« Qui eût cru qu'une fille du Vestlandet aux cheveux noirs et un Totenois roux feraient un fjord à la robe isabelle », avait commenté la grand-mère de Bjørn quand ils lui avaient rendu visite à la maison de repos de Skreia pour lui présenter Gert.

Puis le regard du bébé trouva celui de sa mère et Katrine sourit. Elle sourit, caressa et fredonna doucement jusqu'à ce que ses paupières se referment. Alors seulement, un frisson la parcourut. Parce que ce regard avait été celui d'une autre personne, qui la regardait de l'au-delà.

46

Johan Krohn s'était enfermé dans la pièce dont la dénomination familiale était salle d'eau. Il pianota sur son téléphone. Harry Hole et lui avaient pas mal communiqué au fil des ans et il devait bien avoir son numéro quelque part. Oui ! Dans un vieux mail à propos de Silje Gravseng, élève policière qui avait voulu se venger de Hole en portant plainte contre lui pour viol. Elle était venue le voir pour qu'il prenne l'affaire, mais il avait vu le tableau et l'avait empêchée de poursuivre. Alors, malgré les différends qu'ils avaient pu avoir par la suite, Hole lui devait bien un service, non ? Il l'espérait. Il aurait pu appeler d'autres gens, des policiers qui lui devaient plus que Hole, mais il y avait deux raisons à ce que ce soit précisément lui. Tout d'abord, Hole allait sans aucun doute employer toute son énergie à trouver et arrêter un homme qui l'avait récemment roulé et humilié. Ensuite, c'était le seul policier qui ait réussi le tour de force de capturer Finne. Oui, Hole était le seul qui puisse l'aider. Lui-même verrait après combien de temps il arriverait à le garder sous les verrous pour menaces et chantage. Ce serait bien sûr sa parole contre la sienne, mais chaque chose en son temps.

« Parlez-moi si vous le devez », fit une voix grognon, suivie d'un bip. Elle laissa Krohn si perplexe qu'il faillit raccrocher, mais cette formulation… Si vous le devez. Car il le devait, oui.

Il le devait, et il devait en dire assez pour que Hole le rappelle. Il déglutit.

« C'est Johan Krohn, et je dois vous demander que ceci reste entre vous et moi. Svein Finne me fait chanter. » Il déglutit encore. « Moi. Ma famille. Je... euh... veuillez me contacter, s'il vous plaît. Merci. »

Il raccrocha. En avait-il trop dit ? Et faisait-il ce qu'il fallait ? Était-ce vraiment la solution de demander de l'aide à un policier ? Ah, c'était impossible à savoir ! Enfin, d'ici que Hole le rappelle, il pouvait toujours changer d'avis et dire que c'était un malentendu avec son client.

Krohn alla dans la chambre à coucher, se glissa sous la couette, attrapa sa revue scandinave de droit, la *TFR*, sur la table de chevet et reprit sa lecture.

« Tu parlais sur la terrasse, remarqua Frida à côté de lui. Tu répétais une plaidoirie, c'est ça ?

— Oui, répondit Johan, qui vit qu'elle avait posé son livre sur sa couette et le regardait par-dessus ses lunettes.

— Pour qui ? Je croyais que tu n'avais pas d'affaire en ce moment. »

Krohn se cala mieux sur son oreiller.

« La défense d'un homme pas trop mal qui s'est retrouvé dans une situation fâcheuse. » Il posa son regard sur son propre article sur la règle de non bis in idem. Naturellement, il le connaissait par cœur, mais il s'était découvert une capacité à prétendre ne l'avoir jamais lu et ainsi apprécier encore et encore ses raisonnements complexes, mais limpides. « C'est une affaire hypothétique. Il subit le chantage d'un porc qui veut sa maîtresse. S'il ne cède pas, toute sa famille lui sera enlevée.

— Hou ! » Elle frissonna. « Ça ressemble plus à un conte qu'à une affaire réaliste.

— Appelons ça un conte, alors. Qu'est-ce que tu ferais si tu étais à sa place et que tu savais qu'aucune plaidoirie ne le sauverait ?

— Une maîtresse contre toute une famille ? C'est simple, non ?

— Non. Parce que si cet homme bien laisse le porc lui voler sa maîtresse, le porc saura encore plus de choses sur lui, et il reviendra pour réclamer davantage.

— Ouh là là. » Frida rit sans bruit. « Alors je paierais un tueur à gages pour qu'il s'en occupe.

— Un peu de réalisme, merci.

— Je croyais que c'était un conte ?

— Oui, mais…

— La maîtresse, déclara Frida. J'aurais donné la maîtresse au porc.

— Merci », conclut-il avant de replonger le nez dans sa revue, tout en sachant parfaitement que ce soir, même ses formulations les plus géniales sur le non bis in idem n'allaient pas réussir à détourner ses pensées de Svein Finne. Ni d'Alise. Et quand Johan Krohn pensa à elle, à genoux, le regardant avec vénération, avec des yeux pleins de larmes, parce qu'il était si imposant et qu'elle essayait malgré tout de l'avaler, il sut que l'autre option n'était de toute façon pas possible. Si ? Et si Harry Hole ne pouvait pas l'aider ? Non, même, il ne pouvait pas faire ça à Alise, bien sûr. Non seulement c'était moralement méprisable, mais il l'aimait ! Non ? Et à présent, Krohn sentait que c'était plus son cœur que son entrejambe qui gonflait. Car que faisait-on quand on aimait quelqu'un ? Eh bien, on en tirait les conséquences. On payait la facture. Si on aimait quelqu'un, c'était coûte que coûte. Telle était la loi de l'amour, et il n'y avait pas de marge d'appréciation. Il le voyait clairement à présent. Si clairement qu'il fallait qu'il se dépêche avant que le doute ne le rattrape, qu'il se dépêche de tout dire à sa femme. Absolument tout sur Alise. Alea jacta est. Le sort en était jeté. Krohn posa sa revue et respira profondément en formulant l'ouverture dans sa tête.

« Au fait, j'ai oublié de te dire que j'avais pris Simon sur le fait aujourd'hui, dit Frida. Il était dans sa chambre en train de feuilleter… tu ne vas pas le croire.

— Simon ? fit Krohn, en se représentant son aîné. Un magazine porno ?

— Presque, répondit Frida en riant. Les Lois de Norvège. Ton exemplaire.

— Oh non ! »

Krohn rit du mieux qu'il pouvait avant de déglutir. Il regarda sa femme alors que l'image d'Alise s'évanouissait dans un fondu cinématographique. Frida Andresen, désormais Frida Krohn. Son visage aussi pur et beau que la première fois qu'il l'avait vu dans l'amphi. Son corps un peu plus rempli, mais les kilos supplémentaires n'avaient fait que lui donner des formes plus féminines.

« Je pensais nous faire un ragoût thaï demain, les enfants en avaient envie aussi. Ils parlent encore de Koh Samui. On devrait peut-être y retourner un jour ? Soleil, chaleur et… » Elle eut un petit sourire en coin et laissa le reste en suspens.

« Oui, répondit Krohn en déglutissant. Peut-être. »

Il reprit sa revue et se mit à lire. Non bis in idem, l'impossibilité d'être puni deux fois pour les mêmes faits.

47

« C'est David, dit l'homme avec une voix faible et chevrotante de junkie. Il a frappé Birger à la tête avec une barre en fer.

— Parce que Birger avait volé son héroïne, compléta Sung-min en s'efforçant de réprimer un bâillement. S'il y a vos empreintes sur la barre, c'est parce que vous l'avez enlevée à Birger, mais il était déjà trop tard.

— Exactement. » L'homme regarda Sung-min comme s'il venait de résoudre une équation du troisième degré. « Je peux y aller maintenant ?

— Vous pouvez y aller quand vous voulez, Kasko. » Sung-min Larsen fit un geste de la main.

L'homme, apparemment surnommé Kasko en raison d'un passé de vendeur d'assurance auto, se leva, se campa sur le sol du Stargate comme sur le pont d'un bateau qui gîtait, et manœuvra vers la sortie, où une coupure de presse plaçait le bar en tête du palmarès des bières les moins chères d'Oslo.

« Qu'est-ce que tu fous ? s'insurgea Marcussen, enquêteur de Kripos. On aurait pu avoir l'histoire en entier avec tous les détails ! On l'avait, bon sang ! Si ça se trouve, la prochaine fois, il changera d'explication. Ils sont comme ça, ces camés.

— Alors raison de plus pour le laisser partir maintenant, conclut Sung-min en éteignant l'enregistreur sur la table. Là, nous avons une explication simple. Si nous obtenons davantage de détails, il les aura oubliés ou il les changera quand il sera à la barre des témoins. Ce qui est précisément ce dont un avocat a besoin pour semer le doute sur le reste de la déposition. On y va?

— Aucune raison de rester ici, en tout cas», fit Marcussen en se levant.

Sung-min fit un signe de tête et promena son regard sur la clientèle de soiffards. Quand Marcussen et lui étaient arrivés, ils faisaient la queue devant ce bar qui était aussi celui qui ouvrait le plus tôt à Oslo, sept heures du matin.

«À la réflexion, je vais rester, dit Sung-min. Je n'ai pas pris mon petit déjeuner.

— Toi, manger ici?»

Sung-min comprit ce que son collègue voulait dire. Le Stargate et lui n'étaient pas assortis. En tout cas avant. Mais qui sait, il fallait peut-être diminuer le niveau de ses exigences? Revoir ses attentes à la baisse. Il pouvait aussi bien commencer par ici.

Après le départ de Marcussen, Sung-min attrapa les journaux sur la table d'à côté, où il n'y avait personne. Rien sur le meurtre de Rakel Fauke en une.

Et rien sur l'accident de la départementale 287. Ce qui devait signifier que ni Ole Winter ni Katrine Bratt n'avaient laissé sortir que Harry Hole était la victime.

Dans le cas d'Ole Winter, c'était probablement qu'il lui fallait un certain temps pour appliquer une couche de travail d'équipe sur ce qui était en fait les révélations de Sung-min. De banales vérifications qui n'allaient faire que confirmer ce qu'il avait déjà établi, mais qui suffiraient pour qu'Ole Winter puisse présenter le tout comme une victoire de l'équipe sous sa direction experte.

Ne comprenant pas le jeu politique et les stratégies de pouvoir, Sung-min avait lu *Le Prince*. L'un des conseils de Machiavel aux souverains pour garder le pouvoir dans un pays était de soutenir et de former des alliances avec des entités de pouvoir plus petites, qui ne constituaient pas une menace pour eux, afin qu'elles restent satisfaites de l'ordre établi. L'adversaire potentiel plus fort, en revanche, il fallait l'affaiblir par tous les moyens. Ce qui valait pour les cités-États du seizième siècle valait manifestement pour Kripos.

Quant à la motivation de Katrine Bratt pour retarder l'annonce, Sung-min était moins sûr. Elle avait eu toute une journée pour informer la famille, ce devait être fait maintenant, et elle avait eu le temps de se préparer à ce que sorte la nouvelle qu'un collaborateur de sa propre brigade était soupçonné de meurtre. Qu'elle ait peut-être eu des sentiments pour Hole n'expliquait pas qu'elle soit prête à mettre la Brigade criminelle sous le feu des critiques avec son silence, apportant de l'eau au moulin de ceux qui disaient que les policiers étaient protégés, tenus à l'écart des projecteurs médiatiques et bénéficiaient ainsi d'un traitement de faveur. C'était bien au-delà des égards qu'on avait pour un amant.

Sung-min chassa cette pensée. C'était peut-être autre chose. L'espoir désespéré d'un miracle. Harry Hole en vie. Sung-min but une gorgée de café et regarda dehors, l'Akerselva, le soleil matinal qui brillait en haut des façades grises sur l'autre rive. Si Harry Hole assistait à ce spectacle, c'était assis sur un nuage avec une auréole autour de la tête et au son du chant des anges.

Il baissa les yeux sur le nuage au-dessous de lui.

Levant le bout de miroir, il regarda son visage. Il avait une auréole blanche autour de la tête. Un chant résonnait de toutes parts.

Il baissa de nouveau les yeux.

Le nuage n'avait pas bougé depuis le lever du jour, il restait statique, plus bas dans la vallée, occultant la vue sur la rivière gelée, enveloppant de gris la forêt de sapins. Le soleil allait monter et brûler la couche nuageuse, améliorer la visibilité. Avec un peu de chance, l'intense chant d'oiseaux autour de lui perdrait alors de sa vigueur.

Il avait froid. C'était bien comme ça. Le froid rendrait la visibilité encore meilleure.

Il regarda encore une fois dans le bout de miroir.

L'auréole, ou le bandage, qu'il avait trouvée dans un tiroir du chalet était tachée de rouge là où le sang avait traversé. Il allait avoir une autre cicatrice, probablement. Qui viendrait s'ajouter à celle qui barrait sa joue du coin de sa bouche à son oreille.

Il se leva de la chaise qui était calée contre la façade, entra dans le chalet.

Il passa devant les coupures de presse sur le mur, l'une d'elles avec ce visage qu'il venait de voir dans le miroir.

Il alla dans la chambre à coucher où il avait passé la nuit, ôta la housse de couette et les draps sanglants, comme deux semaines et demie plus tôt il avait ôté la housse de couette tachée de sang dans son appartement, mais cette fois-ci, il n'y avait que son sang à lui.

Il s'assit sur le canapé.

Il regarda le pistolet High Standard à côté du jeu de yams. Bohr lui avait dit que l'E14 s'en était procuré sans les déclarer. Il soupesa l'arme.

Allait-il en avoir besoin ?

Peut-être. Peut-être pas.

Harry Hole consulta sa montre. Cela faisait trente-six heures qu'il avait titubé hors des bois vers le chalet et était entré par la fenêtre cassée. Il avait enlevé ses vêtements mouillés, s'était séché, avait trouvé des vêtements secs, un pull, un caleçon long, une tenue de camouflage, de grosses chaussettes en laine, il avait enfilé le tout et s'était glissé sous une couverture en laine dans le lit superposé, où il était resté jusqu'à ce que le gros de ses tremblements cesse. Il avait envisagé de faire du feu dans le poêle, mais avait renoncé, des gens risquaient de voir la fumée de la cheminée et venir jeter un œil. Il avait fouillé dans les tiroirs et les placards et avait fini par trouver des équipements de premier secours pour panser son front. Il s'était enroulé une bande autour de la tête et avait mis ce qui restait autour de son genou, qui était déjà si enflé qu'on aurait dit qu'il avait avalé un ballon de hand. Il inspira et expira pour déterminer si ses douleurs aux côtes signifiaient qu'il y avait fracture ou s'il était juste sévèrement contusionné. À part ça, il était entier. D'aucuns auraient peut-être parlé de miracle, mais ce n'était que de la physique élémentaire et une once de chance.

Harry inspira encore, sa respiration était sifflante et il sentit une douleur au flanc.

D'accord, un peu plus qu'une once de chance.

Il avait fait un effort conscient pour ne pas penser à ce qui s'était passé la veille. C'étaient les nouvelles instructions pour les policiers qui avaient subi des traumatismes graves, ne pas en parler, ne pas y penser avant qu'il se soit écoulé au moins six heures. Des études récentes montraient que – à l'inverse de ce qu'on avait supposé par le passé – « en parler » juste après un traumatisme ne réduisait pas le risque de SSPT, au contraire.

Mais bien sûr, ç'avait été impossible de l'exclure de son cerveau. La scène repassait en boucle comme un clip YouTube viral dans sa tête. La voiture qui basculait dans la cascade, lui qui s'enfonçait dans son siège pour voir par le pare-brise, l'apesanteur, parce que tout tombait à la même vitesse, chose qui lui avait rendu singulièrement facile d'attraper la ceinture de sécurité de la main gauche et l'attache de la droite, ses gestes étaient juste un peu ralentis à cause de l'eau. L'eau écumante et furieuse sur le rocher noir qui venait vers lui alors qu'il approchait la ceinture de l'attache. L'eau qui appuyait. Puis le bruit. Il s'était retrouvé pendu à la ceinture avec la tête dans l'airbag du volant et s'était aperçu qu'il pouvait respirer, que les bruits d'eau n'étaient plus ouateux, mais nets, crépitants, alors que la cascade crachait et le poussait par le pare-brise arrière cassé, il ne lui avait fallu que quelques secondes pour se rendre compte que non seulement il était en vie, mais, étrangement, il n'était pas blessé.

La voiture était à la verticale avec l'avant et le volant enfoncés dans l'habitacle, ou vice versa, mais pas au point d'avoir coupé ou emprisonné ses jambes. Les vitres étaient toutes cassées et tombées, l'habitacle avait donc dû se vider de son eau en une ou deux secondes. Mais la somme des résistances du plancher, du tableau de bord et du pare-brise avant avait probablement retardé l'écoulement assez longtemps pour que l'eau fasse office d'airbag supplémentaire pour le corps de Harry et contrecarre la compression de la carrosserie. Car c'est fort, l'eau. La raison pour laquelle un poisson d'eaux profondes n'est pas aplati dans les profondeurs là où un char d'assaut blindé aurait été comprimé comme une boîte de conserve, c'est, comme chacun sait, que le corps du poisson est essentiellement constitué d'un élément qui, quelles que soient les forces appliquées, reste incompressible : l'eau.

Harry ferma les yeux et se repassa le reste du film.

Il n'arrivait ni à détacher la ceinture ni à se donner du mou, parce que l'attache et l'enrouleur étaient endommagés. Il avait regardé autour de lui. Dans le rétroviseur latéral brisé, on aurait dit que deux cascades se ruaient sur lui. Il avait détaché un bout de rétro. Les bords étaient tranchants, mais Harry tremblait tellement qu'il lui avait fallu ce qui semblait être une éternité pour couper la ceinture. Il était tombé sur le volant et ce qui restait de l'airbag, avait glissé le bout de rétroviseur dans la poche de sa veste pour le cas où il en aurait besoin, et, passant par le pare-brise avant, il s'était prudemment extrait de la voiture, en espérant qu'elle ne se renverserait pas sur lui. Puis il avait franchi à la nage les quelques mètres qui séparaient la dalle de pierre noire de la rive droite, s'était relevé dans l'eau et avait pataugé jusqu'au bord, et c'était là seulement qu'il avait senti qu'il avait mal à la poitrine et au genou gauche. L'adrénaline avait probablement agi comme antidouleur, et le Jim Beam n'avait pas encore cessé de faire de l'effet, il savait donc que ça allait empirer. Et alors qu'il se tenait là, si frigorifié qu'il en avait des douleurs lancinantes dans le crâne, il avait aussi senti un courant chaud sur sa pommette et dans son cou, il avait sorti le fragment de rétroviseur et vu qu'il avait une grosse coupure sur un côté du front.

Il avait regardé la colline. Sapins et neige. Il avait pataugé sur cent mètres en aval de la rivière avant de trouver un endroit où la pente lui paraissait suffisamment douce et avait entrepris de la gravir, mais son genou s'était dérobé sous lui et il était retombé vers le cours d'eau en glissant sur un mélange de boue et de neige. Ses douleurs à la poitrine étaient si fortes qu'il en aurait hurlé, mais il n'avait plus d'air dans les poumons et son cri n'avait été qu'un sifflement sans vigueur, comme un pneu crevé. Il avait ensuite rouvert les yeux, sans savoir combien de temps il était resté inconscient, si c'étaient deux secondes ou plusieurs minutes. Il n'arrivait pas à bouger et il avait alors compris qu'il était tellement refroidi que ses muscles n'obéissaient plus. Harry avait rugi vers le ciel bleu, innocent, impitoyable. Avait-il survécu à cela uniquement pour mourir de froid sur la terre sèche ?

Pas question, merde.

Tant bien que mal, il s'était relevé, avait cassé une branche d'un arbre mort qui était à moitié dans la rivière, et s'en était servi comme canne. Au bout de dix mètres de bataille contre la pente boueuse, il avait trouvé un sentier entre les plaques de neige. Ignorant les élancements dans son genou, il avait marché vers le nord, s'éloignant du soleil, contre le courant. La cascade et le claquement de ses dents l'empêchaient d'entendre la circulation, mais en arrivant un peu plus haut, il avait vu que la route passait de l'autre côté de la rivière.

Départementale 287.

Il avait vu une voiture.

Il n'allait pas mourir de froid.

Il était resté là sans bouger, à respirer aussi délicatement que possible pour éviter les douleurs à la poitrine. Il pouvait revenir de l'autre côté de la rivière, arrêter une voiture, rentrer à Oslo. Ou mieux encore, appeler le bureau du lensmann de Sigdal et demander qu'on passe le prendre. L'équipe du lensmann était peut-être déjà en route, si le camionneur avait vu ce qui s'était passé, il avait dû prévenir. Harry avait ouvert la main pour attraper son téléphone. Puis il s'était souvenu que son portable avait été sur le siège passager avec le Jim Beam et son pistolet de service et qu'il était maintenant noyé quelque part dans la rivière.

Et c'est alors qu'il avait eu cette illumination.

Lui aussi était noyé.

Il avait le choix.

Il était revenu sur ses pas, s'était arrêté à l'endroit où il était remonté de la rivière. Se servant de ses mains et de ses pieds, il avait recouvert ses traces de neige. Puis il était reparti vers le nord en claudiquant. Il savait que la départementale longeait la rivière, et si le sentier faisait pareil, il n'était pas très loin du chalet de Roar Bohr. À condition que son genou tienne le coup.

Son genou n'avait pas tenu le coup. Le trajet lui avait pris deux heures et demie.

Harry observa les tuméfactions qui débordaient de son bandage serré.

Son genou avait eu une nuit de repos et il lui restait encore quelques heures.

Mais ensuite, il allait devoir le porter.

Harry enfila le bonnet en laine qu'il avait trouvé, regarda dans le bout de rétroviseur de l'Escort s'il couvrait le bandage. Il pensa à Roar Bohr qui avait dû aller d'Oslo à Trondheim avec dix couronnes. Lui-même n'avait pas un radis, mais la distance était moindre. Il ferma les yeux, et entendit la voix dans sa tête.

Farther along we'll know more about it,
Farther along we'll understand why;
Cheer up, my brother, love in the sunshine,
We'll understand it all by and by.

Harry avait entendu cette chanson à maintes reprises. Elle ne parlait pas seulement de la vérité qui allait se faire jour, mais des traîtres qui vivaient heureux pendant que ceux qu'ils avaient trahis souffraient.

48

La conductrice du nouvel express d'Eggedal pour Oslo observa l'homme de grande taille qui venait de monter dans son car. L'arrêt de bus se trouvait sur un tronçon désert de la départementale 287, et l'homme étant en tenue de camouflage, elle supposait que c'était l'un de ces chasseurs qui venaient d'Oslo pour abattre leur gibier. Il y avait cependant trois détails qui ne cadraient pas tout à fait. La chasse n'était pas ouverte, ses vêtements étaient au moins deux tailles trop petits, et un bandage blanc dépassait de son bonnet noir, et puis, il n'avait pas d'argent pour payer son billet.

« Je suis tombé dans la rivière, je me suis blessé et j'ai perdu mon téléphone et mon portefeuille, expliqua-t-il. Je suis à mon chalet et il faut que je descende en ville. Est-ce que vous pourriez me faire une facture ? »

Elle le regarda, évalua la situation. Son bandage et ses vêtements trop petits confirmaient à la rigueur son histoire. L'express pour Oslo n'était pas un succès immédiat car la plupart des gens continuaient d'aller à Åmot en bus local pour prendre le Timeekspress, ce n'étaient donc pas les sièges libres qui manquaient. Le problème, c'était que le bonhomme sentait les ennuis des pieds à la tête. La question était juste de savoir ce qui allait en apporter le plus : lui refuser de monter dans le car ou l'avoir à bord.

Percevant sans doute son hésitation, il toussota avant de préciser : « Si je pouvais emprunter un téléphone, je pourrais demander à ma femme de m'attendre à la gare routière avec de l'argent. »

La conductrice regarda sa main droite. Une prothèse en métal bleu-gris au majeur. Il avait en effet une alliance au doigt d'à côté, mais elle n'avait aucune intention de laisser cette main jouer avec son téléphone.

« Asseyez-vous. » Elle appuya sur un bouton et la porte se referma dans un soufflement étiré.

Harry claudiqua vers l'arrière du bus. Il remarqua que les autres passagers, du moins ceux qui avaient entendu la conversation, détournaient le regard. Il savait qu'ils priaient intérieurement pour que cet homme légèrement inquiétant, qui avait l'air de débarquer droit du champ de bataille, ne vienne pas s'asseoir à côté d'eux.

Il trouva un double siège libre.

Il regarda la forêt, le paysage qui défilait. Sa montre confirmait, comme le prétendait la publicité, qu'elle survivait à presque tout y compris à une cascade ou deux. Seize heures cinquante-cinq. Il serait à Oslo juste après la tombée de la nuit. L'obscurité lui convenait bien. Quelque chose s'enfonça juste au-dessous de sa côte douloureuse. Il passa la main dans sa veste et tourna la crosse du pistolet High Standard qu'il avait pris dans le chalet. Il ferma les yeux quand ils passèrent devant l'aire de pique-nique où il avait fait demi-tour en voiture la veille. Il sentit la vitesse et son pouls s'accélérer.

Elle lui était venue dans un instant de clairvoyance. La chanson avec ce vers, « we'll understand it all », n'avait pas été une pièce du puzzle, mais une porte qui s'était ouverte sans préavis et avait éclairé toute cette obscurité. Pas la totalité, pas les tenants et les aboutissants, mais assez pour qu'il sache que l'histoire ne collait pas, qu'il manquait un élément. Ou plus exactement, qu'un élément avait été ajouté. C'était suffisant pour le faire changer d'avis et donner un coup de volant.

Ces dernières vingt-quatre heures, il les avait passées à assembler les pièces du puzzle. Maintenant, il était relativement certain d'avoir compris comment ça s'était passé. Il n'était pas très difficile d'imaginer comment on pouvait manipuler et ranger une scène de crime quand on s'y connaissait un tant soit peu en enquête policière. De voir comment l'arme du crime avec le sang de Rakel avait pu être glissée dans sa discothèque, puisqu'il n'y avait eu après le meurtre que deux personnes dans son appartement. Il fallait juste qu'il réussisse à démontrer soit la manipulation, soit l'introduction de l'arme chez lui.

En revanche, il avait eu plus de mal à trouver le mobile.

Harry avait fouillé sa mémoire, encore et encore, traquant une piste, une explication. Ce matin, à moitié endormi dans le lit superposé, il en avait enfin trouvé une, ou plutôt elle l'avait trouvé lui. Il l'avait d'abord balayée comme absurde. Ce ne pouvait pas être ça. Puis il avait ruminé un peu la question. Était-ce possible ? Pouvait-ce être aussi simple que ce mobile apparu le soir où il était allongé sur le lit d'Alexandra ?

Sung-min Larsen se coula discrètement sur une chaise au fond du centre de conférences de Kripos, dans les nouveaux locaux de Nils Hansens vei 25.

Devant lui se massait une assistance exceptionnellement nombreuse de journalistes et de photographes, et ce malgré l'horaire tardif. Il pariait qu'Ole Winter avait fait en sorte que fuite le nom qui les avait tous attirés ici : Harry Hole. Winter trônait sur l'estrade, avec Landstad, son nouvel enquêteur préféré. Il regardait sa trotteuse, voulait sans doute synchroniser l'ouverture avec le direct d'un quelconque journal télévisé. À côté de Winter et Landstad se trouvaient un inspecteur principal du groupe d'enquête et Berna Lien, la directrice de la Police scientifique et technique. Un peu à part, tout à droite, Katrine Bratt. L'air de ne pas se sentir à sa place, elle gardait les yeux braqués sur des papiers devant elle. Sung-min gageait qu'il n'y était rien écrit de particulièrement pertinent et qu'elle n'était même pas en train de lire.

Il vit Ole Winter prendre son souffle, se gonfler. Il avait troqué son vieux costume bon marché contre un neuf, que Sung-min pensait avoir vu dans les collections de Tiger. Il l'avait sûrement acheté pour l'occasion après avoir consulté la directrice de l'information qui venait de prendre son poste et qui semblait avoir un certain sens de la mode.

« Bienvenue à cette conférence de presse. Je m'appelle Ole Winter et, en ma qualité de directeur d'enquête, je voudrais tout d'abord rendre compte de celle sur le meurtre de Rakel Fauke. Au sortir d'un travail d'équipe intensif, nous avons fait un certain nombre de percées et nous considérons avoir résolu l'affaire. »

Ici, Winter aurait dû marquer une pause pour maximiser l'effet, songea Sung-min, mais il enchaîna sans le moindre temps d'arrêt et, qui sait, cela paraissait peut-être plus professionnel, plus crédible. Il ne fallait pas transformer le meurtre en spectacle. Sung-min en prit note mentalement, l'enregistra pour un usage ultérieur. Pour le jour où ce serait lui qui serait là-haut. S'il ne l'avait pas su avant, il le savait maintenant : il allait arracher ce vieux singe poilu de cette branche.

« Nous espérons et pensons que ce sera un soulagement pour la famille, l'entourage et le grand public, dit Winter. Tragiquement, l'individu que nos preuves désignent comme l'auteur du meurtre de Rakel Fauke a attenté à ses jours. Je ne ferai pas de conjecture sur ses motivations, mais bien sûr on ne peut pas exclure un lien avec le fait qu'il s'était rendu à l'évidence que Kripos était en train de le rattraper. »

Sung-min nota que Winter disait « l'individu que les preuves désignent comme l'auteur du meurtre » plutôt que « le suspect », « attenté à ses jours » au lieu de « disparu » et « en train de rattraper » plutôt que « sur le point d'arrêter ». Winter balançait des conjectures dans la phrase même où il disait ne pas vouloir en faire. Une terminologie plus prudente, une certaine sobriété professionnelle auraient mieux fonctionné.

« Quand je dis qu'il semblerait avoir attenté à ses jours, dit Winter, c'est parce que l'individu en question a pour l'heure le statut de disparu. Certains d'entre vous auront appris que, hier matin, une voiture a fait une sortie de route sur la départementale 287. Nous pouvons maintenant révéler que la voiture appartenait au suspect, Harry Hole… »

Ici, Winter n'eut pas besoin de marquer la pause lui-même dans la mesure où il fut interrompu par les journalistes qui haletaient, suffoquaient, s'exclamaient.

Réveillé par un papillotement de lumière, Harry se rendit compte qu'ils traversaient le tunnel de Lysaker, ils allaient bientôt arriver. Une fois de l'autre côté, il put constater que, en effet, il faisait nuit. Le car gravit la côte avant de redescendre vers Sjølyst. Harry observa l'armada de bateaux de plaisance de la baie de Bestum. Quoique plaisance, plaisance, c'était vite dit. En admettant qu'on ait de quoi acheter un de ces engins, quel n'était pas le prix à payer en termes de paperasse, d'entretien et de soucis en regard du temps passé en mer, pendant ces jours fugaces qui constituaient la saison de voile norvégienne ? Pourquoi ne pas louer un bateau les jours de beau temps, pour ensuite l'amarrer et rentrer chez soi dans l'insouciance ?

Le silence complet régnait dans cet autocar aux rangs clairsemés, mais du siège devant lui provenait un bourdonnement musical dans des écouteurs, et dans l'espace entre les deux sièges, il aperçut la lumière d'un écran d'ordinateur. Il y avait manifestement le wifi à bord, car il vit que c'était le site de *VG*.

Il regarda de nouveau les voiliers. Le principal n'était peut-être pas d'avoir du temps en mer, mais de posséder. De pouvoir se dire à chaque heure de la journée qu'il y avait dehors un bateau à nous. Un bateau soigneusement entretenu, cher, et on savait que d'autres passeraient et le désigneraient en prononçant notre nom, en disant qu'il était à nous. Car, comme chacun savait, on n'était pas ce qu'on faisait, mais ce qu'on possédait. Quand on avait tout perdu, on n'existait plus. Sachant où se dirigeaient ses pensées, il s'en arracha.

Il regarda l'ordinateur entre les sièges. L'écran devait être orienté de façon à refléter son visage, car de l'endroit où il se trouvait, on aurait dit que c'étaient ses propres traits ravagés qui remplissaient la page d'accueil de *VG*. Son regard se déplaça vers le texte sous son reflet.

Le direct de *VG* : conférence de presse, HARRY HOLE SOUPÇONNÉ DE MEURTRE ET DISPARU. Harry cligna fort des yeux, pour s'assurer qu'il était bien éveillé, qu'il n'avait pas une poussière dans l'œil. Il relut encore une fois. Il regarda ce qui n'était pas un reflet, mais une photo prise juste après l'affaire du Vampiriste, un an et demi plus tôt.

Harry se laissa retomber sur son siège et baissa le revers de son bonnet sur son visage.

Merde, merde, merde.

Dans moins de deux heures, la photo serait partout. On allait le reconnaître dans la rue, parce qu'en ville, un homme traînant la patte en tenue de camouflage bien trop petite allait être tout sauf camouflé. Si on l'arrêtait maintenant, tout son plan allait partir en vrille. Il fallait donc en changer.

Harry essaya de réfléchir. Ne pouvant pas évoluer en terrain dégagé, il fallait qu'il trouve un téléphone aussi vite que possible pour contacter les gens à qui il avait besoin de parler. Dans cinq ou six minutes, ils allaient arriver à la gare routière. Une passerelle piétonne menait à la gare ferroviaire. Dans l'enceinte de la gare, dans la foule pressée, au milieu des toxicos, des mendiants et des excentriques de la ville, on ne le remarquerait pas trop. Plus important, lors du démantèlement de tout son parc de cabines téléphoniques en 2016, Telenor avait installé – plus comme une curiosité – un ou deux téléphones à pièces d'autrefois, notamment à la gare d'Oslo S.

Mais s'il arrivait jusque-là, le problème restait le même.

Aller d'Oslo à Trondheim.

Sans une putain de pièce en poche.

« Pas de commentaire, disait Katrine Bratt. Je ne peux pas commenter cela maintenant. » Et : « C'est à Kripos de répondre à cette question. »

Sung-min avait de la peine pour elle, qui essuyait cette grêle de questions des journalistes. Elle avait l'air d'assister à ses propres funérailles. Quoique, était-ce une bonne expression ? Sur quoi s'appuie-t-on, au juste, pour supposer que la mort est un endroit pire ? De toute évidence, Harry Hole n'avait pas été de cet avis.

Sung-min se glissa hors de la rangée de chaises vides, il en avait entendu suffisamment. Suffisamment pour comprendre que Winter avait obtenu ce qu'il voulait. Suffisamment pour comprendre que même lui ne pouvait pas défier le mâle dominant dans un avenir proche. Car cette affaire allait renforcer la position de Winter, et maintenant qu'il était tombé en disgrâce, Sung-min devait se demander si le moment n'était pas venu de demander son transfert dans un autre club. Katrine Bratt avait l'air d'être le genre de boss pour qui il aimerait bien travailler. Avec qui il aimerait bien travailler. Il pouvait reprendre là où Harry Hole s'était arrêté. Si lui était Messi, Hole avait été Maradona. Un tricheur béni des dieux. Aussi fort que brille Messi, il ne deviendrait donc pas aussi légendaire que Maradona. Car Sung-min savait que même s'il rencontrait de la résistance actuellement, il n'y aurait pas dans son histoire la chute, la tragédie de Hole et Maradona. Son histoire serait une de ces rébarbatives histoires de succès.

Kasko avait chaussé ses lunettes de soleil Oakley.

Il les avait chipées dans un bar à expresso où il était passé demander un des gobelets en carton qu'il utilisait pour mendier l'argent de sa came. Le propriétaire des lunettes les avait posées sur le comptoir pour mater une fille dans la rue. Le soleil brillant sur la neige, il était sans doute légèrement paradoxal d'enlever ses lunettes, mais il voulait probablement que la fille voie qu'il la regardait. Eh bien, cet abruti avait payé son rut printanier.

« Abruti ! » lança Kasko à la cantonade dans un gémissement.

Ses cuisses et ses fesses lui faisaient l'effet d'être flétries sous lui. C'était usant de rester si longtemps assis sur le cul sur un sol en pierre dur et froid en ayant l'air de souffrir. D'ailleurs, il n'avait pas seulement l'air, il souffrait réellement. Il était grand temps d'avoir son shoot du soir.

« Merci ! » chanta-t-il quand une nouvelle pièce atterrit dans son gobelet. La bonne humeur, c'était primordial.

Kasko avait mis les lunettes de soleil parce qu'il se figurait que cela le rendait méconnaissable. Ce n'était pas les flics qu'il craignait, il leur avait raconté ce qu'il savait. Mais ils n'avaient pas encore retrouvé David pour l'embarquer, et si jamais David avait appris qu'il avait cafté au policier chinetoque, il se pouvait bien qu'il soit en train de le chercher en ce moment même. Il était donc plus sûr de rester ici, dans la foule, devant les guichets, où personne ne pouvait menacer de le tuer. Peut-être était-ce le beau temps et le fait qu'il y avait moins de trains en retard que d'ordinaire, les gens étaient de bonne humeur. Ils avaient en tout cas balancé plus d'argent que d'habitude dans le gobelet qu'il avait posé devant lui. Même un ou deux gosses du groupe d'emos qui se rassemblait toujours au coin de l'escalier du quai 19 l'avaient régalé de quelques pièces. Le shoot du soir était quasiment assuré, il n'aurait pas besoin de vendre les lunettes de soleil aujourd'hui.

Kasko remarqua un individu en tenue de camouflage. Pas seulement parce qu'il boitait, avait un bandage sous son bonnet et l'air assez miteux de manière générale, mais parce qu'il suivait un cap qui brisait le schéma, il marchait dans le sens inverse de tous les autres, comme un requin dans un banc de maquereaux. Bref, il allait droit vers Kasko. Ce qui n'était pas pour lui plaire. Les gens qui lui donnaient de l'argent passaient devant lui, ils ne venaient pas vers lui. Vers, ce n'était jamais bon.

L'homme s'arrêta devant lui.

« Je peux t'emprunter quelques pièces ? » La voix était aussi rauque que la sienne.

« Désolé, mon pote, répondit Kasko. Il va falloir que tu te fasses ton propre beurre pour ton shoot, j'en ai juste assez pour moi.

— J'ai juste besoin de vingt ou trente couronnes. »

Kasko eut un petit rire. « Je vois bien que tu as besoin de médicaments, mais comme je te le disais, moi aussi. »

L'homme s'accroupit à côté de lui. Il sortit un objet de sa poche intérieure et le lui montra. C'était un insigne de police. Merde, encore ? L'homme sur la photo ressemblait vaguement à celui qu'il avait devant lui.

« Je saisis les revenus de votre activité illégale de mendicité dans un lieu public, déclara-t-il en tendant la main vers le gobelet.

— Non, merde ! » s'exclama Kasko en attrapant le gobelet. Il le serra contre sa poitrine. Quelques passants lancèrent un regard dans leur direction.

« Tu me le donnes tout de suite, ou alors je t'emmène au

poste, je te mets en cellule de garde à vue, et tu n'auras pas de shoot avant demain dans la journée au plus tôt. Ça te paraît comment, une nuit comme ça ?

— C'est du bluff, espèce de flic toxico de merde ! Le conseil de la ville a rejeté la proposition d'interdiction de collectes d'argent, parmi lesquelles la mendicité, le 16 décembre 2016.

— Hmm », fit l'homme, qui semblait avoir du grain à moudre. Approchant assez près de Kasko pour le cacher des passants, il chuchota : « Tu as raison. C'était du bluff. Ça, en revanche, ça n'en est pas. »

Kasko avait le regard fixe. L'homme avait passé sa main à l'intérieur de sa veste de camouflage et braquait maintenant un pistolet sur lui. Un putain de gros, vilain pistolet, en pleine heure de pointe à la gare centrale ! Le gars devait être complètement barré. Le bandage au front et une balafre *fucking* flippante de la commissure des lèvres à l'oreille. Kasko ne savait que trop bien ce que le manque faisait à des gens par ailleurs normaux, il avait vu récemment ce que pouvait accomplir une barre en fer. Là, le gars avait un flingue. Il n'aurait qu'à vendre les Oakley.

« Tiens, geignit-il en tendant son gobelet au gars.

— Merci. » L'homme regarda le contenu. « Combien pour les lunettes ?

— Hein ?

— Les lunettes de soleil. »

L'homme sortit tous les billets du gobelet et les lui tendit. « C'est assez ? »

Puis il lui prit ses lunettes d'un geste vif, les chaussa, se leva et claudiqua à travers la foule, vers la cabine téléphonique devant le 7-Eleven.

Harry appela d'abord son propre répondeur, tapa le code et put ainsi établir que Kaja Solness n'avait pas laissé de message suggérant qu'elle avait cherché à répondre à ses appels. Le seul message venait d'un Johan Krohn en émoi : « Je dois vous demander que ceci reste entre vous et moi. Svein Finne me fait chanter. Moi. Ma famille. Je… euh… veuillez me contacter, s'il vous plaît. Merci. »

Il n'a qu'à appeler quelqu'un d'autre, moi, je suis mort, se dit Harry, qui voyait les pièces descendre en roulant dans l'automate.

Il appela les renseignements, obtint les trois numéros qu'il avait demandés et les inscrivit sur le revers de sa main.

Le premier qu'il composa était celui d'Alexandra Sturdzas.

« Harry !

— Ne raccroche pas. Je suis innocent. Tu es au boulot ?

— Oui, mais…

— Que savent-ils ? »

Il entendit qu'elle hésitait. Il entendit qu'elle se décidait. Elle lui fit un résumé de sa conversation avec Sung-min Larsen. Elle semblait être au bord des larmes avant même d'avoir terminé.

« Je sais de quoi ça a l'air, dit Harry, mais il faut juste que tu me fasses confiance. Tu peux ? »

Silence.

« Alexandra. Si je pensais avoir tué Rakel, est-ce que j'aurais eu la force de me relever d'entre les morts ? »

Silence, toujours. Puis un soupir.

« Merci, dit Harry. Tu te souviens de la dernière fois que je suis venu chez toi ?

— Oui, renifla-t-elle. Enfin, non.

— On était allongés sur ton lit. Tu m'as demandé de mettre un préservatif parce que je n'avais sûrement pas envie de redevenir père. Une femme a appelé.

— Ah oui. Kaja. Vilain nom.

— Eh bien. Maintenant, il faut que je te pose une question à laquelle tu n'as sûrement pas envie de répondre.

— Oui ? »

Harry lui posa la question à laquelle il fallait répondre par oui ou par non. De nouveau, il put entendre son hésitation. Ce qui était presque une réponse suffisante en soi. Puis elle répondit oui. Il avait ce qu'il lui fallait.

« Merci. Encore une chose. Le pantalon avec du sang. Tu pourrais l'analyser ?

— Le sang de Rakel ?

— Non. J'avais saigné de la main, donc il y a aussi mon sang, tu te souviens.

— Oui, oui.

— Bien. Je voudrais que tu analyses mon sang.

— Ton sang ? Pourquoi ça ? »

Harry expliqua ce qu'il cherchait.

« Ça va prendre un peu de temps, prévint Alexandra. Disons une heure. Je peux t'appeler quelque part ? »

Harry réfléchit. « Envoie les résultats par SMS à Bjørn Holm. » Il lui donna le numéro et ils raccrochèrent.

Il alimenta encore le téléphone, il voyait les pièces partir plus vite que les mots. Il fallait qu'il soit plus efficace.

Le numéro d'Oleg, il le connaissait.

« Oui ? » La voix était lointaine. Parce que l'endroit où il se trouvait était très loin, ou parce que ses pensées l'étaient. Les deux, peut-être.

« C'est moi, Oleg.

— Papa ? »

Harry dut déglutir.

« Oui.

— Je rêve », répondit Oleg. Ça ne semblait pas être une protestation, plutôt un sobre constat.

« Non, à moins que moi aussi, je rêve.

— Katrine Bratt m'a dit que tu avais roulé dans la rivière.

— J'ai survécu.

— C'était une tentative de suicide. »

Harry entendait que la stupéfaction de son beau-fils cédait déjà le pas à une colère croissante.

« Oui, dit Harry. Parce que je croyais que j'avais tué ta mère, mais au dernier moment, j'ai compris que c'était justement le but.

— Qu'est-ce que tu racontes ?

— Ce serait trop long à expliquer maintenant, je n'ai pas assez de monnaie. Il faut que tu me rendes un service. » Pause. « Oleg ?

— Je suis là.

— Tu as repris la maison, ce qui signifie que tu peux lire le compteur sur Internet. Il indique la consommation électrique heure par heure.

— Et alors ? »

Harry répondit brièvement au « et alors » et lui demanda d'envoyer les résultats par SMS à Bjørn Holm.

Quand il eut terminé, il reprit son souffle et composa le numéro de Kaja Solness.

Il y eut six sonneries. Il allait raccrocher et sursauta presque en entendant sa voix.

« Kaja Solness, j'écoute. »

Harry s'humecta la bouche. « C'est Harry.

— Harry ? Je n'ai pas reconnu ton numéro. »

Elle avait l'air stressée. Elle parlait vite.

« J'ai essayé de t'appeler plusieurs fois de mon propre téléphone, dit Harry.

— Ah bon ? Je n'ai pas regardé, j'ai... j'ai dû partir. La Croix-Rouge. J'ai dû lâcher tout ce que j'avais entre les mains, c'est comme ça quand on est de réserve.

— Hmm. Où t'envoie-t-on ?

— À... C'est allé tellement vite que je ne sais même pas comment ça s'appelle. Tremblement de terre. Une petite île dans le Pacifique, un voyage foutrement long. C'est pour ça que je n'ai pas pu te rappeler, j'étais en avion la plupart du temps.

— Hmm. On dirait que tu es juste à côté.

— Les liaisons téléphoniques sont bonnes de nos jours. Dis, je suis occupée là. Qu'est-ce que tu veux ?

— J'ai besoin d'un endroit où dormir.

— Ton propre appartement ?

— Trop risqué. Il faut que je me cache. » Harry regarda l'alignement de pièces de monnaie qui raccourcissait de plus en plus. « Je pourrai t'expliquer plus tard, mais là, il faut que je me dépêche de trouver un autre endroit.

— Attends !

— Oui ? »

Pause.

« Viens chez moi, dit Kaja. À ma maison, je veux dire. Il y a une clef sous le paillasson.

— Je peux dormir chez Bjørn.

— Non ! J'insiste. J'aimerais que tu y ailles. Vraiment.

— OK. Merci.

— Bien. On se voit bientôt. J'espère. »

Harry resta quelque temps à regarder dans le vide. Son regard tomba sur un écran de télévision au-dessus du comptoir d'un café au milieu du hall des départs. On le voyait entrant au tribunal. L'affaire du Vampiriste, là encore. Harry se tourna vite vers la cabine téléphonique. Il appela le numéro de Bjørn, qu'il connaissait aussi par cœur.

« Holm.

— Harry.

— Non, fit Bjørn. Harry est mort. Qui êtes-vous ?

— Tu ne crois pas aux revenants ?

— Qui êtes-vous, j'ai dit.

— Je suis celui à qui tu as offert *Road to Ruin*. »

Silence.

« Je continue de préférer *Ramones* et *Rocket to Russia*, poursuivit Harry, mais c'était une sacrée bonne idée. »

Harry entendit un bruit. Il lui fallut un instant pour comprendre que c'étaient des pleurs. Pas ceux d'un bébé. Mais d'un homme adulte.

« Je suis à la gare centrale, expliqua Harry en faisant comme s'il n'entendait pas. Je suis recherché, j'ai un pied blessé et je n'ai pas un kopeck, alors j'ai besoin d'un transport gratuit pour Lyder Sagens gate. »

Harry entendit une respiration difficile. Un « seigneur » en aparté à demi étouffé. Puis une petite voix chevrotante qu'il n'avait jamais entendue chez Bjørn :

« Je suis seul et j'ai le petit, Katrine est à une conférence de presse à Kripos, mais… »

Harry attendit.

« Je vais prendre le petit, il a besoin de s'entraîner à faire de la voiture. Byporten dans vingt minutes ?

— Deux personnes viennent de passer en me regardant avec un peu trop d'insistance, donc si tu pouvais faire quinze ?

— Je vais essayer. Attends-moi à la station de tax… »

La voix de Bjørn fut interrompue par un long bip. Harry leva les yeux. La dernière pièce avait disparu. Il glissa sa main dans sa veste, la passa sur sa poitrine, au-dessus de sa côte.

Harry était dans l'ombre de la sortie latérale nord quand la voiture de Bjørn dépassa l'armada de taxis libres et s'arrêta devant la gare. Quelques chauffeurs qui discutaient lancèrent un regard mauvais vers la Volvo Amazon rouge, comme s'ils la soupçonnaient d'être un taxi pirate ou, pire, un Uber.

Harry boita jusqu'au véhicule et s'installa sur le siège passager.

« Salut, revenant, chuchota Bjørn de son habituel siège à moitié couché. Chez Kaja Solness ?

— Oui », répondit Harry, qui avait compris que la raison du

chuchotement était le siège bébé attaché sur la banquette arrière, dans le sens inverse de la marche.

Ils sortirent du rond-point à côté du Spektrum. L'été précédent, Bjørn avait convaincu Harry de l'accompagner à un concert d'hommage à Hank Williams, mais le jour dit, il l'avait appelé de la maternité : l'accouchement avait commencé un peu plus tôt que prévu. Il soupçonnait le petit de pousser pour sortir à temps et pouvoir aller au concert avec son père pour apprendre ses premières chansons de Hank Williams.

« Mlle Solness est-elle au courant de ta venue ? s'enquit Bjørn.

— Oui. Elle a laissé la clef sous le paillasson.

— Personne ne laisse sa clef sous le paillasson, Harry.

— On verra. »

Ils dépassèrent l'ancien échangeur de Bispelokket, le quartier du gouvernement, le *Cri* peint sur la façade de la maison Blitz, Stensberggata, qu'ils avaient empruntée pour rentrer à l'appartement de Harry le soir du meurtre. Harry parti si loin qu'il n'aurait pas senti une bombe. Il était maintenant profondément concentré et entendait le moindre changement de régime du moteur, le moindre grincement de son siège et – quand ils s'arrêtèrent à un feu rouge de Sporveisgata en contrebas de l'église de Fagerborg – la respiration presque silencieuse du bébé sur la banquette arrière.

« Tu me raconteras quand le moment sera venu, fit doucement Bjørn.

— Oui, je te raconterai. » Harry entendit que sa voix était bizarre.

Ils remontèrent Norabakken et arrivèrent Lyder Sagens gate.

« C'est ici », annonça Harry.

Bjørn s'arrêta. Harry resta assis.

Bjørn attendit un peu, puis il coupa le contact.

Ils regardèrent la maison plongée dans le noir derrière la clôture.

« Qu'est-ce que tu vois ? » demanda Bjørn.

Harry haussa les épaules.

« Je vois une femme d'environ un mètre soixante-dix, et tout ce qu'elle a est plus grand que ce que j'ai moi. Maison plus grande. Intelligence plus grande. Moralité plus grande.

— Tu parles de Kaja Solness ? Ou c'est comme d'habitude ?

— Comme d'habitude ?

— Rakel. »

Harry ne répondit pas. Il contemplait les fenêtres noires derrière les doigts de sorcière écarquillés que formaient quelques branches nues dans le jardin. La maison ne révélait rien, mais elle n'avait pas l'air de dormir. Elle avait l'air de retenir son souffle.

Trois notes brèves. La steel guitar de Don Helms sur « Your Cheatin' Heart ». Bjørn sortit son téléphone de sa veste. « SMS, dit-il en voulant le reposer.

— Ouvre-le, fit Harry. C'est pour moi. »

Bjørn s'exécuta.

« Je n'ai pas la moindre idée de qui envoie ce message, mais c'est écrit benzodiazépine et flunitrazépam.

— Hmm. De vieilles connaissances des affaires de viol.

— Oui. Rohypnol.

— Ça peut s'injecter, et avec une dose suffisante, un homme adulte est complètement parti pendant quatre ou cinq heures. Il ne remarquera pas qu'on le trimballe, qu'on le porte ici et là.

— Ou qu'on le viole.

— Précisément. Si le flunitrazépam est cette drogue de viol géniale, c'est bien sûr qu'il entraîne une perte de mémoire. Le black-out total, la victime ne se souvient carrément de rien de ce qui lui est arrivé.

— C'est sans doute pour ça que la production a cessé.

— Mais ça se vend dans la rue. Quelqu'un qui a travaillé dans la police saurait exactement où en trouver. »

Les trois notes résonnèrent de nouveau.

« Eh ben, c'est l'avalanche, commenta Bjørn.

— Ouvre-le aussi. »

Il y eut une petite plainte sur la banquette arrière. Bjørn se retourna et regarda le dossier du siège bébé. Puis le souffle redevint régulier et Harry vit la tension quitter le corps de Bjørn, qui continua de pianoter sur son téléphone.

« Il est écrit que la consommation électrique est montée de soixante-dix kilowatts heure entre vingt heures et minuit. Qu'est-ce que ça veut dire ?

— Ça veut dire que la personne qui a tué Rakel l'a fait autour de vingt heures quinze.

— Hein ?

— J'ai parlé récemment à un gars qui avait fait le même truc. Il avait tué une fille en roulant en état d'ébriété. Il l'a mise dans la voiture, a monté le thermostat pour maintenir une température corporelle élevée. Il voulait que le médecin croie qu'elle était morte plus tard, à une heure où son taux d'alcool ne dépassait pas la limite autorisée.

— Je ne te suis plus trop, là, Harry.

— Le tueur est la première personne que nous voyons sur l'enregistrement, celui qui vient à pied. Il arrive chez Rakel à vingt heures trois, la tue avec un couteau du bloc à couteaux, monte le thermostat auquel tous les radiateurs du rez-de-chaussée sont connectés, repart sans verrouiller. Il vient me trouver moi, qui suis déjà bourré et qui donc ne remarque pas qu'on me drogue au Rohypnol. Il glisse l'arme du crime entre mes disques, trouve les clefs de mon Escort, m'achemine sur les lieux du crime et me porte à l'intérieur. C'est pour ça qu'on voit sur l'enregistrement que ça prend si longtemps et que ça a l'air d'être quelqu'un de gros ou quelqu'un qui marche recroquevillé avec sa veste qui pend sous lui. Le tueur me porte comme un sac à dos. "Comme nous portons tous nos soldats tombés", pour citer

Bohr, qui m'expliquait que c'est ce qu'ils faisaient en Afghanistan et en Irak. Puis on me met dans la flaque de sang de Rakel et on me laisse tout seul.

— Oh merde. » Bjørn gratta sa rouflaquette rousse. « Mais sur l'enregistrement, on voit que personne ne quitte les lieux du crime.

— C'est parce que le tueur veut que, à mon réveil, je sois persuadé d'être celui qui a tué Rakel. Ce qui signifie que je dois m'apercevoir que les deux jeux de clefs sont dans la maison alors que la porte est verrouillée de l'intérieur. Ce qui me fera conclure que nul autre que moi ne peut avoir commis le meurtre.

— Une variation sur le mystère de la chambre close ?

— Exactement.

— Et ensuite… ?

— Après m'avoir mis à côté de Rakel, le tueur a verrouillé la porte de l'intérieur et quitté les lieux du crime par le soupirail du sous-sol. C'est le seul qui n'ait pas de barreaux. Le tueur n'est pas au courant de l'existence du piège photographique, mais il a de la chance. La caméra est activée par le mouvement, mais on ne voit rien parce qu'il se déplace dans l'obscurité totale de l'autre côté de la cour quand il quitte les lieux. Nous avons cru que c'était un chat ou un oiseau et nous n'y avons plus pensé.

— Tu veux dire que tu t'es fait… rouler dans la farine ?

— On m'a manipulé pour que je croie que j'avais tué la femme que j'aime.

— Bon sang, c'est pire que la pire des peines de mort, c'est de la pure torture. Pourquoi…

— Parce que c'est exactement ce que tu dis. Une sanction.

— Une sanction ? Pour quoi ?

— Pour ma trahison. Je l'ai compris quand j'étais sur le point de me suicider et que j'ai allumé la radio. "Farther along we'll know more about it…"

— "Farther along we'll understand why", enchaîna Bjørn.

— “Cheer up, my brother. Live in the sunshine. We’ll understand it all by and by.”

— C’est beau. Les gens croient souvent que c’est une chanson de Hank Williams, mais en fait, c’est une des rares reprises qu’il ait enregistrées. »

Harry sortit le pistolet. Bjørn s’agita sur son siège.

« Il n’est pas déclaré, précisa Harry en vissant le silencieux. C’est l’E14, un service de renseignement démantelé, qui se l’était procuré. On ne peut pas le retracer.

— Tu as l’intention de… » Bjørn fit un signe de tête soucieux vers la maison de Kaja. « … t’en servir ?

— Non, dit Harry en tendant le pistolet à son collègue. J’entre sans.

— Pourquoi tu me le donnes ? »

Harry regarda longuement Bjørn.

« Parce que tu as tué Rakel. »

49

« La nuit du meurtre, quand tu as appelé Øystein au Jealousy Bar en début de soirée et que tu as su que j'y étais, tu as compris que j'allais y rester un moment », dit Harry.

Les mains crispées autour du pistolet, Bjørn regardait fixement Harry.

« Et ensuite tu es monté à Holmenkollen. Tu as garé ton Amazon à une certaine distance pour éviter que des voisins ou d'autres témoins ne la voient et se souviennent de cette voiture qui se remarque. Tu es allé à la maison de Rakel. Tu as sonné. Elle a ouvert, a vu que c'était toi et t'a bien sûr fait entrer. Naturellement, tu ne savais pas que la scène était filmée par une caméra de chasse. À ce moment-là, tu savais seulement que toutes les conditions étaient réunies. Il n'y avait pas de témoin, aucun événement imprévu ne s'était produit jusque-là, le bloc de couteaux était au même endroit que la dernière fois que tu étais venu chez nous, quand j'y habitais encore. Moi, j'étais en train de boire au Jealousy Bar. Tu as pris le couteau dans le bloc et tu l'as tuée. Avec efficacité, sans plaisir, tu n'es pas sadique, mais avec suffisamment de brutalité pour que je sache qu'elle avait souffert. Une fois qu'elle était morte, tu as remonté le thermostat, pris l'arme du crime, roulé jusqu'au Jealousy, mis du Rohypnol dans mon verre pendant que j'étais occupé à me battre avec Ringdal. Tu m'as ramené chez moi en voiture. Le Rohypnol agit vite, j'étais au pays des rêves depuis longtemps quand tu t'es garé à côté de mon Escort sur le parking derrière mon immeuble. Après avoir trouvé les clefs de mon appartement dans ma poche, tu as serré ma main autour du couteau pour qu'il y ait mes empreintes, tu es monté chez moi et tu l'as glissé dans ma collection de disques, entre les Raimakers et les Ramones, à la place de Rakel. Tu as cherché jusqu'à ce que tu trouves mes clefs de voiture. En redescendant, tu es tombé sur Gule, qui rentrait du boulot. Ce n'était pas prévu, mais tu as bien improvisé. Tu lui as raconté que tu venais de me mettre au lit et que tu rentrais chez toi. De retour dans l'arrière-cour, tu m'as transbahuté de l'Amazon à l'Escort, que tu as conduite chez Rakel. Tu m'as traîné hors de la voiture, ce qui a pris son temps. Ensuite, tu m'as hissé sur ton dos, porté en haut des marches, tu as franchi la porte non verrouillée, et tu m'as laissé dans la mare de sang à côté de Rakel. Tu as nettoyé les lieux de toute trace de toi et tu as quitté la maison par le soupirail de la cave. Les crochets du soupirail, tu ne pouvais pas les fermer de l'extérieur, bien sûr, mais ça aussi, tu y avais pensé. Tu es parti à pied et tu es rentré chez toi, je parie. En redescendant par Holmenkollveien. Puis Sørkedalsveien jusqu'à Majorstua, peut-être. Tu as évité les endroits où il y a de la vidéosurveillance, les taxis à payer avec une carte de crédit, tout ce qui pouvait se retracer. Ensuite, il ne restait plus qu'à attendre. Avoir la TETRA sous la main, suivre les communications. C'est comme ça que – alors même que tu étais en congé paternité – tu as été un des premiers arrivés sur les lieux du crime quand on a annoncé la découverte d'une femme morte à l'adresse de Rakel. Tu as pris la direction des opérations. Tu as personnellement fait le tour de la maison pour vérifier toutes les issues, ce à quoi les autres n'avaient pas pensé puisque la porte d'entrée était ouverte quand ils ont trouvé Rakel. Tu es descendu à la cave, tu as remis les crochets du soupirail, pour les apparences tu es monté au grenier, et tu es redescendu en déclarant que tout était fermé. Des remarques jusqu'ici ? »

Bjørn Holm ne répondit pas. Il était enfoncé dans son siège, le regard vitreux dirigé vers Harry, mais fixé nulle part.

« Tu t'es dit que tu avais touché au but. Que tu avais commis le crime parfait. Personne ne pourra dire que tu n'as pas fait ce qu'il fallait. Évidemment, c'était une déconvenue de comprendre que mon cerveau avait refoulé le fait que je m'étais réveillé chez Rakel, que j'aurais dû me persuader que je l'avais tuée puisque la porte était verrouillée de l'intérieur. Refoulé que j'avais éliminé les traces de moi, décroché le piège photographique et jeté la carte mémoire. Je ne me souvenais de rien, mais bon, ça n'allait pas me sauver pour autant. Tu avais caché l'arme du crime chez moi, comme une garantie. Une garantie que si je ne me rendais pas à l'évidence de ma culpabilité, si je ne me punissais pas suffisamment moi-même, si j'avais l'air d'en réchapper, tu ferais discrètement en sorte que, à un moment ou un autre, la police effectue une fouille et trouve le couteau. Quand tu as compris que je ne me souvenais de rien du tout, tu as veillé à ce que je découvre moi-même le couteau chez moi. Tu voulais que je sois mon propre tortionnaire. Alors tu m'as offert un nouveau disque en sachant exactement où je le mettrais dans ma discothèque, puisque tu connais mon système d'archivage. *Road to Ruin* des Ramones était exactement cela : la voie de la déchéance. Je parie que tu n'as pas éprouvé de plaisir pervers à me l'offrir à l'enterrement, mais... » Harry haussa les épaules. « C'est ce que tu as fait. J'ai trouvé le couteau, et j'ai commencé à me souvenir. »

La bouche de Bjørn s'ouvrit et se referma.

« Mais ensuite il y a eu un hic, poursuivit Harry. J'ai retrouvé la carte mémoire du piège photographique. Tu as compris que tu courais un réel risque d'être identifié et démasqué. Tu t'es enquis de savoir si j'avais copié les images quelque part et puis tu m'as demandé de te confier la carte mémoire. Je croyais que tu me posais la question parce qu'il serait plus facile de les envoyer par un site de partage de fichiers, mais tu voulais juste t'assurer que tu aurais le seul original et que tu pourrais détruire ou modifier les enregistrements si jamais tu étais identifiable. Quand tu as vu, à ton grand soulagement, que les enregistrements ne révélaient pas grand-chose, tu as fait suivre la carte mémoire à l'expert de la 3D, mais sans que ton nom y soit mêlé. Avec le recul, je vois aisément que j'aurais dû me demander pourquoi tu ne m'avais pas dit de la lui envoyer tout de suite et directement. »

Harry regarda le pistolet. Bjørn ne le tenait pas par la crosse, avec le doigt sur la queue de détente, mais par le pontet, comme s'il s'agissait d'une preuve et qu'il ne voulait pas détruire d'éventuelles empreintes digitales.

« Est-ce que tu as... » La voix de Bjørn était celle d'un somnambule, comme s'il avait du coton dans la bouche. « Tu as un enregistreur ou autre sur toi ? »

Harry secoua la tête.

« Peu importe, fit Bjørn avec un sourire résigné. Comment... comment as-tu compris ?

— C'est ce qui nous a toujours réunis, Bjørn. La musique.

— La musique ?

— J'étais à deux doigts de rentrer dans le camion quand j'ai allumé la radio et entendu Hank Williams et des violons. Ç'aurait dû être du hard rock. Quelqu'un avait changé de chaîne. Quelqu'un d'autre que moi avait utilisé la voiture. Dans la rivière, je me suis souvenu d'autre chose, à propos du siège. C'est seulement quand je suis arrivé au chalet de Bohr que j'ai réussi à l'extirper de ma mémoire. La première fois que j'ai pris ma voiture après la mort de Rakel, pour aller à la casemate de Nordstrand. Cette fois aussi, j'avais senti que quelque chose clochait. J'avais même mordu mon doigt en titane, ce que je fais parfois quand je sens une réminiscence qui vient presque, mais finalement m'échappe. Je sais maintenant que c'était le dossier du siège. En m'installant, j'avais dû le redresser. Il m'arrivait de devoir reculer le siège quand je faisais voiture commune avec Rakel, mais pourquoi relever le dossier du siège conducteur d'une voiture que je suis seul à conduire ? Et qui est-ce que je connais qui conduit avec un dossier presque couché ? »

Bjørn ne répondit pas. Juste ce regard lointain, comme s'il écoutait quelque chose qui se passait dans sa propre tête.

Bjørn Holm regardait Harry, il voyait sa bouche remuer, il percevait les mots, mais ils n'avaient pas l'effet escompté. C'était comme s'il était un peu saoul, ou qu'il regardait un film, qu'il était sous l'eau. Oui c'était en train de se passer, c'était réel, mais il y avait un filtre, il ne se sentait plus concerné. Plus maintenant.

Il le savait depuis qu'il avait entendu la voix de Harry le mort au téléphone. Il était démasqué. C'était un soulagement. Oui, un soulagement. Car si ça avait été une torture pour Harry de croire qu'il avait tué Rakel, ça avait été un enfer sans relâche pour Bjørn. Parce que lui ne croyait pas qu'il avait tué Rakel, il savait. Il se souvenait du meurtre dans ses moindres détails, il le revivait à chaque seconde qui passait, sans trêve, comme le son monocorde d'une grosse caisse qui battrait contre ses tempes, et à chaque coup, le même choc : non, ce n'est pas un rêve, je l'ai fait ! J'ai fait ce que je rêvais de faire, comme je l'avais planifié, ce qui, j'en étais convaincu, d'une manière ou d'une autre, remettrait dans son axe un monde en déséquilibre. Tuer ce que Harry Hole aimait plus que tout, comme Harry avait tué, détruit la seule chose que Bjørn chérissait. Il avait su bien sûr que Katrine était attirée par Harry, cela crevait les yeux quand on travaillait à leur contact. Elle ne l'avait pas nié, mais elle prétendait que Harry et elle n'étaient jamais sortis ensemble, qu'ils ne s'étaient même pas embrassés. Bjørn l'avait crue. Parce qu'il était crédule ? Peut-être, mais avant tout parce qu'il voulait la croire. De toute façon, ça remontait à loin, maintenant elle était avec lui. C'est ce qu'il avait pensé.

Quand le soupçon était-il venu pour la première fois ?

Était-ce quand il avait proposé à Katrine que Harry soit le parrain du bébé et qu'elle l'avait exclu d'emblée ? Sans avoir de meilleure explication à offrir que le fait que Harry était instable et qu'elle refusait qu'il ait une quelconque responsabilité dans l'éducation du petit Gert. Comme si le rôle de parrain était autre chose qu'un geste de la part des parents envers un ami ou un membre de la famille. Elle n'avait presque pas de famille et Harry était l'un de leurs rares amis communs.

Harry et Rakel étaient venus au baptême en invités ordinaires. Harry avait été comme d'habitude, restant dans son coin, saluant d'une manière décourageante les gens qui venaient lui parler, consultant sa montre puis regardant à intervalles réguliers Rakel qui conversait gaiement, et prévenant Bjørn toutes les trente minutes qu'il sortait fumer une cigarette. C'est Rakel qui avait renforcé les soupçons de Bjørn. Il avait vu son visage tressaillir devant le bébé, il avait entendu le léger vibrato de sa voix quand elle avait obligeamment dit aux parents quel merveilleux enfant ils avaient engendré. Et, surtout, il avait vu son visage torturé quand Katrine lui avait tendu le bébé parce qu'elle avait un truc à faire. Il avait vu Rakel tourner le dos à Harry afin qu'il ne voie ni son visage à elle ni celui du bébé.

Trois semaines plus tard, il avait eu sa réponse.

Il avait prélevé un échantillon de salive dans la bouche du bébé et avait envoyé le coton-tige à la Médecine légale sans spécifier de quelle affaire il s'agissait, disant simplement que c'était un test d'ADN avec les clauses de confidentialité habituelles des tests de paternité. Il était dans son bureau de la Police scientifique et technique à Bryn quand il avait lu les résultats qui établissaient qu'il n'était pas le père de Gert. Mais la femme à qui il avait parlé, la Roumaine, avait dit qu'ils avaient eu une correspondance avec quelqu'un d'autre dans le fichier. Le père était Harry Hole.

Rakel l'avait su. Katrine le savait, naturellement. Harry aussi. Ou peut-être pas Harry. Ce n'était pas un comédien. Juste un traître. Un faux ami.

Eux trois contre lui. Sur les trois, il n'y en avait qu'une sans qui il ne pouvait pas vivre. Katrine.

Est-ce qu'elle pouvait vivre sans lui ?

Évidemment.

Car qu'était Bjørn ? Un policier scientifique rondouillard, pâle, gentil, un peu trop calé en musique et en cinéma, qui dans quelques années serait un policier scientifique en surpoids, pâle, gentil, encore plus calé en musique et en cinéma. Qui à un moment donné avait troqué son bonnet de rasta contre une casquette, acheté des chemises en flanelle et vainement tenté de faire pousser sa barbe. Toutes choses qui, il en était persuadé, résultaient de choix individuels, significatives d'une évolution personnelle, d'une connaissance acquise par lui et lui seul, après tout, nous sommes tous spéciaux. Jusqu'à ce qu'il se retrouve à un concert de Bon Iver, regarde autour de lui et comprenne qu'il appartenait à un groupe, le groupe des gens qui – du moins en théorie – méprisent tout ce qui va avec l'appartenance à un groupe. C'était un hipster. En tant que hipster, il méprisait les hipsters et, plus particulièrement, le hipster mâle. Il y avait un côté mou du genou, un défaut de virilité dans cette quête rêveuse et idéaliste du naturel, de l'original, de l'authentique, dans le hipster qui aurait voulu avoir l'air d'un bûcheron vivant dans une cabane et élevant et tuant sa propre nourriture, mais n'était en fait qu'un gamin surprotégé qui, à juste titre, avait le sentiment que la vie moderne l'avait privé de toute masculinité et lui donnait l'impression d'être désemparé. Bjørn s'était vu confirmer ce soupçon sur lui-même à une soirée au moment de Noël, à Toten, avec de vieux copains de classe, quand Endre, le séduisant fils du proviseur qui faisait des études de socio à Boston, l'avait qualifié de parfait hipsterloser. Endre avait ramené ses épais cheveux noirs en arrière et souri en citant Mark Greif, qui écrivait dans le *New York Times* que le hipster compensait l'absence d'ascension sociale et professionnelle en recherchant la supériorité culturelle.

« Et c'est là que nous te trouvons, Bjørn, un fonctionnaire au milieu de la trentaine, qui occupe le même poste depuis dix ans, qui croit que le simple fait d'avoir les cheveux longs et des vêtements de paysan qui ont l'air d'avoir été achetés à l'Armée du Salut l'élève au-dessus de ses collègues plus jeunes, qui ont les cheveux courts et sont dans le moule, et dont la carrière a dépassé la sienne depuis des années. »

Endre avait dit tout cela d'une longue traite et Bjørn avait écouté en se demandant : est-ce vrai ? Est-ce cela qui me définit ? Est-ce pour devenir ça que le fils de paysans a fui les champs ondoyants de Toten ? Un loser, un conformiste féminisé et militant ? Un policier raté, à la dérive, qui compense en se cherchant une image. Qui se sert de ses racines – voiture de parade, Elvis et vieux héros country, coiffure des années cinquante, santiags en peau de serpent et parler rural – pour tracer un trait le reliant à du vrai, du terre à terre, mais qui est aussi peu honnête que l'homme politique d'Oslo Ouest en campagne dans les usines enlevant sa cravate, retroussant ses manches, et troquant ses terminaisons en « en » en terminaisons en « a » autant de fois que sa langue le supporte.

Peut-être bien. Enfin, si ce n'était pas toute la vérité, c'en était sans doute une partie, mais cela le définissait-il ? Non. Aussi peu que ses cheveux roux. Ce qui le définissait, c'était qu'il était un putain d'excellent policier scientifique. Et autre chose.

« Tu as peut-être raison, avait répondu Bjørn alors qu'Endre reprenait son souffle. Je ne suis peut-être qu'un loser pathétique, mais moi, je suis gentil avec les autres. Pas toi.

— Mais putain, Bjørn, ça te fâche ? »

Endre était hilare, il avait posé une main sur son épaule dans un geste de camaraderie consolatrice tout en adressant un sourire entendu aux gens autour de lui, comme s'ils jouaient tous à un jeu dont Bjørn n'aurait pas compris les règles. Bjørn avait certes bu un verre de trop de cette gnôle maison confectionnée par nostalgie – pas comme autrefois où cela coûtait moins cher que d'acheter une bouteille –, mais il l'avait senti, alors, dans un flash, ce qu'il était capable de faire. Il aurait pu planter son poing en plein milieu du ricanement sociologique d'Endre, lui casser le nez, voir la peur dans son regard. Dans son enfance et son adolescence, Bjørn ne s'était jamais battu. Jamais. Il n'y connaissait donc rien avant de s'y mettre à l'école de police, où il avait appris une chose ou deux sur le combat rapproché. Notamment que la manière la plus sûre de gagner était de frapper le premier et avec un maximum d'agressivité. En pratique, neuf combats sur dix étaient alors terminés. Il le savait, il le voulait, mais le pouvait-il ? Quel était son seuil d'exercice de la violence ? Il l'ignorait, il ne s'était tout simplement jamais trouvé dans une situation où la violence avait semblé être une solution adéquate. Elle ne l'était pas cette fois non plus. Endre ne constituait pas une menace physique et un coup ne mènerait qu'au scandale, voire à une plainte. Alors pourquoi l'avait-il souhaité si ardemment, sentir le visage de l'autre contre ses jointures, entendre le bruit éteint de l'os contre la chair, voir le sang jaillir du nez d'Endre, la terreur sur son visage ?

Ce soir-là, quand il s'était couché dans son ancienne chambre d'enfant, Bjørn n'avait pas pu dormir. Pourquoi n'avait-il rien fait ? Pourquoi s'était-il contenté de répondre en riant, mais non, je ne suis pas fâché, avant d'attendre qu'Endre ôte sa main de son épaule et de murmurer qu'il allait se chercher à boire ? Il s'était trouvé d'autres gens à qui parler et avait quitté la soirée aussitôt après. Ç'aurait été la bonne occasion. La gnôle artisanale pouvait servir d'excuse, une petite bagarre à une soirée, c'était toléré à Toten. Il n'y aurait eu que ce seul coup, Endre n'était pas bagarreur. Et quand bien même il aurait riposté, tout le monde aurait été de son côté à lui, Bjørn. Car Endre était une ordure et l'avait toujours été, et tout le monde adorait Bjørn, depuis toujours, ça aussi. Sans que ça lui ait beaucoup servi dans son adolescence.

À quinze, seize ans, Bjørn avait enfin pris son courage à deux mains pour proposer à Brita d'aller au cinéma de village de Skreia. Le directeur du cinéma avait franchi le pas extraordinaire de diffuser *The Song Remains the Same*, le film des concerts de Led Zeppelin, quinze ans après sa sortie, certes, mais Bjørn s'en fichait. Après avoir cherché Brita, il l'avait finalement trouvée derrière les toilettes des filles. Elle était en larmes et lui avait expliqué en sanglotant que pendant le week-end, elle avait laissé Endre coucher avec elle. Mais à la récré, sa meilleure amie lui avait confié qu'elle et Endre sortaient désormais ensemble. Bjørn avait fait de son mieux pour la consoler et, sans véritable transition, il l'avait invitée au cinéma. Elle lui avait lancé un drôle de regard, lui avait demandé s'il n'avait pas entendu ce qu'elle venait de dire. Bjørn avait confirmé qu'il avait entendu, mais ajouté qu'il l'aimait bien elle et qu'il aimait bien Led Zeppelin. Elle avait d'abord dit non, en soufflant avec mépris, sur quoi elle avait paru avoir un instant de lucidité et lui avait finalement répondu qu'elle serait ravie de venir. Au cinéma, il était apparu que Brita avait invité aussi sa meilleure amie et Endre. Brita avait embrassé Bjørn, la première fois pendant « Dazed and Confused », puis au milieu du solo de guitare de Jimmy Page dans « Stairway to Heaven ». Elle lui avait ainsi fait grimper plusieurs marches vers ce paradis ; mais quand ils s'étaient retrouvés seuls après le film et qu'il l'avait raccompagnée à sa porte, elle n'avait plus voulu de baisers et était rentrée directement chez elle avec un « bonne nuit » laconique. Une semaine plus tard, Endre rompait avec la meilleure amie pour sortir avec Brita.

Bjørn avait porté ces choses en lui, évidemment. La trahison qu'il aurait dû voir venir, le coup qui n'était pas parti. Lequel avait en quelque sorte confirmé ce qu'Endre prétendait à son sujet, que la seule chose qui surpassait la honte de ne pas être un homme était la peur d'en être un.

Y avait-il là un fil conducteur ? Un lien de causalité ? Cette avalanche de violence était-elle une accumulation qui n'avait eu besoin que d'une dernière humiliation pour se déclencher ? Le meurtre était-il comme le coup de poing qu'il n'avait jamais réussi à asséner à Endre ?

L'humiliation. Comme un retour de balancier. L'humiliation de comprendre que l'enfant n'était pas de lui avait été d'autant plus forte qu'il était fier d'être papa. La fierté quand ses parents et ses deux sœurs étaient venus rendre visite à la petite famille à la maternité et que Bjørn avait vu leurs visages rayonnants. Ses sœurs qui étaient devenues tantes, ses parents grands-parents. Ils l'étaient déjà avant, Bjørn était le benjamin et il avait été le dernier à s'y mettre, mais quand même, ils n'étaient pas sûrs que ça arriverait un jour. Il avait ce style célibataire qui n'augurait rien de bon, avait dit la mère. Ils adoraient Katrine. L'ambiance avait été un peu figée lors de leurs premières visites, quand la façon d'être de Katrine, ouverte, directe, loquace, qui était celle de Bergen avait rencontré la manière de Toten, plus lente, avare de mots, tout en retenue. Mais Katrine et ses parents avaient trouvé un moyen terme et lors du premier repas de Noël à la ferme, quand Katrine s'était faite belle et avait descendu l'escalier, sa mère avait donné un coup de coude à Bjørn, avec un mélange d'appréciation et de stupéfaction, son regard demandait : comment est-ce que toi, tu as pu emporter ce morceau-là ?

Oui, il avait été fier. Bien trop fier. Elle l'avait peut-être remarqué aussi. À la fin, cette fierté si difficile à cacher l'avait peut-être incitée à se poser la même question : Comment a-t-il pu me conquérir, lui ? Elle l'avait quitté. Il ne se l'était pas formulé ainsi sur le coup, il avait plutôt envisagé cela comme une pause pour réfléchir, un creux dans la relation, une claustrophobie passagère. Toute autre façon de considérer les choses était intolérable. Elle était revenue. Au bout de quelques semaines, deux mois peut-être, il ne se souvenait pas vraiment, il avait refoulé toute cette période. C'était juste après qu'ils avaient cru avoir résolu l'affaire du Vampiriste. Katrine était tombée enceinte immédiatement. On aurait dit qu'elle sortait d'une hibernation sexuelle et Bjørn s'était dit que ce n'était peut-être pas si bête, cette pause, que parfois on avait besoin d'être séparés pour se rendre compte de ce qu'on avait dans son couple. Un enfant conçu dans la joie des retrouvailles. C'était ainsi qu'il avait vu les choses. Cet enfant, il l'avait baladé à Toten, montré à la famille, aux amis, et à des cousins de plus en plus éloignés, il l'avait exhibé comme un trophée, une preuve de sa virilité pour ceux qui auraient eu des doutes. C'était stupide, mais tout le monde avait le droit d'être stupide une ou deux fois dans sa vie.

Et puis ensuite, l'humiliation.

Intenable. Comme dans un avion au décollage ou à l'atterrissage, quand les trompes d'Eustache ne compensent plus la pression et qu'on est certain que sa tête va exploser, qu'on le souhaite même à moitié, n'importe quoi pour échapper à ces douleurs qui, au moment où on croit qu'elles culminent, se corsent encore un peu. On en deviendrait fou. Prêt à sauter de l'avion, à se tirer une balle dans la tempe. Calcul à une seule variable : la douleur. Une seule constante libératrice : la mort. Sa mort à soi, celle d'autrui. Dans sa confusion, il avait cru que sa douleur – et la différence de pression – pouvait être compensée par celle des autres. Celle de Harry.

Il s'était trompé.

Tuer Rakel avait été plus facile qu'il ne pensait. Peut-être parce qu'il avait planifié depuis si longtemps, le concret, les opérations, comme disaient les sportifs. Il avait inlassablement repassé le processus dans sa tête, et quand il s'était retrouvé sur place et avait dû passer à l'acte, c'était comme s'il était toujours en train d'imaginer, comme s'il était un observateur extérieur. Comme Harry l'avait dit, il était redescendu à pied par Holmenkollveien, mais pas vers Sørkedalsveien. Il avait pris Stasjonsveien vers l'ouest, avant d'emprunter Bjørnveien et de sinuer vers Vindern par des petites rues où un piéton se faisait moins remarquer. La première nuit, il avait bien dormi, n'avait même pas été réveillé par Gert, qui, d'après Katrine, avait hurlé à partir de cinq heures du matin. Il devait être épuisé. La deuxième nuit, il n'avait pas si bien dormi, mais ce n'était que le lundi, en voyant Harry sur les lieux du crime, qu'il avait commencé à se rendre compte de ce qu'il avait fait. Voir Harry, ça avait été comme voir une église en feu. Bjørn se souvenait des images de l'incendie de l'église en bois debout de Fantoft en 1992, qui avait été allumé par un sataniste à six heures du matin le sixième jour du sixième mois. Il y avait souvent une certaine beauté dans les catastrophes, qui empêchait de détourner le regard. Une fois les murs et le toit brûlés était apparu le squelette de l'église, sa forme réelle, sa personnalité nue, vraie. C'était ce qui était arrivé à Harry dans les jours qui avaient suivi. Bjørn ne pouvait pas le quitter des yeux. Harry dénudé jusqu'à son moi réel et pathétique. Bjørn était devenu un pyromane, fasciné par sa propre œuvre de destruction. Tout en étant incapable de détourner le regard, il souffrait. Lui aussi brûlait. Avait-il su dès le départ que c'était ce qui allait se passer ? S'était-il sciemment arrosé du reste d'essence et mis assez près de Harry pour, lui aussi, partir dans l'incendie de l'église ? Ou se figurait-il que Harry et Rakel disparaîtraient alors que lui continuerait de vivre, de s'occuper de sa famille, la ferait sienne, redeviendrait entier ?

Entier.

L'église de Fantoft avait été reconstruite. C'était faisable. Bjørn prit une lente inspiration tremblée :

« Tout ça n'est que le fruit de ton imagination, Harry, tu le sais ? Tout ce que tu as, c'est une station de radio et l'ajustement d'un dossier de siège. Tu aurais pu être drogué par n'importe qui, avec ta consommation d'alcool, il est même envisageable que tu aies pris la drogue toi-même. Tu n'as strictement aucune preuve.

— Sûr ? Et le couple qui a déclaré avoir vu un homme descendre Holmenkollen à pied un quart d'heure avant minuit ? »

Bjørn secoua la tête. « Ils n'ont pas réussi à donner de signalement et cela ne raviverait pas leurs souvenirs de voir des photos de moi, parce que l'homme qu'ils ont vu avait une fausse barbe noire, des lunettes en écaille et il boitait.

— Hmm. Bien.

— Bien ? »

Harry hocha lentement la tête. « Si tu es sûr de ne pas avoir laissé de traces, c'est bien.

— Qu'est-ce que tu veux dire, bordel ?

— Que comme ça, il n'y aura pas tellement de gens qui auront besoin de savoir. »

Bjørn dévisagea Harry. Il n'y avait aucun triomphe dans son regard. Pas une once de haine envers l'homme qui avait tué sa bien-aimée. Tout ce qu'il voyait dans ses yeux brillants, c'était de la fragilité. De la nudité. Un sentiment qui ressemblait à de la compassion.

Bjørn regarda le pistolet que Harry lui avait donné. Il avait compris maintenant.

Eux le sauraient. Harry. Katrine. C'était assez. Assez pour

qu'il soit impossible de continuer. Alors que si ça s'arrêtait ici, si Bjørn arrêtait cela ici, les autres n'auraient pas besoin de savoir. Les collègues. La famille et les amis de Toten. Et, plus important que tout : le petit.

Bjørn déglutit. « Tu me promets ?

— Je te promets. »

Bjørn fit un signe de tête. Il sourit presque à l'idée d'avoir enfin ce qu'il voulait. Sa tête allait exploser.

« Je vais y aller maintenant », dit Harry.

Bjørn désigna la banquette arrière du front. « Tu... tu emmènes le petit ? C'est le tien.

— C'est le tien et celui de Katrine, mais, oui, je sais que je suis le père. Il n'y a personne qui le sache qui ne soit pas soumis au secret professionnel. Et ça restera ainsi. »

Bjørn regarda droit devant lui.

Il y avait un bel endroit à Toten, une colline où, au clair de lune, les champs de printemps avaient l'air d'une mer jaune ondoyante. Où un jeune avec son permis de conduire pouvait être dans sa voiture à embrasser une fille. Ou à pleurer en rêvant d'elle.

« Si personne ne le sait, comment est-ce que tu l'as su, toi ? demanda Bjørn, sans réel intérêt pour la réponse, cherchant juste à retarder le départ encore quelques secondes.

— Pure déduction.

— Évidemment », fit Bjørn Holm dans un sourire las.

Harry sortit de la voiture, détacha le siège bébé de la banquette arrière, le prit. Il regarda l'enfant qui dormait. Ne se doutant de rien. Tout ce que nous ne savons pas. Tout ce qui nous est épargné. La petite phrase qu'Alexandra avait prononcée le soir où Harry avait décliné le préservatif qu'elle lui proposait.

Tu n'as quand même pas envie d'être de nouveau père ?

Redevenir père ? Alexandra savait bien qu'Oleg n'était pas son fils biologique.

Redevenir père ? Elle savait quelque chose qu'il ignorait.

Redevenir père. Un lapsus. Dans les années quatre-vingt, le psychologue Daniel Wegner avait expliqué que le subconscient veillait en permanence à ce que nous ne révélions pas les secrets que nous souhaitions garder, mais le subconscient informait alors la partie consciente du cerveau de ce processus de vérification et la forçait à penser aux secrets en question. Ce n'était alors qu'une question de temps avant que la vérité ne sorte sous forme d'un lapsus.

Redevenir père. Alexandra avait analysé le coton-tige que Bjørn lui avait envoyé et fait une recherche de concordance dans le fichier. Où étaient enregistrés les profils génétiques de tous les policiers travaillant sur des scènes de crime afin de ne pas créer de confusion si jamais ils laissaient de l'ADN par inadvertance. Elle n'avait donc pas uniquement le profil de Bjørn, qu'elle avait pu exclure comme père, mais celui des deux parents : Katrine Bratt et Harry Hole. C'était ce que le secret professionnel lui interdisait de raconter à d'autre que son commanditaire, Bjørn Holm.

La nuit où Harry avait couché, ou du moins eu une espèce de rapport sexuel, avec Katrine Bratt, il était tellement ivre qu'il ne s'en souvenait pas, c'est-à-dire qu'il se souvenait un peu, mais croyait que c'était un rêve qu'il avait fait. Il avait ensuite eu des soupçons quand il avait remarqué que Katrine l'évitait. Quand c'était à Gunnar Hagen, et non à lui, qu'on avait demandé d'être le parrain de l'enfant, bien que Harry soit un ami nettement plus proche à la fois de Katrine et de Bjørn. Non, il n'avait pas pu exclure que quelque chose se soit passé cette nuit-là, quelque chose qui avait gâché sa relation avec Katrine. Ainsi que sa relation avec Rakel, après le baptême, juste avant Noël, quand elle avait mis sa vie sens dessus dessous en lui demandant s'il avait couché avec Katrine au cours de l'année précédente. Il n'avait pas eu le bon sens de le nier. Harry se souvenait de sa propre perplexité quand elle l'avait jeté dehors et qu'il s'était retrouvé assis sur son lit dans une chambre d'hôtel, avec un sac contenant quelques vêtements et des affaires de toilette. Rakel et lui étaient tout de même des adultes, avec des attentes réalistes, ils s'aimaient avec tous leurs défauts et singularités, en l'occurrence, ils étaient bien ensemble. Alors pourquoi vouloir balancer tout cela aux orties à cause d'un unique faux pas, un truc qui s'était passé et qui était révolu, qui n'avait de conséquences sur l'avenir de personne ? Il connaissait Rakel, et ça ne tenait pas debout.

Il ne comprenait que maintenant ce qu'elle avait compris alors, sans le lui expliquer. Cette nuit-là avait eu des conséquences, l'enfant de Katrine était celui de Harry, pas de Bjørn. Quand les soupçons de Rakel s'étaient-ils formés ? Au baptême, peut-être, quand elle avait vu l'enfant. Pourquoi ne lui avait-elle rien dit, pourquoi l'avoir gardé pour elle ? Simple. Parce que la vérité n'aurait profité à personne, elle n'aurait fait que démolir d'autres personnes. Mais elle ne pouvait pas non plus vivre avec. Cet état de fait. Que l'homme avec qui elle partageait sa table et son lit, mais avec qui elle n'avait pas d'enfant, en ait un, qui allait vivre parmi eux, qu'ils allaient fréquenter.

Le semeur. Depuis la veille, les paroles de Svein Finne enregistrées devant l'église catholique résonnaient dans sa tête, comme un écho refusant de disparaître. Car je suis ce semeur. Non. Le semeur, c'était lui, Harry.

Bjørn tourna la clef dans le contact et alluma la radio d'un seul et même geste machinal. Le moteur démarra, puis il y eut une baisse de régime et il bourdonna gentiment à vide. Par l'interstice tout en haut de la vitre passager, Harry entendit la voix de Rickie Lee Jones se poser sur celle de Lyle Lovett dans « North Dakota ». Une vitesse s'enclencha et la voiture partit doucement. Harry regarda Bjørn qui s'éloignait. Il ne pouvait pas conduire sans écouter de country. Comme le gin et le tonic. Même quand il était monté chez Rakel avec Harry drogué sur le siège passager. Ce n'était sans doute pas si étonnant. Bjørn avait dû avoir besoin de compagnie. Il n'avait jamais dû se sentir si seul qu'à ce moment-là. Même pas maintenant, songea Harry. Car il l'avait vu dans son regard avant que la voiture ne s'éloigne. Le soulagement.

50

Johan Krohn ouvrit les yeux. Il regarda l'heure. Six heures cinq. Se disant qu'il avait dû mal entendre, il allait se retourner dans le lit pour continuer de dormir quand il l'entendit de nouveau. La sonnette au rez-de-chaussée.

« Qui est-ce ? » marmonna Frida d'une voix pleine de sommeil à côté de lui.

Ça, pensa Johan Krohn, c'est le diable en personne qui vient réclamer son dû. Certes, le délai de quarante-huit heures que Finne lui avait accordé pour laisser son message sur cette tombe ne devait s'écouler que dans l'après-midi. Mais plus personne d'autre ne sonnait aux portes. S'il y avait un meurtre et qu'on avait besoin d'un avocat dans l'heure, on lui téléphonait. S'il y avait une situation de crise au bureau, on lui téléphonait. Même les voisins téléphonaient en cas de problème.

« Je crois que ça pourrait être des trucs de boulot, répondit-il. Dors, ma chérie, je vais ouvrir. »

Krohn ferma les yeux un instant et essaya de respirer calmement et profondément. Il n'avait pas dormi de la nuit, était resté les yeux ouverts dans le noir, alors que son cerveau moulinait inlassablement : Comment allait-il arrêter Svein Finne ?

Lui, le grand stratège des tribunaux, n'avait pas trouvé de réponse.

S'il faisait en sorte que Finne soit seul avec Alise, il se rendrait complice d'un crime. Ce qui était déjà grave en soi, pour Alise comme pour lui-même, en plus, ça ne ferait que donner à Finne de meilleures cartes pour réclamer davantage, ce qui ne manquerait pas d'arriver. À moins que, d'une manière ou d'une autre, il ne parvienne à convaincre Alise d'accepter de coucher avec Finne, afin que ce soit consenti. Était-ce possible ? Le cas échéant, que devrait-il promettre à Alise en échange ? Non, non, c'était impossible, aussi impossible que ce que Frida avait spontanément proposé quand il lui avait présenté le problème comme un cas fictif : faire appel à un tueur à gages pour qu'il s'occupe de Finne !

Devait-il plutôt avouer sa faute à Frida ? Aveu. Vérité. Exécution de la peine. L'idée semblait libératrice, mais juste comme un bref souffle d'air par un soleil cuisant dans un désert où l'horizon n'est qu'une ligne de désespoir ininterrompu. Elle allait le quitter. Il le savait. Le cabinet d'avocats, les victoires au tribunal, les articles dans la presse, la renommée, les regards admiratifs, les soirées, les femmes, les propositions, au diable, tout cela. Frida et les enfants étaient tout ce qu'il avait, ils l'avaient toujours été. Et quand Frida serait seule, quand elle ne serait plus à lui, Svein Finne n'avait-il pas plus ou moins dit qu'elle cesserait d'être chasse gardée et qu'il la voudrait ? Vu comme ça, n'avait-il pas une obligation morale de porter seul ce lourd secret et de faire en sorte que Frida ne le quitte pas, pour sa sécurité à elle ? Ce qui, une fois encore, signifiait qu'il devait donner Alise à Finne et qu'ensuite, Finne... ah, quel fichu nœud gordien ! Il lui aurait fallu un sabre, mais il n'en avait pas, il n'avait que son stylo et son clapet bavard.

Il posa les pieds par terre, les glissa dans ses chaussons.

« Je serai vite revenu », dit-il. Autant pour lui-même que pour Frida.

Il descendit l'escalier et traversa l'entrée vers la porte en chêne.

Et il savait qu'en ouvrant, il devrait avoir une réponse prête pour Finne.

Je dis non, se dit Johan Krohn. Il me descend. Soit.

Puis il se souvint que Finne opérait au couteau et il eut des doutes.

Couteau.

Il ouvrait ses victimes.

Et puis il ne les tuait pas, il les blessait. Comme des mines terrestres. Il les estropiait pour le restant de leurs jours, jours que ses victimes devaient vivre même quand la mort aurait été préférable. Sur le balcon, Finne avait avoué avoir violé une jeune fille de Huseby. La fille de l'évêque. Avait-ce été une menace déguisée contre ses propres enfants ? Finne ne courait aucun risque en avouant ce viol. Non seulement parce que Krohn était son avocat, mais parce qu'il y avait sûrement prescription. Krohn n'avait pas souvenir d'une affaire de viol, mais il se souvenait qu'on disait que l'évêque Bohr était mort de chagrin parce que sa fille s'était suicidée en se jetant dans une cascade. Devait-il se laisser terroriser par une personne qui avait consacré sa vie à détruire celle des autres ? Johan Krohn avait toujours réussi à trouver un fondement d'éthique sociale, une justification professionnelle et parfois même émotionnelle pour se battre bec et ongles pour ses clients. Mais là, il renonçait. Il haïssait la personne qui se trouvait de l'autre côté de la porte. Il souhaitait de tout son cœur et de toute sa tête que cette vermine, Svein Finne le destructeur, meure promptement, et d'une mort pas nécessairement indolore. Quand bien même cela signifierait qu'il serait entraîné dans sa chute.

« Non, murmura Johan Krohn. Je te dis non, sacré connard de merde. »

Et, se demandant si on ne disait pas plutôt putain de connard de merde, il ouvrit la porte.

Il resta bouche bée à dévisager l'homme devant lui, qui le jaugeait de la tête aux pieds. Sentant le froid mordant du matin sur son corps maigre et nu, il se rendit compte qu'il n'avait pas mis son peignoir, mais se tenait vêtu simplement d'un des slips que Frida lui offrait tous les Noëls et des chaussons qu'il avait reçus des enfants. Krohn dut toussoter pour donner du son à sa voix : « Harry Hole en personne ? N'êtes-vous pas… »

Le policier, si c'était bien lui, secoua la tête avec un petit sourire en coin. « Mort ? Pas tout à fait. Mais j'ai besoin d'un sacré avocat. Et il paraît que vous aussi, vous avez besoin d'aide. »

QUATRIÈME PARTIE

51

C'était l'heure du déjeuner au Statholdergaarden. Dans la rue, de l'autre côté des fenêtres du restaurant, un jeune musicien soufflait sur ses doigts avant de jouer. Boulot solitaire, songea Sung-min, qui le voyait, mais n'entendait pas ce qu'il jouait et ne pouvait donc pas déterminer s'il était bon. Solitaire et invisible. Le pauvre gars avait peut-être été relégué à cette Kirkegate probablement peu lucrative par les musiciens plus âgés qui faisaient la loi sur Karl Johans gate.

Il leva les yeux quand le serveur déplia la serviette de damas blanc en la faisant claquer comme un drapeau au vent avant de la laisser retomber sur les genoux d'Alexandra Sturdzas.

« J'aurais dû me mettre sur mon trente et un, commenta-t-elle en riant.

— Je trouve que vous avez l'air d'être sur votre trente et un. » Sung-min sourit et recula sur son siège pendant que le serveur répétait l'exercice avec sa serviette à lui.

« Ça ? » Elle pointa tous ses doigts vers sa robe ajustée. « C'est ma tenue de travail. C'est juste que je m'habille moins décontracté que mes collègues. Vous, en revanche, vous êtes tiré à quatre épingles comme si vous alliez à un mariage.

— J'arrive droit d'un enterrement, expliqua Sung-min en voyant Alexandra tressaillir comme s'il l'avait giflée.

— Bien sûr, dit-elle doucement. Je suis désolée. Bjørn Holm, n'est-ce pas ?

— Oui. Vous le connaissiez ?

— Oui et non. Il était policier scientifique, donc nous avions parfois des contacts téléphoniques. Il paraît qu'il s'est suicidé.

— Oui. »

Il avait répondu « oui » plutôt que « il semblerait », parce qu'il n'y avait aucun doute. On avait retrouvé sa voiture à Toten, à côté d'une route de campagne sur une petite hauteur d'où on avait vue sur les champs, non loin de sa maison d'enfance. Les portes étaient verrouillées, la clef dans le contact. Certains s'étaient certes étonnés que Bjørn Holm ait été sur la banquette arrière et ait eu un pistolet dont le numéro de série ne permettait pas de retracer le propriétaire, mais sa veuve, Katrine Bratt, avait expliqué que c'était précisément sur la banquette arrière que Williams Machin-Chose, son idole, était mort. Et il n'y avait rien de très invraisemblable à ce qu'un policier scientifique ait accès à des armes sans propriétaire déclaré. L'église était pleine, famille et collègues de la police d'Oslo et de Kripos, Bjørn Holm avait travaillé pour les deux. Katrine Bratt avait paru posée, plus que quand ils s'étaient vus à la cascade de Nora, en fait. Après avoir liquidé avec efficacité la file de gens venus présenter leurs condoléances, elle était venue le trouver. La rumeur disait qu'il n'était pas *happy* là où il était. C'était le mot qu'elle avait employé, au milieu de tout son dialecte de Bergen. *Happy*. Avant d'ajouter qu'ils devraient avoir une petite conversation. Elle avait un poste libre à pourvoir. Il lui avait fallu une petite seconde pour comprendre qu'elle parlait du poste de Harry Hole. Il s'était demandé s'il n'était pas doublement malséant de parler boulot à l'enterrement de son mari et d'offrir à Sung-min le poste d'un homme qui n'était encore que disparu, mais elle avait sans doute besoin de n'importe quelle distraction pour détourner ses pensées de ces deux-là. Sung-min avait répondu qu'il allait y réfléchir.

« J'espère que Kripos a un budget pour ça, observa Alexandra quand le serveur eut déposé le premier plat sur la table, en leur expliquant qu'il s'agissait de coquilles Saint-Jacques crues, servies avec une mayonnaise au poivre noir, du Ghoa Cress et un beurre de soja. Parce que la Médecine légale, non.

— Oh, je pense que j'arriverai à justifier cette dépense si vous pouvez tenir ce que vous avez promis au téléphone. »

Alexandra Sturdzas l'avait appelé le soir précédent. Elle lui avait dit sans introduction qu'elle avait des informations sur l'affaire Rakel. Elle l'appelait, parce que les implications étaient délicates, et qu'elle avait décidé qu'elle avait confiance en lui après leur première rencontre. Elle préférait toutefois éviter d'en parler par téléphone.

Sung-min avait proposé un déjeuner, et réservé une table dans un restaurant aux prix dépassant les budgets de Kripos, en effet. Il n'aurait qu'à prendre cette addition sur ses propres deniers. Il s'était raconté que c'était un investissement judicieux, qu'il soignait ses relations professionnelles avec quelqu'un de la Médecine légale, ce qui pourrait se révéler utile s'il avait besoin d'un service. Une analyse d'ADN à faire en priorité. Par exemple. À moins que ? Au fond de lui, il savait que c'était plus que ça. Et alors ? Il n'avait pas eu le temps de se pencher vraiment sur la question. Sung-min jeta un coup d'œil sur le musicien de rue qui était maintenant lancé. Les gens passaient, indifférents. Hank. C'était ce que son collègue avait dit. Hank Williams. Il n'aurait qu'à le googler en rentrant chez lui.

« J'ai analysé le sang de Harry Hole sur le pantalon qu'il portait la nuit du meurtre, dit-elle. Il contient du Rohypnol. »

Sung-min arracha son regard du trottoir, le ramena sur Alexandra Sturdzas.

« Assez pour assommer un homme pendant quatre, cinq

heures, poursuivit-elle. Ça m'a fait penser à l'heure du meurtre. Notre médecin légiste l'a située dans un intervalle entre vingt-deux heures et deux heures du matin. En se fondant sur la température du corps. D'autres indicateurs, comme le degré de décoloration des lividités cadavériques, suggéraient que cela pouvait... » Elle leva un long index qui paraissait encore plus long à cause de son ongle violet. « ... et, je répète, *pouvait* être arrivé plus tôt. »

Sung-min se souvenait qu'elle n'avait pas de vernis la première fois. S'était-elle fait les ongles pour l'occasion ?

« C'est pourquoi j'ai vérifié le relevé de compteur de Rakel Fauke auprès de la compagnie d'électricité. La consommation a augmenté de soixante-dix kilowatts heure entre vingt heures et minuit. Ce qui indique que le chauffage a été monté. Si c'était dans le salon, la compagnie évalue la hausse de température à cinq degrés. Mon médecin légiste dit que si c'est le cas, elle estime que la mort serait intervenue entre dix-huit et vingt-deux heures. »

Sung-min cligna des yeux. Il avait lu quelque part que le cerveau humain ne traitait l'information qu'à soixante kilobits par seconde. De ce point de vue, c'était un ordinateur étonnamment faible. Si ça allait malgré tout si vite, cela tenait à l'organisation des données qui s'y trouvaient déjà. Il s'agissait essentiellement de développer des souvenirs et des schémas et de les utiliser, pas de penser neuf. Ce qui expliquait peut-être pourquoi cela prenait si longtemps. Il fallait qu'il pense neuf. Complètement neuf. Il entendit la voix d'Alexandra comme si elle venait de loin :

« D'après ce qu'Ole Winter a dit dans les journaux, Harry Hole était dans un bar avec des témoins jusqu'à vingt-deux heures. Non ? »

Sung-min regarda fixement son mollusque. Qui lui rendit un regard indifférent.

« Donc la question est sans doute de savoir si, à un moment ou un autre, vous avez eu d'autres gens dans votre radar ? Des gens que vous avez laissés partir parce qu'ils avaient un alibi pour la période de temps où on suppose que Rakel a été tuée, mais qui n'en avaient pas forcément entre dix-huit et vingt-deux heures.

— Je vous prie de m'excuser, Alexandra. » Sung-min se leva, s'aperçut qu'il avait oublié sa serviette, qui vola vers le sol. « Finissez votre repas. Je dois... J'ai des choses à faire. Un autre jour, est-ce qu'on pourrait... est-ce que vous et moi... »

Il vit à son sourire qu'ils pourraient.

Il partit, tendit sa carte de visite au maître d'hôtel en le priant de lui envoyer la facture, se hâta de sortir dans la rue. Le musicien jouait une chanson que Sung-min avait entendue, un accident de voiture, une ambulance, « Riverside », mais la musique, ce n'était pas son truc. Pour une raison X ou Y, les chansons, les textes, les noms ne se fixaient pas. Il se souvenait en revanche de chaque mot, de chaque horaire du rapport d'interrogatoire de Svein Finne. Il était arrivé à la maternité à vingt et une heures trente. Autrement dit, Svein Finne avait eu trois heures et demie devant lui pour tuer Rakel Fauke. Le problème, c'était que personne ne savait où il vivait.

Alors pourquoi courait-il ?

Parce que ça allait plus vite.

À quoi bon courir quand tout le monde essayait déjà de trouver Svein Finne ?

Sung-min allait se mettre en quatre. Il était meilleur. Extrêmement motivé. Sa grosse victoire d'équipe bien goûtue, ce charognard d'Ole Winter allait bientôt pouvoir s'étouffer avec.

Dagny Jensen descendit du T-bane à Borgen. Elle resta un instant à contempler le cimetière Vestre gravlund. Elle n'allait pas y aller, elle ne savait pas si elle remettrait jamais les pieds dans un cimetière. À la place, elle descendit Skøyenveien jusqu'à Monolitveien et prit à droite. Elle passa devant de grandes maisons en bois blanches, derrière des clôtures à claire-voie. Elles avaient l'air vides. Le matin, un jour ouvré. Les gens étaient au bureau, à l'école, ils étaient dans le jus, ils étaient actifs. Elle, elle était parquée. En arrêt maladie. Pas à sa demande, mais à celle du psychologue et du proviseur. Ils voulaient qu'elle se repose quelques jours, pour se reprendre, voir comment elle se sentait réellement après l'agression. Qui donc voulait savoir comment elle se sentait réellement ?

Eh bien voilà, maintenant, elle savait dans quel marasme elle vivait.

Son téléphone bourdonna dans son sac. Elle le sortit, vit que c'était encore Kari Beal, sa garde du corps. Ils la cherchaient maintenant. Elle déclina l'appel et tapa un message.

> Désolée. Pas de danger. J'ai juste besoin d'un peu de temps seule. Je vous préviendrai quand je serai prête.

Vingt minutes plus tôt, elles étaient dans le centre-ville et Dagny avait annoncé à Kari Beal qu'elle allait acheter des tulipes. Elle avait insisté pour que la policière l'attende dehors pendant qu'elle-même entrait chez le fleuriste, en sachant que le magasin donnait aussi sur l'autre rue. D'où elle avait rejoint d'un pas vif la station de T-bane derrière le Storting et pris le premier métro en direction de l'ouest.

Elle consulta sa montre. Il lui avait dit d'être là avant quatorze heures. Indiqué sur quel banc s'asseoir. Demandé de porter des vêtements qu'elle ne portait pas d'habitude, afin de ne pas être trop facilement reconnaissable. Précisé où fixer son regard.

C'était de la folie.

De la folie. Il l'avait appelée d'un numéro inconnu. Elle avait répondu, sans parvenir ensuite à raccrocher. Maintenant, telle une hypnotisée, sans libre arbitre, elle obéissait exactement à ses instructions, à cet homme qui s'était servi d'elle et qui l'avait bernée. Comment était-ce possible ? Elle n'aurait su répondre. Elle pouvait juste dire qu'elle devait avoir une pulsion qu'elle ignorait. Un vilain instinct bestial. Oui, c'était ça. Elle était une mauvaise personne, aussi mauvaise que lui, et elle le laissait maintenant l'entraîner dans sa chute. Elle sentit son pouls accélérer. Oh, elle aspirait déjà à y descendre, dans cet endroit où elle allait être purifiée par le feu. Mais allait-il venir ? Il le fallait ! Dagny entendait ses propres chaussures claquer de plus en plus fort sur l'asphalte.

Six minutes plus tard, elle était sur le banc indiqué. Il était treize heures cinquante-cinq. Elle avait vue sur le bassin de Smestad. Un cygne blanc avançait sur l'eau. Son cou et sa tête en forme de point d'interrogation. Pourquoi devait-elle à tout prix faire une chose pareille ?

Svein Finne marchait. De longs pas tranquilles et conquérants. Marcher ainsi, dans une même direction, heure après heure, c'était ce qui lui avait le plus manqué pendant ses années de prison. Enfin. La deuxième chose qui lui avait le plus manqué. Depuis le chalet qu'il avait trouvé dans la vallée de Sørkedal, il lui fallait un peu moins de deux heures pour rejoindre le centre d'Oslo, mais la moyenne des gens en auraient probablement mis trois.

Le chalet se trouvait au sommet d'un à-pic. Les points d'ancrage vissés dans la roche et les cordes et mousquetons rangés dans le chalet laissaient penser qu'il était fréquenté par des grimpeurs, mais la neige n'avait pas tout à fait disparu, les eaux de fonte ruisselaient sur le plateau de granit quand le soleil brillait, et il n'avait encore vu personne.

Ce qu'il avait vu, en revanche, c'étaient des traces de l'ours. Suffisamment près du chalet pour lui faire acheter le matériel nécessaire et fabriquer un piège à fil relié à des explosifs, et quand les grimpeurs commenceraient à faire leur apparition à la fonte des dernières neiges, il se trouverait un endroit plus reculé et s'y construirait un tipi. Il chasserait, pêcherait dans les lacs plus loin dans la forêt. Ne mangerait que ce dont il avait besoin. Priver un être de ses jours quand ce n'était pas pour le manger, c'était un meurtre, et il n'était pas un meurtrier. Il se réjouissait déjà à cette perspective.

Il traversa le souterrain piéton qui empestait l'urine sous le carrefour de Smestad, remonta à la lumière du jour, continua vers le bassin.

Il la vit sitôt entré dans le parc. Non qu'il pût – même avec son regard perçant – la reconnaître à cette distance, mais c'était son allure générale. La façon dont elle était assise. En attente. Un peu effrayée, probablement, mais surtout curieuse. Il ne se dirigea pas droit vers le banc, mais fit un crochet pour s'assurer qu'il n'y avait pas de policiers dans les parages. C'était sa manière de procéder aussi quand il allait sur la tombe de Valentin. Il ne tarda pas à établir qu'elle était seule de ce côté du bassin. Il y avait certes quelqu'un sur un banc sur l'autre rive, mais cette personne était trop loin pour entendre grand-chose et elle n'aurait pas le temps d'intervenir. Car ça allait être rapide. Tout était prêt et il était au bord de l'explosion.

« Bonjour, dit-il en arrivant au banc.

— Bonjour », répondit-elle en souriant.

Elle avait l'air moins effrayée qu'il ne l'aurait cru, mais elle ne savait pas ce qui allait se passer. Il lança un regard autour de lui pour s'assurer qu'ils étaient seuls.

« Il est juste un peu en retard, précisa Alise. Ça lui arrive. Les avocats stars, vous savez. »

Svein Finne rit. Cette jeune femme était détendue parce qu'elle pensait que Johan Krohn allait assister au rendez-vous. C'était l'explication que lui avait donnée Krohn pour qu'elle se présente à quatorze heures à un banc du bassin de Smestad. Ils allaient avoir un rendez-vous avec Svein Finne, mais leur client étant actuellement recherché, cela ne pouvait pas se passer au bureau. Tout cela avait été écrit dans la lettre que Svein Finne avait trouvée fichée dans la plate-bande devant la pierre tombale de Valentin et signée Johan Krohn. Lequel avait du reste sacrifié un bien joli couteau pour la cause, et Finne l'avait mis dans sa poche puisqu'il s'insérait bien dans sa collection et pouvait être utile au chalet. Puis il avait ouvert la lettre. Krohn semblait avoir pensé à tout pour qu'ils restent libres, l'un comme l'autre. À part aux conséquences de lui livrer sa maîtresse, bien sûr. Il ne le savait pas encore, mais il n'allait plus jamais pouvoir l'aimer comme avant. Il n'allait plus jamais être libre non plus. Il avait tout de même signé un pacte avec le diable, et comme chacun savait, le diable était un spécialiste en diable des clauses en petits caractères. À l'avenir, Finne n'aurait plus à s'inquiéter de ne pas avoir accès à ce dont il avait besoin, que ce soit en matière d'argent ou de plaisir.

Johan Krohn était toujours dans sa voiture sur le parking visiteurs de Hegnar Media. Il était arrivé trop tôt, il n'était pas censé être au bassin de l'autre côté des bâtiments avant quatorze heures cinq. Il prit le paquet de Marlboro Gold qu'il venait d'acheter, sortit, car Frida n'aimait pas l'odeur de tabac dans la voiture, et essaya d'allumer une cigarette. Ses mains tremblaient trop, il renonça. C'était aussi bien, il avait décidé d'arrêter. Il consulta de nouveau sa montre. Ils étaient convenus qu'il aurait deux minutes. Ils n'avaient pas eu de contact direct, c'était plus sûr ainsi, mais le message était donc qu'il n'avait besoin que de deux minutes.

Il suivit la trotteuse des yeux. Là. Quatorze heures.

Johan Krohn ferma les yeux. C'était bien sûr une chose épouvantable, avec laquelle il allait devoir vivre pour le restant de ses jours, mais en dernière analyse, c'était la seule issue. Il pensa à Alise. Ce qu'elle allait devoir subir maintenant. Elle allait survivre, mais serait hantée par les cauchemars, bien sûr. Tout cela parce qu'il l'avait décidé ainsi, sans lui en toucher mot, tout cela parce qu'il l'avait bernée. Celui qui faisait cela à Alise, ce n'était pas Finne, c'était lui.

Encore, il consulta sa montre. Dans une minute et demie, il irait dans le parc, ferait comme s'il était juste un peu en retard, la réconforterait du mieux qu'il pourrait, alerterait la police, jouerait les horrifiés. Correction : il n'aurait pas besoin de jouer. Il donnerait à la police une explication véridique à quatre-vingt-dix pour cent. À Alise une explication entièrement mensongère. Johan Krohn examina son reflet dans la vitre latérale de sa voiture.

Il détestait celui qu'il voyait. Le seul qu'il détestait davantage était Svein Finne.

Alise regarda Svein Finne, qui s'était assis sur le banc à côté d'elle.

« Savez-vous pourquoi nous sommes ici, Alise ? »

Il avait un foulard rouge autour de sa chevelure noire qui ne comptait que quelques mèches grises.

« Juste les grandes lignes », répondit-elle. Johan n'avait pas eu le temps de l'informer au-delà du fait qu'il s'agissait du meurtre de Rakel Fauke. Son premier réflexe avait été de penser qu'ils allaient discuter de la plainte contre la police pour les blessures physiques que Harry Hole avait infligées à leur client dans la casemate d'Ekeberg. Quand elle lui avait posé la question, Johan avait répondu laconiquement qu'il s'agissait d'aveux et qu'il n'avait pas le temps de lui expliquer. Il avait été comme ça ces derniers temps. Sec. Distant. Si elle n'avait pas su, elle l'aurait soupçonné de ne plus s'intéresser à elle. Mais elle savait. Elle l'avait déjà vu comme ça, pendant les courtes périodes où il était dans les affres du remords et avait proposé de mettre un terme à leur liaison, évoquant sa famille, le cabinet. Oui, il avait essayé. Elle l'avait arrêté. Seigneur, il en fallait si peu. Les hommes. Ou plus exactement : les garçons. Car elle avait parfois l'impression que c'était elle l'aînée, qu'il n'était qu'un boy-scout un peu grand et muni d'un cerveau de juriste très acéré, mais de pas grand-chose d'autre. Johan avait beau aimer jouer les maîtres et l'avoir comme esclave, ils savaient tous deux que c'était l'inverse. Qu'elle le laissait simplement faire son petit manège, comme une mère endosse le rôle de princesse terrifiée quand son enfant veut être un troll.

Non que Johan n'eût pas de qualités. Il était gentil. Attentionné. Loyal. Loyal, oui. Alise en avait connu qui avaient nettement moins de scrupules à tromper leur femme. Ce qui commençait à la tarauder, en revanche, ce n'était ni la loyauté de Johan ni sa famille, mais la question de savoir ce qu'elle-même retirait de tout cela. Ce n'était pas un plan mûrement réfléchi quand elle avait commencé cette liaison avec Johan, ce n'était pas du cynisme. Fraîchement émoulue de la fac de droit, Alise était bien sûr éblouie par ce premier de promo devenu avocat à la Cour suprême avant même d'être en âge de se raser, cet associé d'un des meilleurs cabinets d'avocats de la ville. Elle était parfaitement consciente aussi de ses propres atouts, de ce qu'elle avait à offrir à un cabinet d'avocats avec son A qui frisait le B aux examens, à un homme avec sa jeunesse et son physique. À la fin de la journée (Johan avait cessé de corriger ses anglicismes et s'était mis à la place à les employer aussi), c'est la somme des facteurs rationnels et apparemment irrationnels qui fait qu'on décide d'engager une liaison avec quelqu'un (Johan aurait souligné que les facteurs donnaient un produit, pas une somme). Il était difficile de déterminer ce qui était quoi. Ce n'était peut-être pas très important. Ce qui l'était, c'était qu'elle n'était plus trop sûre que la somme soit positive. Elle avait peut-être un bureau légèrement plus grand que les autres gens de son niveau, des affaires légèrement plus intéressantes vu qu'elle travaillait pour Johan, mais sa même prime annuelle restait aussi symbolique que celle des autres non-associés. Pas de signe non plus que des missions plus grandes l'attendaient. Et d'accord, Alise savait ce que valaient les promesses de quitter femme et enfants, mais Johan ne lui en avait même pas fait.

« Grandes lignes », répéta Svein Finne en souriant.

Dents brunes, constata-t-elle, mais il ne fumait pas – il était suffisamment près pour qu'elle sente son haleine sur son visage.

« Vingt-cinq ans. Vous êtes c-consciente que vous êtes en train de vous éloigner à toute vitesse de l'âge idéal pour procréer ? »

Alise dévisagea Finne. Comment savait-il quel âge elle avait ?

« Le meilleur âge, c'est de la fin de l'adolescence à vingt-quatre ans révolus », précisa Finne en coulant son regard sur elle. Oui, coulant, songea Alise. Physiquement, comme une limace qui laisse une trace.

« Après, le risque de complications augmente, de même que le risque de fausse couche. » Il remonta la manche de sa chemise en flanelle, appuya sur un bouton de sa montre. « Alors que chez les hommes, la qualité du sperme demeure globalement inchangée jusqu'à la fin de leurs jours. »

C'est faux, songea-t-elle. Elle avait lu que, comparé à un homme de son âge à elle, il y avait cinq fois plus de risques qu'un homme de quarante et un ans ne réussisse pas à provoquer une grossesse. Cinq fois plus de risques aussi d'avoir un enfant atteint d'autisme. Elle avait trouvé ça sur Google. Frank l'avait invitée à venir passer quelques jours dans un chalet avec quelques copains de fac. Quand ils sortaient ensemble, Frank n'était qu'un étudiant bien trop porté sur la fête, sans bons résultats ni objectifs précis, et elle l'avait relégué dans la catégorie fils à papa sans identité propre. Ce qui s'était révélé faux, Frank s'en était étonnamment bien sorti dans le cabinet d'avocats de son père. Elle n'avait pas encore répondu à l'invitation.

« Voyez ça comme un cadeau de Johan Krohn et moi », déclara Finne en ouvrant sa veste.

Alise le regarda sans comprendre. Une pensée lui traversa

l'esprit, il allait l'agresser, mais elle la chassa aussitôt. Johan Krohn allait arriver d'un instant à l'autre et ils étaient tout de même dans un lieu public. Certes, il n'y avait personne à proximité immédiate, mais elle voyait quelqu'un de l'autre côté du bassin, à peut-être deux cents mètres, une personne assise sur un banc, elle aussi. « Qu'est-ce… », commença Alise, mais elle n'arriva pas plus loin. La main de fer de Svein Finne s'était refermée autour de sa gorge, alors que la droite écartait sa veste. Elle voulut reprendre son souffle, mais ne le put pas. Le pénis érigé était courbé jusqu'au gland, comme le cou d'un cygne.

« N'aie pas peur, je ne suis pas comme les autres, dit Finne. Je ne tue pas. »

Alise essaya de se lever du banc, de le frapper sur le bras, mais la main était verrouillée autour de son cou.

« Pas si tu fais ce que je te dis, poursuivit Finne. D'abord, regarde. »

La tenant toujours d'une seule main, il était assis là, les jambes écartées, exposé, comme s'il voulait qu'elle voie, qu'elle se représente ce qui l'attendait. Alise voyait. Elle voyait le cou de cygne blanc avec les veines et un point rouge qui remontait le long de la verge. Qu'est-ce que c'était ? Qu'est-ce que ça pouvait bien être ?

Puis le gland explosa dans un bruit éteint, comme quand elle assénait un coup de marteau particulièrement fort à son steak. Elle sentit une pluie chaude sur son visage, puis quelque chose dans son œil, et dut fermer les paupières alors qu'elle entendait le tonnerre rouler sur eux.

Alise crut un instant que c'était elle-même qui criait, mais en rouvrant les yeux, elle constata que c'était Svein Finne. Il tenait de ses deux mains son entrejambe, le sang giclait entre ses doigts et il la fixait avec des pupilles dilatées par le choc, de grands yeux noirs pleins de reproche, comme si c'était elle qui lui infligeait cela.

Puis le point rouge revint, sur son visage cette fois. Il glissa sur sa peau burinée, monta jusqu'à son œil. Elle voyait le point rouge contre le blanc de son œil. Finne l'avait peut-être vu aussi. Il chuchota des mots qu'elle ne comprit que quand il répéta.

« Au secours. »

Alise savait ce qui allait venir, elle ferma les yeux et eut le temps de protéger son visage avant d'entendre de nouveau le bruit, plus comme un claquement de fouet, cette fois. Puis, avec un long temps de retard, comme si le coup était tiré de loin, le même roulement de tonnerre.

Roar Bohr regarda dans le viseur.

Projetée en arrière par la dernière balle, la cible avait glissé du banc et gisait sur le flanc. Déportant son viseur du sentier, il vit la jeune femme courir en direction de Hegnar Media, se jeter dans les bras d'un homme qui se précipitait vers elle. Il vit cet homme sortir un téléphone et se mettre à pianoter, comme s'il savait exactement quoi faire. Ce qui était probablement le cas, mais qu'en savait Bohr ?

Pas plus qu'il ne souhaitait savoir.

Pas plus que ce que Harry lui avait expliqué vingt-quatre heures plus tôt.

Il avait trouvé l'homme que Bohr avait passé toutes ces années à chercher. Lors d'une conversation avec ce que Harry avait qualifié de source très fiable, Svein Finne avait avoué le viol de la fille de l'évêque Bohr des années plus tôt dans la vallée de Mærradalen.

Il y avait bien sûr prescription depuis longtemps.

Mais Harry avait ce qu'il appelait « une solution ».

Il avait dit à Bohr ce qu'il avait besoin de savoir, pas plus. Exactement comme quand il était au E14. Heure et lieu. Quatorze heures au bassin de Smestad, au banc où avaient été assis Pia et Harry.

Roar Bohr bougea encore son viseur et, de l'autre côté du bassin, il vit une femme s'en aller à grands pas. Pour autant qu'il puisse voir, elle devait être le seul autre témoin. Il ferma la fenêtre du sous-sol et posa sa carabine. Il consulta sa montre. Il avait promis à Harry que ce serait fait dans les deux minutes suivant l'arrivée de la cible et il avait tenu parole, même s'il avait cédé à la tentation de donner à Svein Finne un petit avant-goût de sa propre mort quand il s'était dénudé. Il avait utilisé des balles dites « frangibles », des balles sans plomb qui se désintégraient en atteignant leur cible et restaient dans son corps. Non pas pour leur létalité, mais parce que les experts en balistique de la police ne disposeraient ni de projectiles leur permettant de retracer une arme ni d'impacts dans le sol pour suivre la trajectoire de la balle jusqu'à son point de départ. Bref, ils se retrouveraient désemparés, à regarder une colline avec quelques milliers de maisons, sans la moindre idée de l'endroit par lequel commencer leurs recherches.

C'était fait. Il avait tué cette vermine. Il avait enfin vengé Bianca. Roar se sentait ranimé. Oui, il n'y avait pas d'autre mot. Il enferma la carabine dans son armoire à fusils et alla prendre une douche. En chemin, il s'arrêta et sortit son téléphone de sa poche. Il appela un numéro. Pia répondit à la deuxième sonnerie.

« Il y a un problème ?

— Non, fit Roar Bohr. Je me demandais juste si tu voulais dîner au restaurant ce soir.

— Au restaurant ?

— Ça fait tellement longtemps. J'ai entendu du bien du Lofoten, c'est un restaurant de poisson à Tjuvholmen. »

Il entendit son hésitation. Sa suspicion. Il suivit son cheminement de pensée qui continuait jusqu'au « pourquoi pas ? » qu'il avait lui-même pensé.

« OK, fit-elle. Tu...

— Oui, je réserve une table. Huit heures, ça te paraît bien ?
— Oui. Très bien, même. »
Ils raccrochèrent, Roar Bohr se déshabilla, entra dans la douche et ouvrit l'eau. Chaude. Il voulait une douche chaude.

Dagny quitta le parc en repartant par le chemin par lequel elle était arrivée. Elle examina comment elle se sentait réellement. Elle était trop loin pour voir les détails sur l'autre rive, mais elle en avait vu assez. Oui, elle s'était encore laissé diriger par la volonté presque hypnotique de Harry Hole, mais cette fois, il ne l'avait pas roulée, il avait tenu sa promesse. Svein Finne était sorti de sa vie. Dagny Jensen pensa à la voix grave et rauque de Hole au téléphone, qui lui avait expliqué ce qui allait se passer et pourquoi elle ne devait jamais, jamais en parler à personne. Elle avait beau avoir ressenti dès alors une singulière excitation et su qu'elle ne pourrait pas résister, elle lui avait demandé pourquoi, s'il s'imaginait qu'elle était le genre de personne qui se laissait enthousiasmer par les exécutions publiques.

« Je ne sais pas ce qui vous enthousiasme, avait-il répondu, mais vous m'avez dit qu'il ne vous suffirait pas de le voir mort pour qu'il cesse de vous hanter. Que vous deviez le voir mourir. Après tout ce que je vous ai fait subir, je vous dois bien cela. À vous de saisir cette possibilité ou de la laisser filer. »

Dagny pensa aux funérailles de sa mère, la jeune pasteure disant que personne n'avait de certitude sur ce qui se trouvait de l'autre côté de la mort, que tout ce que nous savions, c'était que ceux qui en franchissaient les portes ne revenaient jamais.

Oui, Dagny savait maintenant. Elle savait que Finne était mort. Elle savait comment elle se sentait réellement. Pas fabuleusement bien.

Mais mieux.

Katrine Bratt était assise à son bureau, elle regardait autour d'elle.

Elle avait depuis longtemps emballé les quelques affaires qu'elle voulait rapporter à la maison. Les parents de Bjørn gardaient Gert à l'appartement, et elle savait que n'importe quelle bonne mère serait probablement rentrée aussi vite que possible, mais elle voulait attendre encore un peu. Pouvoir respirer encore un peu. Prolonger cet intermède dans le chagrin étouffant, les questions sans réponses, le soupçon dévorant.

Le chagrin était plus facile à supporter quand elle était seule. Elle ne se sentait pas surveillée, elle n'avait pas besoin de faire attention à ne pas rire d'une petite singularité, d'une attitude de Gert, ou à éviter les maladresses, en disant qu'elle avait hâte que le printemps arrive, par exemple. Non que les parents de Bjørn se seraient offusqués, c'étaient des gens sages, ils comprenaient. C'étaient des gens formidables. Pas elle, de toute évidence. Le chagrin était là, mais elle parvenait à le faire fuir un peu quand il n'y avait personne pour lui rappeler en permanence que Bjørn était mort. Que Harry était mort.

Même s'ils ne le montraient pas, elle savait qu'ils devaient nourrir des soupçons. Des soupçons que, d'une manière ou d'une autre, elle devait être la raison pour laquelle Bjørn avait mis fin à ses jours. Elle savait pourtant que ce n'était pas le cas. D'un autre côté, aurait-elle dû comprendre à quel point il était mal quand elle l'avait vu s'effondrer en apprenant la mort de Harry ? Aurait-elle dû mesurer l'ampleur de la situation, comprendre que Bjørn bataillait contre des démons plus grands, une profonde dépression qu'il avait réussi à tenir en échec, à garder secrète, jusqu'à ce que la mort de Harry soit la goutte d'eau qui non seulement faisait déborder le vase, mais encore se briser tout le barrage. Que sait-on de la personne avec qui on partage sa vie ? Encore moins que sur soi-même. Il n'était pas agréable d'y songer, mais l'image qu'on se faisait des gens autour de soi était exactement cela, une image, songea Katrine.

Elle avait donné l'alerte quand Bjørn avait déposé Gert sans lui parler. Katrine venait de rentrer de l'atroce conférence de presse avec Ole Winter et avait trouvé un appartement vide, sans aucune indication sur où étaient partis Bjørn et Gert, quand l'interphone avait sonné. Elle avait répondu, entendu Gert pleurer, et, partant du principe que Bjørn avait oublié ses clefs, elle s'était contentée d'appuyer sur le bouton pour ouvrir. Elle n'avait pas entendu le grincement de la serrure, juste les pleurs du bébé dans le micro. Après avoir appelé Bjørn plusieurs fois sans réponse, elle était descendue.

Le Maxi Cosi, avec Gert dedans, était posé sur le trottoir juste devant la porte. Katrine avait regardé des deux côtés de Nordahl Bruns gate sans voir Bjørn. Elle n'avait vu personne non plus sous les porches d'en face, ce qui ne signifiait pas pour autant qu'il n'y avait personne dans les coins sombres, bien sûr. Une idée dingue l'avait traversée, que ce n'était absolument pas Bjørn qui avait sonné.

Elle était remontée avec Gert et avait composé le numéro de Bjørn, mais était tombée sur son répondeur. Déjà à ce moment, elle avait senti que quelque chose clochait et avait appelé les parents de Bjørn. Le simple fait de les avoir instinctivement appelés eux, plutôt qu'un collègue ou un ami de Bjørn vivant aussi à Oslo, lui avait fait comprendre qu'elle avait peur.

Ses beaux-parents l'avaient rassurée – il allait sûrement se manifester, avoir une bonne explication – mais Katrine avait entendu à la voix de la mère de Bjørn qu'elle aussi était inquiète. Elle aussi avait peut-être remarqué que, ces derniers temps, Bjørn n'était pas comme d'habitude.

On aurait pu penser que les enquêteurs criminels finissaient par accepter que certaines affaires, certaines questions, restent à jamais sans réponse, et passaient à autre chose. Certains n'y arrivaient jamais. Comme Harry. Comme elle. Katrine ne savait pas si c'était un avantage ou un inconvénient d'un point de vue professionnel, mais ce qui était sûr, c'est que ça ne présentait que des désavantages dans la vie en dehors du boulot. Elle redoutait déjà les semaines et les mois de nuits sans sommeil qui l'attendaient. Pas à cause de Gert, qui était réglé comme une horloge. Non, c'étaient les tâtonnements compulsifs de son cerveau sans repos qu'elle n'allait pas pouvoir taire, sa traque dans le noir.

Katrine ferma la fermeture éclair du sac avec les dossiers et les papiers à rapporter chez elle, alla à la porte, éteignit la lumière et allait quitter son bureau quand sa ligne de téléphone fixe sonna.

Elle décrocha.

« Ici Sung-min Larsen.

— Ravie de vous entendre », dit Katrine d'une voix monocorde. Non qu'elle ne fût pas ravie de l'entendre, mais si ce coup de fil signifiait qu'il avait décidé d'accepter sa proposition de poste à la Brigade criminelle, le timing n'était pas optimal.

« Je vous appelle parce que... Je ne vous dérange pas, au fait ? »

Katrine regarda par la fenêtre, le Botspark. Arbres nus, herbe fanée marron. Dans peu de temps, les arbres seraient en feuilles et en fleur, l'herbe verte. Ensuite, ce serait l'été. Prétendait-on.

« Non, répondit-elle, entendant toutefois que son ton manquait toujours d'enthousiasme.

— Je viens de vivre une étrange coïncidence, dit Larsen. J'ai obtenu aujourd'hui des renseignements qui présentent l'affaire Rakel sous un nouveau jour. Et il y a une minute, j'ai reçu un coup de fil de Johan Krohn, l'av...

— Je sais très bien qui est Krohn.

— Il est au bassin de Smestad, où il devait rencontrer, avec son assistante, son client Svein Finne. Svein Finne vient d'être abattu.

— Quoi ?

— Je ne sais pas pourquoi Krohn m'a appelé moi, il dit qu'il m'expliquera plus tard. Quoi qu'il en soit, a priori ce serait une affaire pour la police d'Oslo, c'est pour ça que je vous appelle.

— Je vais prévenir la permanence criminelle. » Katrine vit un animal rôder sur la pelouse fanée devant l'hôtel de police, en direction de la prison. Elle attendit un peu, sentit que Larsen aussi attendait. « Qu'est-ce que vous vouliez dire par coïncidence, Larsen ?

— Je voulais dire que c'est curieux que Svein Finne soit abattu seulement une heure après que j'ai obtenu une information qui refait de lui un suspect dans l'affaire Rakel. »

Katrine lâcha le sac et s'affala sur sa chaise. « Vous dites que...

— Oui, je dis que je dispose d'informations suggérant que Harry Hole serait innocent. »

Katrine sentit son cœur se mettre à battre fort. Le sang affluer dans son corps, lui picoter la peau. Quelque chose se réveiller, quelque chose qui avait été en dormance.

« Quand vous dites que vous disposez d'une information, Larsen...

— Oui ?

— On croirait que vous n'avez pas encore partagé cette information avec vos collègues. Est-ce exact ?

— Pas tout à fait. Je l'ai partagée avec vous.

— La seule chose que vous ayez partagée avec moi, c'est votre conclusion personnelle que Harry est innocent.

— Vous allez tirer la même, Bratt.

— Ah oui ?

— J'ai une proposition.

— C'est bien ce que je pensais.

— Que vous et moi nous retrouvions sur les lieux du crime et que nous continuions à partir de là.

— D'accord. J'y vais avec l'équipe. »

Katrine appela la brigade, puis ses beaux-parents, pour leur dire qu'elle allait rentrer tard. Pendant qu'elle attendait qu'ils décrochent, elle regarda de nouveau le Botspark. L'animal était parti. Son défunt père, Gert, lui avait dit que les blaireaux chassaient tout. N'importe quand, n'importe où. Ils mangeaient n'importe quoi, se battaient avec n'importe quoi. Certains enquêteurs avaient du blaireau en eux, d'autres pas. Katrine sentit qu'il était là, le blaireau, qu'il était sorti de son hibernation.

52

Quand Katrine arriva au bassin de Smestad, Sung-min Larsen était déjà sur place. Un chien en laisse tout tremblant et gémissant semblait se cacher entre ses jambes. On entendait un faible sifflement, mais pénétrant, comme l'alarme d'un réveil. Ils s'approchèrent du corps, qui était sur le flanc, à côté du banc. Katrine constata que le bruit d'alarme venait du cadavre. C'était Svein Finne. On lui avait tiré dans l'entrejambe et dans l'œil. Il n'y avai de plaie de sortie de balle ni dans le dos ni à l'arrière de la tête. Munition spéciale, peut-être. Katrine savait que ce n'était pas le cas, mais elle avait l'impression que le bruit monotone de la montre électronique du défunt s'intensifiait.

« Pourquoi personne n'a-t…

— Empreintes digitales, coupa Sung-min. J'ai un témoignage préliminaire, mais ce serait bien de pouvoir éliminer la possibilité que d'autres aient trafiqué sa montre, non ? »

Katrine acquiesça. Elle lui fit comprendre qu'ils devaient s'éloigner.

Les gens de la permanence criminelle entreprirent de boucler le périmètre pendant que Sung-min rapportait à Katrine ce qu'Alise Krogh Reinertsen et son patron, Johan Krohn, lui avaient appris sur le déroulement des événements. Ils étaient de l'autre côté du bassin, avec un certain nombre de badauds.

Sung-min lui expliqua qu'il les avait tous envoyés là-bas pour les dégager de la ligne de tir, car on ne pouvait tout de même pas exclure que Svein Finne soit une victime aléatoire et que le coupable en cherche d'autres.

« Voui, admit Katrine en plissant les yeux vers la colline. Nous nous trouvons tous les deux en pleine ligne de tir en ce moment même, donc nous ne croyons sans doute pas beaucoup à cette hypothèse.

— Non, dit Sung-min.

— Alors que croyez-vous ? demanda Katrine en se penchant pour caresser le chien.

— Je ne crois rien, mais Krohn a une théorie. »

Katrine fit un signe de tête. « C'est le corps qui a fait peur à votre chien ?

— Non. Il s'est fait attaquer par un cygne à notre arrivée.

— Le pauvre », fit Katrine en caressant le chien derrière l'oreille. Sa gorge se noua comme si elle voyait une lueur familière dans ses yeux fidèles. « Krohn vous a-t-il dit pourquoi il vous avait appelé vous ?

— Oui.

— Et ?

— Je crois que vous devriez lui parler vous-même.

— OK.

— Bratt ?

— Oui ?

— Comme je vous l'ai dit, Kasparov est un ancien chien policier. Ça vous irait que lui et moi, on commence à pister l'endroit d'où venait Finne ? »

Katrine regarda le chien tremblant. « Je peux avoir la patrouille cynophile d'ici une demi-heure. Je suppose que si Kasparov est à la retraite, c'est qu'il y a une raison.

— Il s'est usé les hanches… mais je peux le porter s'il faut beaucoup marcher.

— Ah bon ? L'odorat des chiens ne s'affaiblit-il pas avec l'âge ?
— Un peu. Enfin, c'est vrai des humains aussi. »
Katrine Bratt observa Sung-min Larsen. Visait-il Ole Winter ?
« Allez-y, dit-elle en caressant Kasparov sur la tête. Bonne chasse. »
Comme si le vieux chien avait compris ce qu'elle disait, sa queue, qui avait été comme un bâton tordu sur le sol, se mit à battre.
Katrine fit le tour du bassin.

Krohn et son assistante étaient tout pâles. Un vent du nord hésitant, mais glacial, s'était mis à souffler, un de ces vents qui mettaient le holà à toute velléité de croire que le printemps approchait.
« J'ai bien peur que vous soyez obligés de tout me raconter depuis le début encore une fois », annonça Katrine en sortant un calepin.
Krohn prit la parole. « Ça a commencé quand Finne est venu me trouver il y a quelques jours. Subitement, il était sur mon balcon. Il voulait me dire que c'était lui qui avait tué Rakel Fauke, pour que je puisse l'aider le jour où vous trouveriez sa trace.
— Et Harry Hole ?
— Après le meurtre, il a drogué Harry Hole et l'a amené sur les lieux du crime. Il avait réglé le thermostat pour que Rakel semble avoir été tuée après que Hole était arrivé dans la maison. Le mobile de Finne était que Harry Hole avait abattu son fils lors d'une arrestation.
— Ah bon ? » Katrine ne savait pas pourquoi, mais elle n'acceptait pas d'emblée cette histoire. « Finne vous a-t-il expliqué comment il était sorti de la maison de Rakel Fauke ? Puisque la porte était verrouillée de l'intérieur, je veux dire. »
Krohn secoua la tête. « La cheminée ? Qu'en sais-je ? J'ai vu

cet homme aller et venir des façons les plus inexplicables. Je lui avais donné ce rendez-vous parce que je voulais qu'il se rende à la police. »

Katrine tapa des pieds. « Qui a tiré sur Finne, à votre avis ? Et comment ? »

Krohn haussa les épaules. « Un homme comme Svein Finne, qui a agressé des enfants, a de nombreux ennemis en prison. Il a réussi à les maintenir à distance quand il était enfermé, mais je sais que plusieurs de ceux qui étaient sortis n'attendaient qu'une chose : qu'il soit libéré. Hélas, ces hommes-là disposent souvent d'armes à feu, et certains d'entre eux savent aussi comment s'en servir.

— Donc ce que vous êtes en train de dire, c'est que nous avons un tas de suspects potentiels, qui tous ont été condamnés pour des crimes graves, certains pour meurtre ?

— En effet, Bratt. »

Pas de doute, Krohn était un conteur éloquent. C'était sans doute juste parce qu'elle avait entendu trop de ses contes au tribunal que Katrine était sceptique. Elle regarda Alise. « J'ai quelques questions, ça vous va ?

— Pas tout de suite. » Alise croisa ses bras sur sa poitrine. « Il faut attendre six heures. De nouvelles études montrent que parler d'événements dramatiques plus tôt augmente le risque de traumatisme.

— Oui et là, on a un tueur qui devient plus difficile à attraper à chaque minute qui passe, expliqua Katrine.

— Ce n'est pas mon problème, moi je suis avocate », répondit la jeune femme avec un regard de défi, mais d'une voix tremblante.

Katrine avait de la peine pour elle, mais elle n'avait pas le temps de prendre de gants. « Dans ce cas, vous faites un boulot lamentable, parce que votre client est mort. D'ailleurs, vous n'êtes pas une avocate, vous êtes une gamine qui vient de finir son droit et qui baise son patron parce qu'elle croit que ça va lui donner des avantages. Ça ne vous en donnera pas. Pas plus que de jouer les dures avec moi. Alors ? »

Alise Krogh Reinertsen dévisagea Katrine. Elle cligna des yeux. Les premières larmes commencèrent à faire leur chemin sur sa jeune joue poudrée.

Six minutes plus tard, Katrine avait obtenu tous les détails. Elle avait demandé à Alise de fermer les yeux, de revivre le premier coup de feu et de dire un « là » quand la balle arrivait et un « là » quand elle entendait le tonnerre. Plus d'une seconde s'était écoulée, le tir venait donc d'au moins quatre cents mètres de distance. Katrine pensa aux points d'impact. Les parties génitales d'un homme et son œil. Ce n'était pas un hasard. Le tueur devait soit être tireur de compétition soit avoir une formation spéciale dans l'armée. Il ne pouvait pas y en avoir tant que ça qui avaient été en prison en même temps que Svein Finne. Aucun, gageait-elle.

Et un soupçon, presque comme un espoir – non, même pas, juste un souhait vain –, la traversa. Avant de disparaître. Mais cette étincelle d'une autre vérité avait laissé une chaleur, qui apaisait la douleur, comme la consolation que les croyants recherchent en s'accrochant à une croyance que leur raison rejette. Pendant quelques secondes, Katrine ne sentit pas le vent du nord, elle ne vit que le parc devant elle, l'îlot avec le saule pleureur qui allait fleurir, les insectes qui allaient bourdonner, les oiseaux qui allaient chanter. Tout ce qu'elle montrerait à Gert. Une autre pensée lui vint.

Les histoires qu'elle allait raconter à Gert sur son père.

Plus il allait grandir, plus il allait le vivre comme une partie de son identité, comme le bois dont il était fait.

Un élément qui pouvait le rendre fier ou honteux.

C'était vrai que le blaireau s'était réveillé en elle. Au cours de sa vie, un blaireau pouvait en théorie traverser la terre en creusant. Mais jusqu'où voulait-elle creuser, au juste ? Elle avait peut-être déjà trouvé ce qu'elle voulait.

Elle entendit un bruit. Non, pas un bruit. Le silence.

La montre sur l'autre rive. Elle ne sonnait plus.

En gros, l'odorat d'un chien est cent mille fois plus sensible que celui d'un humain. D'après des études récentes que Sung-min avait lues, les chiens étaient capables de davantage que sentir. L'organe de Jacobson situé dans leur palais leur permettait aussi de percevoir et d'interpréter des phéromones et autres informations inodores. Grâce à cela, et si les conditions étaient optimales, un chien pouvait suivre la trace d'un humain jusqu'à un mois après son passage.

Les conditions n'étaient pas optimales.

Le pire était que la piste qu'ils suivaient passait par un trottoir, ce qui signifiait qu'entre-temps d'autres gens et d'autres animaux étaient venus compliquer le tableau olfactif, et il y avait peu de végétation pour retenir les particules odorantes.

D'un autre côté, Sørkedalsveien et son trottoir traversaient des quartiers résidentiels peu fréquentés par rapport aux rues du centre. En plus, il faisait froid, ce qui contribuait à la conservation des particules odorantes mais, plus important encore, même avec les gros nuages qui arrivaient du nord-est, il n'avait pas plu depuis le passage de Svein Finne.

Chaque fois qu'ils approchaient d'un arrêt de bus, Sung-min se crispait, il était certain que la piste allait s'arrêter là, que Finne était descendu d'un bus, mais Kasparov continuait encore et encore, tirant sur sa laisse, semblant avoir oublié ses hanches douloureuses, et dans la côte de Røa, Sung-min commença à regretter sérieusement de ne pas avoir troqué son costume contre des vêtements de sport.

Alors qu'il transpirait ainsi, il sentait aussi son exaltation monter. Ils marchaient depuis près d'une demi-heure, et il semblait peu probable que Finne ait pris les transports en commun sur une partie du trajet, pour ensuite marcher longtemps quand ce n'était pas nécessaire.

Harry regardait vers le fjord de Porsanger, vers la mer, vers le pôle Nord, vers la fin et le début, vers ce qui devait être un horizon par temps dégagé. Aujourd'hui, la mer, le ciel et la terre se confondaient. C'était comme d'être sous une vaste coupole grisâtre, et il régnait le même silence que dans une église. On n'entendait rien d'autre que la plainte d'un goéland çà et là et le clapot mou de la mer contre la barque dans laquelle se trouvaient l'homme et le garçon. La voix d'Oleg : « … et quand j'étais rentré en racontant à maman que j'avais levé la main en classe pour dire qu'Old Tjikko n'était pas le plus vieil arbre du monde, mais les plus vieilles racines du monde, elle avait tellement ri que je croyais qu'elle allait se mettre à pleurer. Elle disait que c'était des racines comme ça qu'on avait, nous trois. Je ne lui avais rien répondu, mais je m'étais dit que ça ne pouvait pas être exact, tu n'étais pas mon père comme ces racines étaient le père et la mère d'Old Tjikko. Les années passant, j'ai compris ce qu'elle voulait dire. Que les racines, ça grandit. Que quand on était là à parler de… oui, de quoi on parlait, au juste ? De Tetris. Des temps de patinage. De groupes qu'on aimait tous les deux…

— Hmm, et qu'on…

— … détestait tous les deux. » Oleg eut un petit sourire. « On développait des racines. C'est comme ça que tu es devenu mon père.

— Hmm. Un mauvais père.

— N'importe quoi.

— Un père moyen, tu penses ?

— Un père différent. Au-dessous de la moyenne dans certains domaines, le meilleur du monde dans d'autres. Tu m'as sauvé quand tu es rentré de Hong Kong. Mais c'est drôle, ce dont je me souviens le plus, c'est les petits trucs. Comme le fait que tu me roulais.

— Moi, je te roulais ?

— Quand j'avais enfin battu ton record de Tetris, tu t'es vanté de connaître tous les noms de l'atlas qui était dans la bibliothèque. En sachant pertinemment ce qui allait se passer…

— Eh bien…

— Ça m'a pris deux ou trois mois. À un moment, mes camarades de classe me regardaient bizarrement quand je disais Djibouti, je connaissais par cœur tous les pays du monde, leurs drapeaux et leurs capitales.

— Presque tous.

— Tous.

— Non. Tu croyais que San Salvador, c'était le pays, et El Salvador…

— Ne tente pas le coup. »

Harry sourit. En sentant que c'en était vraiment un. Un sourire. Comme la première fois qu'on aperçoit le soleil après la nuit polaire. Même si une nouvelle nuit polaire l'attendait maintenant qu'il s'était enfin réveillé, elle ne pourrait pas être pire que celle qu'ils avaient derrière eux.

« Ça lui plaisait, dit Harry. De nous entendre parler.

— Ah bon ? » Oleg regarda vers le nord.

« Elle venait s'installer près de nous avec le livre qu'elle était en train de lire ou son tricot. Elle ne prenait pas la peine de nous interrompre ou de participer à la conversation, elle n'écoutait même pas. Elle disait qu'elle aimait juste entendre ce son. Que c'était le son des hommes de sa vie.

— Moi aussi, j'aimais bien ce son, dit Oleg en tirant sa canne à pêche, dont le bout se courba dans une révérence vers la surface de l'eau. Le son de maman et toi. Quand je me couchais, j'ouvrais la porte pour vous écouter. Vous parliez bas, et on aurait dit que vous vous étiez déjà dit l'essentiel, que vous vous compreniez. Que tout ce qu'il vous fallait, c'était un mot-clef ici et là, et pourtant tu la faisais rire. C'était tellement rassurant, c'était le meilleur son pour s'endormir. »

Harry rit doucement. Il toussa en songeant que le son portait loin par ce temps, peut-être jusqu'au bord. Il tira consciencieusement sur sa propre canne.

« Helga dit qu'elle n'a jamais vu deux adultes si amoureux l'un de l'autre que maman et toi. Qu'elle espère qu'on sera comme vous.

— Hmm. Elle devrait peut-être espérer plus que ça.

— Plus que quoi ? »

Harry haussa les épaules. « Voici une réplique que j'ai entendu trop d'hommes dire. Ta mère méritait mieux que moi. »

Oleg sourit furtivement. « Il n'y a pas eu tromperie sur la marchandise, maman savait ce qu'elle prenait et c'était ce qu'elle voulait. Elle avait juste besoin de cette pause pour s'en souvenir. Pour que vous sentiez tous les deux les racines d'Old Tjikko. »

Harry toussota. « Écoute, le moment est peut-être venu de te dire…

— Non, coupa Oleg. Je ne veux pas savoir pourquoi elle t'a jeté dehors. Si ça ne t'embête pas ? Ni l'autre truc non plus.

— OK, dit Harry. À toi de décider ce que tu veux en savoir. »

C'était ce qu'il disait toujours à Rakel, qui s'était fait une habitude de demander plutôt moins que plus. Oleg passa la main sur le plat-bord.

« Parce que le reste de la vérité est douloureux aussi, non ?

— Oui.

— Je t'ai entendu dans la chambre d'amis hier soir. As-tu seulement fermé l'œil de la nuit ?

— Hmm.

— Maman est morte, rien ne pourra changer ça, et pour l'instant, ça me suffit de savoir que c'est quelqu'un d'autre que toi qui est coupable. Si je m'aperçois que j'ai besoin de savoir, tu pourras peut-être me raconter plus tard.

— Tu es sage, Oleg. Comme ta mère. »

Un petit sourire et Oleg consulta sa montre. « Helga nous attend. Elle a acheté du cabillaud. »

Harry baissa les yeux sur le seau vide devant lui, contre la banquette. « Une fille intelligente. »

Ils remontèrent leurs lignes. Harry regarda sa montre, lui aussi. Il avait une place sur le vol de l'après-midi pour Oslo. Ce qui allait se passer ensuite, il l'ignorait, le plan qu'il avait élaboré avec Johan Krohn n'allait pas plus loin.

Oleg glissa les avirons dans les dames de nage et commença à ramer. Harry l'observa. Il songea à l'époque où c'était lui qui avait ramé, avec son grand-père en face sur la banquette, souriant, lui donnant de petits conseils. Se servir de son torse et tendre les bras, ramer avec le ventre, pas avec les biceps. Y aller tranquillement, ne pas s'affoler, trouver un rythme, une barque qui glissait régulièrement dans l'eau allait plus vite, même quand on employait moins d'énergie. Sentir dans ses fessiers qu'on était assis au milieu de la banquette. Tout était une question d'équilibre. Ne pas regarder les rames, juste les sentir, garder le regard braqué sur son sillage, ce qui s'était produit indiquait vers où nous nous dirigions ; mais, précisait son grand-père, cela en disait remarquablement peu sur ce qui allait se passer. Ce qui allait se passer était décidé par le coup de rame suivant. Son grand-père avait sorti sa flasque en déclarant que, quand on arrivait au bord, on voyait le trajet effectué comme une ligne continue du point de départ au point d'arrivée. Un récit unique, avec du sens et de la direction. On s'en souvenait comme si c'était là et pas ailleurs qu'on avait pensé accoster, mais lieu d'arrivée et destination étaient deux choses différentes. Non que l'un fût nécessairement meilleur que l'autre. On arrivait où on arrivait, et ça pouvait être pratique et rassurant de croire que c'était là où on avait voulu aller ou au moins vers où on se dirigeait depuis le début. Mais notre fragile mémoire était comme une gentille mère, qui nous disait qu'on y arrivait bien, que les coups de rame étaient propres et s'inséraient dans une partie logique, voulue, du récit. L'idée que, à un moment donné, on perdait le cap, qu'on ne savait plus où on était, où on allait, que la vie n'était qu'un méli-mélo de coups de rame sales et maladroits, cette idée était si désagréable que nous préférions réécrire l'histoire a posteriori. C'était pour ça que les gens qui avaient connu ce qu'on appelle le succès, et à qui on demandait d'en parler, disaient souvent que c'était le rêve – au singulier – qu'ils avaient depuis qu'ils étaient petits, réussir dans ce domaine. C'était sûrement sincère. Ils avaient sûrement juste oublié tous les autres rêves, ceux qui n'avaient pas été nourris, qui s'étaient évanouis, avaient disparu. Allez savoir si nous aurions mieux vu l'absurde chaos de hasards qu'était la vie si, au lieu d'écrire des autobiographies, nous avions écrit des prédictions de vie, nos vies telles que nous pensions qu'elles allaient être. Pour ensuite les oublier et les ressortir sur le tard, afin de voir ce dont nous avions réellement rêvé.

À peu près à ce moment-là, son grand-père avait peut-être bu une longue gorgée de sa flasque en observant le gamin, Harry. Harry avait regardé les yeux lourds du vieil homme, si lourds qu'on aurait dit qu'ils allaient dégouliner de sa tête, pleurer leur blanc et leur iris. Harry ne s'était pas fait la réflexion alors, mais il se la faisait maintenant : son grand-père avait été là à espérer que son petit-fils aurait une vie meilleure que la sienne. Qu'il éviterait les erreurs que lui-même avait commises. Mais peut-être aussi que, quand le gamin deviendrait adulte, il pourrait un jour regarder un fils, une fille, un petit-enfant ramer. Donner ses conseils. En voir certains être utiles, d'autres oubliés ou ignorés. Sentir sa poitrine gonfler, sa gorge se nouer, dans un curieux mélange de fierté et de compassion. De fierté parce que l'enfant était une version meilleure de lui-même. De compassion parce qu'il avait plus de douleur devant que derrière lui, mais qu'il ramait avec cette conviction que quelqu'un – lui-même ou au moins un grand-père – savait où ils allaient.

« On a un dossier, dit Oleg. Deux voisins et amis d'enfance qui se sont engueulés à une soirée. Jamais eu de problèmes avec eux par le passé, des gens sérieux. Ils sont rentrés chacun chez soi, mais le lendemain matin, l'un d'eux, un prof de maths, s'est pointé à la porte de l'autre avec un cric à la main. Ensuite, le voisin a porté plainte contre le prof de maths pour tentative de meurtre, il a dit qu'il l'avait frappé à la tête avant qu'il claque la porte. J'ai interrogé le prof de maths et je me dis que si lui, il est capable de tuer, on l'est tous, mais ce n'est pas le cas. Si ? »

Harry ne répondit pas.

Oleg se reposa sur ses rames. « C'est ce que je me suis dit quand on m'a expliqué que Kripos avait des preuves contre toi. Que ça ne pouvait pas être exact. Je sais bien que tu as tué en service ou pour défendre ta propre vie ou celle d'autrui, mais un homicide volontaire, planifié, un pur meurtre où tu nettoies toutes les traces ensuite. Tu n'aurais pas pu, si ? »

Harry regarda Oleg qui attendait sa réponse. Le garçon, bientôt l'homme, dont le voyage ne faisait que commencer, qui avait la possibilité de devenir quelqu'un de meilleur que lui-même. La voix de Rakel dénotait toujours une certaine inquiétude quand elle lui disait qu'Oleg l'admirait bien trop, qu'il cherchait à copier les moindres détails, sa façon de marcher, avec les pieds tournés vers l'extérieur, un peu à la Chaplin. Ses expressions et ses mots particuliers, comme le désuet « nommément » employé au sens de « précisément ». Sa façon de se frotter la nuque quand il réfléchissait fort. Ses arguments sur la légitimité de l'État de droit et ses limites.

« Bien sûr que non, répondit Harry en sortant son paquet de cigarettes de sa poche. Il faut être un type particulier de personne pour planifier un meurtre de sang-froid, et toi et moi, nous ne sommes pas comme ça. »

Oleg sourit. Il avait l'air presque soulagé. « Je peux te taxer une…

— Nan, tu ne fumes pas. Continue de ramer. »

Harry alluma une cigarette. La fumée s'éleva tout droit avant de dériver vers l'est. Il plissa les yeux vers l'horizon qui n'était pas là.

Krohn avait eu l'air passablement déconcerté à la porte de sa maison, en simple slip et chaussons. Il avait hésité un instant avant d'inviter Harry à entrer. Ils s'étaient installés dans la cuisine, où Krohn lui avait servi l'expresso insipide d'une grosse machine pendant qu'il l'interrogeait brièvement sur le secret professionnel avant de lui servir l'histoire.

Quand il en avait eu terminé, Krohn n'avait toujours pas touché à sa tasse.

« Donc ce que vous souhaitez, c'est vous disculper vous, avait résumé Krohn, sans que votre collègue Bjørn Holm soit démasqué.

— Oui. Vous pouvez m'aider ? »

Johan Krohn s'était gratté le menton. « C'est difficile. Comme vous le savez, la police ne lâchera pas un suspect sans en avoir un autre. Ce que nous avons, l'analyse de sang sur un pantalon qui montre que vous avez été drogué au Rohypnol, une consommation électrique qui montre que le thermostat a été augmenté puis baissé, ce ne sont que des indices. Votre sang pourrait dater d'un autre jour, la consommation électrique être celle d'une autre pièce, ça ne démontre rien du tout. Ce qu'il nous faut… c'est un bouc émissaire. Quelqu'un qui n'a pas d'alibi. Quelqu'un qui a un mobile. Quelqu'un que tout le monde acceptera. »

Harry avait noté l'emploi du « nous », comme s'ils formaient déjà une équipe. Un changement aussi chez Krohn, il avait retrouvé des couleurs, sa respiration était plus libre, ses pupilles dilatées. Comme celles d'un prédateur apercevant une proie, songea Harry. La même proie que lui.

« Il y a ce malentendu fréquent qu'un bouc émissaire est forcément innocent, avait dit Krohn. Or la fonction du bouc émissaire n'est pas d'être innocent, mais d'assumer la culpabilité, quoi qu'il ait fait ou pas fait. Même dans les États de droit modernes, on voit des crimes suscitant l'horreur publique où on ne met la main que sur des complices périphériques et où ceux-ci subissent des sanctions disproportionnées.

— On va droit au but ? avait suggéré Harry.

— Droit à quoi ?

— À Svein Finne. »

Krohn avait observé Harry. Il avait fait un bref signe de tête, pour signifier clairement qu'ils se comprenaient. « Avec ce nouvel élément, avait conclu Krohn, Finne n'a plus d'alibi. À l'heure du meurtre, il n'était pas encore à la maternité. Il a un mobile, il vous déteste. Vous et moi pouvons contribuer à ce qu'un violeur actif soit mis sous les verrous. Ce n'est pas un bouc émissaire innocent. Songez à toute la douleur qu'il a infligée. Vous savez, Finne a avoué, non, il s'est vanté d'avoir autrefois porté atteinte à la fille de l'évêque Bohr, qui n'habitait qu'à quelques centaines de mètres d'ici. »

Harry avait sorti son paquet de cigarettes de sa poche. Il en avait tiré une cigarette cassée. « Dites-moi ce que Finne a sur vous. »

Krohn avait ri. Il avait porté sa tasse à ses lèvres pour camoufler son rire faux.

« Je n'ai pas de temps pour les coquetteries, Krohn. Allez, tous les détails. »

Krohn avait dégluti. « Bien sûr. Je suis navré, je n'ai pas dormi. Prenez votre café, nous allons dans la bibliothèque.

— Pourquoi ?

— Ma femme… c'est moins sonore dans cette pièce. »

L'acoustique était sèche et amortie entre les livres qui recouvraient les murs du sol au plafond, et Harry avait écouté, enfoncé dans un profond fauteuil en cuir. Cette fois, c'était lui qui n'avait pas touché à son café.

« Hmm, avait-il dit quand Krohn avait terminé. On fait l'impasse sur la partie où on tourne autour du pot ?

— Avec plaisir. » Krohn avait enfilé un manteau et rappelait à Harry un exhibitionniste qui opérait dans un bosquet d'Oppsal quand il était gamin. Øystein et Harry étaient allés y faire un raid et lui avaient tiré dessus au pistolet à eau, mais ce dont Harry se souvenait le mieux, c'étaient les yeux de chien battu de l'exhibitionniste mouillé, passif, avant qu'ils ne prennent la fuite, et les remords qu'il avait eus ensuite, sans trop savoir pourquoi.

« Ce n'est pas sous les verrous que vous voulez Finne. Ça ne l'empêcherait pas de dire ce qu'il sait à votre femme. Vous le voulez parti. Complètement parti.

— Donc..., avait commencé Krohn.

— C'est ce qui est problématique pour vous si on le prend vivant. Ce qui l'est pour moi, c'est que si jamais on le trouve, il est possible qu'il ait un alibi dont nous ne serions pas au courant entre dix-huit et vingt-deux heures. Il se peut qu'il ait été avec cette femme enceinte avant d'aller à la maternité. Même si je ne pense pas qu'elle se manifesterait si Finne était tué, bien sûr.

— Tué ?

— Liquidé, terminé, annulé. » Harry avait tiré une bouffée de la cigarette qu'il avait allumée sans demander la permission. « Moi, je préfère "tué". Les vilaines choses méritent de vilains noms. »

Krohn avait eu un bref rire stupéfait. « Vous parlez comme un meurtrier de sang-froid, Harry. »

Harry avait haussé les épaules.

« Meurtrier, c'est juste. De sang-froid, non. Mais si nous voulons réussir à mener cela à bien, nous devons changer le réglage du thermostat. Vous comprenez ? »

Krohn avait acquiescé.

« Bien, avait fait Harry. Laissez-moi réfléchir un peu.

— Je peux vous piquer une cigarette en attendant ? »

Harry lui avait tendu le paquet.

Les deux hommes étaient restés silencieux, à regarder la fumée virevolter vers le plafond.

« Si…, avait commencé Krohn.

— Chut. »

Krohn avait poussé un soupir.

Sa cigarette était consumée presque jusqu'au filtre quand Harry avait repris la parole :

« Ce dont j'ai besoin de votre part, Krohn, c'est un mensonge.

— Oui ?

— Vous allez dire que Finne a avoué le meurtre de Rakel. Moi, je vais impliquer deux autres personnes. L'une travaille à la Médecine légale. L'autre est un tireur d'élite. Aucun de vous n'aura les noms des autres. D'accord ? »

Krohn avait acquiescé.

« Bien. Nous allons écrire l'invitation pour Finne lui indiquant où et quand il va pouvoir rencontrer votre assistante, et je vais vous donner de quoi la fixer sur la tombe.

— Quoi donc ? »

Harry avait tiré la dernière bouffée de sa cigarette avant de la laisser tomber dans sa tasse. « Un cheval de Troie. Finne collectionne les couteaux. Avec un peu de chance, ce couteau-ci sera l'élément qu'il nous faut pour faire taire les autres conjectures. »

Sung-min entendit un corbeau quelque part parmi les arbres alors qu'il levait les yeux sur la falaise nue devant eux. Les eaux de fonte dessinaient des rayures noires sur les trente mètres de granit gris. Ils avaient marché près de trois heures, et on voyait aisément que Kasparov avait mal. Sung-min ne savait pas si c'était la loyauté ou l'instinct de chasse qui le poussait à continuer, mais même quand ils s'étaient trouvés au bout d'un chemin forestier boueux, face à un frêle pont de corde qui traversait un ruisseau et menait à la forêt sans sentiers, il avait tiré sur sa laisse pour continuer. Sung-min avait vu des empreintes de pas dans la neige de l'autre côté, mais il devait dans ce cas traverser la passerelle en portant Kasparov tout en se tenant avec au moins une main. Et alors, s'était-il dit. Ses chaussures Loake cousues main étaient trempées et détruites depuis longtemps, mais la question était de savoir jusqu'où il pourrait aller avec ses semelles en cuir lisse sur le terrain accidenté et enneigé de l'autre côté du ruisseau.

Sung-min s'était accroupi, avait frotté ses mains froides l'une contre l'autre, regardé droit dans les yeux fatigués du vieux chien.

« Si toi, tu peux, je peux aussi », avait-il déclaré.

Kasparov avait couiné et s'était débattu alors que Sung-min le hissait dans ses bras et le portait vers une chute assurée et mouillée, mais cahin-caha, ils étaient arrivés de l'autre côté.

Et maintenant, après vingt minutes de terrain glissant, cette falaise leur barrait la route. À moins que ? Il suivit les empreintes qui menaient sur le côté de la falaise, et là, plus haut dans la pente presque à pic, il vit une vieille corde mouillée enroulée autour d'un tronc. Et ce n'était là qu'un ancrage intermédiaire, la corde continuait entre les arbres et un sentier montait comme en escalier. Mais il ne pouvait pas à la fois se hisser par la corde et porter Kasparov.

« Désolé, mon pote, ça va sûrement te faire mal. » Sung-min s'agenouilla en face de Kasparov, mit ses pattes avant de part et d'autre de son cou, se retourna et serra fortement les pattes dans son écharpe.

« Si on ne voit rien là-haut, on redescend. Je te promets. »

Sung-min saisit la corde en plaçant ses pieds sous lui. Pendu au cou de son maître, comme un sac à dos avec des pattes griffant et déchirant la veste de costume, Kasparov hurlait son impuissance. L'ascension fut plus rapide que Sung-min ne l'escomptait et, soudain, ils se retrouvèrent au sommet de la falaise, où la forêt se déployait vers l'intérieur.

Vingt mètres devant se trouvait un chalet rouge. Sung-min libéra Kasparov, mais au lieu de suivre la trace qui menait droit au chalet, celui-ci se réfugia entre les jambes de son maître et se mit à gémir.

« Allons, allons, il n'y a pas de raison d'avoir peur. Finne est mort. »

Sung-min vit l'empreinte d'un animal, une très grande empreinte, en fait. Pouvait-ce être la cause de la réaction de Kasparov ? Il fit un pas vers le chalet. Il sentit le fil contre sa jambe, mais trop tard, et il sut qu'il avait marché dans un piège. Il entendit un grésillement et eut juste le temps de voir le flash lumineux d'un objet rempli d'explosifs qui fusait devant lui. Il ferma les yeux par réflexe. Quand il les rouvrit, il dut renverser la tête en arrière pour voir l'objet qui filait dans le ciel en traînant une mince queue de fumée. Puis il y eut un bruit mat quand la fusée explosa et, même en plein jour, il put voir le scintillement jaune, bleu et rouge, comme un big bang festif en miniature.

Quelqu'un avait manifestement souhaité être alerté si quelque chose approchait. Voire faire peur à ce quelque chose, il sentait les tremblements de Kasparov contre son pied.

« C'est juste des feux d'artifice, dit-il en caressant le chien, mais merci de m'avoir prévenu, mon pote. »

Sung-min avança jusqu'à la terrasse en bois devant le chalet. Il vit au chambranle éclaté qu'il n'avait pas besoin de forcer la porte, le travail était déjà fait.

Il entra.

Il constata tout de suite qu'il n'y avait ni eau ni électricité dans le chalet. Des cordes étaient pendues à des crochets au mur, surélevées peut-être pour empêcher les souris de les ronger quand les lieux étaient inoccupés. Mais il y avait de la nourriture sur le plan de travail au-dessous de la fenêtre qui donnait sur l'ouest.

Un pain. Du fromage. Et un couteau.

Pas semblable à l'espèce de canif qu'il avait trouvé en fouillant le corps de Finne. Celui-ci avait une lame qu'il estimait mesurer un peu moins de quinze centimètres. Sung-min sentit son cœur battre lourdement, délicieusement, presque comme quand il avait vu Alexandra Sturdzas entrer au Statholdergaarden.

« Tu sais quoi, Kasparov ? chuchota-t-il en laissant son regard glisser sur le manche en chêne et la mitre en corne. Je crois bel et bien que l'hiver est bientôt fini. »

Car il n'y avait pas de doute. C'était un couteau universel Tojiro. LE couteau.

53

« Qu'est-ce que ce sera ? »

Le regard de Harry erra entre les bouteilles d'aquavit et de whisky sur les tablettes derrière le barman vêtu de blanc, avant de revenir sur l'écran de télévision muet. Il était le seul client du bar, et c'était singulièrement calme. Calme pour l'aéroport de Gardermoen. Une annonce au ton soporifique à une porte d'embarquement lointaine, une paire de chaussures rigides qui claquaient sur le parquet. Le bruit d'un aéroport qui allait fermer pour la nuit ; mais il restait encore un certain nombre d'options. Il était arrivé une heure plus tôt par l'avion de Lakselv qui faisait escale à Tromsø, et n'ayant de bagage que son sac de cabine, il était allé dans la zone de transit plutôt que dans le hall d'arrivée. Il plissa les yeux vers le grand tableau des départs en face du bar. Ces options, c'étaient Berlin, Paris, Bangkok. Milan. Barcelone ou Lisbonne. Il restait un peu de temps et le guichet des billets de SAS n'avait pas encore fermé.

Son regard revint sur le barman qui attendait sa commande.

« Puisque vous me posez la question, j'aimerais bien du son », répondit Harry en désignant l'écran de télévision où Katrine Bratt et le directeur de l'information Kedzierski, un homme avec de grands cheveux frisés, occupaient l'estrade de la salle de conférences du troisième étage, le lieu attitré des conférences de presse de l'hôtel de police. Au-dessous, une phrase défilait en boucle : « Svein Finne, suspect dans une affaire de meurtre, abattu par un tireur inconnu à Smestad. »

« Désolé, fit le barman. Toutes les télés de l'aéroport doivent rester sans le son.

— Nous sommes seuls.

— Ce sont les règles.

— Cinq minutes, juste ce reportage. Je vous donne un billet de cent.

— Et j'ai encore moins le droit d'accepter d'être soudoyé.

— Hmm. Ce n'est tout de même pas du soudoiement si je vous commande un Jim Beam et que je vous donne un pourboire parce que je suis content du service. »

Le barman sourit furtivement. Il regarda Harry plus attentivement. « Vous ne seriez pas l'autre écrivain, là ? »

Harry secoua la tête.

« Moi, je ne lis pas, mais ma mère vous aime bien. Je peux prendre une photo de nous ? »

Harry désigna l'écran du menton.

« OK. »

Le barman se pencha au-dessus du comptoir avec son téléphone et prit un selfie avant d'appuyer sur la télécommande. Le téléviseur émit quelques décibels hésitants et Harry s'avança pour mieux entendre.

Le visage de Katrine Bratt avait l'air de s'illuminer chaque fois qu'un flash crépitait. Elle écoutait d'un air concentré une question de la salle que le micro ne parvenait pas à capturer. Puis elle répondit au journaliste d'une voix limpide et assurée :

« Je ne peux pas entrer dans les détails, simplement répéter que, dans le cadre de l'enquête sur le meurtre de Svein Finne aujourd'hui, la police d'Oslo a trouvé des preuves tangibles qu'il était coupable du meurtre de Rakel Fauke. L'arme du crime a été trouvée là où il logeait. Son avocat a expliqué à la police que

Finne avait tué Rakel Fauke pour ensuite immiscer des preuves incriminant Harry Hole. Oui ? » Katrine pointa le doigt vers quelqu'un dans la salle.

Harry reconnut la voix de Mona Daa, la chroniqueuse judiciaire de *VG* : « Winter ne devrait-il pas être présent pour expliquer comment Finne a pu les rouler dans la farine à ce point, Kripos et lui ? »

Katrine se pencha vers la forêt de microphones tendus. « Ça, je laisse à Winter le soin de le faire le cas échéant dans une conférence de presse sous la houlette de Kripos. La police d'Oslo va transmettre à Winter ce que nous savons du lien de Finne avec l'affaire Rakel, mais nous sommes ici avant tout pour rendre compte du meurtre de Finne, puisque c'est ce dossier qui nous appartient exclusivement.

— Mais quels seraient vos commentaires sur la façon dont Winter a géré l'affaire ? poursuivit Daa. Kripos et lui ont donc publiquement dirigé des accusations de meurtre contre un innocent policier mort, qui travaillait ici, à la Brigade criminelle. »

Harry vit Katrine s'arrêter alors qu'elle allait répondre. Déglutir. Se reprendre. De nouveau prête. « La police d'Oslo et moi n'avons aucune critique à adresser à Kripos. Au contraire, c'est largement grâce à un de leurs enquêteurs, Sung-min Larsen, que nous semblons maintenant avoir trouvé le meurtrier de Rakel Fauke. Une dernière question. Oui ?

— *Dagbladet*. Vous avez dit ne pas avoir de suspect dans le meurtre de Finne. Nous avons des sources disant qu'il avait été menacé par d'anciens codétenus sortis de prison. Est-ce un élément que la police considère ?

— Oui, fit Katrine Bratt avant de regarder le directeur de l'information.

— Merci d'être venus, dit Kedzierski. Aucune conférence de presse n'est prévue à l'heure actuelle, mais nous... »

Harry fit signe au barman qu'il en avait assez entendu.

Il vit Katrine se lever. Elle allait sans doute rentrer chez elle maintenant. Quelqu'un avait gardé Gert. L'enfant dans le siège auto, souriant, tout réveillé, qui avait regardé Harry alors qu'il le portait dans les rues de la ville. Il avait sonné à l'appartement de Katrine, senti quelque chose autour de son index, baissé les yeux. Les petits doigts clairs de bébé avaient l'air de tenir une batte de base-ball. Le regard bleu intense paraissait lui interdire de partir, de l'abandonner ainsi, ici. Il disait que Harry lui devait un père maintenant, et quand Harry s'était tenu dans l'obscurité du porche de l'autre côté de la rue et avait vu Katrine sortir, il avait été à deux doigts de s'avancer dans la lumière de la rue. De tout lui raconter. De la laisser prendre la décision pour lui, pour eux deux. Pour eux trois. Harry se redressa sur son tabouret de bar.

Il s'aperçut que le barman avait posé un verre au contenu brun à côté de lui sur le comptoir. Harry l'examina. Juste un verre. Il savait que c'était la voix qu'il ne devait pas écouter. Qui disait : Tu mérites une petite célébration, là, allez !

Non.

Non ? OK, si ce n'est pas pour célébrer, témoigne au moins du respect aux morts en buvant un verre à leur mémoire, espèce de pauvre type sans cœur ni honneur.

Harry savait que s'il engageait la discussion avec cette voix, il allait perdre. Il regarda le tableau des départs. Le verre. Katrine était en train de rentrer chez elle. Il pouvait sortir d'ici, se poser dans un taxi. Sonner chez elle. Attendre dans la lumière, cette fois. Se relever d'entre les morts. Pourquoi pas ? Il ne pouvait pas se cacher éternellement. Pourquoi le ferait-il alors qu'il était lavé de tous soupçons ? Une idée affleura dans son esprit. Dans la voiture, sous la glace de la rivière, il avait pensé à quelque chose, mais l'idée lui échappa. Qu'avait-il à offrir à Katrine et Gert ? La vérité et sa présence ne leur seraient-elles pas plus nuisibles que bénéfiques ?

Allez savoir.

Allez savoir s'il ne cherchait pas un prétexte pour se tirer. Il pensa aux petits doigts autour de son index. Au regard impérieux. Sa réflexion fut interrompue quand il sentit son téléphone sonner. Il le regarda.

« Ici Kaja. » On l'aurait crue si près. Le Pacifique n'était peut-être pas si lointain, en fin de compte.

« Salut. Comment ça va ?

— Ça n'arrête pas, vingt-quatre heures sur vingt-quatre. Je viens de me réveiller, j'ai dormi quatorze heures. Je suis devant la tente, sur la plage. Le soleil se lève. On dirait un ballon rouge qu'on gonfle et qui bientôt, peut-être, va se détacher de l'horizon et s'envoler.

— Hmm. » Harry regarda le verre.

« Et toi ? Comment est-ce que tu gères ton réveil ?

— Eh bien. C'était plus facile de dormir.

— Ça va être dur, ce processus de deuil qui commence. Maintenant, tu as perdu Bjørn aussi. Tu as des gens autour de toi qui peuvent...

— Ouais, ouais.

— Non, tu n'en as pas, Harry. »

Il ne savait pas si elle pouvait sentir qu'il souriait. « J'ai juste besoin de prendre quelques décisions, dit-il.

— C'est pour ça que tu m'as appelée ?

— Non, j'avais appelé pour te dire que j'avais remis la clef. Merci de me l'avoir prêtée.

— Prêtée... » Elle soupira. « Le séisme a emporté une grande partie du peu de constructions qu'il y avait, mais c'est phénoménalement beau ici, Harry. Beau et détruit. Beau et détruit, tu comprends ?

— Je comprends quoi ?

— J'aime le beau et le détruit. Les comme toi. Et puis je suis un peu détruite moi-même. »

Harry se doutait à peu près de ce qui allait venir.

« Tu ne pourrais pas prendre un avion pour ici, Harry ?

— Pour une île du Pacifique frappée par un séisme ?

— Pour Auckland en Nouvelle-Zélande. Nous devons coordonner l'effort international de là et on m'a confié la responsabilité générale de la sécurité. Je pars sur un avion de fret cet après-midi. »

Harry regarda le tableau. Bangkok. D'où il y avait peut-être toujours un vol direct pour Auckland. « Laisse-moi y réfléchir, Kaja.

— D'accord. Combien de temps crois-tu que…

— Une minute. Je te rappelle. OK.

— Une minute ? » Elle avait une voix contente. « Oui, ça je devrais y arriver. »

Ils raccrochèrent.

Il n'avait toujours pas touché au verre devant lui.

Il pouvait disparaître. S'enfoncer dans l'obscurité. Puis il la retrouva, l'idée qui lui avait échappé, quand il était dans la voiture sous la glace. Non, ce n'était pas une idée, en fait, c'était juste la sensation qu'il avait eue. Ç'avait été froid. Effrayant. Solitaire. Autre chose aussi. Calme. Si curieusement paisible.

Il regarda encore le tableau.

Des endroits où un homme pouvait disparaître.

De Bangkok, il pouvait aller à Hong Kong. Il connaissait encore des gens, il pouvait sûrement trouver un boulot, un truc légal même. Ou alors il pouvait partir dans l'autre sens. L'Amérique du Sud. Mexico City. Caracas. Vraiment disparaître.

Harry se frotta la nuque. Le guichet des billets fermait dans six minutes.

Katrine et Gert. Ou Kaja et Auckland. Jim Beam et Oslo. Sobre à Hong Kong. Ou Caracas.

Harry plongea la main dans sa poche, il en sortit le petit bout de métal bleu-gris. Il regarda les points sur les faces. Il prit son souffle, mit ses mains en coupe, secoua le dé. Le laissa rouler sur le comptoir.

DU MÊME AUTEUR

Aux Éditions Gallimard

MACBETH, Série Noire, 2018.

LA SOIF, Série Noire, 2017 (Écoutez-Lire, 2018).

SOLEIL DE NUIT, Série Noire, 2016.

LE FILS, Série Noire, 2015 (Folio Policier nº 840 ; Écoutez-Lire, 2015).

DU SANG SUR LA GLACE, Série Noire, 2015 (Folio Policier nº 793).

POLICE, Série Noire, 2014 (Folio Policier nº 762 ; Écoutez-Lire, 2014).

FANTÔME, Série Noire, 2013 (Folio Policier nº 741 ; Écoutez-Lire, 2013).

LE LÉOPARD, Série Noire, 2011 (Folio Policier nº 659).

CHASSEURS DE TÊTES, Série Noire, 2009 (Folio Policier nº 608).

LE BONHOMME DE NEIGE, Série Noire, 2008 (Folio Policier nº 575).

LE SAUVEUR, Série Noire, 2007 (Folio Policier nº 552).

L'ÉTOILE DU DIABLE, Série Noire, 2006 (Folio Policier nº 527).

Aux Éditions Gaïa

RUE SANS SOUCI, 2005 (Folio Policier nº 480).

ROUGE-GORGE, 2004 (Folio Policier nº 450).

LES CAFARDS, 2003 (Folio Policier nº 418).

L'HOMME CHAUVE-SOURIS, 2003 (Folio Policier nº 366).

Aux Éditions Bayard Jeunesse

LE PROFESSEUR SÉRAPHIN ET LA FIN DU MONDE (OU PRESQUE), 2012.

LA BAIGNOIRE À REMONTER LE TEMPS, 2010.

LA POUDRE À PROUT DU PROFESSEUR SÉRAPHIN, vol. 1, 2009.

Dans la même collection

Tom Piccirilli, *Dernier murmure dans le noir*
Bryan Reardon, *Le vrai Michael Swann*
Chantal Pelletier, *Nos derniers festins*
Marin Ledun, *La vie en rose*
Elsa Marpeau, *Son autre mort*
Jørn Lier Horst, *L'usurpateur*
Patrick Hoffman, *Chaque homme, une menace*
Éric Maravélias, *Au nom du père*
Thomas Cantaloube, *Requiem pour une république*
Sergey Kuznetsov, *La peau du papillon*
Nick Stone, *Le verdict*
Lindsay Hunter, *Mauvaises graines*
Mons Kallentoft – Markus Lutteman, *Bambi – Zack III*
Antoine Chainas, *Empire des chimères*
Jo Nesbø, *Macbeth*
Tom Piccirilli, *Les derniers mots*
Marin Ledun, *Salut à toi ô mon frère*
Patrick Pécherot, *Hével*
Noah Hawley, *Avant la chute*
Jørn Lier Horst, *Les chiens de chasse*
Caryl Férey, *Plus jamais seul*
Bryan Reardon, *Jake*
Attica Locke, *Pleasantville*
Jean-Bernard Pouy, *Ma ZAD*

Composition : APS-ie.
Achevé d'imprimer
sur Roto-Page
par l'Imprimerie Floch
à Mayenne, le 24 juin 2019.
Dépôt légal : juin 2019.
Numéro d'imprimeur : 94523.

ISBN 978-2-07-278218-3 / Imprimé en France.

331719